AF238326

ACCESO GRATIS *a la Lectura en la Nube*

Para visualizar el libro electrónico en la nube de lectura envíe junto a su nombre y apellidos una fotografía del código de barras situado en la contraportada del libro y otra del ticket de compra a la dirección:

ebooktirant@tirant.com

En un máximo de 72 horas laborables le enviaremos el código de acceso con sus instrucciones.

VULNERABILIDAD AMBIENTAL Y VULNERABILIDAD CLIMÁTICA EN TIEMPOS DE EMERGENCIA

VULNERABILIDAD AMBIENTAL Y VULNERABILIDAD CLIMÁTICA EN TIEMPOS DE EMERGENCIA

Directores:

BLANCA SORO MATEO, JESÚS JORDANO FRAGA y JOSÉ F. ALENZA GARCÍA

Coordina: ELISA PÉREZ DE LOS COBOS HERNÁNDEZ

SANTIAGO M. ÁLVAREZ CARREÑO   MIGUEL MOTAS GUZMÁN

TXETXU AUSÍN DÍEZ   MÓNICA MUSALEM JARA

DARÍO CANTERLA MUÑOZ   ANTONIO ALFONSO PÉREZ ANDRÉS

EMMANUEL CARTIER   MARTÍN MARÍA RAZQUIN LIZARRAGA

TATIANA CELUME BYRNE   RODOLFO SALASSA BOIX

ANTONIO FORTES MARTÍN   EDUARDO SALAZAR ORTUÑO

CARLO IANNELLO   MIREN SARASÍBAR IRIARTE

JESÚS JORDANO FRAGA   PABLO SERRA PALAO

MANUELA MORA RUIZ   BLANCA SORO MATEO

MARTA TORRE-SCHAUB

GOBIERNO DE ESPAÑA — MINISTERIO DE CIENCIA E INNOVACIÓN

AGENCIA ESTATAL DE INVESTIGACIÓN

FEDER
Fondo Europeo de Desarrollo Regional
UNIÓN EUROPEA
"Una manera de hacer Europa"

tirant lo blanch

Valencia, 2020

En caso de erratas y actualizaciones, la Editorial Tirant lo Blanch publicará
la pertinente corrección en la página web www.tirant.com.

Financiado por : FEDER/ Ministerio de Ciencia, Innovación y Universidades
-Agencia Estatal de Investigación/_Proyecto BIODERECHO AMBIENTAL Y
PROTECCIÓN DE LA VULNERABILIDAD: HACIA UN NUEVO MARCO
JURIDÍCO –BIO-vul– (DER2017-85981-C2-1-R), 2018-2020, Programa
Estatal de I+D+i Orientada a los Retos de la Sociedad, 2017.

© AA.VV.

© TIRANT LO BLANCH
EDITA: TIRANT LO BLANCH
C/ Artes Gráficas, 14 - 46010 - Valencia
TELFS.: 96/361 00 48 - 50
FAX: 96/369 41 51
Email: tlb@tirant.com
www.tirant.com
Librería virtual: www.tirant.es
DEPÓSITO LEGAL: V-631-2020
ISBN: 978-84-1378-751-0

Si tiene alguna queja o sugerencia, envíenos un mail a: *atencioncliente@tirant.com*. En caso de no
ser atendida su sugerencia, por favor, lea en *www.tirant.net/index.php/empresa/politicas-de-empresa*
nuestro procedimiento de quejas.

Responsabilidad Social Corporativa: http://www.tirant.net/Docs/RSCTirant.pdf

Índice

Capítulo 3
LOS RETOS DEL DERECHO DE LA CATÁSTROFE EN LA ERA DEL CAMBIO CLIMÁTICO: LA VULNERABILIDAD COMO EJE MOTRIZ DEL SISTEMA
JESÚS JORDANO FRAGA

Capítulo 4
LE LIMITAZIONI DELLE LIBERTÀ COSTITUZIONALI NEI PERIODI DI EMERGENZA: IL MODELLO ITALIANO
CARLO IANNELLO

Capítulo 5
VULNERABILIDAD Y ACCESO A LA SALUD EN TIEMPOS DE CRISIS SANITARIA
EMMANUEL CARTIER

Capítulo 6
LOS PINGÜINOS ANTÁRTICOS COMO CENTINELAS DE LA VULNERABILIDAD AMBIENTAL: OTRA EVIDENCIA DE LA REALIDAD CIENTÍFICA DEL CAMBIO CLIMÁTICO
Miguel Motas Guzmán

Capítulo 7
LOS RIESGOS DE REGRESIÓN AMBIENTAL EN LA ERA COVID-19. UN ESTUDIO DE CASO EN LA REGIÓN DE MURCIA
Santiago M. Álvarez Carreño

Capítulo 8
HACIA UN DERECHO AMBIENTAL «AGRAVADO» Y DE EXCEPCIÓN PARA HACER FRENTE A LA VULNERABILIDAD CLIMÁTICA
Antonio Fortes Martín

Capítulo 9
EL CAMBIO CLIMÁTICO Y LOS TRIBUTOS AMBIENTALES EN EL DERECHO ARGENTINO
Rodolfo Salassa Boix

Capítulo 10
LA PERSPECTIVA AUTONÓMICA Y LOCAL SOBRE EL CAMBIO CLIMÁTICO: POSIBILIDADES DE LA LEGISLACIÓN ACTUAL
Manuela Mora Ruiz

Capítulo 11
LA VULNERABILIDAD DE LOS ECOSISTEMAS: REFLEXIONES PARA UNA MAYOR PRECISIÓN CONCEPTUAL
Pablo Serra Palao

Capítulo 12
LA VULNERABILIDAD AMBIENTAL EN LA CONTRATACIÓN DEL SECTOR PÚBLICO
Martín María Razquin Lizarraga

Capítulo 13
VULNERABILIDAD Y DERECHO A LA CIUDAD: RECONSTRUYENDO LAS CIUDADES DEL FUTURO
Blanca Soro Mateo

Capítulo 14

**LA VULNERABILIDAD DE LAS PERSONAS CON DISCAPACIDAD
EN LA NORMATIVA SOBRE CAMBIO CLIMÁTICO**

Miren Sarasíbar Iriarte

Capítulo 15
VULNERABILIDAD Y ACCESO A LA JUSTICIA AMBIENTAL
Eduardo Salazar Ortuño

Capítulo 16
EL IMPACTO DE LAS REGLAS DE ACCESO Y EXPLOTACIÓN DE LAS AGUAS MARINAS EN LA SOSTENIBILIDAD DE LOS ACUÍFEROS COSTEROS: UN ANÁLISIS BASADO EN EL ORDENAMIENTO JURÍDICO CHILENO
Tatiana Celume Byrne y Mónica Musalem Jara

Capítulo 17
APORTACIONES DEL DERECHO DE LA COMPETENCIA
A LA LUCHA CONTRA LA VULNERABILIDAD
AMBIENTAL: LAS AYUDAS ESTATALES Y BREVÍSIMA
MENCIÓN DEL RESTO DE INSTRUMENTOS
DARÍO CANTERLA MUÑOZ

Capítulo 18
CORRIGIENDO LA VULNERABILIDAD AMBIENTAL EN LA CIUDAD
ANTONIO ALFONSO PÉREZ ANDRÉS

Presentación
LA VULNERABILIDAD AMBIENTAL Y CLIMÁTICA COMO PREOCUPACIÓN SOCIAL Y JURÍDICA

JOSÉ FRANCISCO ALENZA GARCÍA
Catedrático de Derecho Administrativo
Universidad Pública de Navarra

LA VULNERABILIDAD COMO PREOCUPACIÓN SOCIAL

The Vulnerability Series es un proyecto del artista sirio Abdalá Al Omari en el que, a través de un variado repertorio de pinturas, muestra a los líderes políticos mundiales como personas vulnerables. Despojados de sus privilegios y de su posición de poder, Al Omari retrata a los más poderosos dirigentes políticos como personas marginadas, desplazadas y golpeadas por la guerra, por la pobreza o por la enajenación.

Barak Obama y Vladimir Putin son vagabundos entristecidos que piden ayuda con la mirada y, en el caso de Putin, con un explícito cartel (en el que se lee: «help me. God bless you»). Donald Trump aparece con una niña a cuestas, lleva todas sus pertenencias en una mochila y en una bolsa de plástico y enseña una foto de su familia de la que, como otros muchos refugiados, se ha visto separado. Angela Merkel es una humilde y triste campesina, rodeada de gallos de pelea, que parece haber perdido toda esperanza. Kim Jong Un es representado como un niño, descalzo y en pijama, que trata de ocultar a su espalda su único juguete: un misil. El presidente sirio Bashar el Assad aparece como un ejecutivo que ha perdido el trabajo y la razón —lleva un hombro fuera de la chaqueta, la corbata desanudada, la camisa abierta y en la cabeza porta un barco de papel—. Los expresidentes franceses Francois Hollande y Nicolas Sarkozy son pintados como dos vagabundos sentados en la calle, sin zapatos y con una botella de vino. Especialmente impactante es *La cola* («The queue»), en la que una serie personas, portando recipientes vacíos, esperan con angustia recibir las raciones alimenticias para su supervivencia. Cuando prestamos atención a los rostros de las personas que forman la cola empezamos a reconocer a Obama, a Cameron, a Boris Johnson, a Putin, a Kim Jong, a el-Asad, a Bang Ki-Moon y a otros líderes mundiales de Occidente y de Oriente.

Las series de la vulnerabilidad pueden ser vistas como una dulce venganza del artista por su forzado exilio. También pueden ser consideradas como una manera de humanizar a los dirigentes políticos despojándoles de su poder. Y pueden ser también interpretadas como una lección sobre la vulnerabilidad que enseña que la condición de vulnerable es predicable de todas las personas y que puede alcanzar, con un mínimo cambio de circunstancias, a los más inesperados personajes.

En 2015 se instaló en la ribera del Támesis, *The Rising Tide*, un conjunto escultórico de Jason de Caires Taylor en el que cuatro jinetes están montados sobre caballos cuya cabeza es la pieza más característica de las máquinas de extracción petrolífera. Con las crecidas del río (o del mar[1]) causadas por las mareas, los jinetes y sus monturas se sumergen bajo las aguas mostrando la impotencia del ser humano ante la fuerza de la naturaleza. Estos nuevos cuatro caballos del apocalipsis representan, en suma, la vulnerabilidad del hombre ante el cambio climático y su segura desaparición bajo las aguas si no se desarrolla una efectiva acción ante la emergencia climática. Dos de los jinetes son ejecutivos que, con los brazos cruzados o mirando hacia el infinito, permanecen impasibles o insensibles al crecimiento de las aguas. Los otros dos son jóvenes que se muestran preocupados por la situación y representan la esperanza de una acción climática eficaz.

No sólo las artes plásticas han incorporado la vulnerabilidad a su temática. También lo han hecho las artes cinematográficas y televisivas. Entre las muchas películas que abordan la fragilidad de la existencia humana, cabe destacar la surcoreana *Parásitos* —premiada en 2019 con cuatro Óscar— que muestra la destrucción de dos familias, una pobre y otra acomodada, como consecuencia de las mutuas interacciones que se producen a partir de la intrusión disruptiva de una en la vida de la otra. No faltan en la película los crueles efectos

---

[1]   Posteriormente, *La Marea Creciente* se instaló en la bahía de Naos de Lanzarote.

de las anomalías climáticas que, lógicamente, afectan más a la familia más vulnerable al inundar el semisótano en el que tenían su mísera vivienda.

La vulnerabilidad ocupa también un lugar destacado en la temática de la serie televisiva que ha batido todos los récords. *Juego de Tronos* enfatiza la idea de que la vulnerabilidad puede alcanzar a todo tipo de personas, a todas las organizaciones políticas, a todo tipo de bienes y a la naturaleza. El cambio climático que está llegando a los Siete Reinos de Poniente (*winter is coming*) amenaza con destruir su civilización. Los primeros efectos del invierno que llega se reflejan en el deterioro de los sistemas naturales (los bosques se hielan, las cosechas desaparecen) y en la muerte de animales domésticos, salvajes y fantásticos (hasta los todopoderosos dragones son vulnerables y pueden morir). La vulnerabilidad climática también afecta a las infraestructuras, viviendas y obras construidas por el hombre. La más imponente construcción humana de Poniente, el Muro de hielo, que ha soportado incólume el paso de los siglos, se derretirá, de igual forma que está sucediendo ya con los glaciares y con los hielos del ártico. La historia también relata la vulnerabilidad de los sistemas políticos. Los más poderosos reinos (Valyria), las más fuertes dinastías (Targaryen) y las más ricas repúblicas (las Ciudades Libres de Essos) sucumben a la inevitable vulnerabilidad y no resisten el paso del tiempo. Sin perjuicio de lo anterior, es la vulnerabilidad de las personas la que con mayor virulencia se muestra en *Juego de Tronos*. La serie otorga un gran protagonismo a algunos personajes especialmente vulnerables (personas con discapacidad, esclavos, bastardos, mujeres, etc.). Pero, tiene la virtud de extender la vulnerabilidad a todo tipo de personas. Los grandes señores e incluso los reyes son vulnerables. Tras la enésima muerte de un aspirante a reinar en el Trono de Hierro, se llega a afirmar que «este otoño los reyes están cayendo como hojas». Y es que nadie está seguro en Poniente. Ni los que por sus condiciones físicas, psíquicas, o personales presentan características que los hacen más vulnerables a los riesgos que presenta la vida en Poniente, ni el pueblo en general, ni los señores en sus castillos, ni los reyes en sus tronos.

¿Por qué la vulnerabilidad —en general, y la climática en particular— se ha convertido en uno de los temas predilectos del arte contemporáneo y de las series de televisión? La respuesta, en mi opinión, se debe a que las artes se limitan a reflejar la creciente sensación de vulnerabilidad ante la constatación de que estamos viviendo en un mundo convulso, incierto e inseguro. La crisis económica ha puesto fin a la sensación de desarrollo económico continuado e ilimitado. La polarización política causada por los populismos demagógicos y algunos sorprendentes resultados electorales (Trump, Brexit) generan también un ambiente de caos y de inseguridad generalizada. La globalización de un terrorismo brutal ha demostrado que puede alcanzar a cualquier persona, en cualquier país del mundo. Los riesgos ambientales y climáticos, cada vez menos cuestionados, acentúan la sensación de vulnerabilidad. Y a todo ello se ha sumado la pandemia causada por el coronavirus que ha demostrado, con más rotundidad de la que nos hubiera gustado, la vulnerabilidad de sistemas políticos, económicos y naturales.

Es indudable, en suma, que la vulnerabilidad se encuentra en la primera fila de las preocupaciones sociales. Y, como a continuación se verá, también ha ido ganando protagonismo entre las preocupaciones del Derecho.

LA VULNERABILIDAD COMO PREOCUPACIÓN DEL DERECHO

Cuando en 2017 —el mismo año en que Al Omari presentó *The Vulnerability Series*— formulamos el Proyecto de Investigación «Bioderecho ambiental y protección de la vulnerabilidad»[2] no podíamos imaginar el protagonismo que iría ganando la vulnerabilidad en la legislación ambiental y climática. La hipótesis de partida (sobre la que llamó la atención la investigadora principal del proyecto, la profesora Soro Mateo) era incluir en el análisis de la legislación ambiental y climática los retos que planteaba la vulnerabilidad de las personas y la de los grupos en los que se integran, así como la de los elementos más frágiles del ambiente natural.

---

[2]   DER2017-85981-C2-1-R y DER2017-85981-C2-2-R, 2018-2020, Programa Estatal de I+D+i orientada a los Retos de la Sociedad, 2017.

Aquella hipótesis se ha mostrado con el tiempo como extraordinariamente acertada y fecunda, ya que se ha ido produciendo una exitosa incorporación de la idea de vulnerabilidad al ordenamiento jurídico en su conjunto y, en particular, al Derecho ambiental. Esa integración, sin embargo, se ha realizado de manera poco armónica y descoordinada dando lugar a una heterogeneidad de objetos y de sujetos vulnerables que hace extraordinariamente difícil —o imposible, más bien— destilar un concepto jurídico unívoco de vulnerabilidad. Ni siquiera en un ámbito específico, como es de la normativa ambiental y climática, va a ser posible establecer ese concepto por el sentido polisémico y omnicomprensivo con el que se utiliza.

Debe advertirse que la protección jurídica de la vulnerabilidad no es algo novedoso. El Derecho se ha mostrado siempre sensible a la protección de lo vulnerable, es decir, de aquello que aparece como débil, endeble, delicado, frágil, inerme, indefenso, desvalido. Podría incluso afirmarse que es consustancial al Derecho la protección y tutela de la vulnerabilidad. La justicia, y su emanación que es el Derecho, demandan un tratamiento igualitario y no discriminatorio de todas las personas y, por ende, la protección del débil y del vulnerable.

La protección ligada a situaciones individuales de vulnerabilidad estuvo presente desde el Derecho Romano y se mantuvo durante los sistemas jurídicos de las edades media y moderna. Actualmente muchas instituciones, principios y reglas jurídicas responden a esa de protección del débil, del vulnerable. A este fundamento responden, entre otras, la presunción de inocencia, el principio *in dubio pro reo*, las circunstancias atenuantes de la responsabilidad (legítima defensa, estado de necesidad, obediencia debida), etc. Con el Estado social emerge una nueva forma de atención desde el Derecho a los colectivos vulnerables a través de la acción social pública.

No hay, por tanto, novedad en la protección jurídica de la vulnerabilidad. Lo novedoso está siendo el prolífico uso —quizá abuso— que, en los últimos tiempos, se está haciendo por el legislador del término «vulnerable». Se ha convertido en una de esas expresiones de fortuna que, sin conocer bien las razones que lo expliquen, se extienden sobre todo tipo de realidades y de situaciones. Y, suele suceder, que cuando un significante acoge los más variopintos y heterogéneos significados, acaba convirtiéndose en un elemento perturbador, confuso e ineficaz, especialmente cuando se trabaja con él en el plano jurídico.

Normas muy distintas han acogido la idea de la vulnerabilidad y la han aplicado a objetos y sujetos muy heterogéneos. Pueden identificarse, por ello, diferentes tipos de situaciones o contextos de vulnerabilidad. Atendiendo a los principales sectores normativos que manejan el término «vulnerabilidad» (o alguno de análogo significado) pueden señalarse diferentes ámbitos. El más amplio es el de la vulnerabilidad socio-económica (que tutela a las personas con discapacidad, que atiende las contingencias de los trabajadores, y que protege las personas en riesgo de exclusión social como las víctimas de violencia de género, las personas sin hogar, los inmigrantes, los adictos en rehabilitación social, las víctimas de la trata de seres humanos, etc.). La vulnerabilidad sanitaria, que puede ser considerada una subespecie de la anterior, es la que propicia prestaciones o campañas sanitarias específicas para los que presentan mayor riesgo de sufrir determinadas enfermedades (ancianos, niños, enfermos crónicos, personas con enfermedades raras, etc.). En materia de consumo, determinados consumidores y usuarios de servicios (en los sectores de las telecomunicaciones, de la educación, de la energía eléctrica, de la publicidad, del de juego, etc.) demandan actuaciones de tutela y protección frente a posibles abusos o frente al ejercicio de actividades económicas comerciales que no tienen en cuenta la especial situación de esos consumidores especialmente vulnerables, ya sea por dificultad económica para acceder a servicios básicos, o por falta de capacidad para enfrentarse a dichas prácticas.

La vulnerabilidad jurídica presenta rasgos propios (algunos comunes con los anteriores tipos) y fundamenta actuaciones de tipo jurídico para la salvaguarda de los derechos de los sujetos o para facilitar su ejercicio, ya se deba a situaciones de incapacidad personal, de exclusión social u otro tipo de factores (tutela, curatela, asistencia jurídica gratuita, etc.).

La polisemia jurídica que la legislación atribuye al término «vulnerabilidad» resulta excesiva para poder formular un concepto unívoco y uniforme. Son realidades muy diversas y heterogéneas las que, en cada sector normativo, reciben el calificativo de vulnerables. Además, no existe ningún tipo de comunicación o de coordinación entre la normativa que utiliza el concepto de vulnerabilidad. Ello impide manejarlo de manera transversal y obliga a que se tenga que descubrir el distinto significado que tiene en cada uno de los sectores normativos que lo utilizan.

La crisis de 2008 y las convulsas reformas que afectaron al sistema de servicios sociales pusieron al descubierto diversas facetas de la vulnerabilidad: la del sistema financiero, la del Estado del Bienestar y, por supuesto, la de las personas especialmente vulnerables que más necesitaban den esa situación crítica de la acción de los servicios sociales. Si aquella crisis destapó la vulnerabilidad socioecónomica, la actual emergencia climática ha puesto sobre la mesa la creciente vulnerabilidad ambiental.

Por ello, el Derecho ambiental no ha quedado al margen de la entusiasta acogida normativa del término de la «vulnerabilidad» y también ha venido haciendo un uso frecuente del mismo. Incluso podría decirse que es uno de los grupos normativos que más tempranamente acogió la idea de protección de lo vulnerable. Algo que resulta perfectamente comprensible teniendo en cuenta la constatación, cada vez más evidente, de la fragilidad de los sistemas naturales y de la incidencia de las conductas humanas en el equilibrio de los sistemas naturales y en las condiciones ambientales de la existencia humana.

Una específica forma de vulnerabilidad ambiental es la climática. El cambio climático es la mayor amenaza que tiene planteada la humanidad. La lucha contra el cambio climático y las necesidades de adaptación a lo inevitable, han revelado también vulnerabilidades de diferente intensidad en los países y espacios geográficos, en los ecosistemas, en los bienes materiales (infraestructuras, patrimonio cultural), en las especies de fauna y flora, y, por supuesto, en las poblaciones y en determinadas personas.

Ese uso intensivo y polisémico del término por parte de la normativa ambiental y climática impiden decantar un concepto jurídico unívoco de vulnerabilidad ambiental o climática. En el caso de la legislación climática se acentúa esa imposibilidad porque vulnerabilidad se utiliza como un concepto omnicomprensivo, sinérgico e interdependiente. A ello ha contribuido la constatación —irrefutable ya científicamente— de las graves amenazas que la contaminación y el cambio climático entrañan para todo y para todos. Ante el cambio climático todo y todos somos vulnerables.

Esa dificultad conceptual no obsta para apreciar la existencia de un amplio repertorio de técnicas jurídicas para hacer frente a la vulnerabilidad ambiental y climática. De acuerdo con su finalidad, pueden distinguirse técnicas de gestión de la vulnerabilidad (identificación y evaluación de riesgos; información, transparencia y participación; legitimación), técnicas de reducción de la vulnerabilidad (tutela compensatoria mediante la capacitación de lo vulnerable; tutela preventiva y tutela correctora) y técnicas reparadoras de los daños ambientales y climáticos.

Asimismo, la insistencia de la legislación ambiental y la climática en señalar como uno de sus objetivos básicos el de la reducción y tutela de la vulnerabilidad, permite aventurar que se está consagrando un principio de protección de la vulnerabilidad ambiental y climática. Dicho principio exige la adopción de medidas específicas para la reducción de la vulnerabilidad y enfatiza y refuerza otros principios y reglas ambientales para priorizar la protección de la vulnerabilidad.

En este sentido, cabe destacar que el proyecto de Ley de cambio climático y transición energética incluye ya, entre sus principios rectores el de «protección de colectivos vulnerables, con especial consideración a la infancia» (art. 2, g).

UN LIBRO QUE MUESTRA LA POLIVALENCIA DE LA IDEA DE VULNERABILIDAD PARA EL ESTUDIO DE LA EMERGENCIA CLIMÁTICA

El prolífico uso de la idea de vulnerabilidad en la más reciente legislación ambiental y climática, permite usarla como un enriquecedor enfoque en la reflexión jurídica de las distintas cuestiones que plantea la emergencia climática.

Buena prueba de que lo fructífero que resulta la perspectiva de la vulnerabilidad climática son los variados y heterogéneos contenidos que presentan los dieciocho capítulos de este libro.

Una parte de esos capítulos se centran en las implicaciones de la emergencia climática, ya sea para destacar el imperativo ético del cuidado ambiental (capítulo 1 de Ausín Díez), ya sea para analizar la construcción híbrida de la idea de urgencia climática con elementos jurídicos, científicos y políticos (capítulo 2, de Torre-Schaub), o bien se utilice para valorar la limitación de las libertades constitucionales que dicha emergencia puede entrañar (capítulo 4 de Carlo Iannello).

Otro grupo de capítulos del libro analiza los retos que la vulnerabilidad climática presenta al Derecho ambiental tanto desde una perspectiva general (capítulo 8 de Fortes Martín), como desde una perspectiva autonómica y local (capítulo 10 de Mora Ruiz), Otros capítulos advierten de los riesgos de regresión ambiental que presenta la situación pandémica (capítulo 7 de Álvarez Carreño), y señalan los nuevos retos del acceso a la justicia ambiental (capítulo 15 de Salazar Ortuño).

Un tercer grupo de capítulos analiza los instrumentos jurídicos específicos que pueden utilizarse para reducir la vulnerabilidad o para reparar las situaciones de vulnerabilidad. En este ámbito se desarrolla la propuesta de que la vulnerabilidad sea el eje motriz del sistema de reparación de las catástrofes (capítulo 3 de Jordano Fraga), se analiza el papel que pueden desempeñar los tributos ambientales en la lucha contra el cambio climático (capítulo 9 de Salassa Boix), se estudian las posibilidades de la incorporación de la vulnerabilidad ambiental en la contratación del sector público (capítulo 12 de Razquin Lizarraga), y también se muestra cómo se pueden y deben integrar los objetivos ambientales en la política de competencia (capítulo 17 de Canterla Muñoz).

No podían faltar capítulos que estudiaran las implicaciones de la vulnerabilidad climática en los sistemas naturales, como sucede con los ecosistemas (capítulo 11 de Serra Palao) y con los acuíferos costeros (capítulo 16 de Celume Byrne y Musalem Jara). Especial mención debe hacerse del capítulo que se ocupa de la vulnerabilidad climática de la Antártica y que desvela el papel que tienen los pingüinos antárticos como centinelas de la vulnerabilidad (capítulo 6, de Motas Guzmán).

Finalmente, otros capítulos se centran en la vulnerabilidad climática y ambiental de las personas. Se estudia, por ejemplo, el impacto que la crisis sanitaria puede tener sobre las personas vulnerables y el acceso a la salud (capítulo 5 de Emmanuel Cartier), así como la escasa atención que la normativa climática presta a la situación de las personas con discapacidad en la normativa climática (capítulo 14 de Sarasíbar Iriarte). Otros dos capítulos se ocupan de analizar cómo deben ser las ciudades para que dejen de ser una de las causas principales del cambio climático y se conviertan en parte de la solución, de manera que respeten las exigencias del derecho a la ciudad y atiendan a la vulnerabilidad ambiental de las ciudades (capítulos 13 y 18 de Soro Mateo y de Pérez Andrés, respectivamente).

Los variados contenidos de este libro, en definitiva, ofrecen un extenso repertorio de las posibles proyecciones que tiene el principio de protección de la vulnerabilidad en tiempos de emergencia climática.

Capítulo 1
ÉTICA, EMERGENCIA, SEGURIDAD: ÉTICA DEL CUIDADO PARA UN MUNDO EN EMERGENCIA

TXETXU AUSÍN DÍEZ
Científico Titular
Instituto de Filosofía, CSIC

1. SEGURIDAD Y MIEDO

Estamos seguros cuando evitamos el peligro y el daño, cuando algo es firme, estable y no falla. Por ello la seguridad se vincula con la susceptibilidad a padecer un daño, con la vulnerabilidad (un asunto sobre el que volveremos más adelante).

La seguridad, sentirse protegido, ocupa el segundo nivel de las necesidades primordiales de Maslow, solo por encima de las necesidades fisiológicas, y es una de las siete necesidades básicas del ser humano según Malinowski. La seguridad consiste en reducir los riesgos de daño y de perjuicio, si bien el riesgo es inherente a cualquier actividad y nunca puede ser eliminado del todo; como mucho prevenido o mitigado. Convivimos no solo con la posibilidad de riesgos sino con grandes incertidumbres, fruto del desconocimiento, como sucede en la crisis actual provocada por la pandemia de la COVID-19.

La incertidumbre y el desconocimiento son elementos consustanciales de la realidad y si bien provocan desasosiego, también son una fuente de creatividad, oportunidad y descubrimiento. Finalmente, las decisiones públicas, aún basadas en el mejor conocimiento experto disponible, no son una mera cuestión técnica o epistémica (lo que se sabe frente a lo que no se sabe) sino también de preferencia, cultura y valores (lo que se debería o no debería hacer, lo que estamos dispuestos a aceptar como sociedad); la pandemia de la COVID-19 nos da innumerables ejemplos de ello: qué nos debemos unos a otros, cómo

priorizar en contextos de escasez de recursos sanitarios, si establece-
mos la obligatoriedad de las vacunas...

No se trata de elegir entre riesgo y seguridad, sino entre unos riesgos u otros. Se trata, en definitiva, de gestionar el desconocimiento,
más que el conocimiento, pues las principales controversias sociales
giran ya en torno las preguntas sobre lo que sabemos, lo que no sabemos y todas las formas de saber incompleto a partir de las cuales
hemos de tomar nuestras decisiones colectivas (Innerarity 2011). Este
contexto se denomina «ciencia post-normal» (Funtowicz y Ravetz
2000), una ciencia caracterizada por la incertidumbre sobre los hechos, los valores en disputa, los enormes desafíos (riesgos sistémicos)
y las decisiones urgentes (emergencias).

Está claro que la seguridad implica la protección de las personas,
sus bienes y sus derechos. Por ello, suele identificarse la seguridad
con el conjunto de medios y medidas destinado a velar por el orden
público y así se habla de las fuerzas y cuerpos de seguridad del estado,
de ciberseguridad, de seguridad vial y de la defensa de la seguridad
nacional a cargo del ejército. Pero no se puede reducir la seguridad a
la policía o el servicio de bomberos. La seguridad significa igualmente, y ahora lo estamos viendo de modo palmario, la salud pública,
el acceso a medicamentos esenciales y tratamientos, el alimento y el
agua seguros, la seguridad social (en caso de enfermedad, accidente,
incapacidad, jubilación...), la protección laboral y del consumidor, el
acceso a la vivienda, la prevención de desastres y, muy sustancialmente, la protección y el cuidado del medio ambiente.

Precisamente, a diferencia de la idea tradicional de seguridad, vinculada al concepto de defensa estatal frente a una agresión externa
para mantener la integridad territorial, el Informe sobre Desarrollo
Humano de 1994 del PNUD introdujo que el alcance de la seguridad,
ya mundial, debe ampliarse para incluir las amenazas en siete esferas:

- Seguridad económica: Implica un ingreso básico asegurado
  para los individuos, generalmente a partir de un trabajo pro-
  ductivo y remunerado o, como último recurso, de una red de
  seguridad financiada públicamente.

- Seguridad alimentaria: Requiere que todas las personas tengan
  en todo momento acceso físico y económico a los alimentos
  básicos.

- Seguridad sanitaria: Garantizar un mínimo de protección contra las enfermedades y los estilos de vida insalubres, las más de las veces debidos a la malnutrición y al acceso insuficiente a los servicios de salud, al agua potable y a otras necesidades básicas.

- Seguridad personal: Se trata de proteger a las personas de la violencia física, ya sea del estado o de estados externos, de individuos violentos y actores subestatales, del abuso doméstico o de adultos depredadores. Para muchas personas, la mayor fuente de ansiedad es la delincuencia, en particular los delitos violentos.

- Seguridad de la comunidad: Tiene como objetivo proteger a las personas de la pérdida de las relaciones y valores tradicionales y de la violencia sectaria y étnica.

- Seguridad política: Se refiere a si las personas viven en una sociedad que respeta sus derechos humanos básicos.

- Seguridad ambiental: Tiene por objeto impedir el deterioro ambiental, especialmente debido a la intervención del ser humano, y proteger de los daños que provocan estos estragos en el medio ambiente. Un gran número de componentes ambientales y sociales entrelazados entre sí crean el marco para la seguridad humana integral bajo el supuesto de que ninguna de esas dos categorías es alcanzable a largo plazo sin la sinergia entre ambas, es decir, que las tendencias de las tensiones ambientales, de recursos y de población se están intensificando y determinarán cada vez más la calidad de la vida humana en nuestro planeta y, como tal, son un gran factor determinante de nuestra vulnerabilidad, como veremos más adelante. Además, la seguridad ambiental remite a una utilización racional de los recursos naturales en la medida en que no se debería comprometer la capacidad de las generaciones futuras para su propia supervivencia.

Todos estos elementos están interrelacionados y son insustituibles y necesarios para el ejercicio del derecho fundamental a la vida —constituyendo el sentido último de los servicios públicos y de la organización política de la sociedad. Pensemos, por ejemplo, en la importancia del medio ambiente para la salud, como han puesto de relieve informes de la OMS y la zoonosis relacionada con el origen de la actual pandemia.

La interdependencia es la cualidad que nos caracteriza como especie en nuestro vínculo con otros individuos humanos, con los otros animales no humanos y con el medio ambiente del que formamos parte. Ello supone una visión relacional del ser humano frente al individualismo moderno y su concepción «desvinculada» del yo, sustentada en el mito de un sujeto independiente, descorporizado y desconectado de los otros y de su entorno natural.

Finalmente, sentirse seguro es encontrarse libre de miedo, esa perturbación angustiosa del ánimo por un riesgo o daño, real o imaginario. Una focalización en el miedo puede producir un juicio deformado, produciendo un miedo excesivo hacia acontecimientos improbables y, a la vez, una confianza infundada hacia situaciones que plantean un peligro genuino. El problema es el temor hacia riesgos no existentes o triviales y simultáneamente el descuido de los peligros reales. Porque el miedo nos pone en alerta y los miedos racionales nos permiten protegernos y defendernos de peligros, amenazas y males que nos acechan, ya que el miedo remite a la idea de que estamos en peligro.

2. PELIGROS Y EMERGENCIAS

Desde finales del siglo XX se viene caracterizando nuestra época como «sociedad del riesgo», si bien el concepto de riesgo es realmente polisémico y se utiliza tanto para referirnos genéricamente a un suceso no deseado como a sus causas, su probabilidad o su valor estadístico esperado.

Sea como fuere, no significa nada nuevo, pues protegernos de los riesgos ha sido lo propio del estado moderno —la razón de ser del estado del bienestar— y del tradicional derecho de daños.

Sin embargo, los modernos teóricos del riesgo contraponen a los riesgos calculables y limitados de la sociedad industrial, otro tipo de peligros y amenazas con las siguientes características, las más de las veces interconectadas entre sí:

- Los nuevos riesgos están provocados por el ser humano, son «incertidumbres fabricadas», no tanto intencionadamente sino como efectos secundarios o subproductos de las innovaciones tecnológicas, económicas y políticas del capitalismo global.

- Se trata de peligros potenciales, son interpretaciones sociales que se anticipan, aunque sus daños no pueden observarse empíricamente.

- Se trata de sucesos inciertos a los que no es posible asignar una distribución de probabilidad —incertidumbre incalculable.

- Son el resultado de factores causales complejos y difíciles de determinar. Las tecnologías modernas no son como las tecnologías artesanales del pasado, ya que constituyen sistemas complejos en los que participan una diversidad de actores y que tienen, por tanto, consecuencias imprevisibles.

- La magnitud de los daños potenciales en los nuevos riesgos es ilimitada. Así se habla de riesgos catastróficos que pueden poner en peligro la posibilidad de vida en el planeta.

- Consecuencia de lo anterior, los daños no se pueden compensar, en la medida en que las intervenciones con riesgo pueden ser permanentes e irreversibles y los mecanismos tecnológicos no pueden salvar sus efectos (no hay lugar a un «solucionismo» tecnológico).

- El ámbito de alcance de estas amenazas es global, aunque su origen pueda ser local, superando los límites tradicionales del estado-nación.

Hemos utilizado indistintamente las expresiones peligros y amenazas para referirnos a estos nuevos riesgos que escapan a una determinación probabilística y que, vinculados a la acción humana, pueden adquirir un carácter catastrófico y global. Por ello, sería más correcta la denominación «sociedad de los peligros» (o de las emergencias) para referirse a nuestro tiempo.

Se utiliza el concepto de «emergencias complejas» para referirse a aquellas crisis que tienen su origen en causas convergentes de carácter social, cultural y medioambiental (Newman 2004).

Piénsese en el cambio climático, las pandemias, la energía nuclear, el terrorismo a gran escala o las crisis financieras. Esta situación de riesgos sistémicos se ve agravada, de ahí la «emergencia», por la velocidad característica de esta era de los humanos o Antropoceno, entendida como una transformación humana radical de la biosfera:

«La Gran Aceleración es como se conoce al fenómeno de rápidas transformaciones socioeconómicas y biofísicas que se inició a partir de mediados del siglo XX como consecuencia del enorme desarrollo tecnológico y económico acontecido tras el final de la Segunda Guerra Mundial. (…) este fenómeno habría sumido al planeta Tierra en un nuevo estado de cambios drásticos inequívocamente atribuible a las actividades humanas. Así, el enorme crecimiento del sistema económico-financiero mundial, junto al desarrollo tecnológico y al proceso de globalización, habrían posibilitado un acoplamiento a escala planetaria entre el sistema socioeconómico y el sistema biofísico de la Tierra que representaría el comienzo de la era de los humanos [Antropoceno]» (Mateo Aguado, *Vivir bien en un planeta finito* (tesis doctoral). Tomado de Riechmann 2016: 73).

3. VULNERABILIDAD

Una respuesta ética a los problemas de la emergencia eco-social contemporánea (donde se imbrican problemas ecológicos y cuestiones de justicia social y desarrollo humano) debe partir de un hecho básico: la vulnerabilidad, humana y del planeta. Una vulnerabilidad que es susceptibilidad al daño, al perjuicio, a la lesión, que se vincula con la fragilidad, el dolor, la limitación, la enfermedad, el deterioro y la muerte, y que tenemos en común animales humanos, no humanos y el resto del medio ambiente biofísico.

Se trata, en primera instancia, de una vulnerabilidad intrínseca, esencial y constitutiva, que compartimos los seres vivos y el planeta en su totalidad. Una vulnerabilidad que constituye nuestra condición y la de nuestro entorno y que se manifiesta en la fragilidad, las limitaciones, la decadencia y la finitud. Y que tiene que ver con una visión relacional del ser humano no solo desde el punto de vista de las sociedades humanas, sino incluyendo la mutua dependencia de los animales humanos, los no humanos y el resto de la biosfera. Ya hemos comentado anteriormente la inevitable interrelación entre las diferentes esferas que definen la seguridad y que expresan el carácter sustancialmente interdependiente del ser humano, vinculado ineludiblemente a los otros seres humanos, a los no humanos y al medio ambiente; un ser humano que frente al mito moderno del individuo soberano, autónomo e independiente, reconoce su fragilidad y vulnerabilidad ante una gran cantidad de aflicciones diversas, subrayando que la manera de afrontar esa circunstancia solo la controlamos nosotros en una escasa medida y lo habitual es que aumente nuestra dependencia de los demás. Así, la vulnerabilidad adopta un rol social, más allá de la disposición intrínseca y la mera contingencia, de modo que surgen obligaciones sociales positivas para minimizar la inestabilidad y su distribución desigual y reducir el daño evitable (soportes básicos para la alimentación, la vivienda, el trabajo, la atención sanitaria, la educación, el entorno natural). Somos una especie social, con vínculos recíprocos (derechos y deberes), también con relación a los otros animales y al hogar que compartimos con ellos, el medio natural.

Pero además, la vulnerabilidad no es una característica inmutable y estable sino dependiente, selectiva y variable, un fenómeno cruzado y multidimensional que descansa en factores que se pueden cambiar y sobre los que cabe intervenir, tanto a nivel humano como a nivel ambiental. Hablamos aquí de una vulnerabilidad inducida, provocada por la intervención humana política, económica y social (bien por acción, bien por omisión) y en la que se incluye la enorme emergencia medioambiental y climática en la que nos encontramos.

El crecimiento en el uso de recursos naturales y funciones de los ecosistemas está alterando globalmente la Tierra, trastocando los ciclos biogeoquímicos del planeta, como la circulación del nitrógeno o el almacenamiento del carbono en la atmósfera (se acaban de superar todos los niveles de CO_2 en la atmósfera —403.3 partes por millón, el doble de las que provocaron la última glaciación). Según la ONU, este incremento sin precedentes junto con el de otros gases de efecto invernadero conducirán a cambios radicales en los sistemas climáticos que provocarán severas disrupciones económicas y ecológicas.

La extracción de recursos de la biosfera y el depósito de residuos y contaminación junto con una ocupación del espacio ambiental aleja al planeta de una economía sustentable. Se han sobrepasado los límites del crecimiento y nos encontramos al borde del colapso medioambiental. La huella ecológica global hoy es 1,5 veces la capacidad bioproductiva del planeta. (La de España, de generalizarse, nos llevaría a necesitar tres planetas).

La escasez de energía y materiales y el deterioro de las condiciones climáticas y ecológicas tiene un impacto indudable sobre la salud (García San José 2017) y, más aún, son ya origen de conflictividad social y geopolítica (Welzer 2011).

A tenor de la mejor información científica disponible, la calidad de la vida humana va a sufrir una degradación sustancial para el año 2050 si continuamos en nuestro camino actual: cambio climático más fuerte, declive de los océanos, alteración del ciclo del nitrógeno, desaparición rápida de especies de flora y fauna (biodiversidad), pérdida de ecosistemas en bloque, erosión del suelo y desertización, contaminación química (CO_2, micropartículas de plástico y aluminio en sedimentos oceánicos, nitrógeno y fósforo de uso agrícola) y crecimiento de la población humana y pautas de consumo elevadísimo: 9500 millones de personas en 2050 (Olabe 2016).

4. ÉTICA DEL CUIDADO

Para responder a esta situación de enorme emergencia, de riesgo sistémico y existencial, planteo un elemental deber ético: el imperativo del cuidado.

Para impedir, minimizar o mitigar el daño, las áreas o espacios de vulnerabilidad, debemos ser cuidadosos, debemos cuidar (*to care for, to care about, to take care of*).

Frente a otras fundamentaciones éticas procedimentales (como el imperativo categórico kantiano) o más abstractas (el principio de utilidad), el imperativo del cuidado remite a una regla básica: la de no dañar, ni por acción ni por omisión (intencional o negligente, por falta de prevención y precaución). Hablamos de «no-maleficencia» (*primum non nocere*) y se trata de un principio ético básico, compartido por muchas tradiciones filosóficas diversas, ligado a la conocida como «Regla de Oro»: no hagas a los demás lo que no quieras que te hagan a ti.

Y aunque se trata de un principio básico, tampoco es absoluto y debe de ser ponderado con otros principios (respeto, justicia) y valores, tomando además en cuenta el contexto y la situación. En un mundo imperfecto, sujeto a altas dosis de incertidumbre como hemos comentado anteriormente, algunas veces tenemos que elegir el mal menor y aceptar cierto daño sobre otros, asumir un riesgo o aceptar transacciones. No nos queda otra, como titulaba Ulrich Beck uno de sus últimos trabajos, que «convivir con el riesgo global» y la incertidumbre. En palabras del economista y filósofo austríaco de Entreguerras Otto Neurath, «somos como marinos que en alta mar deber reconstruir y reparar su barco usando las mismas maderas viejas con las que fue construido».

Volviendo al cuidado como respuesta a la emergencia eco-social, hay que recordar que la vida (no solo humana) es inconcebible sin relaciones de cuidado y han sido precisamente las llamadas «éticas del cuidado» las que han puesto en el corazón de la teoría ética y política la idea de cuidado (Carol Gilligan, Virgina Held, Joan Tronto o Eva Feder Kittay)[1].

«En esta concepción, el problema moral surge de responsabilidades en conflicto, y no de derechos competitivos, y para su resolución pide un modo de pensar que sea contextual y narrativo, en lugar de formal y abstracto. Esta concepción de la moral como preocupada por la actividad de dar cuidado, centra el desarrollo moral en torno al entendimiento de la responsabilidad y las relaciones, así como la concepción de la moralidad como imparcialidad une el desarrollo moral al entendimiento de derechos y reglas. (...) La moral de los derechos se basa en la igualdad y se centra en la comprensión de la imparcialidad, mientras que la ética de la responsabilidad se basa en el concepto de igualdad y el reconocimiento de las diferencias de necesidad. Mientras que la ética de los derechos es una manifestación de igual respeto, que equilibra los derechos de los otros y del Yo, la ética de la responsabilidad se basa en un entendimiento que hace surgir la compasión y el cuidado» (Gilligan 1985: 42, 266).

---

[1]   Lo que la convierte en una propuesta novedosa no es su referencia al valor del cuidado sin más, pues éste aparece explícito en el marco de otras teorías con anterioridad. Tampoco se debe confundir el cuidado con una suerte de virtud en el estilo de las éticas de la virtud o de la excelencia. Lo que distingue a este enfoque es el hecho de que sitúa al cuidado en el centro de la reflexión ética y lo hace a partir de la constatación del importante papel que desempeña en una determinada concepción de la moralidad y de la relación de interdependencia entre los seres humanos y su entorno. Es la idea de cuidar del otro y lo otro como lo correcto o lo bueno lo que singulariza esta propuesta.

Una definición estándar y compartida de cuidado es la siguiente: El cuidado es una actividad que incluye todo aquello que hacemos para mantener, continuar y reparar nuestro «mundo» de tal forma que podamos vivir en él lo mejor posible. Ese mundo incluye nuestros cuerpos, nuestro ser y nuestro entorno, todo lo cual cultivamos para entretejerlo en una red compleja que sustenta la vida (Tronto 1993). Se pueden resumir los valores y prácticas asociados a la ética del cuidado del siguiente modo: prestar atención a los otros, atención al contexto, sensibilidad para las necesidades del otro y lo otro, énfasis en la vulnerabilidad y la dependencia y comprensión relacional del yo.

Esta atención hacia el otro y lo otro remite a dos características esenciales del cuidado: la compasión y la responsabilidad. La vulnerabilidad, la fragilidad, la susceptibilidad al daño y al sufrimiento son el fundamento de la compasión:

Sea, pues, la compasión un cierto pesar por la aparición de un mal destructivo y penoso en quien no lo merece, que también cabría esperar que lo padeciera uno mismo o alguno de sus allegados, y ello además cuando se muestra próximo. (Aristóteles, *Retórica* II, 8).

Com-padecer se refiere a compartir la desgracia, el mal. La compasión es una actitud ante el mal del otro, en el que reconocemos nuestro propio mal. Es una actitud que rehúsa considerar un sufrimiento y el daño, cualquiera que sea, como un hecho indiferente. —La indiferencia es la auténtica enemiga de la piedad o compasión.

La compasión (y la congratulación) serían expresiones de un principio más general de «simpatía» (empatía), un ejercicio de la imaginación por el que nos ponemos en el lugar del otro y de lo otro, en el lugar del daño, ante el que debemos dar una respuesta, responsabilizarnos, hacernos cargo. La empatía se conecta así con la responsabilidad.

Y dada la centralidad del cuidado para la vida, para la supervivencia, es preciso incidir en la dimensión social y pública del cuidado, que requiere una organización colectiva con apoyo de instituciones, organizaciones y entidades. Existe una responsabilidad social sobre el cuidado que demanda que los estados ejerzan un rol de protección para promover la seguridad multidimensional y compleja a los que nos hemos referido al principio.

En este sentido, las propuestas clásicas de justicia liberal que inciden en la neutralidad del estado y la imparcialidad resultan insuficientes para dar cuenta de los deberes de cuidado y el compromiso de los individuos con las necesidades de los demás y del medio ambiente. Por ello, un nuevo enfoque de la justicia debe basarse en la perspectiva del cuidado que atiende a la desigual distribución de la vulnerabilidad en la sociedad y que se hace cargo de las expectativas de cuidado de los individuos, grupos y el medio ambiente. Esta perspectiva ética busca complementar el cuadro de la justicia poniendo el acento en la no-maleficencia y el cuidado:

Comprender cómo la tensión entre responsabilidad y derechos sostiene la dialéctica del desarrollo humano es ver la integridad de dos modos diferentes de experiencia que, al final, están conectados. Mientras que una ética de la justicia procede de la premisa de igualdad —que todos deben ser tratados igualmente—, una ética del cuidado se apoya en la premisa de la no violencia: que no se debe dañar a nadie. (Gilligan 1985: 281).

En definitiva, las emergencias complejas a las que nos enfrentamos, que engloban fenómenos como el cambio climático, el agotamiento de materias y fuentes de energía, la pérdida de biodiversidad y el incremento de las desigualdades, hunden sus raíces en una visión de la vida que contempla al ser humano como independiente y aislado tanto de la naturaleza como de sus congéneres. En consecuencia, una ética para un mundo en emergencia ha de centrarse en los cuidados para responder a nuestra esencial condición vulnerable y eco-interdependiente. Nuestro modelo actual de sociedad le ha declarado la guerra a la vida. ¿Estamos a tiempo de reparar y reconstruir el barco de Otto Neurath?

«Fracasando, que es gerundio. Los movimientos ecologistas han luchado durante más de medio siglo para evitar que sucediese lo que está sucediendo, para evitar que llegásemos donde ahora nos hallamos: el calentamiento global en camino de convertirse en hecatombe climática, el agotamiento de los recursos minerales (comenzando por el petróleo), la destrucción masiva de ecosistemas, suelo fértil, especies, poblaciones y seres vivos; la degradación, el empobrecimiento y el envenenamiento de la biosfera. Han luchado no por salvar el planeta (Gaia cuida de sí misma) sino para preservar las opciones de vida buena (para los seres humanos y las demás criaturas), y para evitar el ecocidio. Y los movimientos ecologistas han fracasado, hemos fracasado en esa lucha. El ecocidio (que va de la mano del genocidio humano) está consumándose. Hemos de partir de la constatación de ese fracaso: todo se hizo para intentar evitar lo que está sucediendo, que era perfectamente previsible hace medio siglo. Y ese fracaso tiene consecuencias catastróficas, no para los movimientos, sino para los seres humanos y para el conjunto de la vida en la Tierra» (Riechmann, 2020).

BIBLIOGRAFÍA

FUNTOWICZ, S. O. & RAVETZ, J. R., *La ciencia posnormal: ciencia con la gente*, Barcelona, Icaria, 2000.

GARCÍA SAN JOSÉ, «Crisis económica, vulnerabilidad multidimensional y cambio climático: La "tormenta perfecta" para el derecho a la salud en Europa», *Bioderecho.es 5*, 2017.

GILLIGAN, C., *La moral y la teoría*, México, FCE, 1985.

INNERARITY, D., *La democracia del conocimiento*, Barcelona, Paidós, 2011.

NEWMAN, E., «The "New Wars" Debate: A Historical Perspective is Needed», *Security Dialogue*, 35 (2), 173-189, 2004.

OLABE, A., *Crisis climática-ambiental. La hora de la responsabilidad*, Barcelona, Galaxia Gutenberg, 2016.

RIECHMANN, J., *¿Derrotó el smartphone al movimiento ecologista?*, Madrid, Los libros de la Catarata, 2016.

RIECHMANN, J., «Necesitamos una cultura gaiana», *Litoral*, 270, 2020.

TRONTO, J. C., *Caring Democracy: Markets, Equality and Justice*, New York University Press, 1993.

WELZER, H., *Guerras climáticas. Por qué mataremos y nos matarán en el siglo XXI*, Madrid, Katz, 2011.

Capítulo 2
LA EMERGENCIA (URGENCIA) CLIMÁTICA: UNA CONSTRUCCIÓN HÍBRIDA. ASPECTOS JURÍDICOS, CIENTÍFICOS Y POLÍTICOS[1]

MARTA TORRE-SCHAUB
Directora-Catedrática de investigación
Université Paris 1 Panthéon-Sorbonne

1. INTRODUCCIÓN

La emergencia implica la necesidad de actuar rápido. Del verbo latino *urgere* et *pressere*, la emergencia reviste un carácter temporal que incita a una reacción inmediata[2]. En su acepción original, lo urgente queda encerrado en el registro de lo vital y en la práctica médica que se encarga de él y hasta finales del siglo XIX, el concepto permanece confinado al lenguaje de la medicina y más concretamente a la cirugía[3]. Hoy en día, la noción de urgencia ha invadido el campo social y existencial, por el efecto acumulativo de un doble movimiento. Por un lado, la urgencia se encuentra en fenómenos de dimensión más colectiva: grandes incendios, pandemias, guerras, desastres naturales,

---

[1]   El presente trabajo se realiza en el marco del Proyecto de Investigación titulado «Bioderecho ambiental y protección de la vulnerabilidad: hacia un nuevo marco jurídico» —BIO-vul— (Referencia: DER2017-85981-C2-1-R), Ministerio de Ciencia, Innovación y Universidades (Convocatoria 2017 de Proyectos de I+D+i correspondientes al Programa estatal de Investigación, Desarrollo e Innovación orientada a los Retos de la Sociedad, en el marco del Plan Estatal de Investigación Científica y Técnica y de Innovación 2013-2016), Investigadores Principales: Dra. Blanca Soro Mateo (Universidad de Murcia) y Dr. José Francisco Alenza García (Universidad Pública de Navarra).
[2]   R. BÉNÉVENT, «La rhétorique de l'urgence», La lettre de l'enfance et de l'adolescence, 2009/2, n° 76, pp. 13-20; E. BENOIST, H. GOELZER, Nouveau Dictionnaire latin-français, Paris, Garnier, 9e édition, 1922a.
[3]   R. BÉNÉVENT *cit.* p. 14.

situaciones de fuerte interés humanitario. Por otro lado, la vida biológica ya no es la única referencia que especifica las llamadas situaciones de «emergencia». Cualquier perspectiva posible de destrucción
repentina de las estructuras constitutivas del campo económico, social
o político determina en adelante la constitución de nuevos campos de
acción de la urgencia y es aquí, en el registro político en el que parece haber servido de matriz original de los nuevos significados. Así,
bajo urgencia (o emergencia) podemos leer por ejemplo, en el Petit
Larousse: «*Estado de excepción, régimen excepcional creado por la
ley de 3 de abril de 1955 y fortalecimiento en caso de disturbios de las
competencias de la autoridad administrativa*»[4].

Analizando más allá lo que la expresión de urgencia puede implicar, algunos autores entienden que cuando se evoca la urgencia es
porque no se ha dado respuesta a un problema que ya existía y que
ya se había notificado o señalado[5]. En ese sentido, tener que recurrir
a la figura de la «urgencia» para establecer mecanismos o instrumentos para hacerle frente, —y, para que cese ese peligro o riesgo que
la urgencia misma notifica—, indica que ese problema ya se había
identificado, pero que no se le puso remedio a tiempo. Bien porque
no se consideraba importante, bien por falta de medios o de voluntad
política etc. Hay pues una lectura de la urgencia, sumamente interesante y a la que estaríamos aquí tentadas de suscribir, que implica en
cierto modo «un abandono» o en cualquier caso una «ausencia» de
tratamiento a tiempo. En cierto modo pues una «inacción»[6]. Lo que
conlleva, implícitamente, que la situación se haya agravado —por no
haber sido tratada en su momento— y por ello conduce a una situación casi insostenible de «urgencia».

Esta visión de la urgencia nos parece particularmente interesante
en cuanto se refiere al problema del cambio climático. Nuestro punto
de partida es pues el de decir que la urgencia climática que hoy en día

---

4   Ibid. p. 14 y s.
5   C. LAVAL, dossier «Dépasser l'urgence», Éditorial, Rhizome n° 15, p. 1, también
      R. BÉNÉVANT *cit.* nota 16.
6   En este sentido M. TORRE-SCHAUB y B. LORMETEAU, «Aspects juridiques
      du changement climatique: de la justice climatique à l'urgence climatique», La
      semaine juridique, JCP éd G, diciembre 2019; M. TORRE-SCHAUB, Justice cli-
      matique. Procès et actions, Paris, CNRS éditions, 2020.

es reconocida desde diferentes tribunas, parlamentos, legislaciones, informes etc., no es sino el resultado de un «retraso» en el tratamiento del problema en el momento en el que éste empezó a anunciarse y a notificarse[7].

Nos parece por ello fundamental, para entender mejor qué implica en realidad la «emergencia climática» establecer las interrelaciones entre la ciencia climática y el derecho climático. Ello nos llevará a saber qué tratamiento se le esta dando y qué soluciones e instrumentos jurídicos se están desarrollando para hacerle frente. Esos lazos, cronológicos y sistémicos, aunque complejos pero muy fértiles, nos ayudaran a entender mejor la dimensión actual de la emergencia climática, su peor o mejor tratamiento por el derecho y sus consecuencias en términos jurídicos y políticos.

Estableceremos primeramente los lazos que unen a la llamada emergencia climática establecida desde hace ya mas de treinta años y al derecho del cambio climático. Analizaremos después los orígenes de las declaraciones políticas y jurídicas de la emergencia climática. Para estudiar en ultimo lugar los diferentes instrumentos jurídicos, acciones y litigios que se han venido desarrollando en respuesta a dicha emergencia.

2. EMERGENCIA CLIMÁTICA Y DERECHO CLIMÁTICO, UN «DÚO DINÁMICO» Y COMPLEJO

La «urgencia» y la «emergencia» se han convertido en «el registro temporal actual de la producción jurídica contemporánea» escribía François Ost[8]. El derecho corre tras una historia a un ritmo acelerado, vive un «estado de emergencia permanente», a través de diversas me-

---

7   Ver sobre este punto M. TORRE-SCHAUB, *Justice climatique. Procès et actions*, *cit.* p. 5 et s.; M. TORRE-SCHAUB, «Le coût de l'inaction. A propos de Harvey et du changement climatique», *The Conversation*, 24 septiembre 2017, https:// theconversation.com/le-prix-de-linaction-a-propos-dharvey-et-du-changement-climatique-84244.

8   F. OST, *Le temps du droit*, Paris, Odile Jacob, 1999, p. 283 et s.; P. LASCOUMES, *L'éco-pouvoir. Environnement et politique*, Paris, La Découverte 1994; M. TORRE-SCHAUB et B. LORMETEAU, «Urgence sanitaire, urgence écologique: Les temps du droit, le droit du temps à venir», *La semaine juridique, JCP*.

tamorfosis impulsadas más por temporalidades políticas o motivadas en razones sanitarias que por temporalidades inherentes al derecho mismo. Sin embargo, ahora, más que nunca, se trata de pensar y hacer el derecho de forma sostenible, sin dejarnos constantemente arrastrar por iniciativas controladas por «la emergencia». Planificar, anticipar, ser resiliente, construir la transición, esto es lo que debería guiar a nuestro derecho contemporáneo.

Partiendo de que según vivimos en una sociedad de riesgo en términos de Ulrich Beck[9] y de que la mayoría de ellos son tratados con mas o menos urgencia teniendo en cuenta no solo los costes económicos sino también su índice de tolerabilidad social, nos parece importante reconocer que el riesgo climático ha sido durante largo tiempo infravalorado y que hasta época muy reciente no se le ha dado suficiente espacio en el debate publico y menos aun en el derecho positivo. Esto ha conllevado sin duda a la situación actual de emergencia climática y de crisis ecológica.

Durante los últimos meses, las declaraciones de «emergencia climática» han ido en aumento en varios países y ciudades a través del mundo. Francia no es una excepción y su parlamento declaro el estado de emergencia climático y ecológico en el verano del 2019. Este gesto, que no es anodino ni neutro, invita a preguntarnos qué ha llevado a dicha declaración y que respuestas se le dará.

2.1. *La urgencia climática a nivel científico*

En treinta y dos años, de 1988 a 2020, el IPCC ha emitido varios informes de evaluación, incluido el segundo informe de evaluación publicado en 1995, que proporcionó a los negociadores documentos importantes antes de la adopción del Protocolo de Kioto en 1997[10].

---

[9] U. BECK, *La société du risque. Sur la voie d'une autre modernité*. Paris. Champs Flammarion, 2003.
[10] IPCC Intergovernmental Panel on Climate Change (Grupo Intergubernamental de Expertos sobre el Cambio Climático). A partir de aquí, IPCC. Este grupo, creado en 1988 como resultado de una iniciativa política de carácter internacional, depende de la Organización Meteorológica Mundial y del Programa de las Naciones Unidas para el Medio Ambiente, y tiene la misión de evaluar, sin prejuicios, metódica, clara y objetivamente, la información científica, técnica y socioeconómica que necesitamos para comprender mejor los riesgos asociados

El tercer informe de evaluación se publicó en 2001, el cuarto en 2007 y el quinto en 2014, justo antes de la redacción del Acuerdo de París.

Las Naciones Unidas se ampararon del problema y establecieron una serie de tratados internacionales a partir del Foro mundial por el Planeta que tuvo lugar en Río de Janeiro en 1992. El vinculo entre la comunidad científica y la diplomacia internacional quedo bien establecido desde ese momento y la primera Convención-marco sobre el cambio climático se firmo ese mismo año.

El derecho aferente al cambio climático aparece así como el producto de una reacción a la voz de alarma de los científicos alertando sobre la degradación irreversible del clima pero también como la búsqueda permanente de un equilibrio entre crecimiento económico y protección[11].

2.2. La urgencia científica aprehendida por el derecho

Pueden contarse hoy además de distintos países en Europa y el mundo, a más de 1.400 gobiernos locales en 28 países que han realizado ya declaraciones de emergencia climática. No obstante dichas declaraciones, la emergencia climática no tiene una definición legal *stricto sensu*. En efecto, aunque ya había sido declarada en el 2009[12] y recordada el 2 de diciembre del 2019 por el secretario general de las Naciones Unidas Antonio Gutiérrez en la ceremonia de apertura de

---

con el calentamiento global de origen humano, para identificar con mayor precisión las posibles consecuencias de este cambio y para considerar posibles estrategias de adaptación y mitigación. No tiene el mandato de realizar investigaciones o monitorear cambios en las variables climáticas u otros parámetros relevantes; JOUZEL, J., «La pluridisciplinarité au cœur du problème», TORRE-SCHAUB, M. (dir.), *Dossier Spécial Droit et Climat, Les Cahiers Droit, Sciences & Technologies*, núm. 2, 2009, pp. 19-29; TORRE-SCHAUB, M., «Le réchauffement climatique, une question interdisciplinaire», TORRE-SCHAUB (dir.), *Dossier Spécial Droit... cit.*, pp. 13-19.

[11]   TORRE-SCHAUB, M., «La protection juridique du climat, entre gestion contractuelle et négociation économique», *Revista Themis, Revista da Facultade de Direito da UNL*, IV-núm. 6, 2003, pp. 47-41.

[12]   https://www.greenlivingpedia.org/National_Climate_Emergency_Rally_Melbourne_June_2009.

la COP 25 en Madrid[13] y aun habiendo sido declarada por el parlamento europeo durante el mismo año, resulta difícil dar un contenido jurídico especifico a dicha emergencia.

A pesar de la amplitud que este fenómeno esta tomando, los diferentes comentarios y análisis de las declaraciones de emergencia climática lo describen mas bien como algo simbólico y político sin conseguir darle un contenido especifico. Se acerca pues más a un anuncio de un «futuro compromiso de acción» que a un plan de acción concreto. Hasta ahora, en efecto, las diferentes declaraciones efectuadas por políticos, diplomáticos gobiernos y científicos si bien constituyen un reconocimiento de que la humanidad se encuentra en una crisis climática y que urge actuar, no permiten hasta el momento darle un contorno jurídico preciso.

En Francia, la ley de energía y clima de 2019 solo hace una declaración de «emergencia ecológica y climática» a la que debe responder la política energética francesa. Se trata pues mas de una urgencia a actuar, que de medidas precisas de implementación de dichas medidas.

Con el fin de percibir mejor el contenido que podría dársele a la emergencia climática y los medios jurídicos por los que logra esta manifestarse, convendría seguir una metodología en estratos. Para ello es útil seguir el camino de la formación del derecho inherente al cambio climático. Ello nos permitirá rastrear las diversas etapas por las que éste ha transcurrido. Cada una de ellas están marcadas por un factor esencial, que nos servirá aquí de hilo conductor, que es el de la relación entre los avances científicos en materia climática y las transcripciones de dichos avances en términos jurídicos.

A su vez, cada avance normativo ha venido acompañado de instrumentos y técnicas jurídicas distintas. En efecto el derecho del cambio climático ha revestido en sus inicios un carácter muy general y poco obligatorio. Después, en una segunda etapa, ha conocido un periodo caracterizado por una mayor fuerza obligatoria pero con marcada coloración económica. Actualmente se hallar en una etapa de transición por lo que nos gusta caracterizarlo de hibrido. Esto es, un complejo

---

13   https://www.un.org/sg/en/content/sg/statement/2019-12-02/secretary-generals-remarks-opening-ceremony-of-un-climate-change-conference-cop25-delivered.

de compromisos voluntarios pero que cuenta con instrumentos mas variados y mas adaptados a la evolución de la comunidad internacional y de la sociedad civil.

En esta última evolución se situarían los contenciosos climáticos de diversa y variada naturaleza. Estos contenciosos, tienden muchos de ellos a reforzar las obligaciones climáticas y a instaurar una cierta «responsabilidad climática», lo que permitiría dar un contorno jurídico preciso a la «emergencia o urgencia climática». Algunos de ellos, incluso, tienden directamente a luchar contra la emergencia climática a través de la afirmación de un derecho humano y fundamental «a un clima estable».

3. LA EMERGENCIA CLIMÁTICA: TRADUCCIÓN POLÍTICA Y JURÍDICA

En 1979, científicos de 50 países se reunieron en la Primera Conferencia Mundial sobre el Clima en Ginebra y coincidieron en que las tendencias alarmantes del cambio climático hacían necesario actuar con urgencia. Estas advertencias lanzadas por la comunidad científica del riesgo de calentamiento global no caerán en oídos sordos y a fines de la década de 1980, se crea el IPCC.

Los expertos del IPCC —creado en 1988— han ido ganado visibilidad. Su misión era clara: limitarse a un diagnóstico y no hacer recomendaciones a los responsables políticos. A pesar de que se tardaran aún cuatro años mas hasta llegar al primer texto de naturaleza jurídica sobre el cambio climático —la Convención-marco de naciones unidas de 1992—, la creación del grupo de expertos y su particular naturaleza, permitirán una impulsión política y jurídica mucho mas importante que en otros campos del medio ambiente.

Tras la redacción de la Convención-marco, y aunque el Protocolo de Kyoto era mas ambicioso, las dificultades surgieron luego, cuando la cuestión política lo convirtió mas en un texto de la «división» que en un texto de la «concordia», ya que este texto divide el mundo en Norte y Sur, en países con derecho a voz y voto y otros mas pasivos.

3.1. Estabilizar las emisiones como primera respuesta a la emergencia

El motu en esta primera época es «estabilizar» el clima, una idea que será de vital importancia y que supone una primera respuesta a la emergencia climática[14]. Desde entonces, tanto este objetivo como las declaraciones de emergencia han ido sucediéndose y generando alarmas periódicamente[15].

En su origen, la Convención Marco encuentra su razón de ser en su objetivo último que es el de la «estabilización de las concentraciones de gases de efecto invernadero en la atmósfera a un nivel que impida interferencias antropógenas peligrosas en el sistema climático»[16]. El reto al que se enfrentaba en aquella época la comunidad científica y que se plasma en los textos jurídicos sobre el cambio climático se convertirá de modo más concreto en una obligación de reducción de GEI[17]. Este objetivo de reducción para estabilizar supone así una primera respuesta a la urgencia. Asimismo, queda claro también que se trata de conseguir estabilizar el nivel de emisiones en la atmósfera de modo que el sistema climático no se vea a su vez perturbado de modo peligroso[18]. Resultaba así indispensable adoptar medidas que permitieran dicha estabilización integrando los parámetros que hicie-

---

[14]   TORRE-SCHAUB, M., «Le droit à un climat stable: une construction interdisciplinaire», in Torre-Schaub, M. (dir.), *Droit et Changement climatique. Quelles réponses à l'urgence climatique? Regards interdisciplinaires*, Paris, Mare et Martin, París, 2020, pp. 42-65.

[15]   Ripple et al. 2017.

[16]   Artículo 1 de la CMNUCC, sobre las definiciones y Artículo 2 CMNUCC: «El objetivo último de la presente Convención y de todo instrumento jurídico conexo que adopte la Conferencia de las Partes, es lograr, de conformidad con las disposiciones pertinentes de la Convención, la estabilización de las concentraciones de gases de efecto invernadero en la atmósfera a un nivel que impida interferencias antropógenas peligrosas en el sistema climático. Ese nivel debería lograrse en un plazo suficiente para permitir que los ecosistemas se adapten naturalmente al cambio climático, asegurar que la producción de alimentos no se vea amenazada y permitir que el desarrollo económico prosiga de manera sostenible».

[17]   «Nuestros cálculos muestran con certeza que: [...] el CO_2 es responsable de más de la mitad del aumento del efecto invernadero terrestre; para estabilizar las concentraciones de gases de larga duración en sus niveles actuales se requeriría una reducción de más del 60% de las actividades humanas que emiten estos gases».

[18]   Fórmula utilizada en el artículo 2 CMNUCC.

ran posible que ningún cambio natural en los ecosistemas se agravara debido a las perturbaciones antrópicas del clima.

La estabilización del sistema climático implicaba, según los primeros informes del IPCC que las emisiones de CO_2 no excedieran la capacidad de absorción de la biosfera y del océano, y exigía una reducción drástica de las emisiones, que debía implementarse sin demora[19]. La urgencia climática se fundamenta en estas informaciones científicas y en estas declaraciones pidiendo una acción sin demora por parte de la comunidad científica.

No obstante estas advertencias, las emisiones de gases de efecto invernadero (GEI) han continuado aumentando rápidamente, con efectos cada vez más adversos en el sistema climático. Todos los marcadores se han ido poniendo al rojo sucesivamente a lo largo de estos años sin que la ampliación de esfuerzos para conservar la biosfera con el fin de evitar un sufrimiento incalculable por la crisis climática estuviera a la altura del fenómeno ya irreversible et imparable[20].

3.2. La incapaz del derecho del cambio climático a hacer frente a la emergencia climática

Aunque la interrelación entre el sistema climático, el nivel de emisiones de gases de efecto invernadero (GEI) y las perturbaciones de los ecosistemas queda claramente establecida desde los primeros informes del IPCC y se plasma también en la Convención Marco de 1992, no puede decirse que en el desarrollo posterior de los demás textos estos factores hayan sido desarrollados de modo preciso[21]. El Protocolo de Kioto, a pesar de tener una naturaleza obligatoria, se centra en la forma de distribuir las emisiones que cada país puede emitir o intercambiar y no tiene como punto esencial la implantación de un sistema operativo capaz de conectar la cuestión de la estabilización del clima con la de la estabilización de los ecosistemas. Esta laguna, deplorable, es una de las muchas razones por las que los textos jurídicos sobre

---

[19]   Informes de 1990 y 1995 IPCC.
[20]   Informe del IPCC 2018.
[21]   DAHAN, A., «L'impasse de la gouvernance climatique globale depuis vingt ans. Pour un autre ordre de gouvernementalité», *Critique internationale*, núm. 62, 2014, pp. 21-38.

el cambio climático no han estado totalmente en la misma línea que los informes científicos del IPCC y no han sabido dar respuesta a la urgencia de la emergencia.

Otro factor que debía considerarse a la hora de diseñar un texto jurídico que tuviera en cuenta los enunciados del IPCC era el de la capacidad de estabilizar las emisiones en la atmósfera en un lapso de tiempo que permitiera mantener la producción de alimentos libre de amenazas (uso de las tierras, sequía, inundaciones) y continuar el desarrollo económico de modo sostenible[22]. Mientras que el segundo objetivo siempre ha estado presente en las negociaciones internacionales sobre el cambio climático, el primero no se contempla en todos los textos. El Protocolo de Kioto no le da suficiente espacio y se centra más en los mecanismos económicos que permiten una distribución de las emisiones por país y por sector, —así como en los sistemas de financiación de proyectos de desarrollo y tecnológicos que contribuyan a ese objetivo—, que en una reflexión sobre la seguridad alimentaria, los riesgos de las sequías, la desertificación, la deforestación, etc.

No obstante la dificultad de llegar a un acuerdo internacional capaz de plasmar en obligaciones jurídicas la necesidad de «estabilizar el sistema climático» de modo «regional», se lograron algunas metas. Por ejemplo, la Unión Europea establece a finales de la década de 1990 y principios del milenio el objetivo de que el calentamiento no supere los 2° C. Y busca reducir las emisiones para el 2050 entre el 50% y el 85%

En cuanto a las negociaciones internacionales climáticas, a partir del 2009 se estancaran y la «estabilidad del clima» dejara de no ser el tema central por lo que la emergencia climática no parece estar sobre la mesa[23]. En efecto, la cuestión que va a ocupar a las negociaciones climáticas es mas bien la de poder llegar un nuevo tratado internacional que sea universal de modo que no divida una vez mas al mundo en dos hemisferios (norte y sur, países desarrollados, países en desa-

---

[22]   Véase TORRE-SCHAUB, «La construction juridique d'un droit...» *cit.*, p. 45 y ss.
[23]   DAHAN, A. y AYKUT, S., «Les négociations climatiques: vingt ans d'aveuglement?», *CERISCOPE Environnement*, 2014 (en línea)

rrollo). El objetivo es también no obstante el de llegar a un acuerdo que imponga de algún modo obligaciones a las partes para no dejar totalmente de lado la cuestión de la emergencia climática denunciada por los científicos.

En cuanto al rol del derecho, es obvio que resultaba de vital importancia que el derecho fuese susceptible de jugar el papel de reunificador de la comunidad internacional, la cual estaba demasiado dividida por las disensiones económicas, comerciales e industriales que el Protocolo de Kioto había potenciado anteriormente.

4. LA EMERGENCIA CLIMÁTICA IMPULSADA A TRAVÉS DE NUEVAS ACCIONES Y PROCESOS

Dado que el régimen instaurado por el Protocolo finalizaba en el 2012, urgía acordar un régimen post Kioto —denominado por algunos Kioto II— antes de esa fecha. Las razones tanto económicas como ecológicas eran ya evidentes en el 2008, cuando se empieza a pensar en el nuevo régimen. La pregunta no obstante que surgía sin cesar era: ¿debe establecerse un instrumento que dé continuidad a Kioto o más bien otro que lo sustituya? Dado que la implementación tanto a nivel internacional como de los Estados no había sido muy concluyente, dos movimientos paralelos tienden a desarrollarse con el fin de dar mas fuerza a las respuestas a la emergencia climática. Por un lado se negociara un nuevo instrumento a nivel internacional (el Acuerdo de Paris) y por otro surgirán los litigios climáticos en varios países del mundo para venir a ganar terreno también en Europa en estos últimos años.

4.1. El Acuerdo de París, ¿un avance o un stand by?

Puesto que el objetivo de estabilización en torno a los 2º C no era discutible ni negociable, lo que debía negociarse antes de ser plasmado en un texto jurídico era la manera de conseguir ese objetivo. Dicho de otro modo, se volverá a retomar la cuestión de la emergencia como fundamento para estabilizar las emisiones pero lo que realmente será urgente es la manera de configurarlo jurídicamente. Se busca que el mayor numero de países adhieran a dichos objetivos y a los métodos que se van a acordar porque se considera que la única manera de hacer frente a la emergencia climática es la de actuar todos juntos mediante objetivos comunes.

El interrogante era así el de la naturaleza jurídica que debía revestir el nuevo instrumento del régimen climático. Se buscaba respetar los objetivos científicos de urgencia marcados por el IPCC sin volver a caer en los errores políticos y económicos de Kioto. Debía tenerse en cuenta el imperativo de elaborar un instrumento «universal» e «inclusivo» tanto a nivel geográfico como político, económico y social. En esas condiciones, la cuestión era la de cómo poner sobre el papel de modo coherente la urgencia climática teniendo en cuenta el retraso sufrido en las políticas de reducción tanto a nivel nacional como mundial.

El nuevo instrumento jurídico que debería cubrir el período 2012-2050 tendría ante todo que cumplir la condición apuntada en el informe del IPCC del 2007 de incluir a todos los países emisores de gases de efecto invernadero, independientemente de si son países del hemisferio Norte o Sur. Era, pues, importante adoptar ese punto de vista.

Se adoptará así un método de participación extensiva con un marco multilateral flexible, de modo que los Estados Unidos acepten formar parte del nuevo instrumento jurídico y los pequeños Estados insulares y emergentes puedan integrarse en el régimen climático como plenos actores y no como participantes relegados al anexo B, como era el caso con el régimen de Kioto.

Así pues, en Bali se produce un cambio no solo en la estrategia de perspectiva y reflexión sobre el nuevo instrumento, sino en el lenguaje mismo que se utiliza a partir de entonces por voluntad de los Estados Unidos. Si en un primer momento se seguía hablando de países del anexo I y anexo II se producirá un cambio por el que se hablara mas bien de «países desarrollados y países en vías de desarrollo». Esta flexibilidad, sutil que permanece desde entonces, abrió una nueva era en las negociaciones climáticas, ya que los países debían participar en el régimen universal climático en función de su nivel de desarrollo actual y no en el de 1990. Esto tiene su relevancia en cuanto a las consignas para alcanzar un objetivo de reducción para no superar los 2° C aconsejados por el IPCC. Este cambio notable marcó el futuro del nuevo instrumento y allanó el camino hasta el Acuerdo de París del 2015[24].

En cuanto a los elementos científicos que llevaron al Acuerdo, las conclusiones del informe del IPCC del 2014 eran muy claras y ello permite decir que existe una continuidad entre dicho informe y la Conferencia de París del 2015, que llevó al Acuerdo de París, hoy vigente.

Uno de los puntos fuertes del quinto informe del IPCC es que distingue entre lo que es humano y lo que eventualmente es de origen natural[25]. Dicho informe demostró que gran parte del calentamiento global de los últimos cincuenta años está casi seguramente relacionado con actividades humanas. Al contrario de los informes previos, que avanzaban esta hipótesis con mayor o menor grado de incertidumbre, el quinto informe del IPCC sostuvo este vínculo[26]. Ello conllevó que las Partes negociadoras de la Convención Marco se convencieran de la insuficiencia del Acuerdo de Copenhague y de la absoluta necesidad de adoptar un nuevo acuerdo que abarcara todos los Estados del planeta (acuerdo universal) y que asumiera de modo indiscutible, desde el preámbulo, la urgencia y necesidad de limitar la temperatura a 2° C como máximo.

El Acuerdo de París es presentado a menudo como el primer acuerdo universal sobre el clima. Pretende ser justo, sostenible, dinámico,

---

[24]   GUÉRIN, E. y WEMAERE, M., «The Copenhagen Accord: What happened? Is it a good deal? Who wins and who loses? What is next?», *CLIMATE*, núm. 08/09 diciembre de 2009 www.iddri.org.

[25]   El quinto informe del IPCC presenta varios desarrollos nuevos en términos de metodología o atribución de responsabilidades por fenómenos climáticos. También reafirma que el aumento de las concentraciones de gases de efecto invernadero podría comportar cambios importantes en la temperatura, el nivel del mar o el derretimiento del hielo. La conclusión es muy clara: las actividades humanas, especialmente el uso de combustibles fósiles, han producido un aumento excepcional en la concentración de gases de efecto invernadero que transforman el clima a una velocidad nunca antes vista.

[26]   «El vínculo entre las actividades humanas y el aumento de las temperaturas es extremadamente probable (+ 95% de probabilidad)». Informe del Grupo I, elementos científicos, https://leclimatchange.fr/les-elements-scientifiques/ (consultado el 28/04/2019).

equilibrado y legalmente vinculante[27]. No obstante, la cuestión de la emergencia climática no aparece claramente enunciada por lo que optaremos aquí por un análisis afinado de su contenido de modo que nos permita ver la manera en la que la emergencia climática aparece, sino claramente, en filigrana.

El Acuerdo, fue aprobado por las 195 delegaciones el 12 de diciembre del 2015 y entró en vigor el 4 de noviembre del 2016. El 7 de noviembre del 2017, tras la adición de la firma siria, 196 de los 197 países de las Naciones Unidas firmaron o se comprometieron a firmar el Acuerdo de París, lo que lo convierte en el acuerdo más extendido y el más rápidamente firmado en la historia de la humanidad. Al margen del Acuerdo, el Desafío de Bonn ha sido ratificado y ampliado con el objetivo de reforestar 350 millones de hectáreas de tierra degradada o deforestada para el 2030, lo que supondrá otro modo de retomar lo establecido en el último informe del IPCC[28].

El texto plantea contener para el 2100 el calentamiento global «muy por debajo de 2° C en comparación con los niveles preindustriales» y, si es posible, «continuar los esfuerzos para limitar el aumento de las temperaturas a 1,5° C», (artículo 2), lo cual es más ambicioso que el proyecto de acuerdo original. Este primer indicio se sitúa en la continuidad de los anteriores tratados y constituye a nuestro entender un elemento importante y determinante para el tratamiento jurídico de la emergencia climática.

Un segundo elemento es el artículo 2 que se refiere a la desinversión de combustibles fósiles: «El presente Acuerdo […] apunta a fortalecer la respuesta mundial a la amenaza del cambio climático, […] en particular por […] compatible con un perfil de desarrollo hacia un desarrollo con bajas emisiones de gases de efecto invernadero y resiliencia al cambio climático»[29].

---

[27]   BOISSON DE CHAZOURNES, L., «Regards sur l'Accord de Paris —Un Accord qui batit le futur—», Torre-Schaub, M. (dir.), *Bilan et perspectives de l'Accord de Paris (COP 21), regards croisés*, Colection Institut Tunc, Publications de l'IRJS, París, 2017, p. 97 y ss.

[28]   H. WAISMAN, «Les recours climatiques en France», *Énergie-Env.-Infrastr.* 2019, n° 5, p. 16-19.

[29]   Preámbulo del Acuerdo, punto 2 de la Decisión, https://unfccc.int/sites/default/files/french_paris_agreement.pdf.

Un tercer elemento es el objetivo de alcanzar la neutralidad de carbono se establece en el artículo 4: «[...] las Partes se proponen lograr que las emisiones mundiales de gases de efecto invernadero alcancen su punto máximo lo antes posible [...] y a partir de ese momento reducir rápidamente las emisiones de gases de efecto invernadero [...] para alcanzar un equilibrio entre las emisiones antropógenas por las fuentes y la absorción antropógena por los sumideros en la segunda mitad del siglo». Esto se denomina «emisión neta cero»: reduciendo nuestras emisiones de GEI para que, en la segunda mitad del siglo, sean compensadas por los sumideros de carbono (bosques, océanos, técnicas de captura y almacenamiento de carbono). Este elemento es fundamental para apoyar en él una futura acción para hacer frente a la emergencia climática. En efecto, el objetivo de la «neutralidad carbono», que no había sido abordado antes, va a servir de fundamento para el desarrollo de los diferentes planes clima —energía a nivel de la Unión Europea y a novel nacional. Por ejemplo en Francia, es la ley energía y clima del 2019 quien va, por un lado, a declarar la «urgence climatique» (emergencia climática) en su articulo primero. Y dicho texto va también a fundamentarse en el objetivo de la «neutralidad carbono». Vemos así cómo existe una coherencia entre los enunciados del Acuerdo de París en esta materia —aunque no sean jurídicamente vinculantes— y su transposición tanto a nivel del derecho de la Unión europea como de los países miembros.

El cuarto y ultimo elemento, es aquel por el que el Acuerdo de París recuerda el principio de «responsabilidades comunes pero diferenciadas» de la Convención Marco de 1992[30]. Siguiendo este principio, el Acuerdo exige que «los países desarrollados continúen liderando el camino asumiendo los objetivos de reducción de emisiones en términos absolutos». Los países en desarrollo «deben continuar aumentando sus esfuerzos de mitigación [...] con respecto a diferentes

---

[30]   BARTENSTEIN, K., «De Stockholm à Copenhague: genèse et évolution des responsabilités communes mais différenciées dans le droit international de l'environnement», *McGill Law Journal*, 56:1, 2010, p. 182; MICHELOT, A., «Le principe des responsabilités communes mais différenciées», *RJE*, Dossier spécial *RIO+20*, núm. 4, 2012, p. 633. Ver también el Acuerdo de Paris https://unfccc.int/sites/default/files/french_paris_agreement.pdf.

contextos nacionales»[31]. Este principio, es también a nuestro parecer un elemento esencial en el contexto de la emergencia climática ya que es quien va a permitir que se desarrollen numerosos litigios climáticos.

A pesar de estas herramientas citadas, el Acuerdo alberga aun numerosas lagunas que pueden poner en duda su eficacia y por tanto la dificultad de cumplir con el objetivo de la estabilización en torno a 2° C —y si fuera posible a 1,5° C así como una definición clara de cómo hacer frente a la emergencia climática.

Desde el punto de vista de la diplomacia climática, se puede observar una cierta separación entre ciencia y derecho o al menos falta de conexión, lo que conlleva a un cierto retraso en los avances de la negociación de instrumentos efectivos de implementación del Acuerdo. Esto conlleva obviamente también un retraso en la elaboración de instrumentos jurídicos precisos y obligatorios para hacer frente a la emergencia climática. Sin ir mas lejos, un estudio publicado el 31 de julio de 2017 en la revista *Nature Climate Change* estimaba en un 5% la probabilidad de limitar el calentamiento global a 2° C para 2100, que es sin embargo el objetivo establecido por el Acuerdo de París. Siguiendo este estudio, las posibilidades de alcanzar la meta de 1.5° C, son solo del 1%.

Por estas razones, se han venido desarrollando estos últimos años una serie de contenciosos climáticos que tienen por finalidad común en su mayoría la de poner remedio a la emergencia climática o al menos a poner sobre la mesa de los diferentes gobiernos la cuestión de la urgencia para actuar.

4.2. Los litigios climáticos, ¿una respuesta eficaz a la emergencia climática?

Desde principios de los años 2000 se han venido desarrollando en el mundo unos nuevos litigios que tienen por objeto la lucha contra el cambio climático. Estos litigios climáticos han tomado aun mas cuerpo e importancia a partir del 2015, tras el celebre y emblemático

---

31 VIÑUALES, J., «The Paris Agreement, un initial examination», Cambridge University, *Working Papers C-EENRG*, núm. 6, diciembre 2015 https://papers.ssrn.com/sol3/papers.cfm?abstract_id=2704670.

caso Urgenda en los Países Bajos (25 de junio de 2015)[32]. Los litigios climáticos son considerados como una nueva forma de movilización a la par que de dinamismo del derecho climático y por tanto como un modo eficaz de llevar la lucha contra el calentamiento global ante nuevos foros: los tribunales[33].

En el año de su quinto aniversario, podemos observar que el Acuerdo de París significa un cambio hacia formas mas participativas de la sociedad civil en la cuestión climática[34]. La capacidad de la sociedad civil para movilizar el Acuerdo en su lucha contra el cambio climático y en su exigencia hacia los poderes públicos para que se tomen medidas urgentes y efectivas contra la emergencia climática se

---

[32] District Court, La Haye, 24 juin 2015, aff. C/09/456689/HA ZA 13-1396; Cour d'appel de La Haye le 9 octobre 2018 (La Haye, division du droit civil, 9 oct. 2018, *État des Pays-Bas c. Fondation Urgenda*, n° 200.178.245/01); M. TORRE-SCHAUB, «La justice climatique. À propos du jugement de la Cour de district de La Haye du 24 juin 2015», *RIDC* 2016, n° 3, p. 2-25; M. TORRE-SCHAUB, «Commentaire sous Cour d'ap- pel de La Haye du 9 octobre 2018 *Pays Bas c. Fondation Urgenda*», *Dr. de l'env.* 2018, n° 273, p. 424-430; Hogue Raad, 20 déc. 2019, *Pays-Bas c. Urgenda* https://uitspra- ken.rechtspraak.nl/inziendocum ent?id=ECLI:NL:HR:2019:2006&showbutton=true&k eyword=urgenda; Ver tambien M. TORRE-SCHAUB, «Les recours climatiques à l'étranger», *RFDA* 2019, n° 4, p. 660-667.

[33] M. TORRE-SCHAUB (dir.), *Les dynamiques du contentieux climatique. Usages et mobilisations du droit pour la cause climatique,* remis à la Mission de recherche Droit et Justice en janvier 2020 http://www.gip-recherche-justice.fr/publication/ les-dynamiques-du-contentieux-climatique-usages-et-mobilisation-du-droit-face-a-la- cause-climatique-2/; M. TORRE-SCHAUB et B. LORMETEAU, «Urgence sanitaire, urgence écologique: le droit du temps et le droit du temps à venir», *JCP G* juin 2020, Étude. Ver tambien M. COLOMBIER et L. TUBIANA, Prefacio a M. TORRE-SCHAUB (dir.), *Les dynamiques du contentieux climatique. Usages et mobilisations du droit.* Paris, Mare & Martin, 2020 (en imprenta).

[34] Rapport du Grantham Institute, M. NACHMANY, S. FANKHAUSER, J. SETZER and A. AVERCHENKOVA, *Global Trends in Climate Change Legislation and Litigation*, 2017; sur la multiplication des actions en justice depuis 2015, M. TORRE-SCHAUB, http://theconversation.com/changement-climatique-la-socie-te-civile- multiplie-les-actions-en-justice-74191; M. TORRE-SCHAUB (dir.), *Les dynamiques du contentieux climatique. Usages et mobilisations du droit pour la cause climatique,* remis à la Mission de recherche Droit et Justice en janvier 2020 http://www.gip-recherche-justice.fr/publication/ les-dynamiques-du-conten-tieux-climatique-usages-et-mobilisation-du-droit-face-a-la- cause-climatique-2/

ve reflejada en muchos de estos nuevos contenciosos y es uno de los factores que han contribuido a su espectacular desarrollo[35].

El papel del ciudadano se valora más tanto en la aplicación de políticas climáticas como en las disputas climáticas, dirigidas contra Estados y empresas es pues importante. Pero también hay acciones judiciales iniciadas por otros colectivos e incluso ciudades y colectividades territoriales. Las distintas estrategias jurisdiccionales forman parte del llamado movimiento para la Justicia climática.

Por un lado, se trata de «endurecer» un derecho «blando» (Soft Law)[36]. Se abordan así los contenidos un tanto ambiguos del Acuerdo de París —y en particular los objetivos de temperatura que establece como límites de un calentamiento peligroso antropogénico (2° C y 1,5° C)— para exigir una revisión al alza objetivos estatales de reducción o prohibición de proyectos de infraestructura contaminantes[37].

Por otro lado, se trata de contribuir a una dinámica ascendente virtuosa, atacando a los principales grupos energéticos, en particular a las petroleras, para obligarlos a pagar las reparaciones o detener actividades particularmente contaminantes.

Un segundo elemento que guía el desarrollo del litigio climático es la publicación del informe especial del IPCC, Informe + 1.5° C14, solicitado al panel de expertos durante la COP 21[38]. Tiene como objetivo analizar las consecuencias de un calentamiento global superior a 1,5° C y, por lo tanto, tenía la intención de guiar las negociaciones en la COP 24 durante la cual se invitó a los países a revisar al alza sus ambiciones de reducir los gases de efecto invernadero. Había poca información científica sobre la diferencia en términos de consecuencias entre el calentamiento a 1,5° C y 2° C, razón por la cual el informe arroja luz sobre la cuestión.

---

[35]   M. Torre-Schaub, M. Colombier, L. Chabason y P. Barthélemy, https://www. iddri.org/fr/publications-et-evenements/billet-de-blog/comment-analyser-la-portee-juridique-de-laccord-de-paris.

[36]   M. TORRE-SCHAUB, «Le contentieux climatique, quels apports au droit de l'environnement (ou comment faire du neuf avec de l'ancien)», Dr. de l'env. 2018, n° 263, p. 6-9.

[37]   R. FALKNER, «The Paris Agreement and the new logic of international climate politics», International Affairs 2016, 92(5), p. 1107-1125.

[38]   IPCC, Global Warming of 1.5° C, Special Report, 2018

Los Estados necesitaban esta información para poder participar mejor en el diálogo de Talanoa. La publicación de este informe el 8 de octubre de 2018 permitió brindar argumentos científicos fundamentados que contribuyan a construir mejor los argumentos a favor de los remedios climáticos[39]. El informe destaca el hecho de que la diferencia de temperatura entre 1,5° C y 2° C probablemente lleve al mundo, como lo conocemos hoy, a un mundo de escasez el agua y los alimentos corren el riesgo de provocar graves problemas de seguridad y desarrollo[40]. Por tanto, el informe subraya la idea de acelerar la transición con trayectorias de emisiones muy reducidas. El informe del IPCC, aunque aún no ha producido una modificación de los métodos y objetivos del Acuerdo de París, inspirará recursos legales que exijan un aumento de las ambiciones en términos de objetivos de reducción para diferentes países, incluida Francia.

Si nos centramos en los litigios mas recientes[41], aquellos en los que la cuestión de la «emergencia climática» se pone de manifiesto de modo mas claro, deberíamos analizar el contexto político y científico en el que se desarrollan[42].

El año 2019 esta marcado por la publicación de cuatro informes científicos alarmistas sobre los efectos presentes y futuros del cam-

---

[39]   https://www.ipcc.ch/sr15/

[40]   Uno de los mensajes clave de este informe especial es la idea de que «cada medio grado cuenta». Las consecuencias, ya desastrosas a 1,5° C, son mucho más graves a 2° C. Además, estudios recientes sugieren que, por encima de este umbral, el aumento de las temperaturas podría provocar efectos dominó, principalmente irreversibles, relacionados con el derretimiento del hielo y el permafrost, el cambio en la circulación oceánica… Estos efectos comportarían cambios mucho más drásticos que los previstos actualmente, transformando el medio ambiente más allá de lo que ha observado la humanidad. Limitar el calentamiento al nivel más bajo posible puede ser incluso más vital de lo que sugiere el informe.

[41]   Ver las contribuciones de C. HUGLO, P. MARCANTONI, B. LORMETAU y T. THUILIER en M. TORRE-SCHAUB (dir.), *Les dynamiques du contentieux climatique, op. cit.*

[42]   M. TORRE-SCHAUB, *Justice climatique. Procès et actions*, Paris, CNRS éditions, 2020; S. AYKUT, «Le contentieux et le politique. L'activisme judiciaire sur le climat, entre moyen de pression et stratégie de contournement» in M. TORRE-SCHAUB (dir.), Les dynamiques du contentieux climatique, *op. cit.* p. p. 49-67; M. TORRE-SCHAUB, Introduction, in M. TORRE-SCHAUB et B. LORMETEAU (dir.), *Les recours climatiques en France*, Dossier spécial, *Énergie-Env.-Infrastr.* 2019, n° 5.

bio climático. Todos ellos destacan la naturaleza subestimada de los impactos de las actividades humanas en el clima, la biodiversidad y el ecosistema. Además, hacen un balance de la urgencia en la que se encuentra la humanidad tanto para reducir las emisiones de GEI como para adaptarse a las futuras perturbaciones climáticas. Estas observaciones de la «urgencia de actuar», sin embargo, luchan por integrarse en la gobernanza climática, al menos de forma vinculante, por la disyunción temporal entre este propósito y los medios implementados para satisfacerlo. Las negociaciones climáticas son lentas, complejas y poco ambiciosas. En cierto modo, sustituyéndolos o, al menos, acomodándolos, la movilización ciudadana se revela como una nueva forma de manifestación de acción, siendo el activismo judicial una de ellas. Este último se ha desarrollado significativamente desde hace algún tiempo, caracterizado por estrategias de litigio a veces atrevidas, a veces más clásicas, destinadas a ejercer acciones sobre la gobernanza climática de un Estado.

El año 2020, se inicia con cierto sabor amargo ya que la Conferencia de las partes que había tenido lugar en diciembre del 2019 en Madrid, no supo aportar suficientes respuestas a la emergencia climática y a urgencia de actuar de modo mas ambicioso y contundente. Además, la crisis sanitaria de la COVID-19 no solo pospondrá todas la demás citas en las que se debían seguir negociando las reglas de aplicación del Acuerdo —*Rulebook*—, sino que además va a relegar a un segundo termino la puesta en marcha de soluciones a la emergencia climática puesto que la prioridad será el estado de emergencia sanitaria.

A pesar de estos elementos de contexto, podemos destacar varias novedades en el campo de los litigios climáticos que van a dar una nota de esperanza a los remedios para hacer frente a la emergencia climática. Podemos destacar varios grupos de elementos positivos.

La decisión sobre la no aprobación del Plan nacional británico que tenia por objeto la ampliación del aeropuerto de Heathrow con la creación de una tercera pista. La Corte real de apelación de Londres en una decisión que data del 27 de febrero del 2020 se pronunciara en contra de la aprobación de dicho plan de reforma argumentando que «aunque el Acuerdo de París» no tenga un efecto directo en el derecho británico, el Reino Unido habiendo ratificado dicho acuerdo, su gobierno debe pus justificar sus decisiones de planificación del territorio, en lo que afecte a la cuestión climática, de modo que quede patente en dicha justificación, si el plan en cuestión se alinea con los objetivos del Acuerdo de París[43]. Esta decisión marcara un antes y un después en la historia del contencioso climático. Por un lado se le da cabida al argumento fundamentado en el Acuerdo de París para poder así imponer a la administración una «obligación de información». Por otro lado, esta decisión abre también un nuevo camino en las obligaciones a cargo de los evaluadores ambientales que imponen verificar si los planes de organización del territorio o de proyectos públicos son compatibles con los objetivos ratificados dentro del Acuerdo de París.

Podemos situar en la misma línea la reciente decisión dictada por el Consejo de Estado (Conseil d'Etat) en Francia, de 19 de noviembre de 2020[44], por la que la que la alta jurisdicción administrativa va a decretar que la administración tiene un plazo de tres meses para presentar informaciones complementarias concernientes a la coherencia entre los objetivos de reducción de GEI marcados por el gobierno y los medios puestos para alcanzarlos. Una vez mas, es la cuestión de la emergencia climática la que estará sobre la mesa. Y es la emergencia climática la que hará que los jueces administrativos consideren que el gobierno tiene que dar mas información acerca de su modo de hacer frente a dicha emergencia.

Otro litigio climático esta aun pendiente de decisión en Francia igualmente. Es el llamado «affaire du siècle» por el que se ha interpuesto una demanda al Estado fundamentada en su responsabilidad por daños y perjuicios ecológicos y en sus carencias en materia de ac-

---

[43] Ver también M. TORRE-SCHAUB, «L'Accord de Paris et les politiques climatiques nationales», commentaire autour de la décision de l'aéroport de Heathrow (Court of Appeal - Civil Division, *Plan B & al. c. Secretary of State & al.*, Aff C-2019/1053, 27 févr. 2020), *Énergie-Env.-Infrastr.* 2020, n° 4, p. 47-49;

[44] CE 19 noviembre 2020, **N° 427301,** 6ème et 5ème chambres réunies, https://www.conseil-etat.fr/fr/arianeweb/CE/decision/2020-11-19/427301; Comunicado de prensa del Conseil d'Etat https://www.conseil-etat.fr/actualites/actualites/emissions-de-gaz-a-effet-de-serre-le-gouvernement-doit-justifier-sous-3-mois-que-la-trajectoire-de-reduction-a-horizon-2030-pourra-etre-respectee; M. TORRE-SCHAUB, comentario, https://theconversation.com/plainte-de-grande-synthe-pour-inaction-climatique-pourquoi-la-decision-du-conseil-detat-fera-date-150654; A. GOSSEMENT, comentario, http://www.arnaudgossement.com/archive/2020/11/19/contentieux-climatique-questions-reponses-sur-la-decision-co-6278438.html.

tuación en base a sus obligaciones climáticas. Se espera que el Tribunal administrativo de París dicte sentencia en las próximas semanas.

El 30 de noviembre de 2020, la Corte europea de derechos humanos ha aceptado entender de un recurso lanzado por seis jóvenes contra treinta y tres Estados basándose en el hecho de que dichos estados no habían tomado las medidas adecuadas para actuar contra la emergencia climática. La Corte ha pedido a los treinta y tres Estados que faciliten información con respecto a si han tomado medidas para proteger a los ciudadanos contra el cambio climático. Si las informaciones recogidas por la Corte no resultan convincentes, el asunto seguirá su curso y esto podría dar lugar a la primera decisión sobre el cambio climático a nivel de la Corte europea de derechos humanos.

No obstante las evoluciones positivas descritas, vemos que están todas ellas condicionadas al derecho nacional de cada una y al funcionamiento de las jurisdicciones nacionales. Por ello, cabe decir que no solo contienen un elemento de impredecibilidad sino que la importancia y el tratamiento ad hoc que se de a la emergencia climática puede variar de un país a otro por lo que resultara difícil encontrar una respuesta homogénea. No obstante, según lo expuesto, vemos que el Acuerdo de Paris sirve de base común a muchos de estos litigios en respuesta a la emergencia climática[45], así como la cuestión emergente de la protección de los derechos fundamentales y los derechos humanos de los demandantes.

Algunos de estos avances están pendientes de cuestiones políticas, de un calendario electoral favorable y del voto de las mayorías parlamentarias de cada país. No obstante, vemos que en algunos países se han venido creando instituciones y organismos ad hoc para hacer frente a la emergencia climática y que vienen a apoyar los contenciosos climáticos y de un modo general las declaraciones de emergencia climática. Así por ejemplo, en Francia, dos instituciones han venido a reforzar la lucha contra la «emergencia climática»: una es el Haut Conseil pour le climat (como en el Reino Unido) que produce infor-

---

45   Sobre la invocabilidad del Acuerdo de París frente a las jurisdicciones nacionales ver S. ROBERT-CUENDET, «L'invocabilité du droit international du climat devant le juge administratif français» in M. TORRE-SCHAUB (dir.), *Les dynamiques du contentieux climatique*, op. cit. p. p. 145-169.

mes anuales que tienen vocación a guiar al poder ejecutivo. La otra es la Convención ciudadana para el clima (Convention citoyenne pour le climat). Se trata aquí por el momento de un experimento democrático sin reflejo en los textos de derecho pero es posible que las conclusiones de dicha Asamblea ciudadana desemboquen en un futuro texto de ley climática mas ambicioso que el existente y que dé un contenido mas preciso a la emergencia climática.

Capítulo 3
LOS RETOS DEL DERECHO DE LA CATÁSTROFE EN LA ERA DEL CAMBIO CLIMÁTICO: LA VULNERABILIDAD COMO EJE MOTRIZ DEL SISTEMA[1]

JESÚS JORDANO FRAGA
Catedrático de Derecho Administrativo
Universidad de Sevilla

1. INTRODUCCIÓN

Las catástrofes siempre han existido. En la mitología y en las religiones los fenómenos destructivos aparecen sin solución de continuidad. El desastre como oposición a Maat en el antiguo Egipto; el diluvio universal como mito universal de la humanidad, pues «cada tribu postula el propio»[2], etc. Hoy esta idea de la catástrofe como castigo al engreimiento humano se renueva desde la consideración de los fenómenos catastróficos como el castigo a la ruptura de las reglas del equilibrio natural[3]. Recientemente, la Oficina de Naciones Unidas pa-

---

[1]   Estudio realizado en el marco del proyecto DER2017-85981-C2-2-R, «Derecho Ambiental, Recursos naturales y Vulnerabilidad», subvencionado por el Ministerio de Ciencia e Innovación. Ponemos al día actualizado nuestro previo trabajo *La reparación de los daños catastróficos. Catástrofes naturales, Administración y Derecho Público: responsabilidad, seguro y solidaridad*, Madrid, Marcial Pons, 2000.

[2]   Véase la apasionante síntesis que al respecto realiza SÁNCHEZ DRAGÓ, en su *Gárgoris y Habidis, Una historia mágica de España*, Vol. I, Los Orígenes, Libros Hiperión, Ediciones Peralta, 8ª edición, Madrid 1979, pp. 84-88.

[3]   RAMADE sitúa dentro de estas nuevas plagas junto a las catástrofes geofísicas (vulcanismo, cataclismos, tornados, ciclones, terremotos y tsunami) la deforestación y sus consecuencias —inundaciones, erosión, deslizamientos, avalanchas, ciclones y tornados—; la desertificación; los fenómenos de contaminación global y la amenaza nuclear. Una de las causas fundamentales, en su opinión, es la explo-

ra la reducción del Riesgo de Catástrofes ha hecho público un estudio comparativo de los desastres acaecidos en los periodos 1980-1999 y 2000-2019[4]. El resumen gráfico habla por sí solo.

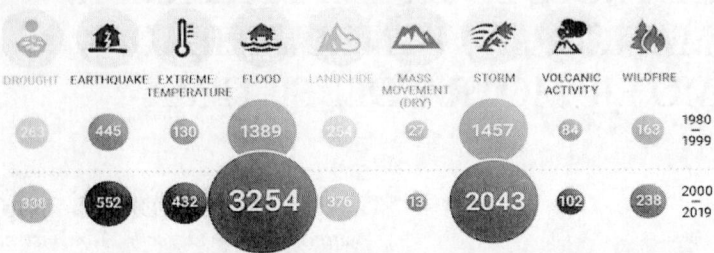

6,681 climate-related disasters (2000-2019) compared to 3,656 (1980-1999)

13 October, International Day for Disaster Risk Reduction
#DRRday #ItsAllAboutGovernance

---

sión demográfica que obliga a realizar asentamientos en zonas de alto riesgo, razón por la cual no han dejado de crecer los fenómenos catastróficos y de intensificarse sus daños (*Les catastrophes écologiques*, McGraw-Hill, Paris 1987, pp. IV, 1-15). En idéntico sentido, véase PHILIPPE, *Les limites de l'assurance des catastrophes naturelles dans le cadre de la loi du 13 juillet 1982*, D.E.S.S. d'ASSURANCES, 1993-1994, p. 8, recogiendo las conclusiones del estudio realizado por el *Comité français de la Décennie internationale de la prévention des catastrophes naturelles* realizado en octubre de 1992; NÁJERA IBAÑEZ, *Riesgos de la naturaleza: prevención y cobertura aseguradora*, «Previsión y Seguro», núm. 68, diciembre de 1998, pp. 49-50; The John HEINZ III Center for Science, Economics and Environment, *The Hidden Cost of Coastal Hazards. Implications for Risk Assessment and Mitigation*, Island Press, Covelo, California 1999, pp. xxxiii-xxiv. Véase también el informe realizado por la Office of the United Nations Disaster Relief Co-ordinator, *Disaster prevention and mitigation: a compendium of current knowledge*, United Nations, New York, 1987. Existe una publicación periódica en la materia que es la *Disaster Prevention and Management* publicada por la MCB University Press Ltd. Como mecanismo de lucha efectiva se ha creado la Global disaster information network en actual ebullición (vid. WINTER ROEDER, *The Global disaster information network*, «Bulletin American Society for Information Science», October-November 1999, pp. 25-27). Como direcciones electrónicas de interés son clásicas en la materia las de la ONU www.notes.reliefweb.int y del *Center of Excellence in Disaster Management and Humanitarian Asistance* in Honolulu http://coe.tamc.amedd.army.mil/COEwebsite/HomePage.nst.

[4]   https://www.lavanguardia.com/natural/cambio-climatico/20201013/484031625437/la-onu-alerta-del-aumento-asombroso-de-las-emergencias-climaticas.html.

Se ha pasado respectivamente en estos periodos de 1389 a 3254 inundaciones y de 1457 a 2043 tormentas. De 130 olas de calor a 432. Es obvia la nueva etiología humana de las catástrofes naturales que ya no pueden denominarse «Act of God» sino «Act of Humankind». La exterioridad como ajenidad a la acción del hombre hará mutar la consideración de estos fenómenos como fuerza mayor. La población más vulnerable está destinada a convertirse en refugiados climáticos[5].

2. LA. REGULACIÓN DE LA SOLIDARIDAD

2.1. El derecho estatal de la solidaridad

Tras la aprobación de la Constitución, la regulación de la reparación de los daños catastróficos se inserta en el ámbito de la protección civil. Paradójicamente esta decidida inserción fue realizada al margen de la norma líder en la materia.

2.1.1. La Ley 2/1985, de 21 de enero, sobre Protección Civil

La Ley 2/1985, de 21 de enero, sobre Protección Civil[6], a pesar de incluir en su concepto la acción reparadora de los poderes públicos ante lo catastrófico, no la regulaba. La acción permanente de los poderes públicos ha de orientarse a la protección y socorro de personas y bienes en situaciones de grave riesgo, catástrofe o calamidad pública y a la protección y socorro de personas y bienes en los casos en que dichas situaciones se produzcan[7]. Esta línea paradójica fue seguida

---

[5] LÓPEZ RAMÓN, «Teoría de la catástrofe y emigrantes ecológicos», *Revista Aranzadi de derecho ambiental*, ISSN 1695-2588, N°. 30, 2015 (Ejemplar dedicado a: Homenaje a D. Ramón Martín Mateo (I)), pp. 27-55.

[6] BOE núm. 22, de 25 de enero.

[7] Art. 1.1 de la Ley 2/1985. No define nuestro ordenamiento cuales son estas situaciones. En Portugal, el art. 3 de Lei n.º 27/2006 de Bases da Protecção Civil (Diário da República n.º 126/2006, Série I de 2006-07-03) sí define estas situaciones presupuesto de hecho de la protección civil. Allí se distingue entre accidente grave "- El accidente grave es un evento inusual con efectos relativamente limitados en el tiempo y el espacio, capaz de afectar a las personas y otros seres vivos, bienes o el medio ambiente" y "Catástrofe"; 2 - La catástrofe es un accidente grave o serie de accidentes graves que pueden ocasionar elevadas pérdidas

por el RD 1378/1985, de 1 de agosto[8], sobre medidas provisionales
para la actuación en situaciones de emergencia en los casos de grave
riesgo, catástrofe o calamidad pública. De forma más explícita, esta
norma estableció como misión de la Protección Civil «asegurar la
realización de cuantas actuaciones contribuyan a evitar, controlar y
reducir los daños causados por las situaciones de emergencia» mediante, entre otros medios, la atención social a los damnificados (letra
f) y la rehabilitación inmediata de los servicios públicos esenciales
(letra g)[9]. Realmente esta ausencia de regulación hemos de explicarla
en términos histórico-realistas: la Ley 2/1985, de 21 de enero, sobre
Protección Civil no regula la reparación de los daños catastróficos
porque en el momento de su promulgación la regulación ya existe y es
considerada satisfactoria. Tal vez se impuso, una vez más, lo tradicional. Si siempre habían sido regulados a través de normas de carácter
reglamentario, ¿Por qué variar ahora el «sabio» esquema histórico?

2.1.2. Ley 17/2015, de 9 de julio, del Sistema Nacional de Protección Civil

Hoy la Ley 17/2015, de 9 de julio[10], del Sistema Nacional de
Protección Civil sí regula en sus artículos 20 a 25 la recuperación.
La fase de recuperación está integrada por el conjunto de acciones
y medidas de ayuda de las entidades públicas y privadas dirigidas
al restablecimiento de la normalidad en la zona siniestrada, una vez
finalizada la respuesta inmediata a la emergencia[11]. Cuando se produzca una emergencia cuya magnitud requiera para su recuperación
la intervención de la Administración General del Estado, se aplicarán
las medidas recogidas en la Ley, previa declaración de la misma de
acuerdo con lo previsto en su art. 23[12]. Ordena la Ley que se informe
en el menor plazo posible a la Comunidad Autónoma afectada de las
razones que justifican la intervención de la Administración General

---

materiales y, eventualmente, víctimas, afectando intensamente las condiciones de
vida y el tejido socioeconómico en zonas o en todo el territorio nacional.

8   BOE núm. 191, de 10 de agosto.
9   Art. 2 del RD 1378/1985, de 1 de agosto.
10   BOE núm. 164, de 10 de julio de 2015.
11   Art. 20.1 de la Ley 17/2015.
12   Art. 20.2 de la Ley 17/2015.

del Estado en las tareas de recuperación o, en su caso, al Consejo Nacional de Protección Civil.

Los daños materiales habrán de ser ciertos, evaluables económicamente y referidos a bienes que cuenten con la cobertura de un seguro, público o privado. Esta limitación es directamente absurda, aunque probablemente su intención sea el fomento de los seguros[13] y la coordinación con la acción del Consorcio de Compensación de Seguros. Pero la población vulnerable no suele asegurar por lo que de aplicarse de modo literal el requisito legal excluiría a los más necesitados. Piénsese en daños en viviendas donde los seguros no son obligatorios o en los daños en vehículos en los que el seguro obligatorio no cubre daños y está fuera por tanto de la cobertura de ayudas y de la acción del Consorcio. Las ayudas por daños materiales serán compatibles con las que pudieran concederse por otras Administraciones Públicas, o con las indemnizaciones que correspondieran en virtud de pólizas de seguro, sin que en ningún caso el importe global de todas ellas pueda superar el valor del daño producido. Para daños personales se concederán ayudas económicas por fallecimiento y por incapacidad absoluta y permanente, en los términos previstos en la disposición adicional cuarta (las ayudas de carácter inmediato que veremos a continuación).

La declaración de zona afectada gravemente por una emergencia de protección civil prevista en esta ley se efectuará por acuerdo de Consejo de Ministros, a propuesta de los Ministros de Hacienda y Administraciones Públicas y del Interior y, en su caso, de los titulares de los demás ministerios concernidos, e incluirá, en todo caso, la delimitación del área afectada. Dicha declaración podrá ser solicitada por las administraciones públicas interesadas[14].

---

[13] El requisito está pensado más bien para determinado tipo de daños materiales cubierto, por ejemplo por ayudas a los titulares de explotaciones agrícolas y ganaderas que, teniendo pólizas amparadas por el Plan de Seguros Agrarios Combinados y estando ubicadas en el ámbito de aplicación señalado en el artículo 1 hayan sufrido daños en elementos afectos a la explotación que no sean asegurables, entendiéndose como tales los enumerados en el artículo 4.1 de la Orden INT/433/2017, de 25 de abril, por la que se desarrolla el artículo 2.3 del Real Decreto-ley 2/2017, de 27 de enero, por el que se adoptan medidas urgentes para paliar los daños causados por los últimos temporales.

[14] Art. 23 de la Ley 17/2015.

El sistema teniendo regulación general sigue siendo *ad hoc*. El Consejo de Ministros, cuando se declare una zona afectada gravemente por una emergencia de protección civil **podrá** adoptar, entre otras, algunas de las siguientes medidas[15]:

- *Ayudas económicas a particulares por daños en vivienda habitual y enseres de primera necesidad. Compensación a Corporaciones Locales por gastos derivados de actuaciones inaplazables.*

- *Ayudas a personas físicas o jurídicas que hayan llevado a cabo la prestación personal o de bienes.*

- *Ayudas destinadas a establecimientos industriales, mercantiles y de servicios.*

- *Subvenciones por daños en infraestructuras municipales, red viaria provincial e insular. Ayudas por daños en producciones agrícolas, ganaderas, forestales y de acuicultura marina.*

- *Apertura de líneas de préstamo preferenciales* subvencionadas por el Instituto de Crédito Oficial.

Medidas fiscales

- *Exención de la cuota del Impuesto sobre Bienes Inmuebles*, correspondiente al ejercicio presupuestario en el que haya acaecido la emergencia que afecte a viviendas, establecimientos industriales, turísticos y mercantiles, explotaciones agrarias, ganaderas y forestales, locales de trabajo y similares, cuando hayan sido dañados y se acredite que tanto las personas como los bienes en ellos ubicados hayan tenido que ser objeto de realojamiento total o parcial en otras viviendas o locales diferentes hasta la reparación de los danos sufridos, o los destrozos en cosechas constituyan siniestros no cubiertos por ninguna fórmula de aseguramiento público o privado[16].

---

[15]   Art. 24 de la Ley 17/2015.
[16]   La disminución de los ingresos en los tributos locales que, en su caso, se produzca en los ayuntamientos, diputaciones provinciales, cabildos insulares y consejos insulares como consecuencia de la aplicación de este artículo, será compensada con cargo a los Presupuestos Generales del Estado, de conformidad con lo establecido en el artículo 9 del texto refundido de la Ley reguladora de Haciendas Locales, aprobado por el Real Decreto Legislativo 2/2004, de 5 de marzo.

– *Reducción en el Impuesto sobre Actividades Económicas*, correspondiente al ejercicio presupuestario en el que haya acaecido la emergencia a las industrias de cualquier naturaleza, establecimientos mercantiles, turísticos y profesionales, cuyos locales de negocio o bienes afectos a esa actividad hayan sido dañados, siempre que hubieran tenido que ser objeto de realojamiento o se hayan producido daños que obliguen al cierre temporal de la actividad. La indicada reducción será proporcional al tiempo transcurrido desde el día en que se haya producido el cese de la actividad hasta su reinicio en condiciones de normalidad, ya sea en los mismos locales o en otros habilitados al efecto.

– *Exención de las tasas del organismo autónomo Jefatura Central de Tráfico* para la tramitación de las bajas de vehículos solicitadas como consecuencia de los daños producidos, y la expedición de duplicados de permisos de circulación o de conducción destruidos o extraviados por dichas causas[17].

– *Reducción de los índices de rendimiento neto de las explotaciones y actividades agrarias* realizadas en las zonas siniestradas que, de manera excepcional, el Ministro de Hacienda y Administraciones Públicas podrá autorizar.

La Ley 17/2015 en esto ha codificado la práctica anterior existente[18]. Es criticable *que solo las ayudas por daños personales* están exentas del Impuesto sobre la Renta de las Personas Físicas. La Ley 17/2015 prevé la actualización de las multas pero no la de las ayudas (Disp Adc. 3ª)

La ejecución del sistema se realiza mediante Reales Decretos-Leyes *ad hoc*, cayendo en desuso el sistema general diseñado, o ejecutándose dicho sistema mediante un RDL. De este modo, la adopción de un

---

[17] Las exenciones y reducciones de cuotas en los tributos señalados en los ordinales anteriores comprenderán las de los recargos legalmente autorizados sobre los mismos. Los contribuyentes que, teniendo derecho a los beneficios establecidos en los ordinales anteriores, hubieren satisfecho los recibos correspondientes a dicho ejercicio fiscal, podrán pedir la devolución de las cantidades ingresadas.

[18] JORDANO FRAGA, *La reparación de los daños catastróficos. Catástrofes naturales, Administración y Derecho Público: responsabilidad, seguro y solidaridad*, Madrid, Marcial Pons, 2000, pp. 210-245.

sistema abstracto y general de reparación de los daños catastróficos no ha terminado con las ordenaciones coyunturales y *ad hoc*. Se ha producido, en cierta forma, un bucle histórico que nos lleva en un *flash back* a 1969. Si se pasó de las intervenciones *ad hoc* hacia un sistema general, hoy la tendencia es el regreso a las intervenciones individualizadas.

La actuación tipo es, la emisión de un Decreto-Ley *ad hoc* que dentro, de las posibilidades contempladas por el art. 86 CE, suele ser convalidado por Resolución del Congreso de los Diputados (la excepción es su tramitación como proyecto Ley por el procedimiento de urgencia). Sirva como ejemplo de Decreto Ley tipo *ad hoc* el Real Decreto-ley 11/2019, de 20 de septiembre, por el que se adoptan medidas urgentes para paliar los daños causados por temporales y otras situaciones catastróficas[19]. Al esquema general de la Ley 17/2005 los RDL añaden:

–   La consideración de inversiones financieramente sostenibles de las inversiones realizadas para reparar los daños a que se refiere este real decreto-ley por las entidades locales que cumplan con los requisitos establecidos en la disposición adicional sexta de la Ley Orgánica 2/2012, de 27 de abril, de Estabilidad Presupuestaria y Sostenibilidad Financiera.

–   La atribución de la facultad al Ministro de Agricultura, Pesca y Alimentación para declarar zona de actuación especial las zonas afectadas, en las materias de su competencia, y para declarar la emergencia de las obras que, en consecuencia, hubieran de ser ejecutadas por dicho Departamento (Restauración hidrológico-forestal, Colaboración con el Ministerio para la Transición Ecológica para la recuperación y regeneración ambiental de los efectos producidos por los incendios forestales en los espacios de la Red Natura 2000, colaboración en el tratamiento para control de plagas en las masas forestales, restauración de infraestructuras rurales de uso general y de caminos naturales.)

–   La atribución de la facultad a la Ministra para la Transición Ecológica para declarar zona de actuación especial para la restauración del dominio público hidráulico las zonas afecta-

---

[19]   BOE núm. 227, de 21 de septiembre de 2019, pp. 103903 a 103916.

das en la cuenca hidrográfica correspondiente, y la emergencia de las obras a ejecutar por dicho Departamento (Eliminación de los tapones formados por restos vegetales procedentes de los incendios; Retirada de los acarreos, sedimentos y residuos que hayan llegado o puedan llegar hasta los cauces provocando una disminución de la capacidad de desagüe de los mismos; Reparación de las márgenes que hayan sufrido procesos erosivos).

– La atribución de la facultad a la Ministra para la Transición Ecológica para declarar zona de actuación especial para la restauración del dominio público marítimo terrestre las zonas afectadas en el litoral correspondiente, y la emergencia de las obras a ejecutar por dicho Departamento.

– Se faculta a los titulares de los departamentos ministeriales competentes por razón de la materia para declarar las áreas afectadas como zona de actuación especial, para que dichos departamentos, sus organismos autónomos y entidades públicas vinculadas o dependientes de ellos puedan llevar a cabo las actuaciones de restauración que procedan. A los efectos indicados se podrán declarar de emergencia las obras que ejecuten tales departamentos para reparar los daños causados en infraestructuras de titularidad estatal comprendidas en su ámbito de competencias.

Estos RDLs son la cabeza directriz o visible, del conjunto de «normas» dictadas cada intervención. Lo usual es que dichos RDLs vayan acompañados por un conjunto de disposiciones de desarrollo y ejecución, que normalmente adoptan la forma de Reales Decretos, órdenes ministeriales, normas directamente clónicas de anteriores intervenciones, o adaptadoras al caso concreto, siguiendo el modelo o plantilla al uso. El siglo XXI es ciertamente orteguiano, con hombres masa, normas masa y sentencias masa. Estos conjuntos reglamentarios en desarrollo y ejecución de los RDLs suelen estar compuestos por un Real Decreto que determina el ámbito espacial y temporal en concreto, con expresión del municipio/municipios y días, que a veces es ampliado o completado; una Orden «clónica» de desarrollo del RDL *ad hoc* en materia de zonas de actuación especial y declaración del carácter de emergencia de las obras a los efectos de la legislación Contratos

de las Administraciones Públicas; una Orden «clónica» reguladora
del procedimiento de concesión de subvenciones para la reparación
o restitución de bienes y servicios de entidades locales dañados; una
Orden clónica para el desarrollo de las medidas previstas en materia
laboral competencia del Ministerio de Trabajo. Ejercicio clónico de la
potestad reglamentaria. Los nuevos RDL tras la Ley 17/2015 incorporan esta regulación clónica a su texto.

Una importante cuestión general referida al grupo normativo
menor en desarrollo y ejecución de los RDLs, es su naturaleza jurídica. Cuestión no sólo teórica, pues determina el régimen de recursos (si son normas no cabría recurso en vía administrativa frente al
régimen de recursos frente a los); el procedimiento de modificación,
derogación o revisión; el régimen de suspensión de eficacia (más
difícil según la jurisprudencia cuando se trata de normas, etc.). En
general, no son normas reglamentarias en las que se hallen presentes las notas de la no consunción y su ordinamentalidad o de abs-
tracción o generalidad o repetibilidad de la aplicación[20]. Hay claros
actos administrativos generales como los que determinan el ámbito
espacial señalando concretos términos municipales. Junto a estos
claros actos aparecen regulaciones conformadoras de las actuaciones *ex* RDL *ad hoc*. Pero en estas intervenciones *ad hoc* reglamentarias en ejecución de un RDL, aplicado y ejecutado su régimen de
previsiones, éste queda sin contenido. Los repertorios de legislación
suelen advertirlo con una dicción llamativa «considerado fuera de
uso». No es la materia (la excepcionalidad de lo catastrófico), sino la técnica de intervención la que determina la consunción y no
incorporación al ordenamiento jurídico. Un Real Decreto o una
Orden pueden establecer una norma con vocación de vigencia indefinida en esta materia (como el régimen general de ayudas de carácter inmediato). Pero también pueden establecer un régimen jurídico
ad hoc para un episodio catastrófico concreto, terminado el cual
queda sin efecto, no se aplicará más, y su régimen, será considerado
fuera de uso. Posteriormente para otros supuestos se puede renovar
dicho régimen con modificaciones o sin ellas *ad hoc* para una serie

---

20 SANTAMARÍA PASTOR, *Principios de Derecho Administrativo*, Vol. I, Colección Ceura, Ed. Centro de Estudios Ramón Areces, S.A., segunda edición, Madrid 1998, pp. 294-296.

de acontecimientos singularmente mediante la técnica del establecimiento de un ámbito temporal-espacial de aplicación. A la vista de estos datos es obvio, que estas intervenciones *ad hoc* reglamentarias en ejecución de un RDL, se acercan más al concepto de actos administrativos generales que al de verdaderos reglamentos. Sólo podrían contemplarse como reglamentos de necesidad, y a veces lo son, decayendo cuando transcurre el presupuesto de hecho de su aplicación[21]: Y es que, por definición, un reglamento de necesidad no tiene vocación de vigencia indefinida careciendo de ordinamentalidad, y estando abocado a su congénita consunción (Parada Vázquez)[22].

2.2. Las ayudas de carácter inmediato

En el Derecho estatal estas ayudas fueron reguladas en la Orden del Ministerio del Interior de 18 de marzo de 1993[23] modificada parcialmente por la Orden del mismo Ministerio de 30 de julio de 1996[24]. La Orden del Ministerio del Interior de 18 de marzo de 1993 regulaba el procedimiento para la concesión de ayudas en atención de determinadas necesidades derivadas de situaciones de emergencia, catástrofes y calamidades públicas basándose, «teóricamente», en los principios de flexibilidad, equidad y proporcionalidad. La *ratio* declarada en la exposición de motivos era la simplificación y subsanación de los problemas presentados por la regulación de la Orden de 31 de julio de 1989. Estas ayudas de carácter inmediato se conceden con cargo a los créditos consignados en el programa 223A «Protección_Civil» de los Presupuestos Generales del Estado o aplicación presupuestaria 16.01.134M «Para atenciones de todo orden motivadas por siniestros, catástrofes u otros de reconocida urgencia»[25]. Dicha regulación fue sustituida por el Real Decreto 307/2005, de 18 de marzo, por el que se regulan las subvenciones en atención a determinadas necesidades derivadas de situaciones de emergencia o de naturaleza catastrófi-

---

21 GARCÍA DE ENTERRÍA & FERNÁNDEZ RODRÍGUEZ, *Curso de Derecho Administrativo*, T. I, pp. 203-204.
22 *Derecho Administrativo*, Parte General, Tomo I, Undécima edición, Madrid 1999, p. 65.
23 BOE núm. 76, de 30 de marzo.
24 BOE núm. 192, de 9 de agosto (RCL 1996/2254).
25 Artículo 1 de la O. de 18 de marzo de 1993.

ca, y se establece el procedimiento para su concesión. El Real Decreto 307/2005, de 18 de marzo introdujo una serie de mejoras respecto de la normativa anterior para atender este tipo de situaciones, al mismo tiempo que adaptaba los procedimientos de concesión a la Ley 38/2003, de 17 de noviembre, General de Subvenciones.

Hoy el derecho vigente bien constituido por Real Decreto 307/2005, de 18 de marzo modificado por el Real Decreto 477/2007, de 13 de abril. El sistema de las ayudas de carácter inmediato, esto es evidente, no es generoso ni subjetiva ni objetivamente. Subjetivamente se limita el posible ámbito de aplicación de estas ayudas[26], pero lo verdaderamente terrible, es que habiéndose limitado subjetivamente las ayudas a la población más débil, la ayuda objetiva sea realmente miserable. Dentro de esa falta de generosidad, hay incoherencias que rozan lo intolerable.

Esta es la Cuantía de las ayudas.

Las ayudas a las unidades familiares o de convivencia económica para paliar daños materiales se concederán en las circunstancias y cuantías que se enumeran a continuación:

– *Destrucción total de la vivienda habitual*, se podrá conceder ayuda, según el coste económico valorado de los daños, hasta una cuantía máxima de **15.120 euros.**

– *Daños que afecten a la estructura de la vivienda habitual*, referidos únicamente a las dependencias destinadas a la vida familiar, se concederá una cantidad correspondiente al 50 por

---

[26] Artículo 16 Real Decreto 307/2005.
1. Las unidades familiares o de convivencia económica podrán ser beneficiarias de las ayudas económicas establecidas en este capítulo siempre que sus ingresos anuales netos estén en los límites que a continuación se indican. A efectos del cálculo de los ingresos anuales netos, se tomarán los doce meses anteriores al hecho causante o, en su defecto, los del último ejercicio económico completo que facilite la Agencia Estatal de Administración Tributaria.
Cuando los ingresos anuales netos superen en dos veces y media las siguientes cantidades, no habrá derecho a la subvención:
- para unidades con uno o dos miembros: IPREM + 40%.
- para unidades con tres o cuatro miembros: IPREM + 80%.
- para unidades con más de cuatro miembros: IPREM + 120%.
- El IPREM es el indicador público de renta de efectos múltiples.

ciento de los daños valorados, no pudiendo superar la ayuda la cantidad de **10.320 euros.**

– *Daños que no afecten a la estructura de la vivienda habitual*, se concederá una cantidad correspondiente al 50 por ciento de dichos daños según valoración técnica, no pudiendo superar la ayuda la cantidad de **5.160 euros.**

– *Destrucción o daños en los enseres domésticos de primera necesidad de la vivienda habitual* que hayan resultado afectados por los hechos causantes de la solicitud, se concederá una cantidad correspondiente al coste de reposición o reparación de los enseres afectados, que no podrá ser en ningún caso superior a **2.580 euros.**

– *Daños en elementos comunes de uso general de una Comunidad de Propietarios* en régimen de propiedad horizontal, se concederá una cantidad correspondiente al 50 por ciento de dichos daños, según la valoración técnica efectuada por el Consorcio de Compensación de Seguros, hasta una cantidad máxima de **9.224 euros.**

Es un gran defecto la omisión de cualquier título actualizador de las cantidades. Tan solo desde 2007 se ha actualizado la referida por daños en elementos comunes de uso general de una Comunidad de Propietarios en régimen de propiedad horizontal, mediante el Real Decreto-ley 2/2019, de 25 de enero, por el que se adoptan medidas urgentes para paliar los daños causados por temporales y otras situaciones catastróficas.

Si se es poco generoso, y además no se actualiza, se construye un sistema de solidaridad devaluada. Las modificaciones en las intervenciones *ad hoc*, válidas sólo para cada intervención no son una solución satisfactoria: son contingentes, coyunturales y asistemáticas no extendiendo sus efectos más allá del ámbito espacial/temporal de su intervención.

La normativa reglamentaria estatal en materia de subvenciones de ayudas inmediatas derivadas de situaciones de emergencia o de naturaleza catastrófica es de aplicación a las ayudas derivadas de situaciones en las que no se haya producido la declaración de zona afectada gravemente por una emergencia de protección civil, así como a las ayudas por daños personales del artículo 22 y por daños materiales

contenidas en el artículo 21 y en los párrafos a), b) c) y d) del apartado 1 del artículo 24[27].

2.3. El derecho europeo de la solidaridad

Pero la visión de la reparación solidaria no se agota en el grupo
normativo de la protección. Existen múltiples mandatos ordenadores
de esta actuación de los poderes públicos[28]. Las ayudas con ocasión
de las catástrofes naturales, constituyen, por ejemplo, desde el punto
de vista del Derecho de la Unión europea, una excepción al denominado principio de incompatibilidad[29]. La prohibición de ayudas públicas que falsee la competencia, sufre una inflexión en esta materia.
De acuerdo con el art. 107.2 b) TFUE (antiguo 87.2, letra b) TUE
(a su vez antiguo 90.2 TUE) son compatibles con el mercado común
«las ayudas destinadas a reparar perjuicios causados por desastres
naturales o por otros acontecimientos de carácter excepcional».
Esta es una de las excepciones al principio general prohibitivo, excepciones que son interpretadas de forma flexible por la Comisión,
como recuerda Rodríguez-Arana, primando su carácter excepcional
sobre el principio de libre competencia. Al ser subvenciones que se
conceden por directa aplicación del Tratado no es posible una deli-
beración sobre la oportunidad de su autorización; son subvenciones
imperativamente autorizadas[30]. Se entiende, no obstante, que esta
compatibilidad *de iure* de las ayudas que se enumeran, no obsta
para que la Comisión pueda realizar un control de tales ayudas, de
acuerdo con lo previsto en el art. 108 (apdos 1 y 2)[31]. La exégesis

---

27 Disposición adicional cuarta.
28 Vid. NAVARRO CABALLERO, Teresa María, «La protección contra las catás-
    trofes naturales a nivel europeo: consideración especial del riesgo de inundacio-
    nes», *Revista Aragonesa de Administración Pública*, ISSN 1133-4797, N° 35,
    2009, pp. 391-420.
29 Al respecto, véase PASCUAL GARCÍA, *Régimen jurídico de las subvenciones
    públicas*, Colección Estudios Jurídicos, 6, tercera edición, Ministerio de la Presi-
    dencia, BOE, Madrid 1999, pp. 59-62.
30 *Cuatro estudios de Derecho Administrativo Europeo. Derechos fundamentales,
    subsidiariedad, subvenciones y Administraciones Públicas*, Editorial Comares,
    Granada 1999, pp. 102-103.
31 DÍEZ-HOCHLEITNER & MARTÍNEZ CAPDEVILA, *El Tratado de Ámster-
    dam de la Unión Europea. Análisis y comentarios*, Vol. II, McGraw Hill, Madrid

que tradicionalmente se realiza de este supuesto gira sobre dos ejes: 1) que los acontecimientos excepcionales no pueden ser de carácter económico, por tener estos su regulación específica; y 2) las ayudas para reparar los perjuicios causados por los desastres naturales, no pueden suponer un falseamiento de la competencia, si no que suponen situar a las empresas en la posición anterior a los desastres[32]. Se ha estimado que un aumento de las ayudas con finalidad regional en las zonas en que se ha producido una catástrofe natural sólo puede justificarse por un período limitado si tal catástrofe ha modificado considerablemente la situación socioeconómica de una región en su conjunto o de varias regiones. Las medidas deben corresponderse con la gravedad y la urgencia generada. Cabe fomentar el desarrollo de servicios vinculados a la industria y estimular el proceso de industrialización en las zonas afectadas (Decisión 91/175/CEE, de 25 de julio de 1990)[33].

Hoy la norma líder es el Reglamento (CE) n.o 2012/2002 del Consejo por el que se crea el Fondo de Solidaridad de la Unión Europea. Este Reglamento crea el Fondo de Solidaridad de la Unión Europea (FSUE) que proporciona ayuda financiera a los países de la UE que se enfrenten a grandes catástrofes naturales. Con arreglo a la nueva normativa adoptada en 2014 [que modifica el Reglamento (UE) n.o 661/2014], los procedimientos de trabajo se simplificaron y los criterios de elegibilidad se han aclarado y ampliado para abarcar la sequía. Tras el brote epidémico de la COVID-19 en 2020, las normas fueron modificadas por el Reglamento (UE) 2020/461 para permitir que el FSUE brinde asistencia financiera no solo a los países que enfrentan desastres naturales sino también a aquellos países que enfrentan emergencias de salud pública importantes.

---

[32] 1998, p. 118.
AYMERICH CANO, siguiendo a FERNÁNDEZ FARRERES y MARTÍNEZ-LÓPEZ MUÑIZ, *Ayudas públicas y Estado Autonómico*, Servicio de Publicaciones de la Universidad de A Coruña, A Coruña 1994, p. 221.

[33] Sobre esta Decisión ha recaído la STJCE de 28-4-1993, Asunto C 364/90). Pueden verse en VV.AA., *Ayudas Públicas a Empresas, Decisiones de la Comisión Europea. Sentencias del Tribunal de Justicia (1990-1994)*, Comunidad de Madrid, Dirección General de Cooperación con el Estado y Asuntos Europeos, Madrid 1995, pp. 57-63 y 323-324, respectivamente.

3. PROPUESTAS DE REGULACIÓN CON LA VULNERABILIDAD COMO EJE MOTRIZ DEL SISTEMA

Vulnerabilidad es un concepto multidimensional que incluye exposición, «el grado al cual un grupo humano o ecosistema entra en contacto con un riesgo particular» (Clark). Pero vulnerabilidad también es la incapacidad de una comunidad para absorber, mediante el autoajuste, los efectos de un determinado cambio en su medio ambiente, o sea su inflexibilidad o incapacidad para adaptarse a ese cambio (Wilches-Chaux)[34]. Desde punto de vista, la vulnerabilidad ambiental debe ser el nuevo eje motriz del derecho de las catástrofes. Otro de los problemas que invariablemente sacuden la estructura del procedimiento de reparación de los daños catastróficos es la necesidad de acreditación[35]. La catástrofe suele cebarse sobre zonas marginales de las ciudades en las que la realidad inmobiliaria es aregistral. Las viviendas dañadas no constan registralmente y la propiedad suele ampararse en documentos privados que la propia catástrofe destruye. El principio expreso que inspire el procedimiento debe ser la flexibilidad, aceptándose otras pruebas distintas de la documental (todos los medios de prueba admitidos en Derecho como la prueba testifical, los suministros eléctricos o de agua o una mera denuncia de su defraudación, las declaraciones de servicios de asuntos sociales, asociaciones de vecinos, etc.): Cualquier elemento indiciario debe bastar en virtud del principio *in dubio pro damnato)*. La comprobación debe ser siempre *ex post*. Parafraseando la vieja regla *solve et repete*, aquí debe primar la contraria solve et «tramita». Si esta manera de operar abona la picaresca, en cualquier caso, siempre será preferible esa flexibilidad vulnerable al fraude, que la desprotección de un verdadero afectado[36].

---

[34]   *Vid. Apud.*, José Javier Gómez, *Vulnerabilidad y Medio Ambiente* en *Las diferentes expresiones de la vulnerabilidad social* en América Latina y el Caribe Santiago de Chile, 20 y 21 de junio de 2001, p. 4.

[35]   Aunque el problema es recurrente en otros sistemas también (Cfr. STUART, «*The 1990 California freeze: disaster relief leaves farmworkers in the cold,: disaster relief leaves farmworkers in the cold*», *San Joaquin Agricultural Law Review*, vol. 2, 1992, p. 4).

[36]   Y eso que los fraudes están al orden del día, yendo desde la alegación de daños inexistentes provocados por anteriores fenómenos, a toda una picaresca de posibles estafas a los ciudadanos afectados (véase NOWADZKY, *Lawyering your*

Un rigorismo exacerbado en la tramitación ha sido letal en la protección del Estado frente al COVID 19 dejando a centenares de miles de personas sin ayudas. Además, la adopción de esta filosofía puede venir acompañada de medidas disuasorias, como sanciones penales y administrativas específicas y agravadas respecto de los tipos genéricos existentes en la actualidad. Cualquier medida reforzadora de la seriedad del sistema de solidaridad halla su justificación en los valores a defender (la solidaridad constitucionalizada). Pero el rigor y la dureza en la defensa, no puede constituir un impedimento para la agilidad y eficacia del sistema: El aparato sancionador administrativo y penal debe ser reforzado; el principio de interdicción del enriquecimiento injusto (torticero) no sólo debe ser proclamado sino ejercido efectivamente. Este principio debe ser proclamado de forma universal y no sólo en concreto. Debe impedirse que la solidaridad pueda convertirse en el *modus vivendi* de poblaciones o individuos; pero el límite del valor de lo reparado ha de estimarse en conjunto; esto es, en el conjunto de subvenciones, ayudas y otras cantidades recibidas *históricamente*. De esta forma se evitan irracionalidades como las detectadas en Estados Unidos donde el monto total de ayudas recibidas ha superado con creces el valor de las propiedades dañadas por inundaciones. En este sentido la expropiación y la eliminación de viviendas en zonas de riesgo y la renaturalización de zonas inundables, debe constituir el objetivo ambiental de una política de gestión de riesgos naturales.

Creemos que para cada evento producido debiera existir un «fondo reservado» a gastar sin justificar administrado por una asociación u organización no gubernamental en un tanto por ciento sobre la cantidad global (por ejemplo, un 1 ó 5 % ó de determinación discrecional sobre una horquilla porcentual entre el 1 y el 5 %). La razón es obvia: las catástrofes naturales se ceban sobre la población social más débil y marginal que puede no estar en condiciones de solicitar ayuda oficial (crecientemente inmigrantes, marginados socialmente, o incluso al margen de la Ley). Solo de esta manera pueden salvarse esas ineficiencias que de otro modo pueden producir resultados sencillamente inhumanos. Todo esto no son más que variaciones del

---

municipality through a natural disaster or emergency, «The Urban Lawyer», vol. 27, Winter 1995, number 1, pp. 25-27).

principio de la efectividad de la reparación y *pro damnato* que es obvio que vienen impuestos por la cláusula de Estado Social (art. 1 y 9 CE). También de *lege ferenda* la Cláusula de Estado Social y el principio *in dubio pro damnificado*, deben imponer el silencio administrativo positivo en los supuestos de inactividad con ocasión de la tramitación de las ayudas y subvenciones destinadas a la reparación del desastre o calamidad pública. Otra solución parece inaceptable dada la urgencia inherente a la resolución de tales procedimientos como nos acaba de recordar el COVID-19.

BIBLIOGRAFÍA

AYMERICH CANO, Carlos, *Ayudas públicas y Estado Autonómico*, Servicio de Publicaciones de la Universidad de A Coruña, A Coruña 1994.

DE BENITO LANGA, Julia «Medidas urgentes para paliar los daños producidos por catástrofes naturales ocurridos en varias Comunidades Autónomas», *La administración práctica: enciclopedia de administración municipal*, ISSN 0210-2781, N°. 8, 2010, pp. 782-785 y «Medidas urgentes para paliar los daños producidos por catástrofes naturales ocurridos en varias Comunidades Autónomas: incidencia en las entidades locales» *La administración práctica: enciclopedia de administración municipal*, ISSN 0210-2781, N°. 9, 2010, pp. 896-901.

DÍEZ-HOCHLEITNER & MARTÍNEZ CAPDEVILA, *El Tratado de Ámsterdam de la Unión Europea. Análisis y comentarios*, Vol. II, McGraw Hill, Madrid 1998.

GARCÍA URETA, Agustín, «Aspectos sobre la fuerza mayor y el derecho comunitario», *R.Ar.A.P.* núm. 19, diciembre 2001, pp. 101- 143.

GÓMEZ, José Javier, *Vulnerabilidad y Medio Ambiente* en *Las diferentes expresiones de la vulnerabilidad social* en América Latina y el Caribe Santiago de Chile, 20 y 21 de junio de 2001 (https://fdocuments.es/document/vulnerabilidad-y-medio-ambientejose-javier-gomez.html)

JORDANO FRAGA, Jesús, *La reparación de los daños catastróficos. Catástrofes naturales, Administración y Derecho Público: responsabilidad, seguro y solidaridad*, Madrid, Marcial Pons, 2000.

LÓPEZ RAMÓN, Fernando, «Teoría de la catástrofe y emigrantes ecológicos», *Revista Aranzadi de derecho ambiental*, ISSN 1695-2588, N°. 30, 2015 (Ejemplar dedicado a: Homenaje a D. Ramón Martín Mateo (I)), pp. 27-55.

NÁJERA IBAÑEZ, Alfonso, «Riesgos de la naturaleza: prevención y cobertura aseguradora», *Previsión y Seguro*, núm. 68, diciembre de 1998, pp. 49-56.

NAVARRO CABALLERO, Teresa María, «La protección contra las catástrofes naturales a nivel europeo: consideración especial del riesgo de inundaciones», *Revista Aragonesa de Administración Pública*, ISSN 1133-4797, N° 35, 2009, pp. 391-420.

NOWADZKY, Roger A., *Lawyering your municipality through a natural disaster or emergency*, «The Urban Lawyer», vol. 27, Winter 1995, number 1, pp. 9-27.

PASCUAL GARCÍA, José, *Régimen jurídico de las subvenciones públicas*, Colección Estudios Jurídicos, 6, tercera edición, Ministerio de la Presidencia, BOE, Madrid 1999.

RAMADE François, *Les catastrophes écologiques*, McGraw-Hill, Paris 1987.

RODRÍGUEZ ARANA, Jaime, *Cuatro estudios de Derecho Administrativo Europeo. Derechos fundamentales, subsidiariedad, subvenciones y Administraciones Públicas*, Editorial Comares, Granada 1999.

STUART, Rissa A., «*The 1990 California freeze: disaster relief leaves farmworkers in the cold*», *San Joaquin Agricultural Law Review*, vol. 2, 1992, pp. 85 y ss.

WINTER ROEDER, Larry, «The Global disaster information network», *Bulletin American Society for Information Science*, October-November 1999, pp. 25-27.

Capítulo 4
LE LIMITAZIONI DELLE LIBERTÀ COSTITUZIONALI NEI PERIODI DI EMERGENZA: IL MODELLO ITALIANO[1]

CARLO IANNELLO
Professore Associato di Diritto Pubblico
Università degli Studi della Campania «Luigi Vanvitelli»

1. L'ASSENZA DI UNA DISCIPLINA COSTITUZIONE DELL'EMERGENZA NELLA COSTITUZIONE ITALIANA: LA TRADIZIONALE RISPOSTA ALLE EMERGENZE A CAVALLO TRA DECRETI LEGGE ED ORDINANZE «LIBERE»

A differenza di quanto accade in altri ordinamenti, come, ad esempio, in quello francese o spagnolo, in Italia manca una disciplina costituzionale dello stato di emergenza, inteso in senso ampio, cioè come una situazione imprevedibile che comporta un grave pericolo per la convivenza civile, che può essere determinato dai più diversi fattori, naturali o umani[2]. Si pensi, a titolo meramente esemplificativo, ai conflitti armati, alle insurrezioni interne, agli attentati terroristici, alle ca-

---

[1]   Trabajo realizado en el marco del Proyecto de investigación «Bioderecho ambiental y protección de la vulnerabilidad: hacia un nuevo marco jurídico» — BIO-vul— (DER 2017-85981-C2-1-R) del Ministerio de Ciencia, Innovación y Universidades (Convocatoria 2017 de Proyectos de I+D+i correspondientes al Programa estatal de Investigación, Desarrollo e Innovación orientada a los Retos de la Sociedad, en el marco del Plan Estatal de Investigación Científica y Técnica y de Innovación 2013-2016).
[2]   Sulla questione si rinvia a MODUGNO F., NOCILLA D., *Problemi vecchi e nuovi sugli stati di emergenza nell'ordinamento italiano*, in AA.VV., *Scritti in onore di Massimo Severo Giannini*, vol. II, Giuffrè, Milano, 1988, pp. 515 e ss.; A. PIZZORUSSO, *Emergenza (stato di)* in *Enc. delle scienze sociali*, Treccani, Roma, 1993, pp. 551 e ss.

lamità naturali o alle catastrofi derivanti dall'attività dell'uomo, come l'incendio di un'industria inquinante[3].

La Costituzione francese del 1958 prevede sia un'ipotesi di poteri eccezionali, sancita dall'art. 16, sia una disciplina *ad hoc* per lo stato d'assedio, sancita dall'art. 36. La Costituzione spagnola del 1978 contiene una articolata disciplina dello «stato di allarme, di emergenza e di assedio» all'art. 116.

Si tratta di discipline costituzionali che si preoccupano di creare una cornice di legittimità per l'esercizio di poteri straordinari che possono comportare anche una sospensione oppure una limitazione dei diritti costituzionali dei cittadini.

L'assenza di una tale previsione nella Costituzione italiana si spiega agevolmente con la preoccupazione dei costituenti che la formalizzazione di uno stato di emergenza, che legittimasse un accentramento di poteri in capo al Governo o al Presidente del Consiglio, potesse rappresentare una possibilità pericolosa in grado di favorire l'instaurazione di un regime non democratico per vie «legali».

Difficile stabilire ora se le preoccupazioni che sostennero la ritrosia dei costituenti fossero fondate.

Certamente, si tratta di preoccupazioni pienamente comprensibili sul piano storico, ove si rifletta, da un lato, che il nazismo hitleriano si avvalse dell'articolo 48 della costituzione di Weimar, secondo il quale il Presidente del Reich poteva «prendere le misure necessarie al ristabilimento dell'ordine e della sicurezza pubblica, quando essi siano turbati o minacciati in modo rilevante, e, se necessario, intervenire con la forza armata. A tale scopo può sospendere in tutto o in parte la efficacia dei diritti fondamentali»; dall'altro, che la stessa dittatura fascista può essere considerata come una sorta di instaurazione di uno stato di eccezione durato un ventennio.

---

3   L'elencazione riportata è meramente esemplificativa, dal momento che il concetto di emergenza è, come è stato rilevato, «un concetto aperto» DE MINICO G., *Costituzione. Emergenza e terrorismo*, Jovene, Napoli, 2016, p. 8.

Indipendentemente dal giudizio storico relativo a questa mancanza, che esula dall'ambito del presente lavoro, ciò che deve essere messo in evidenza è che il diritto costituzionale italiano ha una sola disposizione che si presta ad essere utilizzata al verificarsi di eventi che rientrano nel concetto poc'anzi evocato di emergenza: si tratta dell'articolo 77 cost., che detta la disciplina del decreto-legge (se si mette da parte l'art. 78 cost., che disciplina un'ipotesi specifica, cioè lo stato di guerra; articolo che, infatti, dal 1948 ad oggi non è stato mai applicato[4]).

Conseguentemente, nel periodo repubblicano, gli stati di emergenza sono stati sempre affrontati o attraverso l'utilizzo dello strumento del decreto-legge, oppure ricorrendo ai cosiddetti poteri *extra ordinem*, già presenti nel tessuto legislativo dell'Italia pre-repubblicana. Si tratta delle cosiddette ordinanze «libere», cioè di atti amministrativi in grado di derogare all'ordine giuridico esistente. Si pensi, ad esempio, all'articolo 2 del testo unico di pubblica sicurezza (R. D. n. 773 del 1931), il quale attribuiva al prefetto un vastissimo potere di ordinanza, cioè quello di adottare «i provvedimenti indispensabili per la tutela dell'ordine pubblico e della sicurezza pubblica» nel caso in cui vi fosse «urgenza» o una «grave necessità pubblica».

Atti che, se dal punto di vista formale potevano essere qualificati come amministrativi, data l'autorità (amministrativa, appunto) cui era attribuito il potere di ordinanza, da quello sostanziale acquistavano, senza dubbio, una forza che trascendeva quella propria degli atti amministrativi, perché dotati della capacità di derogare alla legislazione dello Stato.

Proprio questa capacità derogatoria ha posto molti problemi interpretativi. Una volta entrata in vigore la Costituzione repubblicana è, infatti, emerso con forza il problema della compatibilità costituzionale delle leggi che autorizzano l'adozione di queste ordinanze. Inizialmente, la questione ha dato molto filo da torcere alla giurisprudenza costituzionale la quale, al fine di ammettere la loro costituzionalità, ha chiarito quali dovessero essere i rigorosi limiti che tali atti

---

4   In tema cfr. A. Patroni Griffi, *Art. 78*, in, *Commentario alla Costituzione* a cura di R. BIFULCO, A. CELOTTO, M. OLIVETTI, Torino, Utet giuridica, 2006, Vol. 2, pp. 1531-1544.

debbono osservare: efficacia temporalmente limitata, estensione territoriale circoscritta, rispetto dei principi generali dell'ordinamento[5].

Il potere di ordinanza *extra ordinem* si è così consolidato. Conseguentemente, le emergenze, sono state affrontate attraverso i due citati strumenti (decreto-legge ed ordinanze libere) usati in modo alternativo o, quando le emergenze sono state di più vaste proporzioni, in maniera congiunta. Spesso, infatti, tali istituti sono stati integrati fra di loro, come dimostra non solo il caso della recente pandemia, in cui le ordinanze e i decreti legge si sono strettamente intrecciati, ma anche le emergenze più rilevanti affrontate nel paese, dal crollo del ponte di Genova del 2018 al più lontano nel tempo terremoto in Irpinia del 1980[6], passando per la nota e lunghissima vicenda dell'emergenza rifiuti nella regione Campania[7].

---

[5]   Cfr. corte Cost. n. 8 del 1956 e n. 26 del 1961 corte cost. sent. n. 127 del 1995. Sul poteri di ordinanza cfr. BARTOLOMEI F., *Ordinanza (dir. amm.)*, in *Enc. dir.*, XXX, Giuffrè, Milano, 1980, pp. 970 ss.; ID., *Potere di ordinanza e ordinanze di necessità*, Giuffrè, Milano, 1979; GALATERIA L., *I provvedimenti amministrativi di urgenza. Le ordinanze*, Giuffrè, Milano, 1953; GIANNINI M. S., *Potere di ordinanza e atti necessitati*, in *Giur. compl. cass. civ.*, 1948, XXVII, pp. 388 ss. RESCIGNO G. U., *Ordinanze e provvedimenti di necessità ed urgenza*, in *Nss. D. I.*, vol. XII, Torino, Utet, 1965; ID., *Sviluppi e problemi nuovi in materia di ordinanze di necessità e urgenza e altre questioni in materia di protezione civile alla luce della sentenza n. 127 del 1995 della Corte costituzionale*, in *Giur. cost.*, 1995, p. 2189.

[6]   Per il terremoto del 23 novembre del 1980 si veda, come quadro generale, la legge n. 996 del 1970 sul servizio di protezione civile e il d.l. del 26 novembre 1980, n. 776. Per il crollo del ponte di Genova cfr. la dichiarazione dello stato di d.l. n.

[7]   Lo stesso intreccio tra ordinanze libere e decreti legge ha caratterizzato anche la recente storia di strumentalizzazione dei poteri di protezione civile per la creazione di un sistema amministrativo parallelo a quello ordinario, del tutto dal principio di legalità, il cui esempio probabilmente più paradigmatico è rappresentato dalla gestione dell'emergenza rifiuti nella regione Campania con cui si è creato un apparato amministrativo straordinario, cui erano attribuita una potestà amministrativa sganciata dal rispetto del principio di legalità per gestire non un'emergenza nel senso vero del termine, ma preposto a un settore di amministrazione pubblica in sostituzione dell'amministrazione istituzionalmente competente. Su tali aspetti cfr. IANNELLO C., *L'emergenza rifiuti in Campania: i paradossi delle gestioni commissariali* in *Rassegna di Diritto Pubblico Europeo*, n. 2/2007, pp. 137 e ss.

2. LA PROBLEMATICA COSTITUZIONALITÀ DEI POTERI *EXTRA ORDINEM* TRA L'OPPORTUNITÀ (E LA COMPATIBILITÀ COSTITUZIONALE) DELLA LORO PREVISIONE E LA IRRESISTIBILE TENTAZIONE DELLA LORO STRUMENTALIZZAZIONE

Come osservato, i poteri *extra ordinem*, cioè liberi dalla legge, anche a seguito della giurisprudenza costituzionale, che ne ha ammesso la legittimità, seppur con la precisazione dei loro limiti, si sono consolidati e sono stati inseriti nelle più importanti legislazioni in materia sanitaria ed ambientale[8], in quanto ritenuti strumenti imprescindibili per la gestione delle emergenze. Tanto che questo istituto giuridico ha rappresentato il cardine su cui sono stati costruiti i poteri di protezione civile, razionalizzati, prima, dalla legge n. 225 del 1992, che ha istituito il servizio di protezione civile, ed ora nuovamente disciplinati nel testo unico in materia, il d.lgs. n. 1 del 2018.

La pagina di storia amministrativa italiana relativa all'utilizzo dei poteri emergenziali ha, tuttavia, più tinte fosche che chiare perché ha messo a dura prova il rispetto dei basilari principi su cui si fondano i sistemi liberaldemocratici: il principio di legalità e quello della divisione dei poteri.

In primo luogo, infatti, sebbene in posizione minoritaria, una parte della dottrina ha sollevato discriminanti dubbi sulla stessa compatibilità con la Costituzione repubblicana dell'istituto delle ordinanze libere[9] (libere, si ribadisce, dal rispetto della legislazione vigente), in

---

[8]   Ad esempio nella legge istitutiva del servizio sanitario nazionale (l. 833 del 1978) alla legislazione in materia di rifiuti (d.lgs. n. 22 del 1997 poi sostituito dal d.lgs. n. 152 del 2006).

[9]   Osserva MARAZZITA G., *Le ordinanze di necessità dopo la legge n. 127 del 1995 (Riflessioni a margine di Corte cost. n. 127 del 1995)*, in *Giur. cost.*, 1996, p. 525 che: «La materia su cui interviene la l. n. 225 del 1992 non è allora una materia costituzionalmente indifferente poiché attiene alla forma di governo, termine con cui intendiamo il modo con cui le varie funzioni dello Stato sono distribuite ed organizzate fra i diversi organi costituzionali (43). Il principio organizzatore che informa il nostro sistema prevede la competenza parlamentare della funzione legislativa ordinaria mentre quella straordinaria, pur spettando in prima battuta al Governo, abbisogna di un intervento preventivo (art. 78) o successivo (art. 77) delle Camere. Questo meccanismo non può mai essere derogato: se lo fosse sarebbe messo in crisi il sistema costituzionale vigente».

quanto deroghe alla legge non potrebbero essere poste da atti amministrativi. L'intervento del Parlamento, in via preventiva o successiva, infatti, si imporrebbe anche nelle situazioni di emergenza, in base al modello costituzionale (che per le situazioni di emergenza prevede sempre una sua ecisione: successiva, per il caso dei decreti legge; preventiva, per il caso di guerra).

Inoltre, con specifico riferimento al sistema della protezione civile, è stato osservato come questi DPCM adottati dal Presidente del Consiglio dei Ministri sfuggano del tutto ai controlli[10]: non solo a quello preventivo del Presidente della Repubblica e a quello successivo del Parlamento, previsti per i decreti legge, ma anche a quello della Corte costituzionale, previsto solo per le leggi e gli atti ad essa equiparati, e a quello della Corte dei conti, previsto invece per gli atti del governo[11].

Tuttavia, anche a voler ritenere superato —sulle orme della consolidata giurisprudenza costituzionale— il problema teorico della legittimità costituzionale di una legge che attribuisce ad autorità amministrative il potere di adottare atti amministrativi atipici e liberi, cioè derogatori della legislazione vigente, la questione della compatibilità costituzionale di questo sistema di ordinanze *extra ordinem* è riemersa con forza, ed in misura aggravata, dall'uso (ma meglio sarebbe dire dall'*abuso*) che di questi poteri si è concretamente fatto. La prassi ci ha infatti posto di fronte a una ampia strumentalizzazione che dei poteri emergenziali si è realizzata in particolar modo in sede di applicazione della legge in materia di protezione civile, la n. 225 del 1992, rimasta in vigore sino al recente testo unico in materia, il D.lgs. n. 1 del 2018.

La legge del 1992 ha previsto un sistema volto a fronteggiare l'emergenza che si regge su due cardini: delibera dello stato di emergenza da parte del Consiglio dei Ministri e, conseguentemente, attribu-

---

[10]   Utilizzo il concetto di controllo in senso atecnico.

[11]   Ovviamente, ma non è la sede opportuna per approfondire, resta indefettibile la tutela giurisdizionale offerta dal giudice amministrativo, che può annullare tali ordinanze, sebbene con le difficoltà del caso, data la loro capacità derogatoria della legislazione vigente, sia la possibilità di disapplicazione davanti al giudice ordinario.

zione al Presidente del Consiglio dei Ministri del potere di adottare ordinanze «libere», nella forma di DPCM.

Come messo in evidenza dalla dottrina che si è occupata dell'utilizzo dei poteri emergenziali[12], la legge n. 225 del 1992 aveva una portata troppo elastica, perché, in base all'art. 5, comma 1, lett. c), i poteri emergenziali erano legittimati non solo dalle «calamità naturali» e dalle «catastrofi», ma anche da non meglio specificati «altri eventi». Ciò che ha prodotto una abnorme estensione dell'ambito applicativo di questa legislazione «emergenziale», ben al di là degli eventi caratterizzati da straordinarietà e da imprevedibilità.

In particolare, si è costruito un sistema amministrativo sottratto alla legge, giustamente definito dalla dottrina «parallelo»[13] rispetto a quello dell'amministrazione ordinaria, che continuava ad essere retto dai canonici principi di legalità e della divisione dei poteri[14] (in base al quale il potere legislativo crea le norme, cioè prevede in generale e in astratto, mentre la pubblica amministrazione le mette in esecuzione). In altri termini, la prassi dell'utilizzo dei poteri straordinari previsti dalla legge istitutiva del servizio di Protezione civile ha del tutto disancorato l'uso di questi poteri dalla nozione di emergenza, ontologicamente connessa ad eventi imprevedibili, per farne degli strumenti in grado di gestire l'amministrazione di affari ordinari. Si è così creato un mostruoso sistema amministrativo «parallelo», abilitato ad operare in uno spazio libero da leggi, in netto contrasto con i principi cardine che presiedono al funzionamento dei sistemi liberaldemocratici.

---

12   PINELLI C., *Un sistema parallelo. Decreti-legge e ordinanze d'urgenza nell'esperienza italiana*, in Diritto pubblico, 2009, spec. pp. 3334 e ss.; CERULLI IRELLI V., *Principio di legalità e poteri straordinari dell'Amministrazione*, in *Diritto pubblico*, 2007, 377; MARAZZITA G., *Le ordinanze di necessità dopo la legge n. 127 del 1995 (Riflessioni a margine di Corte cost. n. 127 del 1995)*, cit., p. 525.

13   PINELLI C., *Un sistema parallelo. Decreti-legge e ordinanze d'urgenza nell'esperienza italiana*, cit.

14   Così PINELLI C., *Un sistema parallelo. Decreti-legge e ordinanze d'urgenza nell'esperienza italiana*, in Diritto pubblico, cit. In tema, cfr., inoltre, CARDONE A., *La «normalizzazione» dell'emergenza. Contributo allo studio del potere extra ordinem del Governo*, Giappichelli, Torino, 2011, pp. 49 e ss.; ID., *La prassi delle ordinanze di protezione civile in tema di deroghe nel corso della xvi legislatura. la dimensione qualitativa del fenomeno ed alcuni spunti per limitarlo*, in *Osservatorio sulle fonti*, 1/2011, pp. 1 e ss.

In base ad esso le regole che hanno guidato l'azione amministrativa relativa a primari interessi di un'ampia parte della popolazione sono state dettate *direttamente* dall'autorità amministrativa, attraverso ordinanze «libere», in deroga alla legislazione vigente.

La legge sulla protezione civile del 1992, per come è stata interpretata dalla prassi, quindi, ha di fatto attribuito al governo —attraverso la deliberazione dello stato di emergenza— la possibilità di trasformare l'emergenza in ordinarietà, consentendo che la gestione di importanti settori della vita amministrativa, come quelli relativi ai più importanti servizi pubblici ambientali (acqua e rifiuti, soprattutto), in molte parti del paese, fosse disancorata dal rispetto del principio di legalità[15].

Il culmine di questa abnormità giuridico-costituzionale lo si è raggiunto con la legge n. 401/2001, che ha fatto rientrare persino i grandi eventi nell'ambito del campo di applicazione della normativa derogatoria della protezione civile. Il presupposto per rendere possibile gestire, con poteri straordinari, un evento (peraltro solo programmato, spesso molto al di là da venire, come ad esempio i meeting internazionali o i giochi olimpici), era dato dalla dichiarazione di «grande evento», da realizzarsi con le forme e le modalità previste dalla legge n. 225 del 1992.

La storia amministrativa dell'uso dei poteri emergenziali ci pone pertanto di fronte ad una vera e propria strumentalizzazione dei poteri straordinari e derogatori della legislazione vigente, che sono stati sempre più diffusamente utilizzati per la gestione di affari e questioni che nulla avevano a che vedere con l'emergenza, in quanto non caratterizzati né da elementi di straordinarietà né tantomeno da imprevedibilità.

Questa prassi deviante dal rispetto dei più elementari principi costituzionali si sovrappone alla questione accennata all'inizio del paragrafo, relativa alla legittimità costituzionale, in astratto, dei poteri amministrativi *extra ordinem*, mettendola nell'ombra.

Infatti, dal punto di vista teorico, si può certamente convenire con la giurisprudenza costituzionale, oramai consolidata, secondo la qua-

---

[15]   IANNELLO C., *L'emergenza rifiuti in Campania: i paradossi delle gestioni commissariali cit.*, pp. 137 e ss.

le è conforme a Costituzione attribuire alle autorità amministrative il potere di adottare provvedimenti diretti ad una generalità di cittadini, per motivi di necessità e di urgenza, purché vi sia «una specifica autorizzazione legislativa» nella quale sebbene non possa essere specificato «il contenuto dell'atto (che rimane, quindi, a contenuto libero)» risultino individuati quantomeno «il presupposto, la materia, le finalità dell'intervento e l'autorità legittimata»[16].

Per cui, la fonte di legittimità dei poteri emergenziali, anche nella forma delle ordinanze libere, non risiede nella necessità, cioè in un fatto extra giuridico, come riteneva l'insegnamento di una antica e pericolosa dottrina[17], ma è da rintracciarsi all'interno dello stesso ordinamento. Di modo che anche le ordinanze cosiddette «libere» in realtà del tutto «libere» non sono, perché traggono la loro legittimità dalla legge che le autorizza, i cui presupposti e condizioni debbono essere sempre osservati, e perché devono rispettare i principi generali dell'ordinamento e i principi cardine di funzionamento degli ordinamenti liberaldemocratici.

Pertanto, se si può convenire sulla legittimità costituzionale di una normativa che, da un lato, centralizza in capo al solo Presidente del Consiglio il potere di affrontare l'emergenza e, dall'altro lato, gli consente il potere di derogare «ad ogni disposizione di legge», nessuna giustificazione può essere invece data rispetto al modo in cui questo

---

[16] Corte cost. n. 617 del 1987. Similmente cfr. Corte cost. n. 115 del 2011 nella quale si legge: «Questa Corte ha affermato, in più occasioni, l'imprescindibile necessità che in ogni conferimento di poteri amministrativi venga osservato il principio di legalità sostanziale, posto a base dello Stato di diritto. Tale principio non consente "l'assoluta indeterminatezza" del potere conferito dalla legge ad una autorità amministrativa, che produce l'effetto di attribuire, in pratica, una "totale libertà" al soggetto od organo investito della funzione (sentenza n. 307 del 2003; in senso conforme, ex plurimis, sentenze n. 32 del 2009 e n. 150 del 1982). Non è sufficiente che il potere sia finalizzato dalla legge alla tutela di un bene o di un valore, ma è indispensabile che il suo esercizio sia determinato nel contenuto e nelle modalità, in modo da mantenere costantemente una, pur elastica, copertura legislativa dell'azione amministrativa».

[17] Cfr ROMANO S., *Sui decreti-legge e lo stato di assedio in occasione del terremoto di Messina e di Reggio-Calabria*, in *Riv. dir. pubbl. e della p. a. in Italia*, 1909, p. 220, il quale osservava che «La necessità si può dire che sia la fonte prima ed originaria di tutto quanto il diritto, in modo che rispetto ad essa, le altre sono a considerarsi in certo modo derivate».

strumentario è stato utilizzato, cioè alle descritte ipotesi di strumentalizzazione dei poteri emergenziali, che hanno realizzato una prassi
del tutto incompatibile con la Costituzione, del tutto disancorata dal
rispetto del principio basilari che sovraintendono al funzionamento
degli ordinamenti di ispirazione liberal-democratica.

Non è un caso, dunque, il decreto legislativo n. 1 del 2018, cioè
il testo unico sulla protezione civile, attualmente in vigore, che ha
abrogato la legge n. 225 del 1992, da un lato, ha lasciato inalterata
la cornice normativa preesistente (delibera dello stato di emergenza
da parte del Consiglio dei Ministri e attribuzione al Presidente del
Consiglio dei Ministri del potere di adottare ordinanze libere, nella
forma dei DPCM), ma, dall'altro lato, ha introdotto due modifiche
di carattere sostanziale per evitare che in futuro si possano ripetere
abnormità come quelle esaminate. Innanzitutto, il nuovo testo non
contiene più nessun riferimento ai «grandi eventi» e, in secondo luogo, la nuova disciplina ha cercato di contenere, entro limiti accettabili,
la discrezionalità dello stesso Presidente del Consiglio dei Ministri
nell'adozione delle concrete misure emergenziali, indicando in modo
sufficientemente dettagliato gli obiettivi che debbono essere realizzati
dai DPCM (cfr. art. 24 e 25 del d.lgs. 1 del 2018).

3. I POTERI PER LA GESTIONE DELL'EMERGENZA COVID E LA LORO DISCUSSA COMPATIBILITÀ CON LA COSTITUZIONE

Alla luce delle considerazioni svolte, diventa più agevole una valu-
tazione della risposta che l'Italia ha dato alla emergenza pandemica
che si è scatenata all'inizio del 2020.

Innanzitutto, occorre notare che il modello cui si è ispirato il nostro paese si è fondato su due cardini: il primo, un accentramento
delle decisioni in capo al presidente del Consiglio dei Ministri, sulla
base dello schema già analizzato, ereditato dalla legislazione in materia di protezione civile; il secondo, l'attribuzione del potere di limitare
le libertà costituzionali al Presidente del Consiglio attraverso il già
richiamato atto amministrativo definito DPCM.

Non poche voci critiche si sono levate per contestare la conformità
a costituzione del descritto modello. Le critiche si sono soffermate

soprattutto sulla concentrazione in capo al Presidente del Consiglio dei Ministri di un potere così vasto che può arrivare sino a determinare concretamente —con atto amministrativo, cioè con i già citati DPCM— la limitazione dell'esercizio dei fondamentali diritti costituzionali dei cittadini. Ciò ha condotto parte della dottrina ad evocare lo spettro della già ricordata tesi di inizio dello scorso secolo, dalle tinte autoritarie, secondo la quale la necessità si imporrebbe come fonte originaria e suprema del diritto[18], consentendo una risposta alle emergenze del tutto disancorata delle regole scritte dell'ordinamento, ivi comprese quelle di rango costituzionale.

Tuttavia, se si confronta nel dettaglio la risposta che le istituzioni hanno dato all'emergenza Covid rispetto alla vicenda, prima esaminata, dell'abuso dei poteri emergenziali, le posizioni critiche pare debbano essere ridimensionate.

Sotto una pluralità di aspetti, infatti, la reazione che l'ordinamento ha avuto nei confronti dell'emergenza Covid è molto meno deviante dai principi che reggono il funzionamento dei sistemi liberaldemocratici rispetto a quella che si è data nel passato alle emergenze che, come osservato, ha finito con il produrre un sistema amministrativo parallelo a quello tradizionale per la gestione di affari ordinari attraverso poteri straordinari.

La risposta dell'ordinamento italiano all'emergenza COVID-19 va distinta in due fasi.

Una prima fase, affrontata con gli strumenti allora a disposizione, cioè con il d.lgs. n. 1 del 2018 in tema di protezione civile, e una seconda fase in cui sono state dettate norme specifiche, contenute in fonti di carattere primario (decreti legge convertiti in legge), per fare fronte ad un'emergenza che era oramai diventata più chiara non solo nella sua estensione e pericolosità, ma anche rispetto alla strumentazione (giuridica) per contrastarla.

---

[18] Tesi evocata, seppur con molta cautela, da AZZARITI G., *Editoriale. Il diritto costituzionale di eccezione*, in Costituzionalismo.it, n. 1/2020, pp. I e ss. Per una critica ulteriore cfr. VENANZONI A., *L'innominabile attuale. L'emergenza Covid-19 tra diritti fondamentali e stato di eccezione*, in *Forum di Quaderni costituzionali*, 26 marzo 2020, p. 9. Per una posizione vicina a quella espressa nel testo, cfr. LUCIANI M., *Il sistema delle fonti del diritto alla prova dell'emergenza*, in *Giurcost.org*, 11 aprile 2020, pp. 1 e ss.

Per quanto attiene alla prima fase[19], non c'è dubbio che ci siamo trovati in un caso limpido di applicazione della normativa in tema di protezione civile. Non foss'altro perché eravamo di fronte ad una circostanza dotata di tutti i caratteri dell'imprevedibilità, quindi pienamente legittimante l'operatività di poteri straordinari.

La prima risposta adottata dal governo italiano, cioè la dichiarazione dello stato di emergenza, adottata dal Consiglio dei Ministri il 31 gennaio 2020, resa in base al testo unico sulla protezione del 2018, come gli atti ad essa conseguenti, hanno trovato, dunque, piena giustificazione all'interno delle previsioni della stessa legge in materia di protezione civile.

Non si può, infatti, ragionevolmente negare che la pandemia dovuta al COVID-19 abbia rappresentato una reale situazione di emergenza, coerente con la *ratio* del d.lgs. n. 1 de 2018, perché del tutto imprevedibile. Basta tale aspetto per distinguere perlomeno questo specifico caso di uso dei poteri emergenziali dalle strumentalizzazioni di questi poteri per la gestione di affari ordinari, cui si è accennato.

Per quanto riguarda la seconda fase cui si è fatto riferimento, quella realizzata dalla «catena normativa»[20] di decreti legge, leggi di conversione e DPCM, si può notare che anche in questo caso la risposta all'emergenza Covid è risultata molto più rispettosa dei principi della riserva di legge e del principio di legalità sostanziale di quanto non si sia dimostrata quella predisposta per la gestione delle emergenze, sia dalla legge del 1992, che dal decreto legislativo del 2018.

Infatti, dopo circa 3 settimane dalla dichiarazione dello stato di emergenza, è subentrata una disciplina dettata dalla fonte primaria (nella sequenza decreti legge e leggi di conversione) che ha cercato di limitare la discrezionalità amministrativa, «codificando» in misura sufficientemente dettagliata presupposti, condizioni ed anche *contenuto* dei provvedimenti amministrativi volti a porre argine all'emergenza, anche attraverso la limitazione delle libertà costituzionali.

---

[19]   Fase che è durata meno di un mese, cioè dal 31 gennaio 2020, quando cioè il Consiglio dei Ministri ha deliberato lo stato di emergenza, fino al 23 febbraio 2020, ossia fino al primo decreto legge adottato dal Governo per fare fronte alla pandemia.

[20]   LUCIANI M., *Il sistema delle fonti del diritto alla prova dell'emergenza, cit.*, pp. 1 e ss.

Se si analizza la «catena normativa»[21] composta di decreti legge, legge di conversione e DPCM ci si rende conto che il sistema normativo costruito specificamente per affrontare questa emergenza di carattere sanitario ha cercato di essere coerente con le esigenze derivanti dal principio di legalità inteso nella sua accezione sostanziale. Esigenze che la prassi della gestione delle emergenze nel nostro paese ha del tutto pretermesso nel periodo che va dal 1992 al 2018 e che solo nel 2018 sono iniziate ad essere prese maggiormente in considerazione.

Il governo ha adottato due decreti legge, uno il 23 febbraio, il n. 6 del 2020, e il successivo il 25 marzo, il n. 19 del 2020, entrambi convertiti in legge dalle Camere, con cui è stata posta la cornice di rango primario entro cui è stata incanalata l'azione del potere esecutivo.

In particolare, il d.l. n. 6 del 2020, del 23 febbraio 2020, convertito dalla legge n. 1 del 5 marzo 2020, e poi il d.l. n. 19 del 25 marzo del 2020, convertito dalla legge n. 5 del 22 maggio 2020, hanno predisposto un sistema di intervento costruito sulla falsariga del già collaudato modello di protezione civile, che delega (e centralizza) la concreta risposta amministrativa nelle mani del Presidente del Consiglio dei Ministri autorizzato ad adottare DPCM per fronteggiare la situazione di emergenza.

Tuttavia, se la centralizzazione dei poteri in capo al Presidente del Consiglio dei ministri è un tratto comune ai due sistemi, per altri aspetti essi divergono profondamente. Nel modello tracciato dalla legislazione in materia di protezione civile, infatti, i DPCM assumono il carattere di ordinanze «libere», cioè capaci di derogare ad «ogni disposizione di legge», perché rivolte nei confronti di eventi (futuri) di cui non si può avere ancora contezza. Anche nel decreto legislativo n. 1 del 2018, il cui articolo 25 ha cercato di ridurre e indirizzare la discrezionalità del potere esecutivo, indicando le finalità cui devono tendere le ordinanze del Presidente del Consiglio dei Ministri, queste ordinanze restano pur sempre «libere», cioè capaci di derogare alla legislazione vigente.

Nel sistema predisposto dai citati decreti legge e dalle leggi di conversione, invece, i DPCM sono dotati di un contenuto *tipico*, perché

---

[21] Ivi.

tutte le possibili misure sono state dettagliamene disciplinate (a tale proposito si rinvia alla lunghissima elencazione di provvedimenti adottabili, minuziosamente specificati anche nel loro contenuto, prima contenuta nell'art. 1 del d.l. n. 6 del 2020[22] e poi, ulteriormente precisata e ampliata, nell'art. 2 del d.l. n. 19 del 2020).

Del resto, a differenza della normativa in materia di protezione civile, la disciplina di rango primario per fronteggiare l'emergenza sanitaria innescata dal COVID-19 è intervenuta quando era oramai chiaro quali fossero le azioni da adottare per contenere il contagio, sicché lo sforzo di tipizzazione si è rilevato agevole.

In conclusione, si deve osservare che questi DPCM adottati per fronteggiare l'emergenza COVID-19 non assumono più il carattere degli omologhi atti adottati sulla base della legislazione in materia di protezione civile, quello di ordinanze «libere» dalla legge, ma si pongono quali atti amministrativi tipici, pertanto esecutivi delle fonti primarie, in conformità con il principio di legalità inteso in senso sostanziale e con le esigenze richieste dalle riserve di legge. La deroga alle leggi dello Stato, così come le limitazioni delle libertà individuali, sono infatti poste direttamente dalla fonte primaria, di cui i DPCM rappresentano atti applicativi.

Si potrà poi discutere della bontà delle soluzioni adottate, di un eccesso di misure[23], o del pericolo che una tale normativa, indubbiamente fortemente limitativa delle libertà costituzionali, possa rappresentare un modello destinato a stabilizzarsi anche oltre la fare emergenziale[24].

Ma si deve convenire sulla circostanza che, dal punto di vista esclusivamente giuridico formale, con riferimento all'emergenza sin qui vissuta, le istituzioni si sono fatte carico di garantire il rispetto del principio di legalità in senso sostanziale, in una situazione che oggettivamente richiedeva l'adozione di misure emergenziali.

---

[22]   Il cui articolo 2 era stato oggetto di critiche perché oltre alle misure previste nell'art. 1 autorizzava l'adozione di «ulteriori» misure. Possibilità non confermata dal d.l. n. 19 del 2020 che ha abrogato il d.l. precedente, senza trasfondere nel nuovo decreto il contenuto del citato art. 2.

[23]   Agamben G., *A che punto siamo? L'epidemia come politica*, Quodlibet, Macerata, 2020, pp. 11 e ss.

[24]   Azzariti G., *Editoriale. Il diritto costituzionale di eccezione, cit.*, pp. I e ss.

Capítulo 5
VULNERABILIDAD Y ACCESO A LA SALUD EN TIEMPOS DE CRISIS SANITARIA[1]

EMMANUEL CARTIER[2]
Catedrático de Derecho Público
Université de Lille

1. INTRODUCCIÓN

Henri Monod, Consejero de Estado y Director de Asistencia e Higiene Pública de la Tercera República francesa, y Miembro de la Academia de Medicina, es el autor de un libro famoso conocido como el *Tratado de la Salud publica*, publicado en 1904[3]. Este tratado era un comentario de la gran Ley francesa de Salud Pública del 15 de febrero de 1902[4]. El capítulo 1 de este libro está dedicado a «La legitimidad de la legislación sanitaria». En su introducción afirma que «*En ningún lugar la solidaridad desempeña un papel más activo que en materia de salud, en ningún lugar es más necesaria la prevención que*

---

[1]   Trabajo realizado en el marco del Proyecto de investigación «Bioderecho ambiental y protección de la vulnerabilidad: hacia un nuevo marco jurídico» — BIO-vul— (DER 2017-85981-C2-1-R) del Ministerio de Ciencia, Innovación y Universidades (Convocatoria 2017 de Proyectos de I+D+i correspondientes al Programa estatal de Investigación, Desarrollo e Innovación orientada a los Retos de la Sociedad, en el marco del Plan Estatal de Investigación Científica y Técnica y de Innovación 2013-2016).
[2]   Director del centro de investigación CRD§P, ULR n°4487, Université de Lille.
[3]   MONOD (Henri), *La Santé Publique. Législation sanitaire de la France*, Librairie Hachette, Paris, 1904. https://gallica.bnf.fr/ark:/12148/bpt6k54538839.texteImage.
[4]   Según la mayoría de los historiadores y una parte de los juristas, esta gran ley de higiene y salud pública constituye la matriz de un derecho ambiental francés que nacerá en el decenio de 1970 y participará en un verdadero «ecosistema de la salud», véase DROUTET (Stéphane), «Santé et environnement en France: deux siècles de "symbiose" juridique (1802-2002)», *Revue juridique de l'environnement*, 2003, n°3, p. 319-338, https://www.persee.fr/

en el ámbito de la atención sanitaria, en ningún lugar es más necesaria la prevención que en el ámbito de la atención sanitaria, en ningún lugar es más frecuente la ignorancia y la imprudencia individual, cuyas consecuencias socialmente perjudiciales sólo pueden evitarse con medidas generales bien tomadas»[5].

Desde el fin del siglo XIX, se desarrolló en Francia el concepto de *«seguridad sanitaria»* sobre la base de leyes ordinarias y de la jurisprudencia del Consejo del Estado. Este desarrollo conduzco a nuevos vínculos entre las nociones de seguridad y de salud. Tradicionalmente vinculados con el concepto de «orden público» y con los poderes de policía administrativa especial, al nivel central como al nivel descentralizado (el de los alcaldes principalmente), la salud[6] se ha convertido poco a poco en una «reivindicación de derecho» (un derecho creencia) para el Estado. Este «derecho de creencia» implica obligaciones tanto positivas como negativas para cada individuo en particular y para la sociedad civil en general, tanto curativas, como preventivas, con un ámbito claro de «inclusión» tomando en cuenta la necesidad de proteger a todos contra los peligros de la vida, especialmente a los más débiles: los más vulnerables. Este doble vinculo y su ámbito social fue consagrado en Francia al nivel constitucional con el preámbulo de la Constitución de 1946. En efecto, el alinea 11 del Preámbulo al que se refiere el proprio preámbulo de la Constitución de la Va Republica trata la salud por un lado como derecho fundamental a la salud, fuente de obligaciones para el Estado y por otro lado como habilitación del Estado para desarrollar, en el marco de sus políticas de salud pública, medidas que pueden a veces limitar las libertades fundamentales al nombre de la salud de la sociedad en su globalidad o al nombre de la salud de una minoría: la de los vulnerables, sea en términos de edad o en términos de discapacidad. La ambición histórica de este texto era, al salir del totalitarismo y de la negación de la dignidad de la persona humana en un contexto de reconstrucción, dar expresión concreta al principio de igualdad de todos y cada uno según sus propias condiciones socioeconómicas y fisiológicas frente a los

---

[5]   MONOD (Henri), *La Santé Publique. Législation sanitaire de la France*, op. cit. p. 3.
[6]   RENARD (Sandrine), *L'ordre public sanitaire. Étude de droit public interne*, Thèse Rennes 1, 2008, https://hal.archives-ouvertes.fr/tel-01525379/document.

peligros de la vida en sociedad y a los peligros naturales. Constituye así una de las piedras angulares de la «seguridad social» en el sentido genérico del término, y convierte al Estado en su deudor. De hecho, la realización del derecho a la salud está estrechamente vinculada a la realización de otros derechos humanos, en particular el derecho a la alimentación, la vivienda, el trabajo, la educación, la no discriminación, el acceso a la información y la participación, todos impactados por la crisis sanitaria del Covid. El Preámbulo tiene un ámbito claro de «inclusión» tomando en cuenta la necesidad de proteger a todos contra los peligros de la vida, especialmente a los más débiles: es decir los más vulnerables. Esta noción de vulnerabilidad se refiere tanto a la fragilidad como a la necesidad de protección. Se refleja una fragilidad, una debilidad que amenaza la integridad del sujeto de derecho[7]. Por supuesto, la noción de vulnerabilidad presupone, en una sociedad democrática y un Estado de derecho basado sobre el príncipe de dignidad de la persona humana, que la autonomía de la persona vulnerable está protegida y protegida para protegerla de todas las formas de dominación y subordinación, pero sobre todo para garantizar la igualdad. Por supuesto como se establece en el Código de Salud Pública, el derecho a la protección de la salud implica la igualdad de acceso a la atención médica, sin discriminación, y el acceso a una atención apropiada. El acceso a la atención se estructura en torno a una serie de derechos fundamentales: el derecho a la vida, a la salud, a la dignidad (atención curativa y fin de la vida), el derecho a la información, el respeto al cuerpo, el derecho a disponer del cuerpo, el derecho a la intimidad, el derecho a la seguridad, el derecho a la indemnización y el derecho a un juicio justo).

El COVID-19 y su gestión por los Gobiernos, incluyendo el gobierno francés, puso de relieve esta dimensión transversal de la salud, sea con las ofertas de atenciones para curar los contaminados, o con las condiciones de vida durante el periodo de confinamiento y después de este periodo caracterizado por una paraliza de las economías y un acceso más complicado a los servicios públicos esenciales. También y

---

[7]   Sobre este tema, LEUZZI (Coralie), «Une approche juridique tardive», in CARTIER (Emmanuel), GIAMI (Alain), LEUZZI (Coralie), dir., *Sexualités, autonomie et handicaps, op. cit.*, p. 15 et ss.; y su tesis (en proceso de redacción en la Universidad de Lille).

sobre todo puso de relieve los desafíos (sociales, jurídicos, médicos y éticos) de la protección de los más vulnerables. Así exige un reexamen de la noción de vulnerabilidad y de aquellos con los que se asocia esta cualidad bajo el prisma del acceso a la atención médica.

2. LA VULNERABILIDAD COMO CUALIDAD EVOLUTIVA EN EL CONTEXTO DEL COVID-19

2.1. *Vulnerabilidad* a priori

Desde el punto de vista temporal, algunos eran vulnerables *a priori*, antes de la crisis, desde el punto de vista sanitario y/o social, con o sin estatus particular resultante de esta vulnerabilidad: se trata de todas las personas cuya vulnerabilidad se deriva de la edad y/o de la dependencia, o del reconocimiento de una discapacidad física o mental patológica, permanente o temporal, que requiere atención médico-social y, para algunos, su admisión en instituciones públicas o privadas especializadas que se caracterizan por su carácter cerrado y, a menudo, por una falta crónica de recursos.

2.2. *Vulnerabilidad* a posteriori

Otros individuos han demostrado ser vulnerables *a posteriori*, como resultado de la crisis sanitaria o han visto su vulnerabilidad revelada por la crisis, no solo por el virus, sino que, paradójicamente, por las consecuencias de las medidas adoptadas por las autoridades públicas para contener la pandemia, en particular la contención de toda la población francesa a partir del 17 de marzo hasta el 11 de mayo sobre la base de la teoría de las circunstancias excepcionales, luego sobre la base de una ley de «estado de emergencia sanitaria» de 23 de marzo 2020[8].

---

[8]   Ley n° 2020-290 de 23 de marzo 2020 de emergencia para hacer frente a la epidemia de COVID-19, *JORF* n°0072 de 24 de marzo 2020, https://www.legifrance.gouv.fr. Antes de la entrada en vigor de esta ley especial, las medidas de lucha contra la epidemia se regían por el derecho común (el Código de la Salud Publica) y la teoría de las circunstancias excepcionales desarrollada por el Consejo del Estado desde 1918. Así, desde el 13 de marzo de 2020, el Gobierno

Esas medidas de excepción tuvieron un efecto aún mayor en las primeras etapas de la crisis sanitaria en las personas vulnerables a priori, como los ancianos de los EHPAD [o asilos de ancianos] (prohibición de las visitas de los residentes de los asilos, a menudo en detrimento de su salud psicológica), las personas con discapacidad, especialmente las quien residen en establecimientos de alojamiento, los detenidos, también las personas en situaciones económicas y sociales muy precarias (incluyendo los sin hogar) y ciertas víctimas de violencia doméstica (mujeres y niños). El Covid contribuyó a hacer aún más necesaria la integración del imperativo de la salud pública en todas las políticas públicas (salud y prestación de servicios sanitarios, planificación urbana, medio ambiente, trabajo, etc.): durante y después de la crisis (principio de precaución con respecto a un virus que sigue circulando y otros virus que puedan surgir en los años venideros). Así, la habilitación de la ley del 23 de marzo sobre el estado de emergencia sanitaria permitió al Gobierno, por ordenanzas (sobre la base del art. 38 de la Constitución[9]), intervenir en todos los campos de la sociedad tanto económicos como sociales para integrar este imperativo a todos los niveles[10], de manera provisional por el momento, pero el provisional en este ámbito no tiene fecha finitud, sino que la

---

francés adopto numerosas medidas en forma de simples órdenes ministeriales del Ministro de Salud, sin previo aviso o dictamen (12 de ellos fueron adoptados sobre la base del Código de la Salud Publica antes del 20 de marzo [art. L. 3131-13 del CSP]). Pues, unos decretos del Primer ministro (un total de 5 decretos) fueron adoptados sobre la base del Código de la Salud Publica combinado con la teoría jurisprudencial de las «circunstancias excepcionales».

[9] Art. 38 C. «*El Gobierno podrá, para la ejecución de su programa, solicitar autorización del Parlamento con objeto de aprobar, por ordenanza, durante un plazo limitado, medidas normalmente pertenecientes al ámbito de la ley. Las ordenanzas se aprobarán en Consejo de Ministros previo dictamen del Consejo de Estado. Entrarán en vigor en el momento de su publicación, pero caducarán si el proyecto de ley de ratificación no se presenta ante el Parlamento antes de la fecha fijada por la ley de habilitación. Sólo podrán ratificarse de manera expresa. Al expirar el plazo a que se refiere el primer apartado del presente artículo, las ordenanzas ya no podrán ser modificadas sino por ley en materias pertenecientes al ámbito de la ley*».

[10] El 25 de marzo se promulgaron 25 ordenanzas sobre la base de la ley del 23 de marzo.

del fin de la pandemia que conoce hoy día una secunda «ola»[11]. El estado de emergencia sanitaria en todo el territorio nacional fue declarado nuevamente por decreto a partir del 17 de octubre de 2020. El 21 de octubre de 2020, el Gobierno presentó un proyecto de ley para prorrogar el estado de emergencia sanitaria hasta el 16 de febrero de 2021. El texto fue aprobado por el Parlamento.

3. UN CONTEXTO DE CRISIS VECTOR DE RIESGOS OBVIOS DE DISCRIMINACIÓN OBJETIVA EN EL ACCESO A LA ATENCIÓN MÉDICA Y A LA SALUD

3.1. *La vulnerabilidad física y mental como criterio de discriminación extraoficial*

La movilización de todos los recursos de la salud pública, y en menor medida del sector sanitario privado[12], ha dado lugar a una disminución de la capacidad para atender otras patologías y para hacer frente a los problemas de salud en general. Este fenómeno no sólo ha dado lugar al aplazamiento de la atención y, a veces, a que los pacientes abandonen las consultas médicas. En un contexto de continuo deterioro del servicio hospitalario público. Las principales personas afectadas por esta reorientación de la atención y los diagnósticos casi exclusivamente en el Covid fueron precisamente las que se encontraban en una situación vulnerable *a priori*.

---

[11]   La ley de 23 de marzo dispone que «*el estado de emergencia sanitaria se declarará por decreto en el Consejo de Ministros sobre la base de un informe del Ministro responsable de la salud*». Su prórroga más allá de un mes sólo puede ser autorizada por ley, previo dictamen del comité de científicos. Sin embargo, como excepción, la ley declaró el estado de emergencia sanitaria por un período de dos meses a partir de su entrada en vigor. El estado de emergencia sanitaria se prorrogó una vez hasta el 10 de julio. La ley del 9 de julio de 2020 que organizo el fin del estado de emergencia sanitaria estableció un régimen transitorio a partir del 11 de julio que autorizo al gobierno a tomar medidas excepcionales hasta el 31 de octubre de 2020 para hacer frente a la epidemia de COVID-19.

[12]   La dirección de COVID-19 también puso de relieve la deficiente coordinación entre la prestación de atención privada y los hospitales públicos, ya que la gestión de los pacientes gravemente enfermos era casi exclusivamente responsabilidad del sector público, aunque éste estaba dispuesto a recibir a los pacientes con una prestación de atención equivalente a la del público.

El riesgo de saturación de las unidades de cuidados intensivos y la falta de camas y equipos para atender las necesidades relacionadas con este derecho fundamental a la salud llevaron al Gobierno a decidir el confinamiento de toda la población francesa. De no existir esa medida, el acceso a la atención de la salud habría dado lugar, sin duda, a una discriminación sostenible entre los distintos pacientes de Covid en función de su estado de salud general (enfermedad crónica, discapacidad) o de su edad.

A pesar de ello, se revelaron algunas prácticas institucionales proporciona un marco para el acceso de los pacientes a las camas de reanimación. Se refiere al principio del confinamiento a una «puntuación de fragilidad» según la cual la dependencia en los actos de la vida cotidiana, así como los casos de demencia, tenían que ser considerados como elementos importantes del acceso a la reanimación. Esta jerarquía de acceso a la atención (¡vital en este caso!) constituye un desafío tanto para los ciudadanos como para los juristas, ya que la gravedad de la discapacidad de las personas afectadas no está específicamente vinculada a la morbilidad sino a una simple situación de dependencia o demencia que podía complicar el tratamiento en un contexto de tensión pero que no lo impide de ninguna manera. Al principio del confinamiento, en un momento en que el sistema de salud estaba bajo la mayor presión, muchas personas que cumplen estos criterios se les ha negado la atención después de su ingreso en el hospital, o ni siquiera han sido admitidos, y se ha pedido a los establecimientos de acogida que establezcan medidas sencillas de apoyo al final de la vida.

3.2. La vulnerabilidad «en derecho» de los detenidos como caso de discriminación por negligencia

También hay que destacar aquí el caso particular de los detenidos que, en una situación de hacinamiento en lugares cerrados y que hasta ahora no se han beneficiado de todas las medidas de protección de la salud pública, se han visto gravemente afectados por la crisis sanitaria. Por ejemplo, se ha decidido no proporcionarles gel hidroalcohólico para evitar que lo beban. Hasta ahora tampoco han tenido acceso a máscaras, que se han hecho obligatorias sólo en unas pocas cárceles, ni han tenido acceso a pruebas,

aunque su exposición al virus quedó demostrada desde el comienzo
de la crisis y se puso de relieve muy pronto la gran vulnerabilidad
del sistema penitenciario francés, en el que el distanciamiento físico
se hace casi imposible por el hacinamiento de las cárceles. El 17 de
marzo de 2020, el Controlador General de los Lugares de Privación
de Libertad[13] había alertado al Ministro de Justicia sobre la situación de los establecimientos penitenciarios que se enfrentaban a los
riesgos de propagación de COVID-19 (el 140% es la tasa de ocupación media actual en los centros de detención preventiva, con picos
de 180 a 200% en algunos establecimientos)[14]. El 30 de enero, el
Tribunal Europeo de Derechos Humanos había denunciado el «*fenómeno estructural» del hacinamiento en las cárceles francesas y
condenado a Francia por «trato inhumano o degradante»*[15]. En una
sentencia del 2 de octubre de 2020, el Consejo Constitucional acaba
de consagrar la prohibición de someter a los detenidos a condiciones
de encarcelamiento contrarias a la dignidad humana[16]. Consciente
de este problema, el Ministerio de Justicia intentó entre marzo y
abril, mediante una ordenanza (decreto-ley) dictada en el marco del
estado de emergencia sanitaria, aliviar la congestión de las cárceles francesas, previendo reducciones excepcionales de las penas y la
puesta en libertad anticipada para los detenidos a los que les queda-
ran dos meses de condena (en causas penales distintas del terrorismo
o la violencia doméstica)[17]. Como resultado, 11.500 prisioneros han

---

13   El CLPL es una autoridad administrativa independiente establecida por la Ley
     N° 2007-1545, de 30 de octubre de 2007. Puede visitar en todo momento, en
     todo el territorio francés, cualquier lugar donde haya personas privadas de liber-
     tad. Presenta un informe de visita al ministro o ministros interesados, seguido de
     recomendaciones que puede hacer públicas, y presenta un informe anual al Pre-
     sidente de la República, al Primer Ministro y al Parlamento, que se hace público,
     https://www.cglpl.fr.
14   https://www.cglpl.fr/actualites/actualites-2020/
15   TEDH, *J. M. B. et autres c. France*, 9671/15, 9674/15, 9679/15, 30 janvier 2020,
     https://hudoc.echr.coe.int.
16   Décision n° 2020-858/859 QPC du 2 octobre 2020, M. Geoffrey F. et autre
     [Conditions d'incarcération des détenus], https://www.conseil-constitutionnel.fr.
17   Ordenanza de 25 de marzo de 2020 (adoptado sobre la base de una habilita-
     ción legislativa [artículo 38 de la Constitución] incluida en la ley de emergencia
     sanitaria de 23 de marzo) sobre la adaptación de las normas de procedimiento
     penal, Ordonnance n° 2020-303 du 25 mars 2020 portant adaptation de règles
     de procédure pénale sur le fondement de la loi n° 2020-290 du 23 mars 2020

sido liberados anticipadamente debido a la pandemia. Entre mediados de marzo y finales de mayo de 2020, la población carcelaria se redujo en 13.600 personas[18].

Por otra parte, el Gobierno había decidido ampliar automáticamente los plazos de la prisión preventiva. En consecuencia, los detenidos en prisión preventiva que aún no han sido juzgados han permanecido en prisión durante períodos más largos. Por último, se ha introducido una pena de prisión para las infracciones reiteradas de las obligaciones de confinamiento.

El caso de los extranjeros internados en centros de detención administrativa traduce los mismos problemas. En efecto, ellos se encontraban en la misma situación de vulnerabilidad que los detenidos: una vulnerabilidad «en derecho» por su estatus de extranjeros ilegales[19]. La situación de los centros de detención administrativa y de los extranjeros detenidos ha empeorado durante el período de confinamiento, ya que las deportaciones fueron de facto imposibles de llevar a cabo debido a la falta de enlaces aéreos y a las condiciones de hacinamiento de estos centros de detención.

---

d'urgence pour faire face à l'épidémie de COVID-19, *JORF* n°0074 du 26 mars 2020, https://www.legifrance.gouv.fr.

[18] Ver las cifras del OIP sección francesa (Observatorio Internacional de Prisiones), https://oip.org/

[19] La detención administrativa permite mantener en un lugar cerrado a un extranjero objeto de una decisión de expulsión, en espera de su expulsión forzosa. La detención es decidida por la administración. La decisión inicial de detener a un extranjero la toma el prefecto (teniendo en cuenta el estado de vulnerabilidad del extranjero y su eventual discapacidad) por un período de 48 horas. Puede ser prorrogado por un juez especial (el juez de libertad y detención) cuando sea imposible que el extranjero salga inmediatamente de Francia. No puede exceder de 90 días (excepto en el caso de actividades terroristas). El extranjero detenido tiene ciertos derechos y puede recibir asistencia de las asociaciones. Los 50 Centros de Detención Administrativa tienen un total de más de 2.000 lugares donde se alojan cerca de 50.000 personas cada año.

4. UN RIESGO EFECTIVO ENCARGADO POR LOS MECANISMOS DEL ESTADO DE DERECHO DE EFICACIA DUDOSA

4.1. Un funcionamiento regular de los mecanismos del estado de derecho al nivel judicial (el juez administrativo) como al nivel administrativo (el Defensor de los derechos)

Estas diferentes situaciones de vulnerabilidad *a priori* y *a posteriori* dieron lugar a intervenciones del defensor de los derechos (por medio de dictámenes, recomendaciones y observaciones en apoyo de las acciones judiciales emprendidas por las asociaciones[20]) desde el comienzo de la pandemia, así como a juicios ante el juez administrativo movilizados por algunas asociaciones proactivas (OIP [Observatorio Internacional de Prisiones, LDH [Liga de los Derechos humanos], GISTI [Grupo de Información y Apoyo a los Inmigrantes], etc.). La gran mayoría de estas acciones se iniciaron en el marco del procedimiento de «référé liberté» (juicio ante el juez administrativo que permite obtener una sentencia judicial en un plazo de 48 horas) directamente ante el Consejo de Estado o a través de los tribunales administrativos de fondo (Tribunales Administrativos) con respecto a los establecimientos penitenciarios, por ejemplo[21].

---

[20]   El Defensor de los Derechos Humanos es una institución independiente creada en 2011 sobre la base de la reforma constitucional de 2008. El artículo 71-1 de la Constitución (Titulo XI) le confía dos misiones: para defender a las personas cuyos derechos no se respetan; para asegurar la igualdad de acceso a los derechos para todos. No tiene poder de decisión, sino que es meramente consultivo, por iniciativa propia o por iniciativa de un ciudadano cuyos derechos hayan sido infringidos. Puede proponer una solución amistosa de las reclamaciones que se le presentan, pero también puede intervenir ante todos los tribunales, nacionales y europeos, para presentar su análisis del caso.

[21]   El «référé liberté» es un procedimiento que permite el recurso urgente al juez administrativo cuando se considera que la administración (Estado, colectividades territoriales, establecimientos públicos) atenta contra una libertad fundamental (libertad de expresión, derecho al respeto de la vida privada y familiar, derecho de asilo, etc.). El juez de medidas cautelares tiene amplias facultades: puede suspender una decisión de la administración u ordenarle que tome medidas particulares. Para ello, debe ser capaz de establecer, por un lado, que es urgente dictaminar, por otro lado, que la administración —por sus acciones o inacción— ha infringido grave y manifiestamente una libertad fundamental. El tribunal hará

4.2. Una eficacia dudosa en la esfera del acceso a la atención de la salud

Pocas de estos juicios han dado fruto, ya que el Gobierno ha hecho a menudo ciertos ajustes para tener en cuenta las situaciones de vulnerabilidad en cuestión. Aunque las medidas excepcionales adoptadas en el contexto del estado de emergencia sanitaria y en el período de eliminación gradual de este régimen han sido reconocidas, tanto por el Consejo del Estado como por el defensor de los derechos, sostenible como «*indispensables para preservar la salud de todos*», estas dos instituciones, dentro de sus respectivas esferas de competencia y con los medios de que disponen, siguen vigilando que esas medidas no vulneren indebidamente los derechos y libertades de las personas y garanticen la igualdad de trato.

Así, el Consejo de Estado debía pronunciarse en una sentencia de 15 de abril de 2020 sobre el acceso a la atención de la salud de las personas que residen en el EHPAD (o asilos de ancianos)[22]. Varias asociaciones le pidieron que instara al Gobierno a adoptar medidas generales para garantizar la igualdad de acceso a la atención hospitalaria y a los cuidados paliativos. Tras observar que no se había establecido que los hospitales generalmente denegaban el acceso a sus servicios a las personas que vivían en asilos, el juez rechazó la solicitud, señalando que para garantizar un final de vida digno y lo más pacífico posible, se habían adoptado medidas para admitir a las personas en cuestión en los servicios de atenciones paliativas. En el marco de la vulnerabilidad especial de los profesionales de la salud ante las condiciones de recepción y de tratamiento de los pacientes Covid, el sindicato *Jeunes Médecins* pidió al Consejo de Estado un requerimiento al Gobierno para que tomara medidas (requisiciones, compras masivas, apoyo a la producción) para garantizar el suministro de mascarillas, sobre-objetos y gafas de protección a todos los profesionales de la salud. El Consejo de Estado rechazó su solicitud mediante una sentencia de fecha 22 de mayo de 2020, después de ha-

---

su evaluación sobre este punto a la luz de las medidas ya tomadas por la administración y los medios a su disposición. El juez encargado de los procedimientos sumarios suele dictar sus decisiones en un plazo de 48 horas.

[22] Conseil d'État, 15 avril 2020, 439910, https://www.legifrance.gouv.fr.

ber evaluado muy oportunamente el contexto de suministro de estos productos y los esfuerzos realizados por el Estado[23].

En el marco de un litigio iniciado por varias asociaciones y llevado ante el juez encargado del procedimiento sumario del Consejo de Estado, el defensor de los derechos había presentado observaciones sobre la situación de los extranjeros detenidos en los Centros de detención administrativa. Por una sentencia de 27 de marzo, el Consejo de Estado consideró que la situación no constituía una violación suficientemente grave de los derechos a la vida y a la salud como para justificar ese cierre temporal[24]. Una decisión del Tribunal Administrativo de París ordeno la suspensión de las colocaciones en el Centro de detención administrativo de Vincennes durante dos semanas, «*en vista del alcance de la contaminación dentro del centro*», considerando que la colocación en este centro constituyo «*una violación grave y manifiestamente ilícita del derecho a la vida y al acceso a la atención de la salud*»[25]. Pero eso no conduzco a la suspensión general de la política de confinamiento por la administración francesa en este contexto excepcional.

Así, también, a propósito de la situación de los detenidos en las prisiones, el Consejo de Estado, en una sentencia del 8 de octubre de 2020, confirmó en apelación la decisión del Tribunal administrativo (TA) de Toulouse, que ordenaba al centro penitenciario de Toulouse-Seysses que distribuyera máscaras a los presos durante sus contactos con personas externas (salas de visita, salas de entrevistas, salas de actividades, salas de videoconferencia, etc.), período de espera…) pero anuló su extensión a todos los locales cerrados y compartidos. Anulo también la sentencia del TA de Lille de proceder a la realización de una campaña de detección de Covid, considerando que los solicitan-

---

23   Conseil d'État, Juge des référés, 22 mai 2020, 440321, https://www.legifrance. gouv.fr.
24   Conseil d'État, Juge des référés, 27 mars 2020, 439720, https://www.legifrance. gouv.fr.
25   Tribunal administratif de Paris, Juge des référés, 15 avril 2020, 2006287/9- 2006288/9- 2006289/9, http://paris.tribunal-administratif.fr.

tes no habían aportado ninguna otra prueba de «*la necesidad de una campaña de detección sistemática*»[26].

Casi todas las solicitudes presentadas durante este período extraordinario por los solicitantes al Consejo de Estado fueron rechazadas en el marco específico de la vulnerabilidad y del príncipe de igualdad. No obstante, por sentencia del 15 de octubre de 2020, el Consejo de estado, a petición de la *Liga Nacional contra la Obesidad* y de varios demandantes particulares, suspendió las disposiciones del decreto del 29 de agosto de 2020 que había restringido los criterios de vulnerabilidad a COVID-19 permitiendo a los empleados beneficiarse de la reducción de jornada[27]. El juez considera que «*la elección de las patologías que se mantuvieron como elegibles en relación con el decreto de mayo de 2020 no fue coherente y no fue suficientemente justificada por el Gobierno*». En efecto, la ley de 25 de abril de 2020 preveía el desempleo parcial de las personas vulnerables que presentan un riesgo de desarrollar una forma grave de infección por el virus COVID-19, así como de los empleados que comparten el mismo domicilio que estas personas. Un decreto inicial del 5 de mayo de 2020 definió 11 situaciones en las que se reconoció dicha vulnerabilidad. El nuevo decreto de 29 de agosto de 2020 limitó la posibilidad de acogerse a este régimen de trabajo a jornada reducida a 4 situaciones y dispuso que ya no se aplicaría a los empleados que compartan el mismo domicilio que una persona vulnerable. El Consejo de Estado recuerda que, si bien la Ley de 25 de abril de 2020 otorga al Primer Ministro amplias facultades discrecionales para definir los criterios con arreglo a los cuales se ha de considerar vulnerable a una persona, esos criterios deben «*ser pertinentes al propósito del plan y coherentes entre sí*». Así pues, el Gobierno no podía excluir patologías o situaciones que presenten «*un riesgo equivalente o superior a los que se mantienen en el decreto, que siguen permitiendo el desempleo parcial*». Sin embargo, el juez de medidas cautelares consideró que el Gobierno no había justificado suficientemente, durante la investigación, la coherencia de los nuevos criterios elegidos, en particular «*el hecho de que la diabetes o*

---

26   Conseil d'Etat, Juge des référés, 8 octobre 2020, 444741, https://www.legifrance. gouv.fr.

27   Conseil d'Etat, Juge des référés, 15 octobre 2020, 444425, 444916, 444919, 445029, 445030, https://www.legifrance.gouv.fr.

la obesidad sólo se habían incluido cuando estaban asociadas a una persona mayor de 65 años». Por consiguiente, el Consejo de Estado dictó la suspensión de los artículos del decreto de 29 de agosto de 2020 relativos a los criterios de vulnerabilidad. Por consiguiente, a falta de una nueva decisión del Primer Ministro, se aplicarán de nuevo los criterios retenidos por el anterior decreto de 5 de mayo de 2020.

La mayoría de las veces, el Consejo de Estado ha confiado en las dificultades inherentes a la lucha contra la pandemia, en la que la ley no puede —por desgracia y para mejor— hacer todo. Cabe señalar que, a pesar de esta jurisprudencia, que puede considerarse poco audaz en cuanto a la vulnerabilidad, el juez ha sido llamado en numerosas ocasiones y ha podido responder rápidamente con medidas adecuadas que a veces han permitido corregir reglamentaciones que infringen ciertos derechos y libertades fundamentales sin que ello fuera necesario y proporcionado. Pues su intervención fue decisiva en ciertas áreas, especialmente durante el periodo de confinamiento: suspensión de la prohibición de manifestaciones; suspensión del uso de aviones teledirigidos de vigilancia; suspensión de los ataques a la libertad de culto, etc.

En la esfera del acceso a la atención de la salud, los resultados son más variados, aunque la escala de las remisiones ha hecho que el Gobierno esté sometido a una presión permanente. Este Gobierno también tomo desde el inicio de la aplicación del estado de emergencia sanitaria, muchas medidas compensatorias vinculadas con el riesgo de crear o acentuar situaciones de vulnerabilidad, como la introducción de la telemedicina, la creación de números telefónicos de emergencia para la violencia doméstica, la flexibilización del marco (protocolo de visitas) aplicable a los EHPAD, el amplio acceso a las pruebas, el Desempleo parcial; apoyo económico a las empresas; extensión de muchos derechos económicos y sociales en forma de ayudas, etc., y, desde el verano, las máscaras gratuitas en condiciones de ingreso, medidas para garantizar el derecho de todas las personas a un fin de vida digno la presencia de los familiares dándoles acceso a un equipo de protección adecuado, etc.

A finales de octubre, el Gobierno planteó la cuestión de una solución de confinamiento limitada a las personas vulnerables (se habría dirigido a los ancianos y a las personas con discapacidades). Esta solución discriminatoria, sin duda inconstitucional, fue finalmente abandonada en favor de soluciones menos discriminatorias más acordes con el objetivo de la ley sobre el estado de emergencia sanitaria, a saber, limitar la circulación del virus en el territorio. Es evidente que el confinamiento selectivo de personas vulnerables no tenía ese objetivo, lo que, de conformidad con la jurisprudencia constante tanto del Consejo de Estado como del Consejo Constitucional, habría llevado al juez a censurar las normas (legislativas y reglamentarias) que habrían puesto en práctica esa medida[28].

El próximo desafío será sin duda el acceso a una vacuna, que tendrá que ser puesta en el mercado, con carácter urgente, sin todas las pruebas que normalmente se requerirían[29]. Una proporción del 60% de las personas vacunadas permitirá, en principio, el establecimiento de una inmunidad de grupo que impedirá la circulación del virus protegiendo tanto a las personas vacunadas como a las no vacunadas (por elección o por incompatibilidad en vista de su fragilidad o falta de respuesta inmunológica).

4.3. El desafío del beneficio de una vacuna anti-Covid

Más allá del costo unitario de esta vacuna para el Estado, en relación con el conjunto de la población francesa, dada la necesidad de hacerla gratuita[30], se planteará la cuestión de la indemnización de las

---

[28]   Para ser constitucional, la discriminación por ley debe basarse en criterios objetivos que sean racionales a la luz del objetivo buscado por el legislador. Ese objetivo no debe ser contrario a la Constitución ni estar viciado por un error manifiesto de apreciación, ver Décision n° 87-232 - DC du 7 janvier 1988, *Mutualisation de la Caisse nationale de Crédit agricole*. Por una comparación entre la jurisprudencia concordante del Consejo de Estado y del Consejo Constitucional, véase BARROIS DE SARIGNY (Cécile), «Le principe d'égalité dans la jurisprudence du Conseil constitutionnel et du Conseil d'État», *Titre VII, vol. 4*, no. 1, 2020, pp. 18-25.

[29]   La autorización de comercialización se concede normalmente sólo después de una evaluación de la calidad farmacéutica, la eficacia y la tolerancia (ausencia de peligro en las dosis utilizadas) de la vacuna. Normalmente se tarda 10 años desde el momento en que se empieza a trabajar en una nueva vacuna hasta el momento en que está disponible.

[30]   El Secretario General de las Naciones Unidas, Antonio Guterres, dijo: «*Una vacuna contra el Covid-19 debe ser considerada como un bien público mundial,*

víctimas de los efectos indeseables (inevitables) de esta futura vacuna. El Código de Salud Pública francés prevé un fondo de compensación del Estado para las víctimas de la vacunación obligatoria[31]. Por esta razón, y porque la vacuna presentará riesgos que algunos (menos vulnerables al Covid que otros) no desearán asumir, el Estado se verá sin duda inducido a no hacer obligatoria la vacunación, trasladando así la responsabilidad del Estado a los laboratorios y a la Comisión Europea quien toma inicialmente la decisión administrativa de autorización de comercialización al nivel europeo, sobre la base del dictamen de la Agencia Europea de Medicamentos[32]. También es muy probable que ciertas personas vulnerables *a priori* (especialmente algunos ancianos) no puedan beneficiarse de esta vacuna debido al riesgo de efectos secundarios serios. Paradójicamente, el acceso a la atención médica se basaría en una lógica de discriminación que excluiría a los más débiles, mientras que los más fuertes tienen menos probabilidades de desarrollar una forma grave del virus y, por lo tanto, se verán menos tentados a tomar esta vacuna dados los riesgos, incluso reducidos, asociados a su uso.

Desde este punto de vista, el Estado parece haber cumplido una obligación de medios, pero no de resultados, lo que difícilmente se le puede reprochar dado el contexto de incertidumbre que ha caracterizado esta crisis sanitaria sin precedentes desde el principio. El resto es responsabilidad política del Gobierno y de cada uno de los ministros en el marco de los principios de la democracia representativa: desde el pasado mes de junio se han creado comisiones parlamentarias de investigación que se han centrado principalmente en la gestión de la escasez de máscaras al principio de la crisis. En materia penal desde el 24 de marzo de 2020 se han presentado 328 denuncias contra los responsables nacionales y las estructuras públicas. Han llevado a la Unidad de Salud Pública de la Fiscalía de París a abrir una investiga-

---

una vacuna para las personas». Varios líderes mundiales han pedido esto, incluyendo el presidente chino Xi Jinping y el presidente francés Emmanuel Macron.

[31]   En caso de lesiones causadas por la vacunación obligatoria, la víctima o las personas a su cargo podrán ser indemnizadas por la Oficina Nacional de Indemnización por Accidentes Médicos (Oniam). Artículo L. 3111-9 del Código de Salud Pública. https://www.legifrance.gouv.fr.

[32]   https://europa.eu/european-union/about-eu/agencies/ema_es.

ción preliminar en junio de 2020 sobre los hechos relacionados con la gestión de la epidemia de Covid. Estas denuncias se han presentado, principalmente en detrimento de «la población en general», así como en detrimento del «personal sanitario», de «los funcionarios del Estado» y de unas personas enfermas o fallecidas por el Covid. Se basan en el hecho de que la administración no ha tomado las medidas necesarias para proteger al público en general. Se han abierto cuatro instrucciones judiciales distintas contra X por «*no haber combatido intencionadamente un desastre*», «*poner en peligro la vida de otros*» y «*homicidio y lesiones involuntarias*»[33]. Las denuncias relativas a los miembros del Gobierno han sido objeto de una investigación separada, de acuerdo con el artículo 68-1 de la Constitución[34], llevada a cabo por el Tribunal de Justicia de la República, que es el único órgano facultado para juzgarlos en el desempeño de sus funciones[35]. Al mismo tiempo, ha habido numerosas denuncias a nivel local contra las direcciones de la HEPAD en relación con la gestión de la crisis durante y después de la contención.

---

[33]   Comunicado de prensa publicado por la Agencia France Presse (AFP) el martes 10 de noviembre de 2020, https://www.lemonde.fr.

[34]   De acuerdo con el artículo 68-1 C. «*Los miembros del Gobierno serán responsables penalmente de los actos cometidos en el ejercicio de sus funciones y tipificados como delitos en el momento en el que los cometieron. Serán juzgados por el Tribunal de Justicia de la República. El Tribunal de Justicia de la República estará vinculado por la tipificación de los delitos, así como por la determinación de las penas, tal como resulten de la ley*».

[35]   De acuerdo con el artículo 68-2 C. este tribunal especial esta «*compuesto por quince jueces: doce parlamentarios elegidos, en su seno y en igual número, por la Asamblea Nacional y por el Senado después de cada renovación total o parcial de estas Cámaras y tres magistrados del Tribunal de Casación, uno de los cuales presidirá el Tribunal de Justicia de la República*».

Capítulo 6
LOS PINGÜINOS ANTÁRTICOS COMO CENTINELAS DE LA VULNERABILIDAD AMBIENTAL: OTRA EVIDENCIA DE LA REALIDAD CIENTÍFICA DEL CAMBIO CLIMÁTICO[1]

MIGUEL MOTAS GUZMÁN
Profesor Titular de Toxicología
Universidad de Murcia

1. CONTEXTUALIZACIÓN DEL ESTUDIO EN EL MARCO DEL PROTOCOLO SOBRE PROTECCIÓN AMBIENTAL DEL TRATADO ANTÁRTICO

La Antártida a menudo se considera como una de las últimas regiones vírgenes del planeta, un símbolo de conservación ambiental global, pero estudios relativamente recientes han destacado que algunas áreas antárticas pueden verse afectadas por la contaminación antropogénica. Varios contaminantes persistentes pueden llegar a la Antártida por transporte a largo plazo por vías oceánicas y atmosféricas, así como el aumento de las actividades locales (derrames de petróleo, pinturas, quema de basura en campo abierto y combustión de combustible, entre otros) pueden introducir contaminantes en el medio ambiente circundante.

[1]   Trabajo realizado en el marco del Proyecto de investigación «Bioderecho ambiental y protección de la vulnerabilidad: hacia un nuevo marco jurídico» — BIO-vul— (DER 2017-85981-C2-1-R) del Ministerio de Ciencia, Innovación y Universidades (Convocatoria 2017 de Proyectos de I+D+i correspondientes al Programa estatal de Investigación, Desarrollo e Innovación orientada a los Retos de la Sociedad, en el marco del Plan Estatal de Investigación Científica y Técnica y de Innovación 2013-2016).

En este contexto, el Protocolo sobre Protección Ambiental del Tratado Antártico (Protocolo de Madrid de 1991) inició una etapa de regulación y control de las actividades antárticas. Pero antes de su implementación se llevaron a cabo muchas actividades humanas sin ninguna consideración por la salud ambiental en esta región. En la actualidad, la presencia humana y sus actividades asociadas aumentan cada año en determinadas zonas como la Península Antártica, donde el turismo ha crecido exponencialmente durante las últimas dos décadas. Además, el crecimiento de la población y el desarrollo industrial en los países del hemisferio sur pueden aumentar el impacto de los contaminantes en la Antártida. Estudios recientes han demostrado que los niveles de contaminación ambiental y su biodisponibilidad están aumentando en algunas áreas antárticas e incluso se han detectado compuestos nunca utilizados allí en la biota local.

2. LOS PINGÜINOS COMO CENTINELAS DE LA CONTAMINACIÓN: OBJETIVOS DEL ESTUDIO

En este contexto, se ha propuesto a los pingüinos antárticos como potenciales centinelas para el seguimiento de la contaminación. Estos organismos presentan varias de las características de los centinelas útiles en otras regiones. Son grandes depredadores y especies longevas, por lo que pueden ocurrir fenómenos de biomagnificación y bioacumulación, presentan rangos de distribución amplios con poblaciones abundantes, tienen un tamaño corporal grande que facilita el muestreo e integra la contaminación en el tiempo y el espacio.

La principal desventaja en la Antártida es la dificultad de obtener muestras de gran tamaño, ya que el Tratado Antártico no permite recolectar individuos vivos y solo se pueden recolectar cadáveres. Además, los estándares éticos recomiendan el uso de métodos de muestreo no invasivos como alternativa a la captura y sacrificio de organismos. Las plumas, por ejemplo, son muestras útiles no invasivas para el control de la contaminación, especialmente para metales que presentan una alta afinidad por los grupos sulfhidrilo de las proteínas estructurales de la pluma.

Según estos antecedentes, los objetivos del presente trabajo son los siguientes:

- analizar la presencia de oligoelementos relevantes (Al, Cr, Mn, Fe, Ni, Cu, Zn, As, Se, Cd, Hg y Pb) en tejidos y contenido del estómago de tres especies de pingüinos antárticos (pingüino papúa - *Pygoscelis papua*, pingüino de barbijo - *Pygoscelis antarctica* y pingüinos Adelia - *Pygoscelis adeliae*) que viven en la Península Antártica y sus islas asociadas;
- evaluar la existencia de diferencias entre especies y dentro de poblaciones de la misma especie;
- analizar la presencia de contaminantes orgánicos relevantes (bifenilos policlorados, compuestos perfluorados, ftalatos y bisfenol A) en tejidos de pingüinos y krill de la Isla Decepción (Islas Shetland del Sur, área de la Península Antártica);
- evaluar los patrones de acumulación entre tejidos y la acumulación con la edad de los elementos y compuestos estudiados en estas especies de pingüinos; identificar los órganos objetivo de la acumulación de contaminantes y los niveles potencialmente tóxicos para los pingüinos; identificar aumentos de contaminantes en la red alimentaria antártica; y evaluar la utilidad de los pingüinos como organismos indicadores de contaminación en el área de estudio.

Se determinaron las concentraciones de Al, Cr, Mn, Fe, Ni, Cu, Zn, As, Se, Cd, Hg y Pb en tejidos y contenidos estomacales de pingüinos papúa, barbijo y Adelia recolectados en 8 lugares diferentes de la Península Antártica durante el temporadas de verano austral de 2006 a 2010. Se tomaron muestras de contenido de hígado, riñón, músculo, huesos, plumas y estómago mediante necropsias de 32 cadáveres de pingüinos (12 adultos, 5 juveniles y 15 polluelos). Además, se recolectaron y analizaron las plumas de 207 ejemplares vivos. Las concentraciones de los elementos citados se determinaron mediante ICP-MS después de la digestión por microondas con ácido nítrico y peróxido de hidrógeno. La precisión analítica se verificó mediante el uso de blancos, estándares de calibración inicial y materiales de referencia certificados (DORM-2 y DOLT-2). Los límites de detección (μg g-1) fueron 0,004 (Al), 0,0002 (Cr, As, Hg), 0,0004 (Mn, Ni), 0,002 (Fe), 0,0008 (Cu, Pb), 0,003 (Zn), 0,0007 (Se) y 0,0001 (Cd).

Se determinaron las concentraciones de 27 congéneres de bifenilos policlorados (PCB), ftalatos de mono-2-etilhexilo y di-2-etilhexilo

(MEPH y DEPH), ácidos perfluorooctanoico y perfluorooctanosul-
fónico (PFOA y PFOS) y bisfenol A (BPA) en tejidos de pingüinos de
barbijo y krill de la Isla Decepción (área de la Península Antártica)
recolectados en la temporada de verano austral 2009-2010. Se tomaron muestras de hígado, riñón, músculo, corazón y cerebro me-
diante necropsias de 10 cadáveres de pingüinos (4 adultos y 6 polluelos). Las muestras se extrajeron específicamente para cada familia de
compuestos.

Los congéneres de PCB se analizaron mediante cromatografía de
gases equipada con un detector de captura de electrones de 63Ni.
Los límites de detección estuvieron entre 0,002 y 2,541 pg µl-1. Los
compuestos perfluorados, los ftalatos y el BPA se analizaron mediante
cromatografía líquida de alta resolución con espectrometría de masas
en tándem de ionización por electropulverización. Los límites de detección fueron 0.500 ng g-1 para PFOS, PFOA y BPA, 2.000 ng g-1
para MEHP y 10.000 ng g-1 para DEHP. La precisión analítica se
verificó mediante el uso de blancos, estándares de calibración y picos
de matriz.

El análisis estadístico se realizó utilizando SPSS versión 15.0. Se
utilizaron metodologías paramétricas (prueba ANOVA de una vía
con prueba post hoc de Bonferroni y prueba T-Student) cuando se
cumplieron los supuestos de normalidad y homocedasticidad. En caso contrario, se utilizó la prueba análoga no paramétrica (prueba de
Kruskal-Wallis con comparaciones post hoc y prueba U de Mann-
Whitney). Se evaluaron las diferencias en la acumulación de contaminantes en los tejidos internos, las plumas y el contenido del estómago
de los pingüinos, y las diferencias en las concentraciones de metales
entre los polluelos, los juveniles y los individuos adultos. También se
evaluaron las diferencias geográficas e interespecíficas. Finalmente, se
calcularon los coeficientes de correlación de Pearson y Spearman entre pares de elementos. Se consideró que un valor de p inferior a 0,05
indicaba significación estadística.

3. CONCLUSIONES

El análisis de las plumas de los pingüinos destacó que los niveles
de oligoelementos que encontramos no estaban completamente de

acuerdo con la idea de un ecosistema antártico no contaminado en comparación con otras regiones del mundo. Los niveles de Cr, Mn, Cu, Se o Pb en plumas de pingüino de las islas estudiadas Rey Jorge y Decepción fueron similares o incluso superiores a los niveles de estos elementos detectados en otras aves marinas del hemisferio norte. Aunque estos resultados pueden estar relacionados con fenómenos naturales (por ejemplo, vulcanismo local), también pueden estar relacionados con la contaminación antropogénica.

Las plumas de pingüino fueron especialmente útiles para monitorear los niveles de Pb y Cr, ya que estos metales están directamente relacionados con varias actividades contaminantes humanas. Las plumas también fueron útiles para monitorear otros elementos como Ni y Cu, mientras que otras muestras biológicas deben analizarse para evaluar la exposición de los pingüinos a As o Cd, ya que estos elementos tienden a acumularse en los tejidos blandos. La mayoría de los elementos estudiados en las muestras de plumas de pingüino mostraron los niveles más altos en lugares con mayor presión antropogénica, como las Islas Rey Jorge y Decepción.

Estos resultados apoyan que la influencia antropogénica es responsable, al menos parcialmente, de la concentración de metales. Por tanto, el aumento de las actividades humanas contaminantes como los viajes en avión y barco relacionados con la industria del turismo en la zona norte de la Península Antártica, podría tener un efecto significativo sobre la acumulación de metales en la biota antártica. Además de la contaminación local, el crecimiento de la población y el desarrollo industrial en el hemisferio sur pueden aumentar el impacto de los contaminantes persistentes en la Antártida.

En cuanto a los resultados sobre las concentraciones de Hg, las plumas de los pingüinos de barbijo mostraron una disminución de los niveles de Hg de norte a sur en el área de estudio. Los niveles más altos se encontraron en muestras de la isla Rey Jorge, lo que podría estar relacionado con la mayor proximidad de esta isla a América del Sur y por lo tanto fuentes antropogénicas de Hg así como la concentración de actividades locales. Los niveles altos de Hg encontrados en la isla Rey Jorge fueron similares o incluso más altos que los niveles altos de Hg encontrados anteriormente en las aves marinas del Ártico. Nuestros resultados sobre concentraciones de Hg confirman la existencia de bioacumulación y magnificación de este metal tóxico en pingüinos antárticos, aunque los niveles detectados en este estudio son inferiores a los considerados tóxicos para las aves marinas.

Según nuestros resultados, las plumas de los pingüinos antárticos son útiles para el seguimiento a largo plazo de oligoelementos en el medio marino antártico y para una mejor comprensión de las tendencias espacio-temporales. Además, el estudio de los tejidos internos de los pingüinos proporciona información adicional sobre la acumulación y aumento de contaminantes.

El estudio de los cadáveres de pingüinos destacó que los especímenes de algunos lugares estaban expuestos crónicamente a altos niveles de Cd. Este metal se acumuló principalmente en el tejido renal alcanzando niveles varios órdenes de magnitud superiores a los encontrados en la principal presa de los pingüinos, el krill antártico. Varias muestras de pingüinos mostraron niveles de Cd en riñón incluso por encima del umbral de toxicidad establecido para las aves marinas. También encontramos niveles altos de Se y Zn en los tejidos de los pingüinos que podrían estar jugando un papel de protección contra los efectos tóxicos del Cd y Hg. Incluso alcanzó concentraciones tóxicas en el tejido hepático.

Los resultados obtenidos indicaron que podría existir un leve aumento en los niveles de Mn y Cr en la Antártida y podría estar relacionado con una mayor presencia humana, uso de combustibles y contaminación por petróleo. De acuerdo con los resultados obtenidos en plumas de pingüino, los niveles más altos de Pb y Ni en este estudio se detectaron en ejemplares de áreas donde existe una mayor presencia humana y este hecho sugiere que estos metales, al menos parcialmente, provienen de fuentes antropogénicas.

Los tejidos de los pingüinos mostraron un gran número de correlaciones positivas entre pares de elementos. Estos resultados indican en general que vías similares de captación y almacenamiento existían para ellos, así como procesos internos similares de regulación y / o desintoxicación. También podrían existir rutas de eliminación similares, especialmente a través de las plumas. Particularmente para los metales que se sabe que están relacionados con la contaminación antropogénica (Cr, Ni, Mn, As, Cd o Pb), estos resultados sugieren que existían fuentes antropogénicas comunes para ellos en el área de estudio. Estas fuentes parecen estar aumentando la presencia de metales tóxicos en los pingüinos antárticos.

Las relaciones observadas entre Se-Zn y Cd-Hg son consecuentes con los resultados esperados, ya que Se y Zn actúan como un antídoto a los efectos tóxicos de altas concentraciones de Cd y Hg. Estas relaciones también confirman la exposición a niveles altos de Hg y Cd en pingüinos del área de estudio, ya que estas relaciones tienden a desaparecer a niveles bajos de exposición.

Cuando estudiamos las diferencias interespecíficas, encontramos que el pingüino de barbijo a menudo muestra los niveles más altos de oligoelementos en los sitios de muestreo donde dos o tres especies comparten la misma área. Estos resultados podrían estar relacionados con diferencias ecológicas o fisiológicas entre especies, como diferentes capacidades de desintoxicación y eliminación de oligoelementos o diferentes tasas de absorción-eliminación. Estas diferencias también pueden deberse a variaciones en la dieta de los pingüinos.

Los tejidos de los pingüinos también mostraron concentraciones de Cr, Mn, Cu, Se o Pb similares a las que se encuentran en las aves marinas de otras regiones del mundo. De la misma manera que encontramos al analizar las plumas, los cadáveres de pingüinos también mostraron que algunas áreas en la Antártida no son del todo prístinas.

Con respecto a los contaminantes orgánicos, nuestros análisis revelaron la presencia de PCB en los pingüinos de barbijo y el krill de la isla Decepción. Sin embargo, las concentraciones detectadas fueron más bajas que las encontradas en otras áreas antárticas o en otras regiones del mundo. De todos modos, se encontró un factor de biomagnificación alto para estos compuestos entre los pingüinos de barbijo y el krill (BMF = 5,85). Las similitudes entre nuestros resultados sobre huellas dactilares y estudios anteriores destacaron la existencia de transferencia materna de PCB's en esta especie y una posible tendencia a la disminución de las concentraciones de PCB's en el área de estudio, como se observó anteriormente en el Ártico.

En el caso de los PFC, el PFOA se encontró en casi todas las muestras (91,43%) mientras que el PFOS solo se encontró en dos de ellas (5,71%). A diferencia de los PCB's, puede estar ocurriendo un posible aumento de los niveles ambientales de PFOA en las Islas Shetland del Sur. Se encontraron niveles relativamente altos de PFOA en nuestras muestras, mientras que los niveles de PFOS fueron más bajos que los que se encuentran en el Ártico u otras regiones. Nuestros resultados confirman la presencia de PFC en la Antártida y la distribución generalizada de estos compuestos, aunque los niveles detectados fueron varios órdenes de magnitud más bajos que los que se sabe que causan efectos adversos en los animales.

Se detectó MEHP en el 25,71% de nuestras muestras de pingüinos, pero no en el krill. Por el contrario, el DEHP mostró niveles detectables en krill pero no en tejidos de pingüinos. Finalmente, no se encontró BPA en este estudio. La presencia de este compuesto en organismos antárticos debería probarse en estudios futuros, ya que hasta la fecha no hay prácticamente datos disponibles sobre este tema.

Capítulo 7
LOS RIESGOS DE REGRESIÓN AMBIENTAL EN LA ERA COVID-19. UN ESTUDIO DE CASO EN LA REGIÓN DE MURCIA

SANTIAGO M. ÁLVAREZ CARREÑO
Profesor Titular de Derecho Administrativo
Universidad de Murcia[1]

1. CONSIDERACIONES GENERALES SOBRE LOS RIESGOS REGRESIVOS PARA LA PROTECCIÓN DEL MEDIOAMBIENTE EN LA SITUACIÓN PANDÉMICA

Los temores a que las recetas para enfrentar la crisis económica y social provocada por la pandemia implicaran una regresión del estándar de protección ambiental se han visto confirmados. Las viejas recetas de la desregulación y de relajamiento de los controles sobre las actividades potencialmente dañinas para el medio natural y para la calidad de vida, aderezadas con ingredientes de *smart regulation* y de eliminación de obstáculos burocráticos, están siendo aplicadas como la fórmula ideal para remontar la actual coyuntura, plagada de incertidumbres[2]. Y ello a pesar de que el denominado principio de no

---

[1]   Este trabajo corresponde a la ponencia presentada en el Congreso Internacional *Vulnerabilidad ambiental y vulnerabilidad climática en tiempos de emergencia*, celebrado de manera virtual los 22 y 23 de octubre de 2020 en la Universidad de Murcia y se ha realizado en el marco del Proyecto «La efectividad del Derecho ambiental en la Comunidad Autónoma de la Región de Murcia» (Ref. 20971/ PI/18). Programa Regional de Fomento de la Investigación (Plan de Actuación 2019). Fundación Séneca - Agencia de Ciencia y Tecnología de la Región de Murcia.
[2]   Sobre estas cuestiones *vid.* LÓPEZ RAMÓN, F. (2011), «Introducción general: regresiones del Derecho ambiental», *Observatorio de Políticas Ambientales 2011*. Cizur menor (Navarra): Editorial Thomson-Aranzadi, pp. 19-24.

regresión[3] se va abriendo paso lentamente como un instrumento que, con sólida base dogmática, permitiría frenar las manifestaciones más descarnadas de estas tendencias involucionistas en la consecución de un mejor estado del medio natural[4].

Ciertamente, existen ya numerosos estudios que alertan de cómo la problemática ambiental pasa a un segundo plano en períodos de recesión y cómo esas decisiones en principio coyunturales empeoran en el futuro las posibilidades de revertir la degradación ambiental y el uso insostenible de los recursos. De este modo, Naciones Unidas advierte que, de continuar la trayectoria actual, el escenario previsible para el 2050 reflejará un daño ambiental importante con una grave pérdida de servicios ecosistémicos. Las decisiones apresuradas, centradas en el corto plazo y tomadas bajo la presión de los sectores afectados por la crisis, se adoptan en detrimento de las generaciones futuras[5].

En efecto, en los momentos de crisis económica se recurre frecuentemente a la implementación de cambios de impronta desreguladora y neoliberal. Como señala Díaz Cordero, estos cambios «se ven reflejados en el derecho a través de la puesta en práctica de medidas de *racionalización normativa*, lo cual trae como consecuencia que se

---

[3] Para los fundamentos del principio *vid.* AMAYA ARIAS, A. M. (2016), *El principio de no regresión en el Derecho ambiental*, Iustel, Madrid. En la doctrina francesa, su inspirador el prof. PRIEUR, M. (2012), «Vers la reconnaissance du principe de non-régression», *Revue juridique de l'environnement*, núm. 4, pp. 615-616. Para el desarrollo en este ordenamiento jurídico LÓPEZ RAMÓN, F., (2016), «La aceptación legislativa del principio de no regresión ambiental en Francia», *Revista de Administración Pública*, núm. 201, pp. 269-277. Una visión panorámica para su desarrollo en otros ámbitos, PEÑA CHACÓN, M. (edit.) (2015), *El principio de no regresión ambiental en Iberoamérica*, UICN. Serie de Política y Derecho Ambiental, núm. 84 (libro accesible *online* en https://portals.iucn.org/).

[4] *Vid.* DORESTE HERNÁNDEZ, J. (2020), «La paulatina consolidación del principio de no regresión ambiental en la jurisprudencia española», *Actualidad Jurídica Ambiental*, núm. 102, vol. 2 (Ejemplar dedicado a: *Congreso Homenaje a Ramón Martín Mateo «VIII Congreso Nacional Derecho Ambiental (Vulnerabilidad Ambiental)»*) (accesible en https://www.actualidadjuridicaambiental.com/), pp. 553-563.

[5] La orientación explícita hacia el futuro constituye un elemento esencial de las estrategias adaptativas para el desarrollo sostenible. *Cfr.* UNEP (2019), *Global Resources Outlook* (accesible en https://wesr.unep.org/).

presenten regresiones o retrocesos en lo que concierne a la normativa existente, sobre todo en materia ambiental y social»[6]. El impacto de los procesos de liberalización, desregulación y simplificación administrativa, nos recuerda por su parte Casado «… están teniendo un impacto decisivo sobre el derecho ambiental, abriéndose el debate tradicional sobre el equilibrio entre protección ambiental y desarrollo económico… Estos procesos "anticrisis", en pro de la reactivación de la actividad económica, al intensificar las medidas de liberalización, desregulación y simplificación con el fin de eliminar trabas y obstáculos administrativos, están introduciendo el riesgo de desregulación ambiental y de reducción de los estándares de protección… Se advierte, de este modo, cómo es frecuente que, en casos de conflicto, se incline la balanza del interés público hacia el crecimiento económico y la reactivación de la economía, marginándose las cuestiones ambientales»[7].

En España, las reformas que, con carácter general, se detectan en el ámbito autonómico para combatir las consecuencias de la crisis de la COVID-19 se pueden calificar de regresivas para la protección y conservación del medio natural y de la calidad de vida cuanto, en síntesis, implican la eliminación de informes de órganos ambientales y la reducción de los plazos de tramitación de los procedimientos administrativos que afectan a esta materia. Esta relajación de las exigencias y de los trámites para el control ambiental dificulta la evaluación de los efectos sobre el entorno de las actividades e instalaciones que se van a implantar en el territorio. Muchas de ellas afectan potencialmente al agua, a la calidad del aire, al suelo y a la producción de residuos que deben ser analizados, individualmente y de forma conjunta, para evitar el deterioro ambiental. Incluso los bienes culturales y el patrimonio arqueológico llegan a verse afectados de forma negativa en su estándar de protección[8].

---

[6]   DÍAZ CORDERO, P. A. (2020), *La contribución del Derecho a la resolución de la problemática ambiental*, Tesis Doctoral, Universidad Rovira Virgili.

[7]   CASADO, L. (2018), «Crisis económica y protección del medio ambiente. El impacto de la crisis sobre el derecho ambiental en España», *Direito Econômico e socio ambiental*, vol. 9, núm. 1, p. 45.

[8]   En una tendencia que también se detecta en otras CCAA. *Cfr.* ALMANSA-SÁNCHEZ, J. (2020), «Cómo las reformas de las leyes del suelo autonómicas pueden

2. LAS REGRESIONES AMBIENTALES EN LA LEGISLACIÓN AMBIENTAL DE LA REGIÓN DE MURCIA

En concreto, en la Región de Murcia, el Gobierno de la CARM trata de aprovechar la coyuntura para profundizar en la agenda desreguladora y regresiva que está en proceso hace muchos lustros en su seno. Una situación que también se comprueba en otros territorios como Andalucía[9], Baleares[10], Galicia[11], Extremadura[12], Castilla y León[13] y, entre las hasta ahora identificadas, Madrid[14].

---

perjudicar al patrimonio arqueológico», 7 junio de 2020 (accesible en https://theconversation.com/).

[9] Decreto-ley 2/2020, de 9 de marzo, de mejora y simplificación de la regulación para el fomento de la actividad productiva de Andalucía (accesible n el sitio web del Boletín Oficial de la Junta de Andalucía: https://www.juntadeandalucia.es/boja/2020/504/1)

[10] Decreto-ley 8/2020, de 13 de mayo, de medidas urgentes y extraordinarias para el impulso de la actividad económica y la simplificación administrativa en el ámbito de las administraciones públicas de las Islas Baleares para paliar los efectos de la crisis ocasionada por la COVID-19. Boletín Oficial de las Islas Baleares núm. 84, de 15 de mayo de 2020 (accesible en https://www.boe.es/buscar/doc.php?id=BOIB-i-2020-90196)

[11] Orden, de 27 de abril de 2020, por la que se acuerda el inicio y/o la continuación de la tramitación de determinados procedimientos indispensables para la protección del interés general o para el funcionamiento básico de los servicios públicos en el ámbito de la Consellería durante la vigencia del estado de alarma (DOG, núm. 84. Lunes, 4 de mayo de 2020. Accesible: https://www.xunta.gal/).

[12] Decreto-Ley 10/2020, de 22 de mayo, de medidas urgentes para la reactivación económica en materia de edificación y ordenación del territorio destinado a dinamizar el tejido económico y social de Extremadura, para afrontar los efectos negativos de la COVID-19 (DOE, núm. 99 Lunes, 25 de mayo de 2020. Accesible: http://doe.gobex.es/).

[13] Cfr. Ecologistas en Acción, «Con la excusa de la covid, la Junta suprime la licencia ambiental en Castilla y León», 19/06/2020 (accesible en https://www.ecologistasenaccion.org/146703/con-la-excusa-de-la-covid-la-junta-suprime-la-licencia-ambiental-en-castilla-y-leon/).

[14] Sitio web del Gobierno de Madrid, «Díaz Ayuso sustituye las licencias urbanísticas por declaraciones responsables» (accesible en https://www.comunidad.madrid/).

2.1. El Decreto-Ley 2/2019, de 26 de diciembre, de Protección Integral del Mar Menor

2.1.1. El precio de los pactos políticos: la derogación de la Ley 1/2018, de 7 de febrero, de medidas urgentes para garantizar la sostenibilidad ambiental en el entorno del Mar Menor

La evidencia de la irreversibilidad del proceso de destrucción ambiental que sufre el Mar Menor, determinó la tardía aprobación del *Decreto-Ley 1/2017, de 4 de abril, de medidas urgentes para garantizar la sostenibilidad ambiental en el entorno del Mar Menor* que, tramitado como proyecto de ley, dio lugar a la posterior *Ley 1/2018, de 7 de febrero, de medidas urgentes para garantizar la sostenibilidad ambiental en el entorno del Mar Menor*. Pues bien, cuando apenas se ponían en marcha algunos de los instrumentos de protección previstos en la Ley de 2018, se decide su derogación y sustitución por este *Decreto-Ley 2/2019, de 26 de diciembre, de Protección Integral del Mar Menor*[15].

El Gobierno de la CARM justifica esta decisión de naturaleza «extraordinaria y urgente»[16], por una parte, en la necesidad de otorgar una visión más integral a la protección de la laguna, introduciendo nuevos elementos conservacionistas en relación al turismo y otras actividades y, por otra, en la mejora técnica de la regulación que conte-

---

[15]   El BORM, núm. 30, de 6 de febrero de 2020, publica la Resolución por la que se ordena la publicación del acuerdo de la Diputación Permanente de la Asamblea Regional de Murcia, de 10 de enero de 2020, por el que se acuerda la convalidación del Decreto-ley 2/2019, de 26 de diciembre, de Protección Integral del Mar Menor. En ella se deja constancia, asimismo, de que se acordó su tramitación como proyecto de ley.

[16]   Para una visión general sobre el uso excesivo, casi podría calificarse de abusivo, de la figura del Decreto-Ley *vid.* GARCÍA MAJADO, P. (2018), «Cuarenta años de legislación de urgencia», en PUNSET BLANCO, R. / ÁLVAREZ ÁLVAREZ, L. (coord.), *Cuatro décadas de una Constitución normativa (1978-2018): Estudios sobre el desarrollo de la Constitución Española*, Thomson Reuters/ Aranzadi, Madrid, pp. 387-410; GONZÁLEZ GARCÍA, I. (2017), «La trascendencia constitucional del deficiente control del decreto ley autonómico», *Revista Española de Derecho Constitucional*, núm. 111, pp. 99-124.

nía la Ley de 2018 que se deroga[17]. En concreto, en lo que se refiere al aspecto esencial de la ordenación y gestión de la actividad agrícola (Cap. V, arts. 26 a 54)[18] se afirma en su Exposición de Motivos (en

---

[17]   No deja de reconocer igualmente el Gobierno regional que se ha tardado demasiado en adoptar las medidas necesarias para la protección integral del Mar Menor. Así, si bien la masa de agua subterránea «Campo de Cartagena» fue la primera de la Región de Murcia en declararse como masa de agua afectada o en riesgo —dando lugar a la designación de la *Zona Vulnerable correspondiente a los acuíferos Cuaternario y Plioceno en el área definida por zona regable oriental del Trasvase Tajo-Segura y litoral del Mar Menor en el Campo de Cartagena*— la masa de agua costera Mar Menor, por el contrario, no ha sido declarada masa de agua afectada, o en riesgo de estarlo, por la contaminación por nitratos de origen agrario, hasta la reciente *Orden, de 23 de diciembre de 2019, de la Consejería de Agua, Agricultura, Ganadería, Pesca y Medio Ambiente*, en la que también se ha designado la *Zona Vulnerable del Campo de Cartagena*, que comprende la envolvente de las superficies territoriales cuya escorrentía o filtración afecta tanto a la masa de agua subterránea «Campo de Cartagena» como a la masa costera «Mar Menor». Por otra parte, sólo en octubre de 2019, con más de diez años de retraso y sólo dos días antes de la mortandad de peces que hizo definitivamente inocultable la situación que se venía denunciando durante tantos años, se aprobó el *Decreto 259/2019, de 10 de octubre, de declaración de Zonas Especiales de Conservación (ZEC), y de aprobación del Plan de gestión integral de los espacios protegidos del Mar Menor y la franja litoral mediterránea de la Región de Murcia. Vid.* PÉREZ DE LOS COBOS HERNÁNDEZ, E. (2019), «Derecho y políticas ambientales en la Región de Murcia (segundo semestre 2019)», *Revista catalana de Dret Ambiental*, vol. X, núm. 2, pp. 1-31 (accesible en https://revistes.urv.cat/).

[18]   Deben tenerse en cuenta, sobre este relevante aspecto, las disposiciones adicionales tercera (*Programas de actuación sobre las zonas vulnerables a la contaminación por nitratos de origen agrario*) y cuarta (*Régimen sancionador en materia de protección de las aguas frente a la contaminación producida por nitratos de origen agrario*); así como las disposiciones transitorias tercera (*Exigencia de las medidas aplicables a las explotaciones agrícolas existentes*), cuarta (*Aplicación obligatoria del Código de Buenas Prácticas Agrarias de la Región de Murcia de manera transitoria*) y séptima (*Régimen transitorio para la aplicación como fertilizante de purines y otros estiércoles*). Por su parte, la disposición derogatoria única señala que «*1. Queda derogada la Ley 1/2018, de 7 de febrero, de medidas urgentes para garantizar la sostenibilidad ambiental en el entorno del Mar Menor, excepto:... La disposición adicional primera (Aprobación del Código de Buenas Prácticas Agrarias de la Región de Murcia) y el Anexo V (Código de Buenas Prácticas Agrarias de la Región de Murcia), que mantienen su vigencia, si bien su rango queda rebajado a nivel reglamentario, pudiendo modificarse o derogarse mediante disposición administrativa de carácter general adoptada mediante orden de la Consejería competente para el control de la contaminación*

adelante, E.M.) que este Decreto-Ley «… *deroga la Ley 1/2018, de 7 de febrero, y toma su contenido como punto de partida. A partir de él, introduce importantes adecuaciones técnicas, en la línea de una mayor exigencia con vistas a minimizar los excedentes de nutrientes y arrastres; pero también impone nuevos requerimientos a las explotaciones agrícolas, en particular a las situadas en la Zona 1, por su cercanía al Mar Menor».*

Sin embargo, estos pretextados motivos de técnica jurídica y de ampliación del ámbito material de las medidas de protección que alega el Gobierno de la CARM para proceder a derogar la Ley que la Asamblea Regional de la Región de Murcia había aprobado hacía poco más de un año carecen de la necesaria consistencia. Por el contrario, una explicación más cercana a la realidad de los hechos se obtiene examinando la complicada geometría en la que se ha desarrollado la política en la CARM durante los últimos meses y los cambios requeridos para forjar las cambiantes mayorías resultantes de los procesos electorales acumulados[19]. Así, tras las últimas elecciones autonómicas de 26 de mayo de 2019, en las que el partido mayoritario resultó ser el PSOE, se hace evidente que el Partido Popular necesita, para mantener el Gobierno de la CARM, una coalición con Ciudadanos y el apoyo parlamentario de Vox. Es en el marco de esas negociaciones para forjar los acuerdos políticos necesarios donde cristaliza la exigencia de modificación de la Ley de 2018[20].

---

por nitratos». Por último, debe tenerse en cuenta el Anexo III que contiene las «directrices técnicas para la implantación de estructuras vegetales de conservación».

[19]   Es cierto también que, como recuerdan GUAITA-GARCÍA/ MARTÍNEZ FERNÁNDEZ/ BARRERA-CAUSIL/ ESTEVE-SELMA/ FITZ «The approval of this law was also very controversial (it was approved with the vote against the party in the regional government and with strong opposition from the agrarian sector) and it is not being applied» (GUAITA-GARCÍA, N. / MARTÍNEZ FERNÁNDEZ, J. / BARRERA-CAUSIL, C. J. / ESTEVE-SELMA, M. A. / FITZ, H. C. (2020), «Local perceptions regarding a social-ecological system of the mediterranean coast: the Mar Menor (Región de Murcia, Spain)», *Environment, Development and Sustainability* (accesible en https://doi.org/10.1007/s10668-020-00697-y).

[20]   No otra conclusión se obtiene del análisis de los documentos publicados que permitieron forjar esas nuevas mayorías. Así, el documento final para el acuerdo entre los tres partidos de 19 de julio de 2019 incluye expresamente la exigencia

En nuestra consideración, en función de los elementos de juicio disponibles, la única extraordinaria y urgente necesidad que justifica el torticero recurso a la figura del Decreto-Ley radica más bien en este exigido cumplimiento de unos acuerdos de naturaleza política, bien lejos de cualquier supuesta necesidad de atender de manera más efectiva la situación de emergencia ambiental. En esta ocasión, la reforma en gran medida regresiva del arsenal proteccionista frente a los impactos que han dañado de manera irreversible al ecosistema del Mar Menor formaba parte del conjunto de exigencias negociadas y cuya satisfacción permitía obtener el necesario apoyo en la Asamblea regional para que unos retuvieran el poder político en la CARM y otros pudieran secundarlos en su ejercicio.

2.1.2. La perspectiva regulatoria adoptada: las «restricciones» que impone la distribución competencial y la aplicabilidad territorial y temporal del Decreto-Ley

El Gobierno de la CARM, en una inusitadamente extensa E.M., lleva a cabo una prolija digresión sobre los títulos competenciales que ostentan tanto la Región de Murcia como el Estado central y cuya interpretación determina el alcance de la regulación que se acomete. Esas precisiones, con cita literal incluso de los fundamentos jurídicos

---

de aprobación de una nueva Ley para el Mar Menor que «asegure la compatibilidad de usos: agrícolas, pesqueros, turísticos y medioambientales» (accesible en https://www.eldiario.es/murcia/politica/DOCUMENTO-Vox-Ley-LGTBI-Murcia_0_921808710.html#documento (Último acceso: 12/04/2020)

Por su parte, el texto del acuerdo de Gobierno entre PP y Cs' de 20 de julio de 2019 reza en su punto 58: «Aprobaremos una Ley de Protección Integral del Mar Menor elaborada por el Gobierno en consenso con el resto de grupos parlamentarios. El cuidado del Mar Menor constituirá un pilar tanto de la política medioambiental como de la política turística regional. Promoveremos una mayor coordinación entre todos los agentes implicados, Ayuntamientos, Administración Regional y la Estatal para avanzar con mayor efectividad y rapidez en la puesta en marcha de planes y medidas. Exigiremos al Gobierno de España la puesta en marcha priorizada y urgente del Plan de Vertido Cero. Trataremos de implicar también a las Instituciones Europeas para que apoyen las medidas que se diseñen, siempre contando con el aval científico y técnico» (Accesible en https://www.laverdad.es/murcia/consulta-acuerdo-programatico-20190620145339-nt.html. Último acceso: 12/04/2020).

de varias sentencias del TC que precisan el juego respectivo de los diferentes títulos competenciales, sirven finalmente para justificar, como conclusión de esa parte expositiva del Decreto-Ley, que «*Las competencias estatales sobre los distintos aspectos más arriba mencionados hacen que el calificativo de integral tenga en el Decreto-Ley un alcance* necesariamente limitado. *Este Decreto-ley solo puede ser integral en lo que a las competencias autonómicas se refiere*».

La E.M. también argumenta en varios pasajes de modo ciertamente confuso sobre la aplicabilidad del Decreto-Ley en diferentes zonas del territorio de la CARM. Conviene detenerse aunque sea brevemente en estas consideraciones porque ello nos permite igualmente adentrarnos en el alambicado protocolo regulatorio seguido por el Gobierno regional. De este modo, el criterio general será el de que «*Una norma de ámbito territorial limitado como ésta, aunque se conciba con un enfoque global o integral, únicamente debe introducir en el sistema normativo aquellas particularidades que resultan justificadas en razón del objeto específico que persigue: la protección y recuperación del estado ambiental del Mar Menor y de sus servicios ecosistémicos*»[21],

---

[21]   Criterio que no se sigue en todos los casos. Así la Disposición adicional segunda lleva a cabo una redefinición general del concepto de monte en la CARM que no se limita a la zona del Mar Menor: «*A efectos de lo dispuesto en los apartados 1. c), 1. e) y 2 del artículo 5 de la Ley 43/2003, de 21 de noviembre, de Montes, tienen la consideración de monte en la Comunidad Autónoma de la Región de Murcia los terrenos siguientes: 1. Los terrenos agrícolas abandonados, sobre los que no se hayan desarrollado siembras o plantaciones características de cultivos agrícolas en un plazo de 20 años, siempre que hayan aparecido signos inequívocos de su carácter forestal. Este plazo se reduce a 10 años en las Zonas 1 y 2. 2. Los enclaves forestales en terrenos agrícolas, entendiendo por tales las superficies cubiertas de vegetación arbórea, arbustiva, de matorral o herbácea, y que cumplan o puedan cumplir funciones ambientales, protectoras, productoras, culturales, paisajísticas o recreativas. A estos efectos, se considerarán como monte en todo caso aquellos enclaves que tengan: a. Una superficie mínima de 1 hectárea. En las Zonas 1 y 2, esta superficie mínima será de 0,5 hectáreas. b. Los de cualquier superficie que presente al menos una de las siguientes características: - Que posean una pendiente superior al 20 por 100, o al 10 por 100 si se sitúan en las Zonas 1 y 2. - Que se encuentren situados en un espacio natural protegido de la Red Natura 2000 o presenten hábitats de interés comunitario o especies de flora silvestre protegida. - Las riberas y sotos en los márgenes de los cauces fluviales, ramblas, humedales, embalses de agua y lagunas litorales. - Que la superficie forestal provenga de trabajos subvencionados de reforestación*

de modo que ello justifica la deslegalización del «Código de Buenas Prácticas Agrarias» que contenía la Ley 1/2018 «*el cual mantiene su vigencia como norma reglamentaria, de modo que pueda ser más fácilmente adaptado o modificado en caso necesario*». Su aplicabilidad a toda la Región de Murcia es la que justifica que no se incorpore al Decreto-Ley de 2019 (disposición derogatoria única)[22].

---

de terrenos agrícolas. 3. No tienen la consideración de monte: a. Los terrenos dedicados al cultivo agrícola. b. Los suelos que estén clasificados como urbanos, así como los urbanizables sectorizados con instrumento de planeamiento de desarrollo, informado por el órgano ambiental de la Comunidad Autónoma y aprobado definitivamente».
De este modo, la única innovación que ha introducido el D-Ley del Mar Menor ha sido la reducción del plazo de abandono a 10 años en las zonas 1 y 2 en el entorno del Mar Menor, ya que en el resto de la Región son 20 años los que tienen que pasar para que un terreno agrícola abandonado que haya adquirido signos inequívocos de su carácter forestal sea considerado como monte. Este plazo fue ampliado por la Ley 10/2018, de 9 de noviembre, de Aceleración de la Transformación del Modelo Económico Regional para la Generación de Empleo Estable de Calidad, ya que desde 2014 el plazo general era de 10 años. En síntesis, se ha corregido para el Mar Menor la desprotección de terrenos que llevó a cabo la ley de aceleración de 2018 al ampliar el plazo de abandono.

[22] «*1. Queda derogada la Ley 1/2018, de 7 de febrero, de medidas urgentes para garantizar la sostenibilidad ambiental en el entorno del Mar Menor, excepto:... La disposición adicional primera (Aprobación del Código de Buenas Prácticas Agrarias de la Región de Murcia) y el Anexo V (Código de Buenas Prácticas Agrarias de la Región de Murcia), que mantienen su vigencia, si bien su rango queda rebajado a nivel reglamentario, pudiendo modificarse o derogarse mediante disposición administrativa de carácter general adoptada mediante orden de la Consejería competente para el control de la contaminación por nitratos*». De acuerdo con lo que establece la disposición transitoria cuarta, la aplicación obligatoria del Código de Buenas Prácticas Agrarias de la Región de Murcia lo es sólo de manera transitoria «*hasta la entrada en vigor del programa de actuación específico para la Zona Vulnerable a la contaminación por nitratos del Campo de Cartagena, que incorporará aquellas medidas previstas en el Código de Buenas Prácticas Agrarias que resulten procedentes, de conformidad con lo previsto en el artículo 7 del Real Decreto 261/1996, de 16 de febrero, sobre protección de las aguas contra la contaminación producida por los nitratos procedentes de fuentes agrarias*». Por su parte, la disposición adicional 5ª («Inicio de la tramitación de los nuevos programas de actuación sobre las zonas vulnerables a la contaminación por nitratos de origen agrario» establece que «*En el plazo de dos mes desde la entrada en vigor de este Decreto-Ley, debe iniciarse la tramitación de los nuevos programas de actuación de las zonas vulnerables a la contaminación por nitratos de origen agrario de la Región de v Murcia; y, en particular, del pro-*

Una regresión destacada en la protección de las aguas frente a la contaminación por nitratos procedentes de fuentes agrarias[23].

Desde este punto de vista de su aplicación territorial, también conviene advertir que el Decreto-Ley lleva a cabo una zonificación para distinguir las diferentes obligaciones jurídicas o, en otros casos, su diferente intensidad en el territorio global que vendría a ser lo que denomina «Cuenca vertiente al Mar Menor»[24]. Así, su art. 2 («Ámbito de aplicación territorial») señala que, con carácter general, sus determinaciones son *«de aplicación total o parcial a los municipios que forman parte de la cuenca vertiente al Mar Menor»* (apdo. 1º); en otros casos, se determina la existencia de dos zonas («zona 1» y «zona 2»), cuya delimitación se lleva a cabo en el anexo I[25], *«a efectos de*

---

grama de actuación específico para la Zona Vulnerable a la contaminación por nitratos del Campo de Cartagena».

23   Para un estudio más completo de esta problemática *vid.* ÁLVAREZ CARREÑO, S. M. (2011), «Actividad agrícola y contaminación de aguas subterráneas: régimen jurídico», en EMBID IRUJO, A. (Dir.), *Agua y agricultura*, Thomson/Civitas, Cizur Menor, pp. 215-281.

24   La zona delimitada como «Cuenca vertiente al Mar Menor», a su vez, no se corresponde con la zona hidráulica «Mar menor» definida a efectos de planificación hidrológica. A pesar de ello, el D-Ley, en algunos momentos, se remite al Plan Hidrológico de la cuenca del Segura, por ejemplo, cuando en su Anexo IV («Obras Hidráulicas y Mineras», letra e): «Actuaciones del Programa de Medidas del Plan Hidrológico de la Cuenca del Segura 2015-2021 en la cuenca vertiente del Mar Menor competencia de la Comunidad Autónoma de la Región de Murcia») contempla las obras hidráulicas y mineras que, de acuerdo con su disposición adicional novena, van a estar exentas del informe preceptivo de la Dirección General de la Función Pública, aunque precisando que serán aquellas que se realicen en la cuenca vertiente del Mar Menor competencia de la Comunidad Autónoma de la Región de Murcia.
A los efectos de establecer el ámbito territorial del denominado «Plan de Ordenación Territorial de la Cuenca Vertiente del Mar Menor» el apdo. 2º del art. 15 sí precisa que este instrumento comprenderá *«al menos* (sic) *el polígono delimitado al Norte por la línea límite con la provincia de Alicante, al Oeste por la Autovía AP-7, al Sur por la carretera RM-12 y el Camino de Calarreona y por la línea litoral del Mar Menor y del Mar Mediterráneo, de acuerdo con el plano que figura como anexo II».*

25   Si se consulta dicho Anexo se comprueba que la zona 1 se corresponde con el territorio perimetral más cercano al litoral del Mar Menor y que tiene mucha menor extensión (10% del territorio definido como «cuenca vertiente al Mar menor», que vendría a ser el territorio de aplicación de la norma, con las excep-

la aplicación de un conjunto importante de medidas» (apdo. 2°)[26]; y, por último, se remite a cada uno de los preceptos de la norma que «*puedan especificar un ámbito territorial diferente*» (apdo. 3°).

2.1.3. El Decreto-Ley de 2019 contiene muchos elementos regresivos para la protección del Mar Menor

El análisis del Decreto-Ley 2/2019 nos descubre elementos regresivos que justifican un reforzado juicio crítico sobre su supuesta necesidad y oportunidad. Ciertamente, si el estudio de su contenido nos permitiera atisbar avances significativos en los instrumentos de protección del Mar Menor todavía aún podríamos quizás excusar las razones que impulsaron al Gobierno de la CARM a derogar la ley que desde hacía tan poco tiempo había pretendido tímidamente cambiar el rumbo de la política regional en esta materia, lo que es tanto como decir modificar, al menos sobre el papel, la línea ambiental seguida desde hace más de cuatro lustros en la Región de Murcia. Sin embargo, la comparación entre los preceptos de la Ley de 2018 derogada y el nuevo Decreto-Ley de 2019 ponen de manifiesto que, en muchos aspectos, la nueva regulación resulta menos protectora que la derogada. Ya se ha hecho *supra* referencia a la deslegalización que se acomete del Código de Buenas Prácticas Agrarias y cómo se le sitúa en una posición de provisionalidad pendiente de que se apruebe un «Programa de Actuación» en aplicación de la declaración de zona

---

ciones señaladas) que la zona 2, que abarca el restante 90% y se corresponde con zonas interiores del campo de Cartagena.

Como criterio general, la cercanía al Mar menor determina que las normas impongan obligaciones más restrictivas para las actividades económicas en la zona 1 que en la zona 2.

26 Son las medidas previstas en los arts. 17(«Medidas para nuevos desarrollos urbanísticos no afectados por la exclusión temporal»), 20 («Cambios del uso forestal») y 24 («Implantación de redes separativas» en los nuevos desarrollos urbanísticos, el Capítulo V («Ordenación y gestión agrícola»), la Sección 1ª del Capítulo VI («Medidas Aplicables a las Explotaciones ganaderas»), la disposición adicional segunda («Concepto de monte en la Comunidad Autónoma de la Región de Murcia») y las disposiciones transitorias tercera («Exigencia de las medidas aplicables a las explotaciones agrícolas existentes») y cuarta («Aplicación obligatoria del Código de Buenas Prácticas Agrarias de la Región de Murcia de manera transitoria»).

vulnerable a la contaminación por nitratos específico para la cuenca del Mar Menor[27]. Veamos, además, otros elementos regresivos de la nueva norma.

El Decreto-Ley elimina la prohibición de nuevos regadíos que contenía la anterior Ley en el apdo. 2º de su art. 5 («Laboreo del suelo y erosión»)[28] que se sustituyen por un farragoso y formalista procedimiento denominado «Restitución de cultivos por razones de competencia autonómica» y que se podría sintetizar, en su esencia, en el desplazamiento al organismo de cuenca de la responsabilidad para el control de las áreas dedicadas ilegalmente al cultivo de regadío y en la posterior incoación por la Consejería competente de la CARM, a partir de la *resolución firme* que declare la inexistencia del derecho de aprovechamiento, para que se restituyan a su estado previo los regadíos cesados o prohibidos por carecer de derechos de aguas[29].

Se elimina la responsabilidad de los propietarios de plantas desalobradoras consistente en implantar un sistema de eliminación de nutrientes para el agua de modo que el contaminador asuma los costes del tratamiento de las salmueras en origen[30]. Este procedimiento, que podía tramitarse de manera colectiva por una agrupación de

---

[27]   Por el contrario, el art. 12 («Cumplimiento del Código de Buenas Prácticas Agrarias de la Región de Murcia») de la ahora derogada Ley de Medidas Urgentes lo declaraba obligatorio en toda la cuenca del Mar Menor: «*En todas las zonas delimitadas en esta ley, el cumplimiento del Código de Buenas Prácticas Agrarias de la Región de Murcia, contenido en el anexo V, tendrá carácter obligatorio*».

[28]   «*Se prohíbe la creación de nuevas superficies de cultivo o ampliación de las existentes*».

[29]   En este sentido, el apdo. 1º del art. 28 del D-L («Nuevos cultivos o regadíos») establece que «*En las Zonas 1 y 2 se prohíben las transformaciones de terrenos de secano a regadío, no amparadas por un derecho de aprovechamiento de aguas*». Por su parte, el apdo. 3º del art. 31 («Necesidad de contar con derecho de aprovechamiento de aguas») señala que «*Para exigir la restitución a un estado natural o a secano de los terrenos afectados, la Consejería competente para el control de la contaminación por nitratos contará con la información que reciba del Organismo de cuenca sobre los regadíos que hayan sido cesados o prohibidos por resolución firme, por no estar amparados por un derecho de aprovechamiento de aguas*» (el resaltado es nuestro). El desarrollo de este procedimiento de restitución de cultivos se regula en los arts. 33 a 35.

[30]   El sistema se dejaba a la elección del propietario (filtro verde, electrobiogénesis o cualquier otra solución o combinación de soluciones existente en el mercado o en experimentación), siempre y cuando dicho sistema demostrara su eficacia en

productores agrícolas, permitía a su vez la autorización por parte de
la CARM del vertido de los residuos procedentes de esa actividad
de desalobración que, de este modo, quedaba supeditada a la aplicación de sistemas de reducción de nitratos a niveles inferiores a los
permitidos, «*cuya eficacia deberá ser previamente verificada por el
órgano autonómico competente mediante la emisión de informe de
conformidad*»[31]. Como con razón se critica desde el ámbito de la
defensa ambiental del Mar Menor «con la eliminación de este artículo
el Gobierno regional da un importante paso atrás y, en relación con la
desalobración, parece optar por infraestructuras públicas de final de
tubería de dudosa eficacia, elevados riesgos y basados en una cuantio-
sa financiación pública, rompiendo los principios de quien contamina
paga y de equidad social»[32]. El Gobierno de la CARM ha optado
efectivamente por una solución «a gran escala» a partir del documento denominado «Análisis de soluciones para el objetivo de vertido cero al Mar Menor proveniente del Campo de Cartagena (Murcia)»[33].

Otras disposiciones de la norma derogadora de contenido regresivo hacen referencia a la disminución de las obligaciones relativas
a la implantación de barreras vegetales de conservación y fajas de
vegetación destinadas a la retención y regulación de aguas, control de
escorrentías, absorción de nutrientes y protección frente a la erosión
del suelo (art. 36 y Anexo III); la reducción de la proporción que las
explotaciones agrarias deben dedicar a sistemas de retención de nutrientes (art. 37, apdos. 3 y 4); la desnaturalización de las obligaciones
del laboreo siguiendo las curvas de nivel (art. 38. 1); eliminación de
la prohibición de utilizar fertilizantes de solubilidad alta, de gran poder contaminante (art. 40, apdo. 3°); y, en fin, la flexibilización de las

---

la reducción de nitrógeno y fósforo (art. 13 - «Implementación obligatoria de un
sistema de reducción de nitratos en la desalobración», apdo. 2°).
[31]   Art. 13, apdo. 1°.
[32]   *Cfr.* el análisis de la norma en el Informe «Valoración de la ley de protección
integral del Mar Menor» que realizó la ONG «Ecologistas en Acción» y que fue
suscrito por las organizaciones integrantes de la Plataforma «SOS Mar Menor»
(accesible en https://www.ecologistasenaccion.org/133667/valoracion-de-la-ley-
de-proteccion-integral-del-mar-menor/. Último acceso: 14/04/2020).
[33]   *Vid.* PÉREZ DE LOS COBOS, *cit.*

limitaciones para el uso de estiércoles y otros fertilizantes orgánicos (arts. 42 y 52)[34].

2.1.4. Los excesivos plazos de entrada en vigor para muchas de las medidas previstas, la remisión a reglamento y la existencia de preceptos vacíos de contenido normativo

La extraordinaria y urgente necesidad que constituiría el presupuesto de hecho justificador de este poder, en principio, excepcional que legitima al Poder Ejecutivo a dictar normas con valor de Ley, si bien sometidas a la posterior convalidación por el Poder Legislativo, ha sido objeto de una interpretación tan deferente por el Tribunal Constitucional que, prácticamente, toda circunstancia que el Gobierno califique como tal se considera justificadora del recurso a tal poder. Esta circunstancia, que se constata tanto a nivel central como autonómico no puede ser objeto de mayores consideraciones por motivos evidentes en el presente estudio.

Sin embargo, en este caso, parece que efectivamente la crítica situación ambiental en que se encuentra el Mar Menor y la situación de catástrofe que demuestra la mortandad masiva de fauna y flora acuática ocurrida el sábado 12 de octubre de 2019 —festivo que, en nuestra memoria, irá siempre ya inexorablemente ligado también a ese lamentable y doloroso espectáculo— parecería perfectamente ajustada a las premisas justificadoras de una intervención excepcional y urgente a través de una norma con valor de Ley dictada por el Ejecutivo con competencias decisivas en la materia: el Gobierno de la CARM. Excepto que, en ese caso, se utiliza precisamente para derogar una ley de protección de la laguna que todavía no había empezado, en su escaso año y medio de vigencia, a desplegar algún tipo de efecto tras decenios de inacción administrativa.

Ya se han mencionado *supra* en este mismo estudio, los argumentos utilizados por el Gobierno regional y nuestra opinión al respecto. Ahora se trata de constatar en el propio texto del Decreto-Ley cómo carece de justificación desde el punto de vista de la urgencia al remitir la aprobación de instrumentos esenciales para la efectiva protección

---

[34]   *Vid.* Informe «Valoración...», *cit.*

del Mar Menor a plazos excesivos, a ulteriores desarrollos reglamentarios o, en fin, por incluir preceptos vacíos de contenido.

Desde esta primera perspectiva —plazos de efectividad de las medidas o previsión de futuros desarrollos reglamentarios como condición de efectividad de las medidas previstas— se puede comprobar que se prevén:

- Cinco años para la aprobación del Plan de Ordenación Territorial de la Cuenca Vertiente del Mar Menor (art. 15)[35].

- Dos años para analizar la densidad de los usos ganaderos existentes en la Cuenca y revisar las restricciones de las nuevas explotaciones ganaderas (disposición final séptima).

- Un año para que el Consejo de Gobierno de la CARM apruebe por Decreto el reglamento de vertidos de tierra al mar (disposición final cuarta).

- Un año para la aprobación del reglamento de pesca profesional en el Mar Menor y para regular las condiciones para la obten-

---

[35] La esencialidad de este instrumento para la efectividad de los mandatos de protección que se introducen en la norma se puede comprobar atendiendo a la enumeración de sus objetivos que contiene el apdo. 3º del art. 15: «*a) Adaptación de los usos agrícolas a usos de carácter ecológico, forestal y turístico, y control de la densidad ganadera; b) Establecimiento de un corredor ecológico alrededor del Mar Menor con objeto de actuar de filtro natural ecosostenible, y de función retenedora de agua en caso de episodios de precipitación de carácter intenso, atendiendo al mantenimiento de la conectividad ecológica del Mar Menor y su entorno, identificando terrenos forestales o con presencia de hábitats naturales, así como aquellos espacios que deban recuperar esa funcionalidad incorporando la red de vías pecuarias. Además se revisará la idoneidad actual de los suelos sin desarrollar y sus condiciones de inundabilidad; c) Actuaciones estratégicas y estructurantes, para cumplir el objetivo de protección del Mar Menor; d) Regular la densidad urbanística de los usos residenciales en el entorno del Mar Menor; e) Impedir la conurbación del anillo lagunar evitando la urbanización de los intersticios, los cuales se dedicarán a espacios de carácter ecológico o forestal; f) Mejorar la calidad urbana en las áreas construidas recualificando los espacios turísticos; g) Regulación de usos del suelo para su compatibilidad; h) Protección de suelos por sus valores específicos; i) Regulación de usos en suelos con protecciones especiales; j) Restricción cautelar de usos en suelos que presenten riesgos; k) Racionalizar la accesibilidad y movilidad; l) Favorecer la creación de equipamientos hoteleros y turísticos y oferta de servicios para rebajar la estacionalidad de la demanda; m) Introducción de consideraciones de carácter paisajístico; n) Mitigación y adaptación al cambio climático*».

ción de la autorización de pesca y elaborar un censo de embarcaciones pesqueras (disposición final octava y arts. 60 y 61).

– Un año y medio para que las embarcaciones de pesca profesional presenten un programa de adaptación medioambiental (art. 61. 6).

– Un año para que las embarcaciones que naveguen por el Mar Menor cumplan las obligaciones impuestas por el art. 64. 3[36].

– Un año para que se dicte la Orden que regule «*el régimen aplicable, el ámbito de actuación y responsabilidad, la titulación exigible y la formación mínima de los operadores agroambientales*» (Disposición final sexta)

– Seis meses para que los puertos deportivos de los municipios de Los Urrutias y Los Nietos presenten un estudio de afecciones a la dinámica litoral (disposición adicional sexta)

– Seis meses para que se adopte un *Programa de control y mejora de las redes de aguas pluviales, de saneamiento y EDARs*, que establecerá las condiciones para la reducción de aportes contaminantes al Mar Menor por dichas infraestructuras (art. 25, apdo. 1°).

Frente a estas previsiones, y otras que podrían seguir rastreándose en el Decreto-ley, decaen de modo inmediato las afirmaciones realizadas en su E.M. en el sentido de que la grave y catastrófica situación en que se encuentra el Mar Menor «*... impone actuaciones extraordinarias de carácter urgente para revertir cuanto antes el proceso*

---

[36] «*Las embarcaciones que naveguen por el Mar Menor deberán cumplir con las siguientes obligaciones:*
a) Los motores de inyección de dos tiempos deberán utilizar aceites biodegradables.
b) Llevar bocina seca.
c) Tener instalados depósitos de aguas negras y grises, si superan los 8 metros de eslora. Si no es posible instalar el depósito de aguas grises por falta de espacio, estas aguas se echarán al depósito de aguas negras.
d) Disponer de los documentos que acrediten la entrega a gestor autorizado de los residuos sólidos y líquidos, incluyendo los orgánicos y los procedentes de sentinas. Los productos de limpieza que se utilicen deberán ser biodegradables o naturales.
e) Contar con la Inspección Técnica de Buques (ITB) en vigor»

de degradación ambiental, actuando sobre las presiones que se han identificado como causantes del mismo. El recurso al Decreto-Ley parece plenamente justificado, por concurrir el presupuesto de la "extraordinaria y urgente necesidad" exigido por el artículo 10. 3 del Estatuto de Autonomía de la Comunidad Autónoma de la Región de Murcia»[37].

En relación a la segunda cuestión señalada, la existencia de preceptos vacíos, de nula entidad normativa y que, en cualquier caso, por su misma esencia, resultan impropios en una regulación que se dice de «extraordinaria y urgente necesidad» podríamos mencionar varios ejemplos:

Así, cuando en el apdo. 1º del art. 19 («Planes y proyectos de restauración hidrológico-forestal») se dice que «*El Gobierno regional solicitará el apoyo y colaboración de la Administración del Estado para la elaboración y ejecución de un plan de restauración hidrológico-forestal de la cuenca del Mar Menor*»; o cuando en el art. 65 («Regulación de las velocidades de navegación») se prevé que «*La Consejería competente en materia de medio natural, sin perjuicio de las normas generales de navegación, propondrá a la Autoridad Marítima del Estado la adopción de las siguientes restricciones de la velocidad de navegación de las embarcaciones a motor para el ámbito del Mar Menor...*».

---

[37]   La única precisión que realiza la E. M. en orden a justificar la mejora en la urgente aplicación de medidas de protección que se deriva de su aprobación reza como sigue: «*Pero la necesidad extraordinaria y urgente de actuar para reducir el aporte de nutrientes al Mar Menor, obliga a minorar los plazos transitorios de aplicación de las medidas agrícolas. La Ley 1/2018, de 7 de febrero, si bien resultó más exigente que el Decreto-Ley 1/2017, de 4 de abril (de cuya convalidación nace), tuvo el efecto de demorar por unos diez meses la aplicación de los plazos de exigencia. De hecho, actualmente, el grueso de medidas de la Ley 1/2018, de 7 de febrero, solo es aplicable a la Zona 1; el próximo 14 de febrero de 2020 pasaría a exigirse en la Zona 2; y solo a partir del 14 de febrero de 2021 comenzaría la exigencia para la Zona 3. Con la nueva zonificación, sin embargo, la integración de la antigua Zona 3 dentro de la nueva Zona 2 supone anticipar la aplicación de las medidas, que desde el 14 de febrero de 2020 ya serán exigibles para todas las zonas*», para, a continuación rematar «*Las parcelas situadas en la antigua Zona 3 solo contarán con un plazo adicional para cumplir aquellas obligaciones que implican inversión: la obligación de establecer estructuras vegetales de barrera, superficies de retención de nutrientes e instalaciones de recogida de agua de los invernaderos*».

También, entre las previsiones de naturaleza organizativa, carece de cualquier enjundia la previsión contenida en el art. 5. («Comisión interadministrativa para el Mar Menor») según el cual «*El Gobierno de la Comunidad Autónoma de la Región de Murcia promoverá un acuerdo para la creación de un órgano colegiado, formado por representantes de la Administración General de Estado, de la Comunidad Autónoma de la Región de Murcia y de los ayuntamientos, para la coordinación y cooperación institucional de las políticas y actuaciones públicas que afecten al Mar Menor*»; y más ostensiblemente la previsión contenida en el apdo. 1º de su art. 31 («Necesidad de contar con derecho de aprovechamiento de aguas») que nos recuerda de manera absolutamente innecesaria que «*De acuerdo con la legislación estatal en materia de aguas, para el cultivo de los regadíos se debe contar con derecho de aprovechamiento de aguas*». Del mismo cariz es la previsión contenida en el apdo. 2º del art. 33 que establece que «*Se entiende por aprovechamiento de aguas el derecho definido en el artículo 15 bis. b) del Reglamento del Dominio Público Hidráulico*». Por último, no sólo ya razones de técnica legislativa exigirían la eliminación de una disposición tan indeterminada e improcedente como la que se establece en el art. 47 («Calidad del agua de riego»), según el cual «*La Administración competente en materia de agua para uso agrario facilitará la puesta a disposición de los agricultores el agua de riego de mejor calidad, para garantizar el buen estado del suelo y minimizar los riesgos de lixiviación*».

2.1.5. Una consideración final sobre la abdicación de la CARM en el ejercicio de sus competencias ambientales

La crítica situación ambiental en que se encuentra el Mar Menor y la situación de catástrofe que quedó demostrada con la mortandad masiva de fauna y flora acuática ocurrida el 12 de octubre de 2019 —festivo que, en la memoria de los murcianos, irá siempre ya inexorablemente ligado a este lamentable y doloroso espectáculo— parecería perfectamente ajustada a las premisas justificadoras de una intervención excepcional y urgente a través de una norma con valor de Ley dictada por el Ejecutivo con competencias decisivas en la materia: el Gobierno de la CARM.

Sin embargo, en este caso, parece que efectivamente este poder se utiliza precisamente para derogar una ley de protección de la laguna que todavía no había empezado, en su año y medio de vigencia, a desplegar algún tipo de efecto tras decenios de inacción administrativa. Ya se han mencionado *supra* los argumentos utilizados por el Gobierno regional y nuestra opinión al respecto.

Esta verdadera abdicación por parte del Gobierno regional en el ejercicio de sus competencias ambientales está haciendo surgir con fuerza la posibilidad de activar mecanismos que permitan que sean otras Administraciones, en este caso, la AGE a través de la Confederación Hidrográfica del Segura la que ejecute directamente las necesarias actuaciones de control de la actividad agraria, sobre todo, de modo que se pueda *in extremis* salvar la laguna de su estado de deterioro actual.

2.2. *La pandemia como coartada del Gobierno CARM para avanzar en su agenda desreguladora y regresiva*

2.2.1. El totum revolutum del Decreto-ley 3/2020: turismo, puertos, taxis, vivienda, ordenación del territorio, urbanismo... ¡y el terremoto de Lorca!

El Decreto-Ley 3/2020, de 23 de abril, de mitigación del impacto socioeconómico del COVID-19 en el área de vivienda e infraestructuras (BORM, núm. 97, de 28 de abril de 2020) aprueba medidas urgentes relativas al ámbito de las infraestructuras portuarias, el transporte, la vivienda y el urbanismo y la ordenación del territorio.

Su capítulo I, compuesto por un artículo único que se divide en quince apartados, modifica la Ley 3/1996 de 16 de mayo de Puertos de la Comunidad Autónoma de la Región de Murcia para, en síntesis, ampliar los usos de los puertos deportivos; simplificar y agilizar la tramitación administrativa para la organización de actividades náuticas, de fomento de la cultura de la sostenibilidad y lucha contra el cambio climático, y para las solicitudes de concesión o autorización con el objeto de dinamizar la economía. En esta misma filosofía, se flexibilizan los informes sectoriales necesarios para otorgar autorizaciones y concesiones, reduciendo los plazos de emisión y limitándolos a los preceptivos. Por otra parte, se introduce un «mercado» de cesión de derechos concesionales sobre los puntos de amarre.

El capítulo II modifica la Ley CARM 10/2014, de 27 de noviembre, del Transporte Público de Personas en Vehículos de Turismo por medio de Taxi para permitir a los dueños de las licencias compatibilizar su empelo con otras dedicaciones y se amplían el número de viajeros y se flexibilizan otros requisitos para el ejercicio de la actividad.

Su capítulo III afecta a la Ley 6/2015, de 24 de marzo, de la Vivienda de la Región de Murcia. Podemos destacar, en apretada síntesis, que se establece que la licencia de primera ocupación que emitan los ayuntamientos sirve como calificación administrativa finalizadora del procedimiento de declaración de vivienda protegida; se elimina la condición de que toda vivienda protegida estará sujeta al régimen legal de protección mientras se mantenga la calificación del suelo; se suprime la obligatoriedad de la existencia del registro de demandantes de vivienda protegida así como los derechos de tanteo y retracto que tenía la Administración sobre las viviendas protegidas (arts. 34 y 49). Además, se autoriza la cesión de las viviendas protegidas a aquellos titulares de contratos de alquiler que lleven veinticinco años pagando con regularidad todas sus cuotas y aquellos otros que aunque sólo lleven diez años concurran en ellos alguna circunstancia como ser mayor de 65 años, mayores de 50 años en situación de desempleo de larga duración, familias monoparentales, mujeres víctimas de violencia de género, víctimas del terrorismo, familias numerosas y familias con una o más personas con un grado de discapacidad reconocido igual o superior al 33 por 100, así como la regulación del régimen de precario. Asimismo, se modifican los artículos 51, 56, 59 *ter*, 59 *quáter* y 62 con el fin de dotar de mayor capacidad de acción al Servicio regional de Orientación y Mediación Hipotecaria.

Por último, su capítulo IV modifica la Ley 13/2015, de 30 de marzo, de Ordenación Territorial y Urbanística de la Región de Murcia (LOTURM). Entre las medidas podemos destacar que se elimina la Comisión de Coordinación de Política Territorial (art. 15) que era un órgano colegiado compuesto por técnicos de la administración, donde figuraban como vocales, entre otros, un representante de la Administración del Estado (designado por la Delegación de Gobierno), y un representante de la Federación de Municipios de la Región de

Murcia y que emitía informe en relación a la aprobación de diversos planes contemplados en la LOTURM (art. 36. 3 para la aprobación inicial de los instrumentos de ordenación del territorio; art. 42. 2, en la elaboración del Plan Cartográfico Regional; art. 65. 2, para la aprobación inicial de las Estrategias del Paisaje; art. 68, en la aprobación inicial de la Estrategia de Gestión Integrada de Zonas Costeras; art. 70. 2, se elimina el previo informe de este órgano en la aprobación inicial de la tramitación de los instrumentos de ordenación del territorio, planes de ordenación de playas y Estrategias territoriales; y, en fin, art. 161. 2, se elimina el previo informe antes de la decisión del Consejero en la Resolución definitiva del Plan General).

Se introduce un denominado «Plan de ordenación de playa» que se atribuye a los municipios cuando no afecte a más de uno y siempre que los autorice la CARM (art. 53. 1). Se mantiene la competencia regional para elaborar los Planes de Ordenación del Litoral.

En suelo urbanizable sectorizado, atendiendo a la preordinación básica del Plan General o en el supuesto que exista una aprobación inicial, se admitirán edificaciones aisladas destinadas a industrias, hoteleras en todas sus categorías, actividades terciarias o dotaciones compatibles con su uso global, y los usos vinculados a la utilización racional de los recursos naturales (art. 100. 2 LOTURM). Por su parte, en el suelo urbanizable sin sectorizar podrán realizarse obras o instalaciones de carácter provisional y aquellos sistemas generales que puedan ejecutarse mediante planes especiales (art. 101. 1 y 3).

La modificación del apdo. 2 del art. 116 elimina la obligación de que la documentación del Plan General contenga las determinaciones recogidas en la Evaluación de Impacto Ambiental, en particular, la contenida en los Estudios de Impacto Territorial y de Paisaje. Por su parte, se añaden un nuevo apdo. 4 al art. 123 y los apdos. 4 y 5 al artículo 128 por los cuales los Planes Parciales y los Planes Especiales pueden reajustar su delimitación hasta un 10%. Esta posibilidad tan indeterminada en su procedimiento y efectos puede tener una potencialidad muy importante si se tiene en cuenta que en el municipio de Murcia, por ejemplo, existen planes con superficies mayores a un millón de m².

Se modifican los apdos. 1º y 4º del art. 166 para que los Estudios de Detalle no necesiten Evaluación de Impacto Ambiental. Se permite además que se tramiten las licencias antes de la aprobación definitiva del planeamiento a través del Estudio de Detalle, sin especificar si existirá derecho de indemnización al propietario del suelo si, una vez tramitada la licencia, no se aprobara dicho estudio. Especialmente relevante es el cambio en la redacción de los apdos. 2° y 4° del art. 173 —*Modificación de los planes*— que quedan redactados con el siguiente contenido:

«*2. Las modificaciones de planeamiento general pueden ser estructurales o no estructurales, según su grado de afección a los elementos que conforman la estructura general y orgánica y el modelo territorial, teniendo en cuenta su extensión y repercusión sobre la ordenación vigente. A estos efectos se consideran modificaciones estructurales las que supongan alteración sustancial de los sistemas generales, del uso global del suelo o aprovechamiento de algún sector o unidad de actuación, en una cuantía superior al treinta por ciento, en cualquiera de dichos parámetros, referida al ámbito de la modificación.*

También se considerará como estructural la modificación que afecte a más de 50 hectáreas, la reclasificación de suelo no urbanizable y la reducción de las dotaciones computadas por el plan, que no podrá incumplir, en ningún caso, los estándares legalmente establecidos...

4. Si las modificaciones de los instrumentos de planeamiento tuvieren por objeto una diferente zonificación o uso urbanístico de los espacios libres públicos calificados como sistema general, deberá justificarse el interés público y su compensación con igual superficie en situación adecuada, analizando las afecciones resultantes para su posible indemnización. Se tramitará como modificación estructural y se sujetarán al mismo procedimiento y documentación determinados en esta ley para tal modificación estructural del plan general»; y se añade un apdo. 9 por el cual «*Las modificaciones recabarán exclusivamente los informes preceptivos y sectoriales de aquellos organismos que resulten afectados conforme a la legislación sectorial específica*».

En definitiva, se elimina la competencia del Consejo de Gobierno para decidir las modificaciones de los espacios libres públicos y se obvian los informes de la Dirección de los Servicios Jurídicos. En un gobierno de coalición presidido por la desconfianza entre sus socios, se otorga todo el poder al consejero de turno con competencias en la materia, soslayando el debate del órgano colegiado ejecutivo superior para decidir un asunto tan importante para la ciudadanía y el interés general como son los espacios libres públicos. Además, se aumenta la cuantía de la alteración en los sistemas generales, del uso global del suelo o aprovechamiento de algún sector o unidad de actuación para que una modificación del planeamiento sea considerada estructural (dejando así de ser competencia municipal su aprobación) de un 20% a un 30%.

Otra serie de modificaciones afectan a la sustitución de la autorización administrativa por la declaración responsable (art. 264. 2), a la reducción de los supuestos sometidos a evaluación de impacto ambiental (disposición adicional primera) y demás medidas que ponen de manifiesto el carácter desregulador y regresivo de la modificación de la norma urbanística, impresión que se refuerza con el contenido del siguiente Decreto-Ley.

A modo de «gancho» para lograr concitar mayor apoyo parlamentario y manejando así los intrincados equilibrios de la política partidista y territorial murciana, se incluye finalmente en este Decreto-ley 3/2020 una amnistía para la obligación pendiente de justificación de las subvenciones recibidas para la reconstrucción de la ciudad de Lorca tras el terremoto del 11 de mayo de 2011 (disposición adicional primera).

2.2.2. El turno del medio ambiente: la regresión ambiental se profundiza con el Decreto-ley 5/2020

El Decreto-Ley 5/2020, de 7 de mayo, denominado de mitigación del impacto socioeconómico de la COVID-19 en el área de medio ambiente tiene como finalidad, de acuerdo a su propio preámbulo, «... *estimular los canales para que los flujos económicos vuelvan a circular sin resistencias*». La parte dispositiva del Decreto-Ley queda estructurada en dos capítulos, una disposición transitoria y dos disposiciones finales. El capítulo I, compuesto por un artículo único, dividido en veintitrés apartados, modifica la Ley 4/2009, de 14 de mayo, de Protección Ambiental Integrada de la Región de Murcia. Su capítulo II, compuesto igualmente por un artículo único, con un solo apartado, modifica el Decreto número 48/1998, de 30 de julio, de protección del medio ambiente frente al ruido. La disposición transitoria regula, en fin, el régimen de los expedientes en tramitación a la entrada en vigor de este Decreto-Ley, mientras que las disposiciones finales primera y segunda prevén su desarrollo normativo y entrada en vigor.

En concreto, de la modificación de la Ley ambiental se puede destacar, en breve síntesis, la eliminación de la obligación para el Consejo de Gobierno de aprobar planes y directrices de protección, dejándolo como una opción meramente facultativa (art. 8). Además, despoja a estos, incluidos los relativos a cuestiones como ruidos, residuos, contaminación atmosférica…, de la categoría de instrumento de ordenación territorial, esto es, no podrán afectar a la ordenación territorial y, en consecuencia, ésta podrá hacerse sin tener en cuenta las zonificaciones y protecciones que se deriven de los planes medioambientales (supresión del apdo. 3º del art. 8).

En la línea de liberalización de actividades, la modificación del art. 15 prevé la sustitución de la exigencia de autorización ambiental previa por una declaración responsable. Se suprime la necesidad de licencia de actividad previa para otras actividades industriales no sujetas a autorización para poder ser inscritas en el registro de actividades (supresión del apdo. 2º del art. 15). Se procede así a rebajar sustancialmente las exigencias ambientales de las actividades industriales, *leit motiv* que se muestra también en otras modificaciones normativas como la del art. 22 (incardinado en el Título II —Autorizaciones ambientales autonómicas—, Capítulo I - Disposiciones generales, arts. 17 a 24) por la que se introducen cambios en la definición de las *«modificaciones sustanciales y no sustanciales»* de las instalaciones industriales, a los efectos de comunicar y pedir a la autoridad ambiental la conformidad con las mismas (modificación en la redacción del apdo. 5º y supresión de los apdos. 6º y 7º del art. 22).

Dentro de este mismo título, pero en su capítulo II —Autorización ambiental integrada (arts. 25 a 44)— se pueden señalar los siguientes cambios: la CARM renuncia a imponer exigencias ambientales para aquellas instalaciones o actividades de sectores para los que no se hayan aprobado normas de desarrollo en relación a la autorización ambiental integrada (nuevo apdo. 4º del art. 26); se elimina la descripción pormenorizada de la documentación que se debe presentar en el procedimiento de evaluación ambiental integrada (art. 31); se reduce a la mitad (de dos meses a uno) el plazo del municipio para emitir informe (nueva redacción del apdo. 3º del art. 34)…

Pero, sin duda, las modificaciones más importante son las que se refieren al Título IV de la Ley 4/2009 que regula la evaluación ambiental de proyectos (arts. 83 a 99). Así, la nueva redacción de su artículo 84 permite aumentar el índice de contaminación (emisión de gases, residuos y vertidos) que aumenta del 15% al 30% para que sea exigible su evaluación ambiental. El impacto de dichos incrementos sobre zonas protegidas queda circunscrito a las de la «Red Natura 2000», dejando fuera las protegidas por otros instrumentos como, por ejemplo, el convenio *Ramsar* para los humedales de importancia internacional[38].

La nueva redacción de los arts. 85, 86 y 99 otorga más peso en la resolución de los procedimientos de evaluación ambiental a los municipios dado que aumenta el número de proyectos en los que el órgano municipal actúa como órgano sustantivo (el número de habitantes exigido para ostentar esta condición se reduce de 50.000 a 20.000 habitantes). También se prevé así para la determinación del órgano ambiental en los procedimientos de evaluación ambiental simplificada de los instrumentos de planeamiento urbanístico. Por última, se elimina

---

[38] La redacción original del apdo. 2° del art. 84 establecía: «*A efectos de los establecido en el artículo 7.2 c) de la Ley 21/2013, de 9 de diciembre, de evaluación ambiental, se entenderá que una modificación puede tener efectos adversos significativos sobre el medio ambiente cuando suponga un incremento de más del 15 por 100 de emisiones a la atmósfera, de vertidos a cauces públicos o al litoral, de generación de residuos, de utilización de recursos naturales o de afección a áreas de especial protección designadas en aplicación de las directivas 79/409/CEE del Consejo, de 2 de abril de 1979, y 92/43/CEE del Consejo, de 2 de abril de 1979, y 92/43/CEE del Consejo, de 21 de mayo de 1992, o a humedales incluidos en la lista del Convenio Ramsar.*
No obstante, tratándose de proyectos comprendidos en el anexo I de la Ley 21/2013, de 9 de diciembre, si el incremento supera el 50 por 100 de los citados parámetros, la modificación estará sometida a evaluación de impacto ambiental ordinaria».
En su nueva versión queda como sigue: «*A efectos de los establecido en el artículo 7.2 c) de la Ley 21/2013, de 9 de diciembre, de evaluación ambiental, se entenderá que una modificación puede tener efectos adversos significativos sobre el medio ambiente cuando suponga un incremento de más del 30 por 100 de emisiones a la atmósfera, de vertidos a cauces públicos o al litoral, de generación de residuos, de utilización de recursos naturales, o cuando la modificación suponga una afección a espacios protegidos Red Natura 2000 o una afección significativa al patrimonio cultural*».

la restricción de que sólo por ley de la Asamblea regional se puedan excluir proyectos concretos del trámite de evaluación ambiental para que, a partir de ahora, pueda hacerlo el Gobierno regional (nueva redacción del apdo. 1º del art. 86).

Las modificaciones que afectan al Título V —Evaluación ambiental de planes y programas (arts. 100 a 111)— afectan, además de insistir en la traslación de la competencia a los municipios, con la única exigencia de que tengan más de 20.000 habitantes, a los nuevos arts. 103 (fases de la evaluación ambiental estratégica); art. 104 (inicio del procedimiento y solicitud de inicio); art. 105 (consultas previas y pronunciamiento del órgano ambiental); art. 106 (elaboración de la versión preliminar del plan o programa); art. 107 (información pública, informes sectoriales preceptivos y consultas ambientales a las administraciones públicas afectadas) por el procedimiento de evaluación ambiental estratégica)[39]; art. 108 (análisis técnico del expediente y DAE), art. 109 (aprobación del plan o programa y publicidad) y art. 110 (vigencia y prórroga del plan o programa).

Por último, la disposición final 2, en su apartado 1º rebaja el rango al atribuir al Consejero las competencias que, en la redacción anterior, se atribuían al Consejo de Gobierno, para el desarrollo de la ley.

3. REFLEXIONES FINALES: LA COVID-19 COMO EXCUSA PARA PROFUNDIZAR EN LA AGENDA DESREGULADORA Y REGRESIVA

3.1. La Ley 3/2020, de 27 de julio, de recuperación y protección del Mar Menor

El Decreto-Ley 2/2019, de 26 de diciembre, de Protección Integral del Mar Menor[40] fue posteriormente tramitado como Ley en la

---

[39]   este artículo 107 no especifica que los informes sectoriales sean vinculantes, si además de reducir el tiempo para su emisión, no son vinculantes y preceptivos, pierden su valor totalmente.

[40]   *Vid.* ÁLVAREZ CARREÑO, S. M. (2020), «Derecho y políticas ambientales en la Región de Murcia (Primer semestre 2020)», *Revista Catalana de Dret Ambiental*, Vol. 11, núm. 1, pp. 1-24 (accesible en https://doi.org/10.17345/rcda2801).

Asamblea regional lo que determinó la aprobación de la Ley 3/2020, de 27 de julio, de recuperación y protección del Mar Menor[41]. Su estructura y principales contenidos coinciden con los que contenía el anterior Decreto-Ley[42]. A pesar de algún ligero avance, fruto de los pactos que finalmente consiguieron que el PSOE apoyara la nueva ley, como la ampliación a 1.500 metros, medidos desde de la ribera del Mar Menor, de la banda de limitación de fertilización o la reducción de los excesivos plazos para la puesta en marcha de alguna de las disposiciones contempladas, nuestro juicio sobre su carácter regresivo y la insuficiencia de las medidas previstas para corregir de manera efectiva la situación de grave deterioro de este otrora singular ecosistema deben mantenerse.

3.2. El medio ambiente como obstáculo en la Ley 5/2020

El Decreto-Ley 5/2020, de 7 de mayo[43], fue finalmente aprobado como Ley 5/2020, de 3 de agosto, de mitigación del impacto socioeconómico del COVID-19 en el área de medio ambiente[44]. En este caso, la convalidación parlamentaria no introdujo modificaciones dignas de mención. Se consolida así una reforma regresiva cuyo espíritu contrario al Derecho ambiental de la Unión Europea esperemos pueda ser acreditado ante los Tribunales competentes a la primera ocasión oportuna.

3.3. La desregulación de la ordenación del territorio y del urbanismo: la Ley 2/2020

El Decreto-Ley 3/2020, de 23 de abril[45], fue tramitado como Ley 2/2020, de 27 de julio, de mitigación del impacto socioeconómico del

---

[41]   BORM, núm. 177, de 1 de agosto de 2020.
[42]   Un sintético comentario de la misma de Durá Alemañ, C. J. en *Actualidad Jurídica Ambiental* accesible en https://www.actualidadjuridicaambiental.com/legislacion-al-dia-murcia-proteccion-del-mar-menor/. *Vid.* también «Murcia limita el uso de fertilizantes en el entorno del Mar Menor» en *El Consultor Urbanístico* (accesible en https://elconsultor.laley.es/).
[43]   BORM, núm. 106, de 9 de mayo de 2020.
[44]   BORM, núm. 179, de 4 de agosto de 2020.
[45]   BORM, núm. 97, de 28 de abril de 2020.

COVID-19 en el área de vivienda e infraestructuras[46], mero trámite obligado para la convalidación en sede parlamentaria de las medidas regresivas ya acordadas por el Gobierno de la CARM, atendiendo los requerimientos diseñados en este sentido por los poderosos grupos que guían su política —significativamente, la Confederación Regional de Organizaciones Empresariales de la Región de Murcia (CROEM)[47]—. Como sucede en el caso anterior, la convalidación parlamentaria no introdujo modificaciones dignas de mención, consolidándose así otra reforma regresiva cuya letra y espíritu, contrarios al Derecho ambiental de la Unión Europea, esperemos puedan ser desactivados en sede judicial. De momento, algunas asociaciones ya han puesto en marcha mecanismos de denuncia que pretenden conseguir la declaración de inconstitucionalidad de algunos de sus elementos más controvertidos[48].

3.4. Un último apunte sobre la improvisada e irreflexiva reforma: el curioso caso del Decreto-ley 7/2020

Nos ha parecido significativo del lamentable estado de postergación de la política y legislación ambiental en la CARM referir brevemente en estas páginas la aprobación —con entrada en vigor desde el mismo día de su publicación— del Decreto-Ley 7/2020, de 18 de junio, de medidas de dinamización y reactivación de la economía regional con motivo de la crisis sanitaria (COVID-19)[49]. Su Título III de «Medidas Administrativas» (arts. 5 a 10), recoge, como señala su Exposición de Motivos «...diversas modificaciones de tipo procedimental detectadas como consecuencia de la ejecución de las mismas en este período, como adaptación de plazos de tramitación y modificaciones en diversas normas vigentes en el ámbito regional que precisan de una mejora regulatoria, entre otras...». Por su parte, la

---

[46] BORM, núm. 176, de 31 de julio de 2020.

[47] *Cfr.* el apartado medio ambiente de su sitio *web* accesible en https://croem.es/

[48] *Vid.* Europapress, «Huermur solicita al Defensor del Pueblo que recurra al TC dos leyes "ómnibus" de la Región de Murcia», 7 de octubre de 2020 (accesible en https://www.europapress.es/murcia/). El sitio *web* de la asociación Huermur contiene información relevante sobre conflictos ambientales y sobre acciones en defensa del patrimonio cultural en la Región de Murcia (https://huermur.es/).

[49] BORM, núm. 140, de 19 de junio de 2020.

disposición transitoria única prevé la aplicación con efectos retroactivos a los expedientes en trámite iniciados con anterioridad, «*las modificaciones efectuadas por el presente Decreto-Ley a la Ley 30/2015 de 30 de marzo, de Ordenación Territorial y Urbanística de la Región de Murcia*» (LOTURM)[50].

En concreto, su art. 6 modifica los arts. 100[51] y 101. 1[52] LOTURM que regulan el régimen transitorio de edificación y uso en suelo urba

---

[50] Disposición transitoria única - Efectos de la modificación de la Ley 30/2015, de 30 de marzo de Ordenación Territorial y Urbanística: «*Las modificaciones en el presente Decreto Ley relativas a los artículos 100 y 101 de la Ley 13/2015, de 30 de marzo, de Ordenación Territorial y Urbanística de la Región de Murcia, serán de aplicación a los expedientes en trámite iniciados con anterioridad a la entrada en vigor de este Decreto Ley*».

[51] «1. Hasta tanto se apruebe el correspondiente planeamiento de desarrollo, en el suelo urbanizable sectorizado no podrán realizarse obras o instalaciones, salvo los sistemas generales que puedan ejecutarse mediante planes especiales y las de carácter provisional previstas en esta ley. 2. No obstante, cuando el Plan General establezca una pre ordenación básica del sector o se haya aprobado inicialmente el planeamiento de desarrollo, se admitirán edificaciones aisladas destinadas a industrias, hoteleras en todas sus categorías, actividades terciarias o dotaciones compatibles con su uso global, siempre que se cumplan las condiciones establecidas en el planeamiento y las garantías que se establecen en esta ley. 3. Igualmente podrán autorizarse las edificaciones a las que se refiere el párrafo anterior, cuando se haya aprobado inicialmente una modificación del planeamiento de desarrollo vigente, de conformidad con sus condiciones, siempre que no perjudiquen los derechos urbanísticos de los propietarios del sector, previa audiencia a los mismos y con las garantías que se establecen en esta Ley. 4. Las autorizaciones contempladas en este artículo se otorgarán condicionadas al efectivo cumplimiento de las determinaciones urbanísticas que se contengan en la aprobación definitiva del planeamiento de desarrollo. Igualmente en ningún caso se podrá superar el aprovechamiento resultante del sector referido a la superficie de la actuación. El autorizado no tendrá derecho a indemnización alguna si tuviere que adaptar la edificación por la entrada en vigor de la aprobación definitiva del planeamiento de desarrollo. 5. Este régimen transitorio quedará suspendido cuando se alcance el treinta por ciento del aprovechamiento del sector o de su superficie, computando la superficie total ocupada por las actuaciones».

[52] «1. Hasta tanto se apruebe el correspondiente planeamiento de desarrollo, en el suelo urbanizable sin sectorizar podrán realizarse obras o instalaciones de carácter provisional previstas en esta ley, y aquellos sistemas generales que puedan ejecutarse mediante planes especiales, quedando el resto de los usos y construcciones sujetos al régimen de este artículo, con las condiciones señaladas en los artículos siguientes.

nizable sectorizado y, respectivamente, sin sectorizar. Nuestra sorpresa proviene del hecho de que estos preceptos ya habían sido reformados por el anterior Decreto-ley 3/2020, de 23 de abril. Por su parte, la Ley 2/2020, de 27 de julio, que lo convalida guarda un absoluto silencio sobre el Decreto-ley 7/2020: ¿qué sucedió entre abril y junio para que se reformara de forma apresurada e inmotivada la recién acometida reforma en materia de régimen transitorio de usos del suelo? ¿A quién beneficiaron o perjudicaron las medidas adoptadas en junio? ¿Por qué la Ley del mes siguiente que convalida el Decreto-Ley de abril no hace ninguna referencia al de junio?. Ni yo ni usted, improbable lector, podremos quizás nunca saberlo. Un manto de silencio cubre esta operación que nos deja un amargo sabor a improvisado tejemaneje.

BIBLIOGRAFÍA

ALMANSA-SÁNCHEZ, J., «Cómo las reformas de las leyes del suelo autonómicas pueden perjudicar al patrimonio arqueológico», 7 junio de 2020 (accesible en https://theconversation.com/), 2020.

AMAYA ARIAS, A. M., *El principio de no regresión en el Derecho ambiental*, Iustel, Madrid, 2016.

CASADO, L., «Crisis económica y protección del medio ambiente. El impacto de la crisis sobre el derecho ambiental en España», *Direito Econômico e socio ambiental*, vol. 9, núm. 1, 2018.

DÍAZ CORDERO, P. A., *La contribución del Derecho a la resolución de la problemática ambiental*, Tesis Doctoral, Universidad Rovira Virgili.

DORESTE HERNÁNDEZ, J., «La paulatina consolidación del principio de no regresión ambiental en la jurisprudencia española», *Actualidad Jurídica Ambiental*, núm. 102, vol. 2 (Ejemplar dedicado a: *Congreso Homenaje a Ramón Martín Mateo «VIII Congreso Nacional Derecho Ambiental (Vulnerabilidad Ambiental)»*), 2020.

EMBID IRUJO, A. (Dir.), *Agua y agricultura*, Thomson/Civitas, Cizur Menor.

GARCÍA MAJADO, P., «Cuarenta años de legislación de urgencia», en PUNSET - BLANCO, R. / ÁLVAREZ ÁLVAREZ, L. (coord.), *Cuatro décadas de una Constitución normativa (1978-2018): Estudios sobre el desarrollo de la Constitución Española*, Thomson Reuters/ Aranzadi, Madrid, 2018.

Una vez aprobado inicialmente el planeamiento de desarrollo se admitirá el régimen transitorio establecido en el artículo 100 con las condiciones del mismo».

GONZÁLEZ GARCÍA, I., «La trascendencia constitucional del deficiente control del decreto ley autonómico», *Revista Española de Derecho Constitucional*, núm. 111, 2017.

GUAITA-GARCÍA, N. / MARTÍNEZ FERNÁNDEZ, J. / BARRERA-CAUSIL, C. J. / - ESTEVE-SELMA, M. A. / FITZ, H. C., «Local perceptions regarding a social-ecological system of the mediterranean coast: the Mar Menor (Región de Murcia, Spain)», *Environment, Development and Sustainability* (doi.org/10.1007/s10668-020-00697-y), 2020.

LÓPEZ RAMÓN, F., «Introducción general: regresiones del Derecho ambiental», *Observatorio de Políticas Ambientales 2011*. Cizur menor (Navarra): Editorial Thomson-Aranzadi, 2011.

LÓPEZ RAMÓN, F., «La aceptación legislativa del principio de no regresión ambiental en Francia», *Revista de Administración Pública*, núm. 201, 2016.

PEÑA CHACÓN, M. (edit.), *El principio de no regresión ambiental en Iberoamérica*, UICN. Serie de Política y Derecho Ambiental, núm. 84, 2015.

PRIEUR, M. «Vers la reconnaissance du principe de non-régression», *Revue juridique de l'environnement*, núm. 4, 2012.

UNEP, *Global Resources Outlook* (accesible en https://wesr.unep.org/), 2019.

Capítulo 8
HACIA UN DERECHO AMBIENTAL «AGRAVADO» Y DE EXCEPCIÓN PARA HACER FRENTE A LA VULNERABILIDAD CLIMÁTICA

ANTONIO FORTES MARTÍN
Profesor Titular de Derecho Administrativo
Universidad Carlos III de Madrid

1. INTRODUCCIÓN

La pandemia provocada por la COVID-19 ha agitado, en estrictos términos jurídicos, los cimientos de nuestro Derecho de excepción. Más concretamente, el debate, no sólo en clave jurídica, se ha centrado en la pertinencia y utilidad de la declaración del estado de alarma para frenar el avance de la enfermedad. Ahora bien, por encima de polémicas y de desencuentros políticos que acaba acusando la ciudadanía, lo que es seguro es que esta crisis sanitaria ha evidenciado la importancia de tener un Derecho fuerte, seguro y eficaz que, trascendiendo la aplicación de la legislación ordinaria, sea capaz de poner freno a la situación de vulnerabilidad que actualmente vivimos.

En un ejercicio de paralelismo, a efectos puramente dialécticos, con esta emergencia sanitaria, la alarma ambiental y sobre todo climática, declarada ya hace tiempo, evidencia no sólo la vulnerabilidad de nuestro clima, de los sistemas ambientales, de sectores socioeconómicos vitales, sino también, e igualmente que con la COVID-19, la del propio ser humano y su existencia. En las páginas que siguen formulamos una propuesta a favor de aplicar un auténtico Derecho de excepción, dada la situación extraordinaria que vivimos, cuyo *core* sea el clima y la reducción de la vulnerabilidad asociada a los efectos adversos provocados por su preocupante alteración. Una suerte de Derecho ambiental «agravado», como un necesario paso más allá que el constituido por la legislación ambiental ordinaria, que sea capaz de ofrecer un remedio, seguro y eficaz, frente a la «pandemia climática».

2. LA VULNERABILIDAD EN EL DERECHO

2.1. *La vulnerabilidad como objeto jurídico*

La importancia de los conceptos para el Derecho resulta incuestionable como lo es su uso correcto y adecuado. El Derecho está llamado a desplegar una suerte de intencionalidad pedagógica a la hora de introducir, a través de las palabras y los conceptos, nuevas prioridades y esquemas mentales, como lo es ahora, a los efectos de esta contribución, la idea de vulnerabilidad como indicio de la situación de emergencia climática que vivimos.

La vulnerabilidad (ambiental y climática) —al igual que ya sucediera con el concepto, primero de medio ambiente, posteriormente con el de sostenibilidad (o desarrollo sostenible), y más recientemente con el de resiliencia— comparte, de entrada, la misma incertidumbre sustantiva que estos otros términos. Tratar de dibujar de forma un tanto precisa su contorno, siquiera sea, desde una vertiente estrictamente jurídica, es una tarea inmersa en serias dificultades, pese a tratarse de un concepto de cada vez más amplio uso, no sólo desde un punto de vista convencional, sino también normativo[1]. Porque si aceptamos el presupuesto de estar en presencia de un (nuevo) objeto y realidad jurídicas resulta harto difícil discernir, con la exactitud y el rigor que exigen las categorías jurídicas, lo que se entienda por vulnerabilidad ambiental y climática[2]. Esto quizás explique, en parte, la nula presencia de definiciones de vulnerabilidad en las leyes

---

[1]   Como refiere TORRE-SCHAUB (2019: 16), la influencia del IPCC (*Intergovernmental Panel on Climate Change*) es clave en este sentido a partir de sus Informes científicos. En esos Informes se emplean conceptos que dan pie a la entrada de nuevos términos en el lenguaje jurídico como es el caso de mitigación y de vulnerabilidad, entre otros.

[2]   De hecho, ALENZA GARCÍA (2019: 8 y 43) nos advierte de las dificultades de desgranar un concepto jurídico unívoco y uniforme de la vulnerabilidad dado su carácter polisémico y omnicomprensivo con el que se utiliza.

ambientales y que sea apenas testimonial en la legislación de cambio climático aprobada hasta el momento.

La realidad, hoy día indiscutible, de una cada vez mayor demanda energética y consumo de recursos nos sitúan ante un terreno incierto en el que, como juristas, interesa explorar las respuestas que ha dado y está en disposición de dar el Derecho para corregir y minorar la vulnerabilidad ambiental y climática que sufrimos. La vulnerabilidad del clima, al igual que la vulnerabilidad de un sistema social, constituye un buen «termómetro» de la propia debilidad humana que saca a relucir las necesidades de los más desfavorecidos. En este sentido, el impacto negativo del cambio climático en la salud humana es un factor determinante a la hora de constatar las variaciones y alteraciones del clima como un vector de transmisión para una mayor expansión de virus y exposición a enfermedades infecciosas —como lo estamos constatando desgraciadamente «en tiempo real» con la COVID-19—. Es por ello que resulta ineludible conocer qué hay detrás de la idea de vulnerabilidad para conocer cómo desde el Derecho se pueden aportar soluciones frente a la misma.

Según el Diccionario de la RAE, vulnerabilidad es la cualidad de vulnerable. Y por vulnerable, del latín *vulnerabilis,* se entiende «que puede ser herido o recibir lesión, física o moralmente». Ya esta primera aproximación conceptual, de todo punto indiciaria, nos deja algunas impresiones de interés. La más destacada de todas, a los efectos que aquí ahora más nos interesan, es que vulnerable es una condición o cualidad, un grado predicable no únicamente de los seres humanos, sin perjuicio de que la posibilidad de recibir lesión moral sólo pueda reconocerse, por razones obvias, a las personas[3]. Porque también lo puede ser de los animales y, por supuesto, de cualquier «sistema vivo». Es más, incluso, son también vulnerables los territorios, las áreas geográficas y los propios sectores socioeconómicos.

No pudiéndonos quedar en esta pura disquisición lingüística corresponde indagar en la forma que el Derecho ha asumido e incorporado la realidad de lo vulnerable, de la vulnerabilidad como concepto

---

[3]   Vid. en el mismo sentido ALENZA GARCÍA (2019: 7 y 8)

«social» y sociológico[4]. En este sentido, el Derecho ha reaccionado frente a la vulnerabilidad y a las situaciones que las provoca porque «pertenece a la esencia del Derecho la protección y la tutela de la vulnerabilidad[5]». Así, por ejemplo, en la regulación del sector eléctrico al establecer el bono social y otras medidas de protección para el «consumidor vulnerable» de energía eléctrica; en la regulación de programas de ayuda al alquiler de vivienda, programas de atención a la salud o de inserción sociolaboral para fomentar la empleabilidad y el acceso al mercado laboral de las personas o colectivos más vulnerables; también en la protección de la infancia, de nuestros mayores, de las víctimas de la violencia de género, de las personas con necesidades especiales, de los refugiados y desplazados, de las minorías y, en definitiva, de cualquier persona en riesgo de exclusión social o sobre la que pueda existir daño o riesgo de lesión por su condición de vulnerabilidad frente a los demás.

El Derecho ambiental no ha sido ajeno tampoco a esta sensibilidad por la protección de la vulnerabilidad[6] dejando algunas muestras de la reacción, en forma de protección, hacia lo vulnerable. Por ejemplo, al declarar «zonas vulnerables» a la contaminación producida, sobre todo, por nitratos procedentes de fuentes agrarias. También al incluir en catálogos especies amenazadas categorizadas como «vulnerables». O al considerar como factor de impacto en la evaluación ambiental no sólo la vulnerabilidad de un área o espacio sino la afección de la obra o infraestructura proyectada en cuanto a su eventual «vulnerabilidad ante el cambio climático».

Pero, sin duda, la vulnerabilidad ha adquirido carta de naturaleza en la legislación de cambio climático como quiera que son las variaciones climáticas las que provocan y producen más situaciones preocupantes de vulnerabilidad. La vulnerabilidad, como objeto jurídico, aparece definida como el «grado de incapacidad de un sistema de

---

4   Tal y como destaca ÁLVAREZ CARREÑO (2019: 9), el concepto de vulnerabilidad, importado por el Derecho ambiental, presenta una faz «más bien sociológica».
5   Vid. ALENZA GARCÍA (2019: 3)
6   La vulnerabilidad de poblaciones, colectivos y comunidades constituye una circunstancia ineludible a tener en cuenta por el Derecho ambiental como bien atestigua SORO MATEO (2019: 11-18) y (2018: 87-106)

afrontar los impactos adversos del cambio climático y, en particular, la variabilidad del clima y los fenómenos climáticos extremos[7]». La vulnerabilidad, sobre todo climática, interesa para el Derecho porque representa la diagnosis de la fragilidad para hacer frente a los efectos del cambio climático. Condición que puede afectar indistintamente a personas, seres vivos, zonas o áreas, sectores productivos... si bien en distintas intensidades. Así, ese grado de vulnerabilidad depende del carácter, magnitud y rapidez de las variaciones climáticas y de las fluctuaciones a las que está expuesto un sistema o sector, así como de su sensibilidad y capacidad de adaptación.

2.2. *La vulnerabilidad como nuevo principio rector «climático»*

El Principio 6 de la Declaración de Rio sobre medio ambiente y desarrollo de 1992 enfatiza la importancia de prestar atención «a la situación y las necesidades especiales de los países en desarrollo, en particular, los países menos adelantados y *los más vulnerables desde el punto de vista ambiental*[8]». Veinte años más tarde de esa Declaración, la vulnerabilidad «trufa» todo el Documento final de la Conferencia de Naciones Unidas sobre el Desarrollo Sostenible de 2012 (Río+20).

Esta manifestación de la vulnerabilidad ambiental ha encontrado también su variante climática en la Convención Marco de las Naciones Unidas sobre el Cambio Climático de 1992 (artículo 3.2). Pero, sin duda, el artículo 7 del Acuerdo de París de 2015 representa la piedra angular de este nuevo edificio. Porque, en ese precepto, la vulnerabilidad frente a los impactos físicos del cambio climático aparece representada, junto a la resiliencia, bajo la égida de la adaptación y la mitigación. El objetivo de adaptación y de mitigación ante los efectos del cambio climático se construye a partir de estos otros dos (sub) objetivos, a saber, el aumento de la resiliencia y la reducción de la vulnerabilidad. De modo que todos ellos (adaptación, mitigación,

---

[7]   Definición contenida en el apartado q) del artículo 4 de la Ley 16/2017, de 1 de agosto, del cambio climático de Cataluña y en el apartado v) del Anexo de la Ley 8/2018, de 8 de octubre, de medidas frente al cambio climático y para la transición hacia un nuevo modelo energético en Andalucía.

[8]   La cursiva es nuestra.

resiliencia y vulnerabilidad) constituyen las que podríamos dar en denominar como las *têtes de chapitre* del nuevo ordenamiento del clima.

La vulnerabilidad representa la contraparte de la resiliencia en la
estrategia de adaptación a la variabilidad del clima, tal y como prescribe el artículo 16 del Proyecto de Ley estatal de cambio climático
y transición energética a la hora de referirse a las políticas y medidas
destinadas a «aumentar la resiliencia y disminuir la vulnerabilidad
frente al cambio climático en España». De esta forma, así como la resiliencia ambiental (y climática) aparece vertebrada como una nueva
suerte de principio jurídico, también ahora la vulnerabilidad, al compartir el mismo objetivo último al servicio de la adaptación, entendemos que puede representarse como un principio rector en la estrategia
climática de lucha contra los efectos del cambio climático[9].

A nuestro juicio, se encuentran sentadas las bases para situar a
la vulnerabilidad como principio rector «climático» en el mismo nivel de importancia que ya aparecen principios consolidados como el
de desarrollo sostenible, de prevención ambiental, de precaución, y,
de forma más reciente, el principio de no regresión, de resiliencia, y
por ello ahora, también, de reducción de la vulnerabilidad a la hora
de orientar, influir e, incluso, disciplinar una determinada política a
seguir.

3. HACER FRENTE A LA VULNERABILIDAD CLIMÁTICA CON UN DERECHO AMBIENTAL «AGRAVADO»

3.1. *La insuficiencia e incapacidad del Derecho ambiental para paliar los problemas derivados del cambio climático*

Nos recordaba Demetrio Loperena que el medio ambiente «es tan
antiguo como la vida humana[10]» como quiera que si consideramos

---

[9]   Así lo postula también ALENZA GARCÍA (2019: 41) a la hora de reconocer la
       eventual consagración de «un principio de protección y reducción de la vulnera-
       bilidad ambiental y climática» cuya irradiación se proyecta fundamentalmente
       sobre la población y los colectivos vulnerables que puedan resultar afectados por
       los efectos adversos del cambio climático.
[10]   Vid. LOPERENA ROTA (2000: 99)

el ambiente «a secas» —para evitar la redundancia del término «medio ambiente» que ya advirtiera y denunciara certeramente Martín Mateo[11]— el mismo se identifica con todo aquello que nos rodea, como elemento de nuestro entorno.

El Derecho ambiental, como «un signo de nuestra era[12]», se ha ido construyendo justamente como cuerpo normativo en el que tanto los distintos escenarios (aire, agua, suelo), como los recursos (flora, fauna…) pasando por los instrumentos o técnicas de protección (evaluación ambiental, IPPC…) hasta la ordenación de las actividades con impacto o incidencia ambiental (residuos, instalaciones de combustión…) conforman un ordenamiento aparentemente completo y acabado con unas características bien definidas y que presuponen su potencial para hacer frente a cualquier reto.

Así las cosas, no es de extrañar, como se ha demostrado durante décadas, que «el recurso a la normativa sobre el medio ambiente supone una solución inevitable[13]». Esta afirmación no por su aparente obviedad carece de menor importancia. En materia de protección ambiental, el «espontaneísmo social» es incapaz de ofrecer, no ya una adecuada, sino, al menos, una mínima solución a los graves y crecientes problemas de menoscabo del medio natural a los que se enfrenta el ser humano. Sin embargo, pese a la respuesta que el Derecho ambiental ha ofrecido y el valioso servicio que sigue prestando, el reto del cambio climático ha provocado un «agujero» en su línea de flotación evidenciando su insuficiencia e incapacidad, como Derecho «ordinario», para hacer frente a lo que este desafío climático entraña. Esta limitación del Derecho ambiental no sólo tiene que ver, a nuestro entender, con las propias trabas internas que encontramos en alguna normativa ambiental de los últimos años en lo que se refiere a una rebaja en los estándares de protección ambiental. Esto es, una suerte de «regresión ambiental» que provoca un perjuicio, en cuanto a su (des) protección se refiere, tanto a sistemas naturales como a los grupos y colectivos más desfavorecidos y vulnerables[14]. También con

---

[11]   Vid. MARTÍN MATEO (1991: 81)
[12]   Vid. JORDANO FRAGA (2002: 95)
[13]   Vid. MARTÍN MATEO (1988: 35)
[14]   Como muy acertadamente pone de manifiesto en su trabajo ÁLVAREZ CARREÑO (2018: 31-49)

la limitación (ad extra) del Derecho ambiental para hacer frente a un fenómeno que desborda su radio de acción ordinario donde el cambio climático y los efectos adversos que el mismo genera, y aunque relacionados, trascienden la propia idea de medio ambiente[15].

Medio ambiente y cambio climático constituyen, de este modo, realidades que esconden fenómenos y circunstancias diferentes y que precisan, por ello, ser perimetradas por ordenamientos distintos. Es así como el Derecho ambiental, propicio para dar respuesta a impactos tradicionales y a la protección de los recursos «clásicos» de la naturaleza, se queda ahora corto, a nuestro modo de ver, para afrontar un desafío más complejo de emergencia climática que sólo puede tener respuesta desde un Derecho «agravado» de excepción.

3.2. La alteración grave de la normalidad «climática»

Para hacer frente a una situación extrema y de emergencia no basta con la aplicación de la legislación ordinaria. Lo hemos podido comprobar este mismo año en nuestro país con la activación del Derecho de excepción mediante la declaración, hasta en dos ocasiones, del estado de alarma ante el avance imparable de la pandemia provocada por la COVID-19.

En el caso de los efectos (muchos de ellos ya irreversibles) del cambio climático nos situamos, a nuestro juicio, en un escenario de alteración grave de la normalidad climática. El Derecho ambiental ha hecho y sigue haciendo lo que puede pero no parece ser suficiente ante el necesario restablecimiento de esa normalidad alarmantemente alterada. Una vez más, como ya ha sido apuntado *ut supra*, la aparición de leyes sobre cambio climático no constituye más que la punta del iceberg de un fenómeno jurídico *in crescendo* en el que, lejos de resultar desplazado, el Derecho ambiental debe «agravarse», dando paso a lo que denominamos como un Derecho ambiental «de excepción» y cuya manifestación última lo es el Derecho del clima.

---

[15]   En efecto, como se reconoce en el Preámbulo de la Ley 16/2017, de 1 de agosto, del cambio climático de Cataluña, «el calentamiento global no es exclusivamente un problema ambiental»

Si se nos permite continuar con el paralelismo del Derecho constitucional de excepción, la declaración de los estados de alarma, excepción o sitio procede, según dispone el artículo 1.1 de la LO 4/81, de 1 de junio, de los estados de alarma, excepción y sitio, cuando «circunstancias extraordinarias hiciesen imposible el mantenimiento de la normalidad[16] mediante los poderes ordinarios». En nuestro caso, la situación extraordinaria que ha alcanzado el problema del cambio climático hace imposible el mantenimiento de la normalidad (ambiental y climática) mediante los «poderes ordinarios» que ofrece el Derecho ambiental. Además, la activación del Derecho de excepción mediante la declaración de los estados de alarma, excepción o sitio, en todo caso, «no interrumpe el normal funcionamiento de los poderes constitucionales del Estado». Esto mismo llevado a la tesis aquí defendida no significa otra cosa que la necesaria adopción de medidas más fuertes y enérgicas (de naturaleza excepcional) que, en todo caso, no cercenan la aplicación del Derecho ambiental ordinario para el resto de situaciones y realidades «normales» o menos graves, tal y como ha venido sucediendo hasta el momento.

La crisis sanitaria y climática, con grandes paralelismos entre ambas, pero también con unas evidencias cada vez más inquietantes[17], nos aboca a un intrincado escenario al que sólo recientemente, y de un tiempo a esta parte, se le está prestando toda la atención que merece, no sólo en sede política, sino también en un creciente plano

---

[16] No hay que olvidar que el artículo 4 de la LO 4/81, de 1 de junio, de los estados de alarma, excepción y sitio habilita al Gobierno de la Nación, en uso de las facultades que le confiere el artículo 116.2 CE, para declarar el estado de alarma cuando se produzca una alteración grave de la normalidad, entre las que se citan fenómenos de impacto o incidencia ambiental e incluso climática tales como a) «catástrofes, calamidades o desgracias públicas, tales como terremotos, inundaciones, incendios urbanos y forestales o accidentes de gran magnitud» y b) «crisis sanitarias, tales como epidemias y situaciones de contaminación graves»

[17] El reciente Informe *United in Science 2020*, coordinado por Naciones Unidas y la Organización Meteorológica Mundial, evidencia que el cambio climático no se ha frenado por la COVID-19. Vid. https://trello-attachments.s3.amazonaws.com/5f560af19197118edf74cf93/5f59f8b11a9063544de4bf39/cdb10977949b-38128408f5322f9f676d/United_In_Science_2020_8_Sep_FINAL_LowResBetterQuality.pdf.

jurídico[18] como ha podido comprobarse al consolidarse y asimilarse la idea jurídica de vulnerabilidad.

La vulnerabilidad climática interesa (y preocupa cada vez más) a los ciudadanos y, por ende, importa al Derecho desde el presupuesto de la centralidad de la persona en el sistema de tutela conformado por este último. Porque los efectos del cambio climático y la vulnerabilidad provocada o acentuada por el mismo está dando pie a la generación de nuevas necesidades y situaciones de carácter, extensión, y consecuencias de nuevo cuño que afectan de modo decisivo a las políticas ambientales y climáticas y, por tanto, al Derecho mismo como medio para la formalización y realización de éstas. El Derecho, llamado desde siempre a generar confianza y certeza, se ve confrontado al reto que suscitan las inevitables incertidumbres que propicia una situación de alarma y emergencia. Y, por ello, y en el caso concreto del Derecho ambiental, viene obligado a dotar, tanto a las Administraciones Públicas como a los ciudadanos, de los medios jurídicos eficaces en la consecución del objetivo de hacer frente a la situación de vulnerabilidad. Unos medios que no pueden alcanzarse mediante el instrumentario jurídico actualmente disponible y vigente lo que requiere un paso hacia delante y «agravado» resituando el epicentro en la estabilización del clima cuyo estado de normalidad se ha visto gravemente alterado. Es así como una alteración climática de gravedad sólo puede ser contrarrestada, en términos de estricta proporcionalidad, con un Derecho también de gravedad (agravado) y, por ende, excepcional (o de excepción) con las medidas limitativas y más contundentes posibles en cuanto al desarrollo de políticas de adaptación y mitigación de cara a revertir la situación actual.

---

[18] Destaca, en este sentido, la inmediata reacción de la Región de Murcia a la hora de aprobar la Ley 5/2020, de 3 de agosto, de mitigación del impacto socioeconómico del COVID-19 en el área de medio ambiente.

4. PROPUESTA A FAVOR DE UN DERECHO DEL CLIMA PARA EL RESTABLECIMIENTO DE LA NORMALIDAD CLIMÁTICA

El Derecho ambiental, como entre nosotros ha referido acertadamente Jordano Fraga, ha sido capaz de «reflejar fielmente las preocupaciones de la humanidad y es por esta elemental razón que el Derecho ambiental existe y ha alcanzado su desarrollo actual[19]». Ahora bien, alcanzado ese estadio, entendemos que ha pasado a constituir, en nuestra modesta opinión, una suerte de rama «general» del Derecho ante su falta de complitud para hacer frente a los problemas, no puramente ambientales, sino climáticos. Todo sea dicho, sin que ello suponga desmerecer la pertinencia y utilidad del propio Derecho ambiental a la hora de articular (y seguir disponiendo) los mecanismos de protección del medio ambiente en condiciones normales u ordinarias. Empero, para hacer frente a los efectos, extremos y alarmantes, del cambio climático surge la necesidad de referirse a un «Derecho del clima». Un ordenamiento que, desde distintas ópticas y perspectivas, y apoyándose en el propio Derecho ambiental[20], debe trascender el alcance de este último depositando toda su atención en la centralidad del clima para dar carta de naturaleza a un nuevo Derecho del clima con sustantividad propia.

Conviene precisar, en todo caso, que la apuesta por un Derecho del clima, en los términos que aquí sustentamos, no puede equipararse con el Derecho del cambio climático (o Derecho climático[21]) que no deja de ser una parte dentro de aquél más amplio. No postulamos aquí, por tanto, el uso indistinto del Derecho del clima y del Derecho del cambio climático como quiera que este último presenta un objeto mucho más limitado relativo al propio proceso o fenómeno de

---

[19] Vid. JORDANO FRAGA (2002: 95)

[20] Compartimos, de este modo, la postura ya manifestada por MORA RUIZ (2020: 40 nota 103)

[21] Concebido en todo caso como «subsector que sirve para designar el conjunto de técnicas, instrumentos, estrategias, políticas y mecanismos adoptados con el mismo objetivo: luchar contra el cambio climático y evitar la actualización de sus catastróficas consecuencias». Vid. MORENO MOLINA (2018: 128)

cambio del clima[22]. Más bien, y por contra, con el Derecho del clima se trata de construir todo un *corpus iuris* que orbita alrededor del clima —incluyendo por ello el cambio climático— como el Derecho ambiental lo hace sobre el objeto medio ambiente.

La acción compleja del clima —alterada por el ciclo solar, las propias variaciones de la órbita y el eje terrestre, el vulcanismo, pero sobre todo y principalmente por causas antropogénicas— es la que influye y condiciona la existencia de seres vivos y de sectores y actividades. Es así como se representa la correspondencia entre la vulnerabilidad y el clima (vulnerabilidad climática) que el Derecho del clima debe atender[23].

La Convención Marco de las Naciones Unidas sobre el Cambio Climático de 1992, los Objetivos de Desarrollo Sostenible (ODS) asociados a la Agenda 2030, y el Acuerdo de París de 2015 conforman, a día de hoy, el paraguas internacional para el desarrollo del Derecho del clima. Un Derecho del clima, en tanto Derecho de excepción, llamado a ofrecer soluciones urgentes a los graves problemas de alteración del clima con el propósito de minorar en lo posible y, de no resultar factible, ralentizar su progresión.

La virtualidad del Derecho del clima descansa en una aproximación holística no sólo al objeto jurídico constituido por el clima sino a los sujetos y a la acción. De esta forma entendemos que se supera el alcance, mucho más corto y limitado, del Derecho del cambio climático como el intento limitado de respuesta jurídica a la variación del sistema climático terrestre. A mayor abundamiento, el Derecho del clima debe ser capaz de abordar el fenómeno del clima desde un pris-

---

[22]   Clima y cambio climático aparecen caracterizados, jurídicamente, como factores distintos en la Ley 21/2013, de 9 de diciembre, de evaluación ambiental (artículo 5.1.a, artículo 35.1.c, artículo 45.1 y Anexo VI Parte A apartados 3 y 4). Consecuentemente con ello, y en tanto que realidades diferentes, el cambio climático aparece correctamente definido, a nuestro juicio, en el apartado c) del artículo 4 de la Ley 16/2017, de 1 de agosto, de cambio climático de Cataluña como el «cambio en el clima». Mientras que en el apartado b) del Anexo de la Ley 8/2018, de 8 de octubre, de medidas frente al cambio climático y para la transición hacia un nuevo modelo energético en Andalucía y en el artículo 4.g) de la Ley 10/2019, de 22 de febrero, de cambio climático y transición energética de Baleares se caracteriza jurídicamente como «el cambio de clima»

[23]   Vid. en los mismos términos, ALENZA GARCÍA (2019: 23)

ma gayano formado por las distintas *personae, res,* y *actio* que participan y conforman la materia. Sin duda alguna, la regulación jurídica del clima sitúa al operador jurídico ante tres variables que interactúan conjuntamente y que en modo alguno presentan una relación azarosa o puramente casual.

Por una parte, las *personae* del Derecho del clima, tanto por lo que se refiere a la organización administrativa[24] dispuesta al servicio de la ordenación climática, como a los sujetos potencialmente vulnerables a los que puede afectar la variación del clima. Téngase en cuenta que postulamos aquí un concepto amplio de «persona» en la medida en que es la vulnerabilidad el criterio rector que marca la eventual afección de un posible sujeto. De este modo, un sujeto vulnerable frente a los efectos adversos del cambio climático lo es el ser humano pero, además, el conjunto de sistemas vivos; y también, territorios o áreas geográficas especialmente vulnerables, como lo pueden ser las zonas rurales o islas, e incluso sectores de actividad.

En segundo lugar, la *res,* o lo que es lo mismo, el propio clima en tanto que compendio de fenómenos meteorológicos que condicionan la vida en la tierra —como la temperatura, el viento, las precipitaciones o la humedad, entre otros—. De modo que los riesgos de variación o alteración del clima deben presidir cualquier toma de decisiones en otras políticas sectoriales en materia territorial y urbanística, transporte, aguas, energía, edificación, agricultura, forestal, seguridad alimentaria, etc.

Finalmente, la *actio,* o la que podemos también denominar como «acción por el clima[25]». Gracias a ella podemos comprobar cuál es la reacción del Derecho en pos de la necesaria adaptación y mitigación de los efectos de la alteración del clima, tanto en las políticas públicas

---

[24]   Por ejemplo, el Proyecto de Ley estatal de cambio climático y transición energética prevé en su Título IX (artículo 33) la creación de un Comité de Expertos de Cambio Climático y Transición Energética que se sumaría así a la «organización climática», sin perjuicio ahora de la propia de las Comunidades Autónomas, ya existente y constituida por la Oficina Española de Cambio Climático, el Consejo Nacional del Clima, la Comisión de Coordinación de Políticas de Cambio Climático, el Consejo Asesor de Medio Ambiente y el Consejo de Desarrollo Sostenible.

[25]   Tomamos aquí prestado, simplemente en línea discursiva, el título del Objetivo de Desarrollo Sostenible nº 13 «Acción por el clima»

adoptadas como en los instrumentos y herramientas al servicio de ese mismo objetivo. Así, el Derecho del clima ha de poner el acento en la acción de lucha contra el cambio climático y la transición energética.

En definitiva, el carácter social que también cabe predicar de la vulnerabilidad ambiental y climática exige del Derecho (del clima) una actuación decidida y positiva; una respuesta ágil y efectiva que se dirija, en última instancia, a un fin (público) que, de algún modo, se encuentra también presente en el artículo 45 CE, a saber, la protección y la mejora de la calidad de vida, no sólo ambiental sino también climática, de los ciudadanos.

5. NOTAS FINALES

La preservación del clima y la vuelta a la «normalidad climática» requiere de la existencia de soluciones normativas a las que los ciudadanos sepan atenerse y que se dirijan principalmente a una mejora de su calidad de vida. Es ahí donde el Derecho también encuentra un nuevo campo para extender su radio de acción y abrirse para tratar de colmar y ponerse al servicio de nuevas metas y necesidades sociales «de urgencia» de cara a la promoción de una nueva cultura climática. Pero no sólo eso. Además, el Derecho debe poner a prueba su flexibilidad (y elasticidad). Porque la capacidad de otorgar una pronta respuesta a las cambiantes circunstancias climáticas demanda la existencia de normas jurídicas lo suficientemente flexibles y abiertas a la par que sólidas y firmes en la consecución de los objetivos perseguidos. Resulta fundamental conocer cómo el Derecho puede y debe reaccionar y cuáles son sus instrumentos, mecanismos y procedimientos y, en última instancia, sus particularidades en función de su aplicación a una concreta realidad como lo es ahora la vulnerabilidad climática y la alteración del clima. Porque, del mismo modo que el Derecho de excepción ampara la adopción de las medidas «estrictamente indispensables para asegurar el restablecimiento de la normalidad» el Derecho del clima, en tanto que Derecho de excepción igualmente, debe propiciar los mecanismos idóneos para revertir la situación y asegurar el restablecimiento, en la medida de lo posible, de la «normalidad climática». Pero también el modo de abordar y superar, mediante el principio de transición justa, las desigualdades territoriales y sociales generadas por la vulnerabilidad climática con instrumentos jurídicos «de emergencia», dada la excepcionalidad de la situación climática, y con una contundencia similar a la magnitud de los retos a los que nos enfrentamos. En definitiva, y permitiéndonos parafrasear al Profesor Martín Mateo, «...para que el hombre pueda garantizar su pervivencia futura, debe dotarse de un cuerpo normativo que recoja los dictados...», podríamos añadir nosotros ahora, «...*del clima*[26]».

BIBLIOGRAFÍA

ALENZA GARCÍA, J. F., «Vulnerabilidad ambiental y vulnerabilidad climática», en *Revista catalana de Dret Ambiental*, vol. 10, n° 1, 2019.

ÁLVAREZ CARREÑO, S. M., «El Derecho ambiental entre la ciencia, la economía y la sociología: Reflexiones introductorias sobre el valor normativo de los conceptos extrajurídicos», en *Revista catalana de Dret Ambiental*, vol. 10, n° 1, 2019.

ÁLVAREZ CARREÑO, S. M., «Las regresiones del Derecho ambiental como causa de aumento del riesgo sobre grupos vulnerables», en *Ius Et Scientia*, vol. 4, n° 2, 2018.

JORDANO FRAGA, J., «El Derecho ambiental del siglo XXI», en *Revista Aranzadi de Derecho Ambiental*, n° 1, 2002.

LOPERENA ROTA, D., «El servicio público ambiental», en *Revista vasca de Administración pública*, mayo-agosto 2000, n° 57.

MARTÍN MATEO, R., *La revolución ambiental pendiente*. Alicante: Universidad de Alicante, 1999.

MARTÍN MATEO, R., *Tratado de Derecho ambiental*. Vol. I. Madrid: Trivium, 1991.

MARTÍN MATEO, R., «Características del Derecho ambiental», en *Revista de la Facultad de Derecho de la Universidad de Granada*, n° 16, 1988.

MORA RUIZ, M., «La respuesta legal de la Comunidad Autónoma de Andalucía al cambio climático: Estudio sobre la Ley 8/2018, de 8 de octubre, de medidas frente al cambio climático y para la transición hacia un nuevo modelo energético en Andalucía», en *Revista catalana de Dret Ambiental*, vol. XI, n° 1, 2020.

---

[26] «...de las Ciencias de la Naturaleza» nos ilustraba realmente el Maestro MARTÍN MATEO (1999: 16)

MORENO MOLINA, A. M., Perspectivas y desarrollos recientes en el derecho del cambio climático, en García Ureta, A. (dir.). *Nuevas perspectivas del Derecho ambiental en el siglo XXI*. Madrid: Marcial Pons, 2018.

SORO MATEO, B., «La vulnerabilidad en derecho ambiental», en *Revista Aranzadi de Derecho Ambiental*, nº 42, 2019.

SORO MATEO, B., «Daño ambiental y poblaciones vulnerables», en *Ius Et Scientia*, vol. 4, nº 2, 2018.

TORRE-SCHAUB, M., «La construcción del régimen jurídico del clima: entre ciencia, Derecho y política económica», en *Revista catalana de Dret Ambiental*, vol. 10, nº 1, 2019.

Capítulo 9
EL CAMBIO CLIMÁTICO Y LOS TRIBUTOS AMBIENTALES EN EL DERECHO ARGENTINO[1]

RODOLFO SALASSA BOIX[2]
Investigador Saavedra Fajardo
Universidad de Murcia

1. INTRODUCCIÓN

Si bien el *Coronavirus Desease 2019* (COVID-19) ocupa hoy en día el primer lugar de la agenda internacional, desde hace treinta años que el cambio climático constituye una de las problemáticas globales más importantes[3], aunque ello no siempre redundó en esfuerzos internacionales acordes a dicha importancia. La extensión y gravedad de las consecuencias originadas por este fenómeno climático han lleva-

---

[1]   Trabajo realizado en el marco de los siguientes proyectos desarrollados en la Universidad de Murcia, España: «Bioderecho ambiental y protección de la vulnerabilidad: hacia un nuevo marco jurídico» (2019-2021), dirigido por Blanca Soro Mateo (Ministerio de Economía, Industria y Competitividad), y «Derecho Aduanero y medio ambiente: una alternativa sustentable para enfrentar la vulnerabilidad originada por el cambio climático» (2020-2023), dirigido por Rodolfo Salassa Boix (Fundación Séneca).

[2]   Abogado, por la Universidad Nacional de Córdoba, Argentina (UNC). Magister en Derecho de la empresa y la contratación y Doctor en Derecho (con mención europea), por la Universidad Rovira i Virgili de Tarragona, España (URV). Profesor de Derecho tributario en la UNC. Investigador Adjunto del Consejo Nacional de Investigaciones Científicas y Técnicas de Argentina (CONICET). Investigador de la Universidad de Murcia, España. Correos electrónicos: rodolfoboix@hotmail.com/rodolfoboix@um.es.

[3]   En especial desde que se comprobó a principio de los '90 la directa vinculación que existía entre el cambio climático y el actuar humano (Primer Informe de Evaluación del Grupo Intergubernamental de Expertos sobre el Cambio Climático de 1990).

do a los gobiernos a implementar diferentes mecanismos estatales de protección ambiental para revertirlas[4].

Argentina no ha sido ajena a esta realidad ya que, desde hace más de veinticinco años, con la reforma constitucional de 1994[5], se han ido dictando diferentes leyes para proteger el medio ambiente en general y combatir el cambio climático en particular. Una vez modificada la Constitución Nacional (CN), se destacan la Ley 25438 de 2001, que ratifica el Protocolo de Kioto; la Ley 25675 de 2002, que fija los presupuestos mínimos de protección ambiental; la Ley 26093 de 2006, que aprueba el régimen de regulación y promoción para la producción y uso sustentables de biocombustibles; la Ley 26190 de 2006, que aprueba el régimen de fomento nacional para el uso de fuentes renovables de energía destinada a la producción de energía eléctrica (ampliado por la Ley 27191 de 2015); la Ley 27270 de 2016, que ratifica el Acuerdo de París; la Ley 27424 de 2017, que instauró el régimen de fomento a la generación distribuida de energía renovable integrada a la red eléctrica, y la Ley 27520 de 2019, que dispone los presupuestos mínimos para la adaptación y mitigación al cambio climático.

Entre los diversos mecanismos estatales de protección ambiental que se pueden adoptar, desde finales del siglo pasado los tributos ambientales vienen cobrando un protagonismo cada vez mayor[6], en especial los impuestos destinados a combatir el cambio climático.

---

4   SALASSA BOIX, R., «The government mechanisms of environmental protection», *3rd International Workshop on Uncertainty in Greenhouse Gas Inventories. Proceedings*, FOP Soroka S.V., Lviv, 2010, pp. 251-258.

5   Con anterioridad a esta reforma constitucional, no podemos dejar de mencionar a la Ley 24295 de 1993, por la que se aprobó la Convención Marco de las Naciones Unidas sobre el Cambio Climático, ya que seguramente fue uno de los detonantes para que la Constitución Nacional de 1994 pase a tutelar por primera vez el medio ambiente.

6   En la década de 1970 se empezaron a implementar instrumentos económicos para proteger el medio ambiente, dentro de los cuales había algunos gravámenes aislados para financiar el sistema de gestión del agua en Francia y Holanda. En la década siguiente se dio un paso más, ya que se registraron más de 150 instrumentos económicos ambientales, de los cuales 80 eran de carácter tributario. Pero en general se afirma que fue en la década de 1990 cuando se comenzaron a implementar verdaderas reformas tributarias ambientales y gravámenes enfocados directamente en la protección del medio ambiente.

Los informes de la Organización para la Cooperación y el Desarrollo Económicos (OCDE)[7] demuestran que durante los últimos treinta años la mayoría de sus miembros[8], comenzando con la imposición al carbono de los países nórdicos[9], ha implementado un proceso de reforma fiscal ambiental que no ha detenido su marcha[10]. Todo ello permitió comprobar empíricamente lo que ya se venía sosteniendo teóricamente: el Derecho tributario es un mecanismo jurídico eficaz para proteger el medio ambiente[11].

En el ámbito de la región latinoamericana, los informes de la Comisión Económica para América Latina y el Caribe (CEPAL)[12] evidencian que en los últimos años sus países comenzaron a regular impuestos al carbono, con Chile (2014) y México (2014) como pioneros[13], más recientemente con Colombia (2016) y Argentina (2018) y con Perú a punto de sumarse a este grupo. No obstante, en general se

---

[7] OCDE, *Consumption Tax Trends 2016: VAT/GST and Excise Rates, Trends and Administration Issues*, OECD Publishing, Paris, 2016.

[8] Recordemos que los únicos países latinoamericanos miembros de esta organización son México (1996), Chile (2010) y Colombia (2018), pero Argentina, a pesar de las arduas negociaciones iniciadas hace más de cuatro años, aún no forma parte de ella.

[9] Finlandia fue uno de los pioneros en este tema al establecer un tributo a la emisión de dióxido de carbono y luego le siguieron Suecia (1991), Noruega (1992), Dinamarca (1994) y los Países Bajos (1995).

[10] SCHLEGELMILCH K. & JOAS, A., *Fiscal considerations in the design of green tax reforms*, Green Growth Knowledge Platform GGKP, Venice, 2015.

[11] CASTELLO, M., «Contribuido de intervengo no dominio económico sobre os combustíveis: um superfund brasileiro?», *Revista de Direito Ambiental*, N° 44 (octubre/diciembre), 2006, p. 100.

[12] FANELLI, J.; JIMÉNEZ, J. y LÓPEZ AZCÚNAGA, I., *La reforma fiscal ambiental en América Latina*, Naciones Unidas-Cepal-Unión Europea, Santiago de Chile, 2015; DE MIGUEL, C. y TAVARES, C., *El desafío de la sostenibilidad ambiental en América Latina y el Caribe*, Naciones Unidas-Cepal, Santiago de Chile, 2015; CEPAL, *Panorama fiscal de América Latina y el Caribe. La movilización de recursos para el financiamiento del desarrollo sostenible*, Naciones Unidas-Cepal-Cooperación Española, Santiago de Chile, 2017; GÓMEZ SABAINI, J.; JIMÉNEZ, J. y MARTNER, R., *Consensos y conflictos en la política tributaria de América Latina*, Naciones Unidas-Cepal-Cooperación española, Santiago de Chile, 2017; entre otros.

[13] GÓMEZ SABAINI, JIMÉNEZ y MARTNER, *op. cit.*, p. 425.

trata de medidas aisladas aún lejanas de las reformas fiscales ambientales de los países desarrollados[14].

Los tributos ambientales son uno de los dos grandes grupos de medidas tributarias que, junto a los beneficios fiscales ecológicos, se pueden adoptar para proteger el medio ambiente en el marco del Derecho tributario («Tributación Ambiental»)[15]. La actividad financiera del Estado se relacionó históricamente con la recaudación tributaria, a través de los tributos recaudatorios, pero aquélla no sólo se limita a la obtención de sumas de dinero para luego financiar el gasto público, sino que existen otras vías para alcanzar sus objetivos, mediante los tributos regulatorios. A partir de ello, los fines del Estado, entre los cuales se encuentra la protección del medio ambiente, pueden alcanzarse mediante la realización de los gastos, imputando dinero para financiar actividades, obras y servicios ambientales, y a través de los ingresos, desalentando la realización de conductas contaminantes que generan gastos para el Estado (tributos ambientales) o alentando aquellas que permiten disminuirlos (beneficios fiscales ecológicos)[16].

Podemos definir a los tributos ambientales como aquellos gravámenes regulatorios cuya finalidad esencial no es la recaudación, sino el desaliento de conductas contaminantes, más allá del destino de los fondos recaudados[17]. De esta definición se desprenden sus principales características. Por un lado, se trata de auténticos tributos que, a pesar de su impronta regulatoria, cuentan con los elementos que caracterizan al hecho imponible de todo gravamen y están limitados por los principios constitucionales tributarios[18]. Por otro lado, son tributos que adoptan como finalidad principal el desaliento de conductas contaminantes, con una presión fiscal suficiente para generar dicho desaliento, y como finalidad secundaria la obtención de recursos eco-

---

[14]   FANELLI, JIMÉNEZ y LÓPEZ AZCÚNAGA, *op. cit.*, p. 27.
[15]   SALASSA BOIX, R., «El marco jurídico de los tributos ambientales en la Argentina: una especial mención sobre el impuesto al dióxido de carbono», *Revista de Derecho Ambiental*, Nº 59, 2019a) (julio-septiembre), p. 50.
[16]   SALASSA BOIX, R., «Fiscalidad ambiental: nociones preliminares», *La protección ambiental a través del Derecho fiscal* (Dir. Rodolfo Salassa Boix), Advocatus y Ciencia, Derecho y Sociedad - Universidad Nacional de Córdoba, 2015, p. 23.
[17]   SALASSA BOIX, *op. cit.*, 2015, p. 29.
[18]   MILNE, J., «Environmental taxation in the United States: the long view», *Lewis & Clark Law Review*, Vol. 15, Nº 2, 2011, p. 428.

nómicos, ya que siguen siendo medidas tributarias. Finalmente, la esencia de estos gravámenes no depende de la aplicación de los fondos recaudados a la finalidad ecológica perseguida, lo que no implica descartar dicha aplicación[19], sino del desaliento de una conducta contaminante que permita cumplir con su función disuasoria[20].

Considerando que hace tiempo que Argentina viene dictando leyes sobre el cambio climático y que los tributos ambientales han demostrado ser instrumentos jurídicos eficaces para proteger el medio ambiente, el objetivo de este trabajo consiste en determinar si el sistema tributario nacional contempla gravámenes ambientales vinculados al cambio climático y en qué medida son instrumentos eficaces para combatirlo.

A estos fines, en primer lugar, analizaremos la legislación ambiental más importante a nivel nacional, en especial aquella relacionada con el cambio climático, para comprobar si existe un marco jurídico nacional que permita el dictado de tributos ambientales para enfrentar los desajustes climáticos y, en segundo lugar, estudiaremos el funcionamiento de los tributos ambientales vigentes que estén vinculados al cambio climático para determinar su eficacia a la hora de revertir esta problemática. Ello nos permitirá arribar a las conclusiones finales.

2. EL MARCO LEGAL DE LOS TRIBUTOS AMBIENTALES CONTRA EL CAMBIO CLIMÁTICO

Se puede decir que el marco legal ambiental en Argentina comienza a tomar forma con la reforma constitucional de 1994, ya que fue la primera vez que se reconoció al medio ambiente como un bien jurídico digno de tutela constitucional y ello dio paso a un proceso de legislación en materia ambiental sin precedentes en el país. No significa que antes de ese momento no había normativa ambiental, pero era ciertamente muy escasa y huérfana de un marco regulatorio más general.

---

[19] DA SILVA, D., «Tributos verdes: proteção ambiental ou uma nova roupagem para antigas finalidades?», *Revista Instituto de Direito Brasileiro*, Vol. 8, 2012, p. 5014.

[20] MILNE, *op. cit.*, p. 439.

2.1. Ley 24309 de 1993 (reforma constitucional)

Mediante esta norma se perpetró la última reforma de la CN, la cual constituyó un momento histórico para el Derecho ambiental argentino, ya que se reconoció por primera vez en su texto al medio ambiente como bien jurídicamente protegido[21]. De esta manera el país se adhirió a la oleada de reconocimiento constitucional del medio ambiente que fue avanzando en la última parte del siglo XX y, a partir de ello, se fueron dictando diversas leyes vinculadas al cambio climático[22].

Mediante esta reforma se tuteló expresamente el derecho a un ambiente sano dentro del Capítulo Segundo de la Primera Parte de la CN: «nuevos derechos y garantías», estableciéndose normas ambientales de fondo[23] y de forma[24]. El medio ambiente se protege desde una doble perspectiva: por un lado, como un derecho personalísimo, esencial y humano y, por el otro, como un derecho predominantemente social. En virtud de ello, se lo suele considerar como un derecho humano de tercera generación, basado en los conceptos de la cooperación y la solidaridad, y como un derecho humano de cuarta generación, por su carácter intergeneracional[25].

El párrafo inicial del artículo 41 declara que el daño ambiental «generará prioritariamente la obligación de recomponer [el medio ambiente], según lo establezca la ley». Si bien se menciona el daño ambiental no se lo define, pero sí se estipulan las consecuencias jurídicas de su realización. El texto constitucional determina que como primera medida («prioritariamente») se debe retornar al estado anterior al momento en que se produjo el daño. Sin embargo, puede que ello no sea posible, de ahí que se deje abierta la puerta a cualquier otro ti-

---

[21]   PALAZZO, E., «Algunos aportes sobre los derechos ambientales», *El Derecho*, 24/04/2000, pp. 1-3.

[22]   Pensemos que hasta ese momento se había dictado muy poca legislación ambiental y que la poca normativa vigente «...estaba signada por la fragmentación. A partir de la reforma el enfoque holístico del tema y el mandato proteccionista se han hecho nítidos» (ROSATTI, *op. cit.*, p. 25).

[23]   Artículos 41 y 124 de la CN.

[24]   Artículo 43 de la CN.

[25]   CAFFERATTA, N., «Panorama actual del derecho ambiental», *Cuestiones actuales de derecho ambiental* (Coords.: Nelson Cossari y Daniel Luna), *El Derecho*, Buenos Aires, 2007, pp. 9-11.

po de solución, como pueden ser la compensación o la indemnización sustitutiva, pero siempre con carácter subsidiario. De todas formas, está claro que la sustitución, y cualquier otra acción que no sea la recomposición, «…deberá provenir de la propia voz de la naturaleza y no de la voluntad de las partes»[26].

Esta disposición puede vincularse, por un lado, con el principio que establece que aquel que contamina debe pagar, también conocido como contaminador-pagador. Este principio «persigue reflejar en el precio de las actividades y productos contaminantes las deseconomías externas causadas por el deterioro del medio ambiente. Tal criterio fue asumido por la OCDE y por el Primer programa de acción de las Comunidades en materia ambiental y ha terminado por reflejarse en normas de Derecho positivo»[27]. Por otro lado, y sin perjuicio de lo expuesto, al reconocerse la indisponibilidad del medio ambiente por parte del Estado y su obligación de protegerlo en el párrafo segundo, podemos hablar de otro principio ambiental internacional: el principio de precaución[28]. A partir de ello, y de argumentos vertidos en trabajos previos[29], entendemos que estos principios, que se infieren del propio texto constitucional, generan un sustento jurídico para la implementación de medidas tributarias ambientales.

2.2. Ley 24701 de 1996 (Convención de las Naciones Unidas de lucha contra la desertificación en los países afectados por sequía grave o desertificación)

A los dos años de la reforma constitucional, y probablemente bajo la influencia de aquella, se dictó la ley que ratificó la Convención de

---

[26]   ROSATTI, H., *Derecho ambiental constitucional*, Rubinzal-Culzoni, Buenos Aires, 2004, p. 91.
[27]   HERRERA MOLINA, P., *Derecho tributario ambiental*, Marcial Pons, Madrid, 2000, p. 40.
[28]   ROJAS QUIÑONES, C. M., *Evolución de las características y de los principios del derecho internacional ambiental y su aplicación en Colombia*, Proyectos Editoriales Curcio Penen-Universidad Externado de Colombia, 2004, pp. 179-180.
[29]   SALASSA BOIX, R., «Tributos ambientales: la aplicación coordinada de los principios quien contamina paga y de capacidad contributiva», *Revista de Derecho de la Pontificia Universidad Católica de Chile*, 2016, Vol. 43, N° 3, pp. 1005-1030.

las Naciones Unidas de lucha contra la desertificación en los países
afectados por sequía grave o desertificación de 1994 (Convención
contra la desertificación). Este tratado tiene directa relación con la
Convención Marco de las Naciones Unidas sobre el Cambio Climático
de 1992 (Convención Marco), también ratificada por Argentina[30], ya
que busca contribuir a la consecución de sus objetivos[31]. Según la
propia CN estamos ante tratados internacionales que tienen jerarquía
superior a las leyes[32].

El objetivo de esta Convención es luchar contra la desertificación y
mitigar los efectos de la sequía en los países gravemente afectados, en
particular en África. Su consecución exige la aplicación de estrategias
integradas enfocadas en el aumento de la productividad de las tierras,
la rehabilitación, la conservación y el aprovechamiento sostenible de
los recursos de tierras y recursos hídricos[33]. Para ello, los países deben elaborar, publicar y ejecutar programas de acción nacionales para
desarrollar políticas nacionales en favor del desarrollo sostenible[34].

En el Anexo I de esta Convención[35] se establece que los programas de acción nacionales procurarán mejorar las perspectivas a largo
plazo de las economías rurales mediante la adopción de «...políticas
de precios y tributarias y de prácticas comerciales que promuevan el
crecimiento»[36]. Estas políticas están aludiendo claramente a la posibilidad de dictar medidas tributarias con fines extrafiscales, pero no
tanto para proteger el medio ambiente, sino más bien para colaborar
con las economías rurales.

2.3. Ley 25438 de 2001 (Protocolo de Kioto)

La presente ley ratificó el contenido del Protocolo de Kioto de
1997, cuyos objetivos también están directamente ligados al de la

---

[30]   Mediante la Ley 24295 de 1993.
[31]   Así lo destaca la exposición de motivos de la propia Convención y su artículo 8
       (Relación con otras convenciones).
[32]   Artículo 75, inciso 22, de la CN.
[33]   Artículo 2 de la Ley 24701.
[34]   Artículo 9, inciso 1), de la Ley 24701.
[35]   Anexo de aplicación regional para África.
[36]   Artículo 8 del Anexo I.

Convención Marco, la cual busca alcanzar la estabilización de las concentraciones de gases de efecto invernadero en la atmósfera a un nivel que impida interferencias antropógenas peligrosas en el sistema climático.

La única disposición del Protocolo que podría vincularse a las medidas tributarias es su artículo 2, cuando se insta a los países del Anexo I de la Convención Marco a reducir o eliminar gradualmente «…los incentivos fiscales, las exenciones tributarias y arancelarias y las subvenciones que sean contrarios al objetivo de la Convención en todos los sectores emisores de gases de efecto invernadero y aplicación de instrumentos de mercado».

Estas medidas no van dirigidas al dictado de tributos ambientales, sino a derogar los beneficios fiscales que promueven actividades que contribuyen al cambio climático, atento que implican mensajes contradictorios para los contribuyentes[37]. Este tipo de beneficios fiscales se enmarca dentro de lo que se conoce como «Tributación Anti-ambiental»[38]. Resulta importante considerar este tipo de medidas si se busca implementar una reforma fiscal ambiental integral[39]. No obstante, esta disposición de la Convención Marco va dirigida a los países del Anexo I de la Convención Marco, entre los cuales no se encuentra Argentina.

2.4. Ley 25675 de 2002 (presupuestos mínimos de protección ambiental)

Si bien la norma no se refiere expresamente al cambio climático, fue dictada en el año 2002 en cumplimiento del nuevo texto constitucional[40] para establecer los presupuestos ambientales mínimos,

---

[37] FANELLI, JIMÉNEZ y LÓPEZ AZCÚNAGA, *op. cit.*, p. 9.
[38] SALASSA BOIX, R., *Tributación y medio ambiente: una alternativa sustentable*, Editorial Jurídica Continental, San José de Costa Rica, 2018, p. 25.
[39] RIUS, A., *Servicios Públicos y reforma fiscal ambiental en América Latina*, Naciones Unidas-Cepal, Santiago de Chile, 2013, p. 9.
[40] Nótese que el nuevo artículo 41, al finalizar el primer párrafo, hace referencia a la legislación («…según lo establezca la ley») y, al comenzar el tercer párrafo, se menciona que «…corresponde a la Nación dictar las normas que contengan los presupuestos mínimos de protección».

entre los cuales se pueden incluir aquellos vinculados a las problemáticas climáticas. En razón de ello, es conocida como «Ley General del Ambiente» y, luego de la CN, constituye la referencia legal más importante del país sobre la protección ambiental, de la cual se nutre el resto de la normativa ambiental.

Se trata de una legislación cuyo contenido es de carácter mixto, debido a que su texto abarca artículos sobre los presupuestos mínimos de protección ambiental, por un lado, y sobre normativa ambiental de fondo, por el otro[41]. Si bien prácticamente no se regulan cuestiones ajenas al Derecho ambiental, encontramos algunas relaciones con el Derecho tributario cuando dispone los diferentes instrumentos de política y gestión ambiental[42].

Entre dichos instrumentos se menciona al «sistema de control sobre el desarrollo de las actividades antrópicas»[43], que puede vincularse a los tributos ambientales, ya que, a través de su hecho imponible, persiguen controlar, regular y reducir ciertas conductas humanas contaminantes. También se habla de la «educación ambiental»[44], que nuevamente se puede relacionar con los tributos ambientales, en virtud que mediante el direccionamiento de conductas también se educa a los contribuyentes[45]. Finalmente, la norma habla del «régimen económico de promoción del desarrollo sustentable»[46], pero este instrumento está más bien ligado a los beneficios fiscales ecológicos, atento que buscan promover el desarrollo sustentable mediante incentivos económicos sobre ciertos comportamientos ecológicos.

---

[41]   SABSAY, D. y DI PAOLA, M., «El daño ambiental colectivo y la nueva ley general del ambiente», *Anales de legislación argentina - Boletín informativo*, Año 2003, Nº 17, La Ley, Buenos Aires, p. 1.

[42]   Artículo 8 de la Ley 25675.

[43]   Artículo 8, inciso 1), de la Ley 25675.

[44]   Artículo 8, inciso 4), de la Ley 25675.

[45]   SALASSA BOIX, R. y FORADORI, L., «La educación ambiental y la fiscalidad ambiental: puntos de encuentro», *Anuario del Centro de Investigaciones Jurídicas y Sociales-UNC*, Vol. XV (2013-2014), Córdoba-Argentina, pp. 89-106.

[46]   Artículo 8, inciso 6), de la Ley 25675.

2.5. Ley 26093 de 2006 (régimen de regulación y promoción para la producción y uso sustentables de biocombustibles)

Esta legislación establece un régimen de promoción para la producción y el uso sustentable de biocombustibles en todo el territorio nacional por un plazo de 15 años a partir de su aprobación, que puede ser prorrogado por el Poder Ejecutivo de la Nación[47]. Quienes deseen acogerse a los beneficios que otorga esta norma deben presentar un proyecto de producción y uso sustentable de biocombustibles[48]. Todos los proyectos aprobados por la Autoridad de Aplicación serán alcanzados por los beneficios que prevén los mecanismos del Protocolo de Kioto de la Convención Marco[49].

Este régimen promocional se focaliza más bien en los beneficios fiscales ecológicos, para impulsar la producción y el uso sustentable de los biocombustibles[50], y no tanto en los tributos ambientales para gravar su producción y uso no sustentable.

2.6. Ley 26190 de 2006 (régimen de fomento nacional para el uso de fuentes renovables de energía destinada a la producción de energía eléctrica)

La norma declara de interés nacional la generación de energía eléctrica a partir de las energías renovables con destino a la prestación de servicio público, como así también la investigación para el desarrollo tecnológico y fabricación de equipos con esa finalidad[51]. Luego de casi diez años de vigencia, su contenido fue ampliado y complementado por la Ley 27191 de 2015. Para ello, y en consonancia con los compromisos asumidos en el Acuerdo de París, se establece como objetivo lograr una contribución de las fuentes de energía renovables hasta alcanzar el 20% del consumo de energía eléctrica nacional para el 31 de diciembre de 2025[52].

---

[47]   Artículo 1 de la Ley 26093.
[48]   Artículo 4, inciso d), de la Ley 26093.
[49]   Artículo 17 de la Ley 26093.
[50]   Artículos 13, 14 y 15 de la Ley 26093.
[51]   Artículo 1 de la Ley 26190.
[52]   La Ley 26190 de 2006 hablaba de un 8% del consumo de energía eléctrica nacional para el 31 de diciembre de 2017 (art. 2), pero luego se amplió el porcentaje y el plazo en virtud de la Ley 29191 de 2015 (arts. 5 y 6).

Al igual que el caso anterior, el régimen está centrado en conceder incentivos para persuadir la generación y utilización de energías renovables, a través de beneficios fiscales ecológicos[53], y no en disuadir las energías no renovables con impuestos. En la parte final de esta ley[54] se dispone el incremento del Recargo a la Energía Eléctrica[55], lo cual podría haberse tomado como un gravamen ambiental que afectaba a la energía no renovable. De todas formas, y más allá que este recargo ya fue derogado por la Ley 27424 de 2017, no alcanzaba el consumo directo de energía eléctrica, ya que debían afrontarlo los compradores del mercado mayorista, y tampoco discriminaba entre las fuentes de las cuales derivaba la energía gravada, de manera que quedaban incluidas tanto las fuentes renovables como las no renovables.

2.7. Ley 26639 de 2010 (presupuestos mínimos para la preservación de los glaciares y del ambiente peri-glacial)

La presente ley dispone los presupuestos mínimos para la protección de los glaciares y del ambiente peri-glacial con el objeto de preservarlos como reservas estratégicas de recursos hídricos para el consumo humano, para la recarga de cuencas hidrográficas, para la protección de la biodiversidad, para fuente de información científica y atractivo turístico. A tales fines, se declara a los glaciares como bienes de carácter público[56].

---

[53] Artículos 8 y 9 de la Ley 26190.
[54] Artículo 14 de la Ley 26190.
[55] Establecido por la Ley 15336 de 1960, que regula la energía eléctrica en el país, como uno de los rubros que integraban el Fondo Nacional de Energía Eléctrica (art. 30). El precepto establecía que dicho Fondo estaba constituido por un recargo de 0,10 australes por kilovatio-hora sobre el precio de venta de la electricidad y luego, por medio de la Ley 24065 de 1991 se modificó por un recargo de 30 australes por kilovatio sobre las tarifas que pagasen los compradores del mercado mayorista (empresas distribuidoras y grandes usuarios). Varios años más tarde este Recargo fue modificado por la Ley 25957 de 2004 que estableció la aplicación de un coeficiente de adecuación trimestral (CAT), referido a los períodos estacionales, sobre el valor del tributo a los fines de su liquidación (art. 1).
[56] Artículo 1 de la Ley 26639.

Entre las funciones de la Autoridad de Aplicación[57] se encuentran, por un lado, la formulación de políticas para enfrentar el cambio climático y preservar los glaciares en el marco de los acuerdos internacionales sobre cambio climático y, por el otro, la inclusión de los principales resultados del Inventario Nacional de Glaciares y sus actualizaciones en las comunicaciones nacionales destinadas a informar a la Convención Marco[58]. Pero nada agrega la norma sobre la posibilidad de dictar medidas tributarias ambientales para la consecución de sus objetivos.

2.8. Ley 27270 de 2016 (Acuerdo de París)

Mediante esta normativa Argentina ratificó el contenido del Acuerdo de París de 2015, cuyo objetivo consiste en mejorar la aplicación de la Convención Marco reforzando la respuesta mundial ante la amenaza del cambio climático[59]. Estamos nuevamente ante un tratado internacional con jerarquía superior a las leyes[60].

Entre otras cuestiones, este Acuerdo alienta a las Partes a que adopten medidas para aplicar y apoyar «...los incentivos positivos para reducir las emisiones debidas a la deforestación y la degradación de los bosques, y de la función de la conservación, la gestión sostenible de los bosques, y el aumento de las reservas forestales de carbono en los países en desarrollo»[61]. Esta declaración podría llegar a vincularse con los beneficios fiscales ecológicos, por su función persuasoria respecto de conductas ambientalmente positivas, pero no con los tributos ambientales.

---

[57] El organismo nacional de mayor nivel jerárquico con competencia ambiental (art. 9).
[58] Artículo 10, incisos b) y h), de la Ley 26639.
[59] Artículo 2 de la Ley 27270.
[60] Artículo 75, inciso 22), de la CN.
[61] Artículo 5 del Acuerdo de París.

2.9. Ley 27424 de 2017 (régimen de fomento a la generación distribuida de energía renovable integrada a la red eléctrica)

Esta norma tiene por objeto regular y declarar de interés nacional la generación de energía eléctrica de origen renovable por parte de usuarios de la red de distribución, para su autoconsumo y eventual inyección de excedentes a la red[62]. Este objetivo la convierte en un instrumento jurídico clave para ir reemplazando paulatinamente la generación y utilización de las energías más contaminantes por energías renovables y la vincula directamente a la lucha contra el cambio climático. En base a ello, se aprueba un régimen de fomento a la generación distribuida de energía renovable integrada a la red eléctrica por un plazo de 10 años a partir de la sanción de la Ley, prorrogables por igual término por el Poder Ejecutivo nacional[63].

Una vez más, el régimen está centrado en conceder incentivos para persuadir la generación y utilización de energías renovables, a través de beneficios fiscales ecológicos, y no tanto en disuadir las energías no renovables[64]. De manera tal que no existe ninguna referencia sobre la posibilidad de dictar tributos ambientales que graven específicamente a las energías no renovables. No olvidemos que esta ley derogó el Recargo a la Energía Eléctrica[65], cuyos importes habían sido incrementados por la Ley 26190, aunque como ya hemos dicho la eficacia de este recargo para desalentar la generación y utilización de energías no renovables era ciertamente dudosa.

2.10. Ley 27520 de 2019 (presupuestos mínimos para el cambio climático)

Finalmente, llegamos al año 2019 cuando se fijaron los presupuestos mínimos para la adaptación y mitigación al cambio climático[66].

---

[62]   Artículo 1 de la Ley 27424.
[63]   Artículos 32 y 33 de la Ley 27424.
[64]   Artículo 12bis de la Ley 27424, incorporado por el artículo 314 de la Ley 27430 de 2017.
[65]   Artículo 40 de la Ley 27424.
[66]   Artículo 1 de la Ley 27520.

Entre sus objetivos se habla de: a) establecer las estrategias, medidas, políticas e instrumentos relativos al estudio del impacto, la vulnerabilidad y las actividades de adaptación al cambio climático que puedan garantizar el desarrollo humano y de los ecosistemas; b) asistir y promover el desarrollo de estrategias de mitigación y reducción de gases de efecto invernadero en el país y c) reducir la vulnerabilidad humana y de los sistemas naturales ante el cambio climático, protegerlos de sus efectos adversos y aprovechar sus beneficios[67].

Entre las diferentes medidas y acciones mínimas de mitigación que allí se establecen, se habla del diseño y la promoción de incentivos fiscales y crediticios para la inversión en tecnología, procesos y productos de baja generación de gases de efecto invernadero[68]. De esta forma, una vez más se hace referencia sólo a los beneficios fiscales ecológicos, dejando de lado los tributos ambientales y su potencialidad para reducir conductas ligadas al cambio climático.

3. LA EFICACIA DE LOS TRIBUTOS AMBIENTALES CONTRA EL CAMBIO CLIMÁTICO

El ordenamiento jurídico argentino ha sido más proclive al establecimiento de beneficios tributarios ambientales que tributos ambientales[69], aunque en el último tiempo esta tendencia parece haber comenzado a revertirse. Más allá de algún que otro caso aislado discutible, podemos decir que hoy en día el ordenamiento jurídico nacional cuenta con muy pocos tributos ambientales y sólo uno de ellos, el Impuesto al Dióxido de Carbono de 2017 (ICO_2)[70], se dedica específicamente a combatir el cambio climático. Pero tal como está

---

[67] Artículo 2 de la Ley 27520.
[68] Artículo 24, inciso e), de La Ley 27520.
[69] SALASSA BOIX, *op. cit.*, 2019a), p. 48.
[70] No olvidemos que el Recargo a la Energía Eléctrica fue derogado por la Ley 27424 de 2017 y el IVA no alcanza de manera más gravosa a la energía no renovable (SALASSA BOIX, R., «Una mirada sobre el consumo de energía eléctrica en Argentina a la luz de la tributación ambiental», *Protección del medio ambiente. Fiscalidad y otras medidas del derecho al desarrollo* (Dirs.: Antonio Cubero Truyo y Patricio Masbernat y Coords.: Rocío Lasarte López y Teresa Pontón Aricha), Editorial Thomson Reuters Aranzadi, Pamplona, 2019, pp. 487-520.

regulado, esto tampoco está tan claro. A partir de ello, estudiaremos el funcionamiento de este impuesto para determinar su eficacia a la hora de revertir las consecuencias derivadas del consumo de ciertos combustibles.

3.1. Regulación del ICO_2

Hasta el año 2017 la República Argentina sólo había regulado el Impuesto a los Combustibles Líquidos y Gas Natural (ICLGN), pero sin dotarle ninguna connotación ambiental expresa. A finales de ese año, con el dictado de la Ley 27430, este gravamen quedó limitado a los combustibles líquidos (ICL) y se complementó con un nuevo impuesto que, también a través de los combustibles, alcanza la emisión de CO_2.

Tanto el ICL como el ICO_2 se encuentran regulados en el Título III[71] de la Ley 23966 de 1991[72], luego de la modificación efectuada por la Ley 27430 de 2017[73], la cual fue reglamentada en el Anexo del Decreto 501 de 2018[74]. Según los debates parlamentarios del Proyecto de Ley, el ICO_2 se pensó para modificar el ICLGN (único impuesto sobre los combustibles vigente en ese momento) para brindarle explícitamente «…un sentido de protección del medio ambiente»[75].

Como consecuencia de todo esto, el ICLGN, instaurado originariamente por la Ley 23699 de 1991, se desdobló en dos gravámenes que recaen de distinta manera sobre los combustibles. Hoy en día tenemos, por un lado, el ICL, que viene a ser el histórico ICLGN, pero ya sin incluir al gas natural y, por el otro, el ICO_2, que recae en gran parte sobre combustibles líquidos y algunos combustibles sólidos por

---

[71]   Aprobado por el artículo 7 de la Ley 23966.

[72]   Artículos 10 a 13 del artículo 7 (Tít. III) de la Ley 23966.

[73]   Artículos 139 a 145 de la Ley 27430.

[74]   Este decreto fue complementado con los Decretos 167, 381 y 607 del año 2019, aunque su aplicación incide básicamente en el ICL y no en el ICO^2.

[75]   Expresión textual utilizada por el Diputado Laspina al explicar los principales puntos del Proyecto de Ley de Reforma Tributaria en el debate celebrado en la Cámara de Diputados el día 19 de diciembre de 2017. Una expresión similar provino de la Senadora Blas en el Debate del Proyecto de Ley de Reforma Tributaria celebrado en la Cámara de Senadores el día 27 de diciembre de 2017 (19ª Reunión - 1ª Sesión extraordinaria).

ser causante de emisiones de CO_2 a la atmósfera. De manera que la Ley 23699 contempla actualmente dos gravámenes sobre los combustibles: el ICL[76] y el ICO_2.

3.1.1. Elemento material del hecho imponible (cuál es la conducta gravada)

La normativa establece un gravamen al CO_2 que incide en una sola etapa de su circulación[77] y se aplica sobre la transferencia de los siguientes combustibles[78]: nafta sin plomo hasta 92 RON[79], nafta con plomo de más de 92 RON[80], nafta virgen[81], gasolina natural[82], solvente[83], agua-

---

[76] Para comparar la regulación de este gravamen, cuando era el único impuesto sobre los combustibles gravados por el Estado Argentino, con gravámenes similares de aquella época de países como Brasil y Estados Unidos puede leerse el trabajo SALASSA BOIX, R., «Fiscalidad y petróleo: un análisis tributario-ambiental a partir de gravámenes concretos», *Revista de Derecho de la Universidad del Norte*, N° 45 (marzo-2016), pp. 262-293.

[77] Artículo 10 del artículo 7 (Tít. III) de la Ley 23699.

[78] Artículo 11 del artículo 7 (Tít. III) de la Ley 23699.

[79] La sigla «RON» viene del inglés: *Research octane number* y se refiere al número de octano de investigación, que representa el parámetro de medición de la energía del combustible.

[80] Toda mezcla de hidrocarburos livianos con o sin el agregado de biocombustibles apta para su utilización en motores térmicos de combustión interna con encendido a chispa (art. 8, Anexo, Decr. 501/2018).

[81] Toda mezcla de hidrocarburos livianos obtenida por destilación directa a presión atmosférica del petróleo y cuya curva de destilación método ASTM D 86 o IRAM IAP A 6600 tenga un punto inicial mínimo de 25°C y un punto final máximo de 225°C (art. 8, Anexo, Decr. 501/2018).

[82] Toda mezcla de hidrocarburos líquidos a condiciones estándar (1 ATM y 15°C) obtenido por tratamiento del gas natural en las plantas de acondicionamiento de punto de rocío en separadores fríos luego de la separación primaria y en plantas separadoras de gas licuado (art. 8, Anexo, Decr. 501/2018).

[83] Incluye a los solventes alifáticos (todo hidrocarburo alifático o mezcla de hidrocarburos con contenido mayoritario de hidrocarburos alifáticos, con o sin contenido de IF-2018-25828537-APN-SSRH#MEM compuestos oxigenados, con límites de destilación especialmente seleccionados para su uso industrial, químico y/o doméstico, cuya curva de destilación método ASTM D 86 o ASTM D 1078 o IRAM-IAP A 6600, tenga un punto inicial mínimo de 30°C y un punto seco máximo de 150°C) y a los solventes aromáticos (todo hidrocarburo aromático o mezcla de hidrocarburos con contenido mayoritario de hidrocarburos aromáticos, con o sin contenido de compuestos oxigenados, con límites de destilación

rrás[84], gasoil[85], diesel oil[86], kerosene[87], fuel oil[88], coque de petróleo[89] y carbón mineral[90]. El código de identificación de cada uno de estos combustibles fue fijado por la Administración Federal de Ingresos Públicos (AFIP) en su Resolución General 4233/2018 y el sistema de marcadores químicos y reagentes para su identificación está detallados en la Resolución General de AFIP 4234/2018.

---

especialmente seleccionados para su uso industrial, químico y/o doméstico, cuya curva de destilación método ASTM D 86 o ASTM D 850 o IRAM-IAP A 6600 o normas equivalentes, tenga un punto inicial mínimo de 80°C y un punto seco máximo de 300°C) (art. 8, Anexo, Decr. 501/2018).

[84] Todo hidrocarburo alifático o mezcla de hidrocarburos con contenido mayoritario de hidrocarburos alifáticos, con o sin contenido de compuestos oxigenados, con límites de destilación especialmente seleccionados para su uso industrial, químico y/o doméstico cuya curva de destilación, método ASTM D 86 o IRAM-IAP A 6600, tenga un punto inicial mayor a 150°C y alcance un punto seco máximo de 300°C (art. 8, Anexo, Decr. 501/2018).

[85] Toda mezcla de hidrocarburos intermedios con o sin el agregado de biocombustibles apta para su utilización en motores térmicos de combustión interna a presión constante (ciclo DIESEL), para el accionamiento de vehículos, maquinarias y embarcaciones, cuyo índice de cetano método ASTM D 976 o IRAM-IAP A 6682 no sea inferior a 45 (art. 8, Anexo, Decr. 501/2018).

[86] Toda mezcla de hidrocarburos intermedios y/o residuales apta para su utilización en motores térmicos de combustión interna a presión constante (ciclo DIESEL), para el accionamiento de vehículos, maquinarias y embarcaciones, o en plantas de energía térmica de combustión externa, cuyo índice de cetano método ASTM D 976 o IRAM-IAP A 6682 sea inferior a 45 y cuya curva de destilación alcance un mínimo de 90% de destilado a 370°C (art. 8, Anexo, Decr. 501/2018).

[87] Toda mezcla de hidrocarburos intermedios apta para y destinada a su utilización en artefactos domésticos de calefacción o de cocina, que presente las condiciones técnicas necesarias para tal destino en condiciones aceptables de seguridad y eficiencia (art. 8, Anexo, Decr. 501/2018).

[88] Mezcla de hidrocarburos obtenida a partir de las fracciones más pesadas de la refinación del petróleo con un rango de viscosidad entre un mínimo de 30 centistokes y un máximo de 700 centistokes y punto de inflamación superior a 60° C según norma IRAM 6539 (art. 8, Anexo, Decr. 501/2018).

[89] Producto sólido carbonoso derivado de las unidades de craqueo térmico retardado o coquificación de las refinerías de petróleo destinado al uso combustible. Queda exceptuado el coque calcinado con un contenido mayor a 98,5% de carbono destinado a la fabricación de ánodos para la producción de aluminio primario y otros usos no combustibles (art. 8, Anexo, Decr. 501/2018).

[90] Roca sedimentaria rica en carbono, combustible, comprendida en la clasificación establecida por la norma ASTM D388 o IRAM 17001 (art. 8, Anexo, Decr. 501/2018).

De esta manera, el tributo recae sobre ocho tipos de combustibles líquidos y dos combustibles sólidos, siendo la emisión de CO_2 emanada de su combustión el elemento común a todos ellos que justifica su imposición por motivos ecológicos. Es por ello que el impuesto también se aplica a los combustibles que sean consumidos por los sujetos responsables, excepto los que hayan sido utilizados en la elaboración de otros productos gravados, y los que surjan de una diferencia injustificada en el inventario[91].

A los fines de delimitar el aspecto objetivo de su hecho imponible, la norma dispone de supuestos de no sujeción y exención. Por un lado, se aclara que los biocombustibles en estado puro no están sujetos al ICO_2 y que, cuando se trate de biodiesel y bioetanol combustible, el impuesto estará satisfecho con el pago del gravamen sobre el componente nafta, gas oil y diésel oil u otro componente gravado[92].

Por el otro, dispone que están exentas del impuesto las transferencias de los combustibles gravados cuando:

- tengan como destino la exportación;
- estén destinadas a embarcaciones o aeronaves de vuelos internacionales o embarcaciones de pesca;
- tengan como destino el uso como materia prima en ciertos procesos químicos y petroquímicos[93];
- tratándose de fuel oil, se destinen como combustible para el transporte marítimo de cabotaje[94].

Asimismo, están exentas las operaciones de importación definitiva de productos gravados exentos por destino, siempre que sean utilizados por quienes los importen, en determinados procesos quí-

---

[91]   Artículo 10 del artículo 7 (Tít. III) de la Ley 23699.
[92]   Artículo 13.II del artículo 7 (Tít. III) de la Ley 23699.
[93]   Aquellos que determine taxativamente el Poder Ejecutivo nacional en tanto de estos procesos derive una transformación sustancial de la materia prima modificando sus propiedades originales o participen en formulaciones, de forma tal que se la desnaturalice para su utilización como combustible (art. 13.II del artículo 7 de la Ley 23699).
[94]   Artículo 13.II del artículo 7 (Tít. III) de la Ley 23699.

micos, petroquímicos o industriales taxativamente indicados en la reglamentación[95].

3.1.2. Elemento personal del hecho imponible (quién realiza la conducta gravada)

La norma considera que realizan el hecho generador del impuesto[96]:
– aquellos que importen los productos gravados de manera definitiva;
– las empresas que refinen, produzcan, elaboren, fabriquen u obtengan combustibles líquidos u otros derivados de hidrocarburos, directamente o por terceros;
– aquellos que produzcan o elaboren carbón mineral[97]; y
– los transportistas, depositarios, poseedores o tenedores de productos gravados que no cuenten con la documentación que acredite que tales productos han tributado el impuesto o que se encuentran comprendidos en las exenciones[98].

3.1.3. Elemento temporal del hecho imponible (cuándo es realizada la conducta)

El hecho imponible del ICO_2 se perfecciona al momento:
– de la entrega del producto, emisión de la factura o acto equivalente, el que fuere anterior[99];

---

[95] Artículo 8 del Anexo del Decreto 501 de 2018.
[96] Artículo 12 del artículo 7 (Tít. III) de la Ley 23699.
[97] Serán considerados sujetos pasivos las empresas que refinen petróleo crudo u otros cortes de petróleo o que produzcan, elaboren, fabriquen u obtengan, directamente o a través de terceros, los combustibles alcanzados por esta norma o, en el caso del carbón mineral, quienes sean productores y/o elaboradores (art. 4, Anexo, Decr. 501/2018).
[98] Sin perjuicio de las sanciones que legalmente les correspondan y de la responsabilidad de los demás sujetos intervinientes en la transgresión.
[99] Se entiende que existe acto equivalente a la entrega del bien o emisión de la factura respectiva cuando se produzca alguna de las situaciones mencionadas en el artículo 1925 del Código Civil y Comercial de la Nación o cuando los productos gravados sean puestos a disposición del comprador, aunque no hubiesen salido de la refinería o planta de despacho (art. 2, Anexo, Decr. 501/2018).

- del retiro del producto para su consumo, en el caso de los combustibles consumidos por el sujeto responsable del pago;
- de la verificación de la tenencia de los productos por parte de los transportistas, depositarios, poseedores o tenedores que no cuenten con la documentación que acredite que aquéllos han tributado el impuesto; y
- de la determinación de diferencias de inventarios de los productos gravados[100].

Tratándose de productos importados, quienes los introduzcan al país deben ingresar un pago a cuenta del tributo, el cual ha de ser liquidado e ingresado juntamente con los derechos aduaneros y el Impuesto al Valor Agregado (IVA). Cuando el importador revenda el producto importado debe tributar el impuesto que corresponda, computando como pago a cuenta el gravamen ingresado al momento de la importación.

El período fiscal de liquidación de los gravámenes es mensual y se liquida en base a las declaraciones juradas presentadas por los responsables[101].

3.1.4. Elemento espacial del hecho imponible (a dónde es realizada la conducta)

En virtud de lo dispuesto para el elemento material, podemos decir que el impuesto tiene alcance internacional. Su hecho imponible no sólo alcanza a las transacciones de combustibles realizadas dentro de las fronteras del país, tanto producidos en el país como en el exterior, sino también aquellas que tienen como destino el territorio nacional, aunque el producto provenga del extranjero (importaciones). Pero quedan exentas las transacciones realizadas en el marco de una exportación[102].

---

[100] Artículo 13 del artículo 7 (Tít. III) de la Ley 23699.
[101] Artículo 14 del artículo 7 (Tít. III) de la Ley 23699.
[102] Artículo 13bis del artículo 7 (Tít. III) de la Ley 23699.

3.1.5. Elementos cuantitativos (liquidación del gravamen)

La liquidación de este impuesto es bastante sencilla, atento que gira en torno a los importes fijos en moneda nacional (pesos argentinos: \$)[103] que marca la Ley para cada tipo de combustible según su unidad de medida (litro o kilogramo). Estos importes deben actualizarse trimestralmente sobre la base de las variaciones del Índice de Precios al Consumidor (IPC) que suministre el Instituto Nacional de Estadística y Censos (INDEC), considerando las variaciones acumuladas desde el mes de enero de 2018[104]. Concretamente, los importes vigentes[105] son los siguientes[106]:

- \$0,936 por litro de nafta sin plomo hasta 92 RON, nafta con plomo de más de 92 RON y nafta virgen[107];
- \$1.063 por litro de gasolina natural, solvente y aguarrás[108];
- \$1,074 por litro de gasoil[109];
- \$1,220 por litro de diesel oil y el kerosene[110];
- \$0,268 por litro de fuel oil[111];
- \$0,287 por kilogramo de coque de petróleo[112]; y
- \$0,221 por kilogramo de carbón mineral[113].

3.2. Vocación ambiental del ICO_2

La eficacia de un impuesto para modificar conductas contaminantes se relaciona con la manera en que está pensado su hecho imponible

---

[103] A modo de referencia, a finales de diciembre de 2020 un dólar americano equivale a 85 pesos argentinos y un euro a 100 pesos argentinos (tipo de cambio oficial).
[104] Artículo 11 del artículo 7 (Tít. III) de la Ley 23699.
[105] http://biblioteca.afip.gob.ar/cuadroslegislativos/getAdjunto.aspx?i=10623.
[106] Estos montos se aplican sobre el total de la unidad de medida correspondiente de cada producto gravado incluido en la factura extendida por el responsable del ingreso del impuesto o en la respectiva solicitud de destinación de importación (art. 6, Anexo, Decr. 501/2018).
[107] Originariamente, a finales de 2017, era de \$0,412.
[108] Originariamente, a finales de 2017, era de \$0,412.
[109] Originariamente, a finales de 2017, era de \$0,473.
[110] Originariamente, a finales de 2017, era de \$0,473.
[111] Originariamente, a finales de 2017, era de \$0,519.
[112] Originariamente, a finales de 2017, era de \$0,557.
[113] Originariamente, a finales de 2017, era de \$0,429.

e implica corroborar si se trata de un tributo regulatorio o recaudatorio y, en el primer caso, si los destinatarios modificaron su conducta como consecuencia del tributo. No olvidemos que «…la extrafiscalidad está en el desaliento de una conducta o situación, pero no en que los recursos sean destinados a la finalidad extrafiscal. Si confundimos esto se puede caer en el error de catalogar como ultrafiscales a tributos que en realidad no lo son, ya que el hecho imponible no cumple con su función motivadora o disuasoria»[114].

Al analizar el hecho imponible es clave determinar si se grava una conducta contaminante y si la presión fiscal es lo suficientemente elevada como para realmente influir en dicha conducta, ya que «…para que exista una verdadera finalidad ecológica el gravamen tiene que poseer una entidad tal que altere sensiblemente las alternativas de los posibles agentes contaminantes»[115]. Todo ello ayudará a determinar la eficacia de este impuesto para reducir el consumo de combustibles gravados, comparando la conducta de los contribuyentes antes y después de su entrada en vigor.

En cuanto al hecho imponible, pudimos comprobar que se grava una conducta contaminante que contribuye a generar el cambio climático, ya que se habla del consumo de ciertos combustibles líquidos y sólidos cuya combustión genera emisiones de CO_2 a la atmósfera.

En cuanto a la presión fiscal, vemos que a partir de los importes vigentes no parece que tenga una vocación disuasoria suficiente como para desalentar la emisión de CO_2 a la atmósfera. Pensemos en el caso del combustible más consumido en el país, la «nafta súper», cuyo precio actual[116] ronda los $62 el litro y el gravamen asciende a tan sólo $0,936 por litro, es decir un 1,5%. De esta forma, el porcentaje que el ICO_2 representa en el total del precio es insuficiente para modificar la conducta de los consumidores de combustibles y, por lo tanto, otorgarle vocación ambiental al impuesto.

Tal es así que durante el año siguiente a la entrada en vigor del ICO_2 (1 de enero de 2018) hubo un fuerte incremento de los com-

---

[114]   SALASSA BOIX, R., *Tributación y medio ambiente: una alternativa sustentable*, Editorial Jurídica Continental, San José de Costa Rica, 2018, p. 117.
[115]   SALASSA BOIX, *op. cit.*, 2018, p. 104.
[116]   Principio de octubre de 2020.

bustibles más consumidos (nafta y diésel) respecto del año anterior (2017), tanto en los datos del consumo interno como de las ventas en las gasolineras[117]. En 2019 hubo un ligero descenso del consumo, comparado con 2018, pero que seguía siendo superior al del año 2017, el cual se explica más por la fuerte recesión económica en la que golpea al país desde finales de 2018[118] que por los insignificantes montos del ICO_2.

Además de ello, el año 2020 implicó un nuevo golpe a la eficacia de este gravamen, atento que desde el inicio de la pandemia (marzo de 2020), al igual que el resto de países, Argentina dictó numerosas normativas para contener el avance del virus y paliar sus consecuencias. En este contexto, el día 18 de mayo se dictó el Decreto 488/2020[119] para regular cuestiones sobre el petróleo crudo en el mercado local. Entre otras medidas, se dispuso que la actualización de los importes del ICO_2 de julio de 2020 no se aplique para las naftas y el diésel, es decir, para ninguno los combustibles más consumidos en el país. De manera que, si bien los importes del impuesto venían siendo actualizados cada tres meses desde el año 2018, como ordenaba la legislación, todo cambió con el Decreto 488/2020, ya que para ciertos combustibles se mantienen hasta fin de este año los importes fijados en la lejana actualización de abril 2020. Todo ello a pesar del incremento en los precios de los combustibles afectados por esta medida.

El principal objetivo de esta medida es de carácter económico y social. Se trata de aliviar la presión fiscal que recae sobre la compra de los combustibles más utilizados para el transporte de personas y mercancías y, de esa manera, proteger las economías regionales y la mano de obra asociada a la industria petrolera.

La principal consecuencia de esta medida es contraproducente para el medio ambiente y la lucha contra el cambio climático, ya que re-

---

[117] Según los datos del Observatorio de la Energía, Tecnología e Infraestructura para el Desarrollo: http://www.oetec.org/nota.php?id=3893&area=1.

[118] Según los datos de Management Solutions: https://www.managementsolutions. com/sites/default/files/publicaciones/esp/Informe-Macro-Argentina.pdf y OECD (2019), *Estudios Económicos de la OCDE: Argentina 2019*, OECD Publishing, Paris (https://doi.org/10.1787/ff5bc522-es).

[119] Recientemente modificado por el Decreto 783/2020, del día 1 de octubre de 2020, para extender sus efectos.

dujo aún más la exigua presión fiscal del ICO_2 sobre los combustibles más consumidos en Argentina. Cuando entró en vigor este impuesto (enero de 2018) la nafta súper costaba $23 el litro y el impuesto estaba en $0,412 el litro, de manera que la presión fiscal implicaba un 1,8% respecto del precio total de dicho combustible. Hoy en día (octubre 2020), con el Decreto 488/2020 en vigor, el ICO_2 representa tan sólo un 1,5% del precio total de la nafta súper, es decir que, a pesar del aumento del precio de la nafta súper, incluso bajó un 0,3% respecto de los importes originales. De manera que si bien la presión fiscal comenzó siendo baja desde un principio, con los años se fue tornando aún más exigua.

El proyecto de ley original del ICO_2 era mucho más ambicioso que el texto que terminó publicándose[120]. Por un lado, se contemplaban importes más elevados de los que finalmente se aprobaron[121]. Por otro lado, el proyecto también alcanzaba el gas natural, el gas natural licuado, el gas licuado de petróleo y el aerokerosene, que en última instancia fueron excluidos del impuesto. Finalmente, la idea era no sólo ir actualizando los importes del gravamen por la inflación, sino también aumentarlos en términos reales para que la presión fiscal sea cada vez más efectiva para modificar conductas. Pero esto último tampoco ocurrió y, de hecho, ya ni siquiera se están actualizando los importes del impuesto al mismo ritmo que la inflación de los precios de los combustibles.

4. CONCLUSIONES

Nuestro objetivo fue determinar si el sistema tributario nacional argentino contempla gravámenes ambientales vinculados al cambio climático y en qué medida son instrumentos eficaces para combatirlo. A estos fines, hemos estructurado el trabajo en dos grandes partes. En primer lugar, repasamos la legislación nacional más importante

---

[120]   https://www4.hcdn.gob.ar/dependencias/dsecretaria/Periodo2017/PDF2017/TP2017/0020-PE-2017.pdf.

[121]   A modo de ejemplo, la nafta en todas sus variantes se quería gravar con un importe de $1,030 el litro, pero finalmente se aplicó $0,412, y el fuel oil con un importe de $1,297 el litro, pero finalmente se aplicó $0,519.

en materia ambiental, en especial aquella relacionada con el cambio climático y, en segundo lugar, analizamos el funcionamiento del único tributo nacional vigente que posee una directa relación con la problemática climática: el ICO_2.

En cuanto al primer punto, hemos comprobado que la normativa que da forma al marco legal para el dictado de tributos ambientales se encuentra en la Ley 25675 de 2002 (Ley General del Medio Ambiente), cuyo contenido está sustentado en los principios ambientales de la CN reformada en 1994. Cuando la ley regula los instrumentos de política y gestión ambiental menciona al sistema de control sobre el desarrollo de las actividades antrópicas, el cual puede llevarse a cabo a través de la función disuasoria de los tributos ambientales, y la educación ambiental, que se puede desarrollar mediante el direccionamiento de las conductas contaminantes. Esto no quiere decir que el resto de leyes analizadas no hagan referencias a la posibilidad de utilizar el Derecho tributario para proteger el medio ambiente y combatir el cambio climático, pero lo hacen a través de beneficios fiscales ecológicos y no de tributos ambientales.

Si bien es cierto que la CN y la Ley 25675 de 2002 darían sustento jurídico para legislar cualquier tributo ambiental, incluyendo aquellos destinados a combatir el cambio climático, sería interesante que el marco legal fuese más explícito. En virtud de ello, entendemos que, por un lado, esta ley debería hacer alusión expresa a dichos tributos y a la posibilidad de internalizar los costos ambientales mediante ellos y, por el otro, que las leyes ambientales referidas al cambio climático, en especial la Ley 27520 de 2019, también deberían contemplar explícitamente la posibilidad de dictar impuestos ambientales, no solo beneficios fiscales ambientales, y brindar mayores detalles sobre cómo llevar adelante la disuasión de ciertas las antrópicas que generan el cambio climático.

En cuanto al segundo punto, hemos comprobamos que si bien el hecho imponible del ICO_2 grava conductas contaminantes que contribuyen al cambio climático (consumo de combustibles), su presión fiscal es insuficiente para generar un auténtico cambio de conducta en los contribuyentes. Esta falta de eficacia y vocación ambiental se vio aún más agravada con el Decreto 488/2020 (modificado por el Decreto 783/2020) que, a raíz de la crisis económica y social derivada del COVID-19, suspendió la actualización de los importes del impuesto en los combustibles más consumidos en el país. Esta suspensión hasta fin de año, sumada al aumento de precios provocado por la elevada inflación, hizo que el peso del ICO_2 en el costo del combustible sea aún menor que en sus inicios.

Si bien es cierto que la presión fiscal de Argentina se encuentra en niveles muy elevados, complicando la posibilidad de implementar y aumentar los impuestos, y que la crisis sanitaria desatada por la pandemia desencadenó serias complicaciones económicas y sociales, no se puede seguir posponiendo el cumplimiento de los compromisos asumidos en el Acuerdo de París. A partir de ello, entendemos que la mejor opción pasa por reducir la pesada presión fiscal que hoy existe en otros impuestos, en especial el Impuesto a las Ganancias, para incrementar el margen de la presión fiscal en el ICO_2.

En definitiva, podemos decir que el sistema tributario nacional prácticamente no cuenta con ningún tributo ambiental dirigido a combatir las consecuencias derivadas del cambio climático. Si bien se encuentra vigente el ICO_2, que constituyó un importante paso para el desarrollo de la Tributación Ambiental en Argentina, no se trata de un impuesto eficaz a la hora de persuadir a los contribuyentes a modificar las actividades que generan los problemas climáticos. Luego de casi tres años de vigencia, llegó el momento de sincerar la auténtica finalidad que de este gravamen y replantearse hacia dónde debería enfocarse de cara al futuro.

BIBLIOGRAFÍA

CAFFERATTA, N., «Panorama actual del derecho ambiental», *Cuestiones actuales de derecho ambiental* (Coord.: Nelson Cossari y Daniel Luna), *El Derecho*, Bs As, 2007.

CASTELLO, M., «Contribuido de intervengo no dominio económico sobre os combustíveis: um superfund brasileiro?», *Revista de Direito Ambiental*, N° 44 (octubre/diciembre), 2006, pp. 79-101.

CEPAL, *Panorama fiscal de América Latina y el Caribe. La movilización de recursos para el financiamiento del desarrollo sostenible*, Naciones Unidas-Cepal-Cooperación Española, Santiago de Chile, 2017.

DA SILVA, D., «Tributos verdes: proteção ambiental ou uma nova roupagem para antigas finalidades?», *Revista Instituto de Direito Brasileiro*, V. 8, 2012, pp. 4993-5023.

DE MIGUEL, C. y TAVARES, C., *El desafío de la sostenibilidad ambiental en América Latina y el Caribe*, Naciones Unidas-Cepal, Santiago de Chile, 2015.

FANELLI, J.; JIMÉNEZ, J. y LÓPEZ AZCÚNAGA, I., *La reforma fiscal ambiental en América Latina*, Naciones Unidas-Cepal-Unión Europea, Santiago de Chile, 2015.

GÓMEZ SABAINI, J.; JIMÉNEZ, J. y MARTNER, R., *Consensos y conflictos en la política tributaria de América Latina*, Naciones Unidas-Cepal-Cooperación española, Santiago de Chile, 2017.

HERRERA MOLINA, P., *Derecho tributario ambiental*, Marcial Pons, Madrid, 2000.

MILNE, J., «Environmental taxation in the United States: the long view», *Lewis & Clark Law Review*, Vol. 15, N° 2, 2011, pp. 422-444.

OCDE, *Consumption Tax Trends 2016: VAT/GST and Excise Rates, Trends and Administration Issues*, OECD Publishing, Paris, 2016.

PALAZZO, E., «Algunos aportes sobre los derechos ambientales», *El Derecho*, 24/04/2000, pp. 1-3.

RIUS, A., *Servicios Públicos y reforma fiscal ambiental en América Latina*, Naciones Unidas-Cepal, Santiago de Chile, 2013.

ROJAS QUIÑONES, C. M., *Evolución de las características y de los principios del derecho internacional ambiental y su aplicación en Colombia*, Proyectos Editoriales Curcio Penen-Universidad Externado de Colombia, 2004.

ROSATTI, H., *Derecho ambiental constitucional*, Rubinzal-Culzoni, Bs. As., 2004.

SABSAY, D. y DI PAOLA, M., «El daño ambiental colectivo y la nueva ley general del ambiente», *Anales de legislación argentina - Boletín informativo*, Año 2003, N° 17, La Ley, pp. 1-4.

SALASSA BOIX, R. y FORADORI, L., «La educación ambiental y la fiscalidad ambiental: puntos de encuentro», *Anuario del Centro de Investigaciones Jurídicas y Sociales-UNC*, Vol. XV (2013-2014), Córdoba-Argentina, pp. 89-106.

SALASSA BOIX, R., «The government mechanisms of environmental protection», *3rd International Workshop on Uncertainty in Greenhouse Gas Inventories. Proceedings*, FOP Soroka S.V., Lviv, 2010, pp. 251-258.

SALASSA BOIX, R., «Fiscalidad ambiental: nociones preliminares», *La protección ambiental a través del Derecho fiscal* (Dir. Rodolfo Salassa Boix), Advocatus y Ciencia, Derecho y Sociedad - Universidad Nacional de Córdoba, 2015.

SALASSA BOIX, R., «Fiscalidad y petróleo: un análisis tributario-ambiental a partir de gravámenes concretos», *Revista de Derecho de la Universidad del Norte*, Nº 45 (marzo-2016), pp. 262-293.

SALASSA BOIX, R., «Tributos ambientales: la aplicación coordinada de los principios quien contamina paga y de capacidad contributiva», *Revista de Derecho de la Pontificia Universidad Católica de Chile*, 2016, Vol. 43, Nº 3, pp. 1005-1030.

SALASSA BOIX, R., *Tributación y medio ambiente: una alternativa sustentable*, Editorial Jurídica Continental, San José de Costa Rica, 2018.

SALASSA BOIX, R., «El marco jurídico de los tributos ambientales en la Argentina: una especial mención sobre el impuesto al dióxido de carbono», *Revista de Derecho Ambiental*, Nº 59, 2019a) (julio-septiembre), pp. 45-76.

SALASSA BOIX, R., «Una mirada sobre el consumo de energía eléctrica en Argentina a la luz de la tributación ambiental», Protección del medio ambiente. Fiscalidad y otras medidas del derecho al desarrollo (Dirs.: Antonio Cubero Truyo y Patricio Masbernat y Coords.: Rocío Lasarte López y Teresa Pontón Aricha), Editorial Thomson Reuters Aranzadi, Pamplona, 2019b).

SCHLEGELMILCH K. & JOAS, A., *Fiscal considerations in the design of green tax reforms*, Green Growth Knowledge Platform GGKP, Venice, 2015.

Capítulo 10
LA PERSPECTIVA AUTONÓMICA Y LOCAL SOBRE EL CAMBIO CLIMÁTICO: POSIBILIDADES DE LA LEGISLACIÓN ACTUAL[1]

MANUELA MORA RUIZ
Profesora Titular de Derecho Administrativo
Universidad de Huelva

1. INTRODUCCIÓN: SOBRE EL ESPACIO QUE CORRESPONDE A LAS COMUNIDADES AUTÓNOMAS Y ENTIDADES LOCALES EN LA RESPUESTA LEGAL A LA LUCHA CONTRA EL CAMBIO CLIMÁTICO

La emergencia climática constituye, a día de hoy, una realidad con claro respaldo institucional, desde el momento en que varios han sido los gobiernos, en diferentes niveles, los que han procedido a la declaración formal de reconocimiento de esta situación[2]. En consecuencia, la actuación frente al fenómeno del cambio climático necesita, desde

---

[1] Proyecto Fondos Feder UHU-1263165, De las *Smart Cities* a las ciudades integradoras: propuestas jurídicas para una gobernanza global desde lo local.

[2] Téngase en cuenta la Resolución del Parlamento Europeo, de 28 de noviembre de 2019, sobre la situación de emergencia climática y medioambiental (2019/2930(RSP), accesible en https://www.europarl.europa.eu/doceo/document/TA-9-2019-0078_ES.pdf; Declaración de Emergencia Climática y ambiental del Gobierno de España, adoptada por Acuerdo del Consejo de Ministros de 21/1/2020 (accesible en https://www.lamoncloa.gob.es/consejodeministros/Paginas/enlaces/210120-enlace-clima.aspx); o la adopción de dicha Declaración por las Comunidades Autónomas de Cataluña y Baleares (respectivamente, Declaración de la Generalitat de Catalunya de 14 de mayo de 2019, accesible en https://web.gencat.cat/es/detalls/article/El-Govern-declara-formalment-lemergencia-climatica; y Declaración del Govern de 8 de noviembre de 2019, accesible en www.caib.es), visitadas el 23 de noviembre de 2020.

mi punto de vista, una cierta «despatrimonialización subjetiva», en el sentido de que afrontar estrategias eficaces que permitan salvar la aludida situación de emergencia requiere de la actuación de públicos y privados, en primer lugar, y, tratándose de sujetos públicos, se precisa de un espacio para la actuación, a nivel normativo y de ejecución de medidas, de las entidades infraestatales. En este sentido, el cambio climático tiene, pese a su dimensión global, una componente territorial que, claramente, legitima la actuación de estos actores.

Sobre este planteamiento, el objeto del presente Trabajo no es otro que analizar el papel de Comunidades Autónomas y Entidades Locales en la lucha contra el cambio climático en un momento peculiar desde la perspectiva de la configuración del ordenamiento jurídico español frente a este fenómeno, habida cuenta de la ausencia de norma estatal básica, y de las opciones que ofrece, sobre todo a las Comunidades Autónomas, el título competencial relativo a la aprobación de las normas adicionales de protección del art. 149.1.23ª CE.

En este sentido, el presente Trabajo pretende analizar las posibilidades de actuación de Comunidades Autónomas y Entidades Locales en materia de adaptación al cambio climático, ya que las políticas y medidas de adaptación se orientan a detectar las vulnerabilidades de los sistemas ambientales, económicos y sociales de las poblaciones concretas para dotarlas de un elevado grado de resiliencia ante eventuales situaciones de catástrofes[3], o frente a la transformación constante y sostenida en el tiempo como la que se está produciendo en todos los ecosistemas, generando riesgos de carácter sistémico. Por tanto, y como antes señalaba, hay un elemento de proximidad al te-

---

[3]   El Preámbulo del II Plan Nacional de Adaptación al Cambio Climático 2021-2030 señala que la adaptación «comprende un amplio conjunto de estrategias orientadas a evitar o reducir los impactos potenciales derivados del cambio climático, así como a favorecer una mejor preparación para la recuperación...». Se trata de la reducción de la exposición y vulnerabilidad de los sistemas sociales, económicos y ambientales frente al cambio climático, lo que requiere, en mi opinión, que estos sistemas sean considerados de forma individualizada, en atención a su territorio. Véase https://www.miteco.gob.es/images/es/pnacc-2021-2030_tcm30-512156.pdf, visitada el 23 de noviembre de 2020.

rritorio, que concede protagonismo a las Administraciones considera-das[4] y justifica la oportunidad de este Capítulo.

A mayor abundamiento, el contexto internacional (especialmente desde el Acuerdo de París) y Europeo[5] apuestan, en mi opinión, por la implicación de los entes infraestatales en la adopción de medidas de lucha contra el cambio climático, sean de mitigación, sean de adap-tación, en tanto en cuanto se opta por un enfoque *bottom-up*, que se proyecta sobre el favorecimiento de un sistema de gobernanza mul-tinivel, en el que el concepto de contribuciones nacionales puede ge-nerar el espacio necesario para que los comportamientos destinados a reducir las emisiones de Gases de Efecto Invernadero (en adelante, GEI) por parte de entidades infraestatales, tengan significación desde la perspectiva del cumplimiento de las obligaciones de los Estados

---

[4]   En este sentido, resulta muy interesante la noción de inteligencia territorial que se plantea en el ámbito de la Economía, para reconocer la capacidad de las colectividades locales de gestionar sus propios recursos naturales, ante retos so-ciales como la pobreza o la adaptación frente al cambio climático: véase GIRAR-DORT, J-J, «Inteligencia territorial y transición socio-eclógica», en *Trabajo,* Vol. (23), 2010, pp. 15-39. En mi opinión, se trata de un planteamiento interesante, en la medida en que la lucha contra el cambio climático exige transitar hacia un modelo de desarrollo alternativo al actual. Y, en cierto modo, es una idea que se proyecta sobre la llamada «Estrategia de Transición Justa», como una de las tres patas sobre las que descansa el *Marco Estratégico de Energía y Clima,* apro-bado por el Gobierno en 2019, en cuya virtud el tránsito hacia una economía descarbonizada debe hacerse mediante convenios que permitan una adaptación de los territorios a nuevas formas de actividad económica. El Proyecto de Ley de Cambio Climático y Transición energética dedica el Título VI a esta Transición, institucionalizando los referidos convenios. Sobre el alcance de la Transición Jus-ta sobre las zonas vulnerables, véase A. PALLARÉS SERRANO, «Análisis del Proyecto de Ley de Cambio Climático y transición energética: luces y sombras», en *Revista Catalana de Dret Ambiental,* vol. XI, núm. 1, 2020, p. 5, 29.

[5]   Es especialmente ilustrativo de este reconocimiento europeo del papel de los territorios el Dictamen del Comité Europeo de las Regiones de febrero de 2020, *Una Europa sostenible de aquí a 2030: seguimiento de los Objetivos de Desa-rrollo Sostenible de las Naciones Unidas y la transición ecológica, así como el Acuerdo de París sobre Cambio Climático,* (2020/C 39/06), puesto en conexión con el Pacto verde (2018) y la Estrategia de Descarbonización a 2050, (https:// ec.europa.eu/info/strategy/priorities-2019-2024/european-green-deal_es, visita-da el 24 de noviembre de 2020). En este sentido, véase A. NOGUEIRA LÓPEZ, «O Rólex o Setas. Comunidades Autónomas, Cambio Climático y modelo auto-nómico», *Revista Catalana de Dret Ambiental,* vol. XI, núm. 1, 2020, p. 3.

asumidas en el plano internacional[6]. Claramente, se trata de un modelo de gobernanza que incentiva el papel activo de entidades como las Comunidades Autónomas en la lucha contra el cambio climático.

La consecuencia directa de este planteamiento no es otra que la necesidad de reconocer que existe una fundamentación adicional, de carácter internacional, de la iniciativa autonómica y local frente al cambio climático, que explica, desde mi punto de vista[7], la aprobación de leyes de Cambio Climático en Cataluña (2017)[8], Andalucía (2018)[9] e Islas Baleares (2019)[10]. No obstante, esta apuesta por la descentralización climática o, como señala E. Cocciolo con mayor contundencia, por un «federalismo climático»[11], parece encontrar ciertas reservas en el derecho español:

---

[6] Sobre el alcance de este concepto, véase R. GILES CARNERO, «Las contribuciones determinadas a nivel nacional en materia de cambio climático: el diálogo entre el régimen internacional y los sistemas nacionales para el desarrollo sostenible», Francisco J. SANZ LARRUGA, (Dir.), *Derecho Ambiental en tiempos de crisis*, Ed. Tirant lo Blanch, Valencia, 2016, p. 152, 157.

[7] Así lo he puesto de manifiesto en M. MORA RUIZ, «La respuesta legal de la Comunidad Autónoma de Andalucía al cambio climático: estudio sobre la Ley 8/2018, de 8 de octubre, de medidas frente al cambio climático y para la transición hacia un nuevo modelo energético en Andalucía», en *Revista Catalana de Dret Ambiental*, vol. XI, núm. 1, 2020, pp. 4, 5, tras el análisis del Protocolo de París y las iniciativas más recientes de la Unión Europea, en el sentido de que la aprobación de estas leyes (aunque la afirmación se hace respecto de la Ley andaluza) puede considerarse, incluso, el punto de llegada natural y lógico del aludido planteamiento en el nivel internacional.

[8] Ley 16/2017, de 1 de agosto, del Cambio Climático, *DOGC* núm. 7426, de 3 de agosto.

[9] Ley 8/2018, de 8 de octubre, de medidas frente al Cambio Climático y para la transición hacia un nuevo modelo energético en Andalucía, *BOJA* núm. 199, de 15 de octubre.

[10] Ley 10/2019, de 22 de febrero, de Cambio Climático y transición energética, *BOIB* núm. 27, de 2 de marzo.

[11] Véase E. COCCIOLO, «Cambio Climático en tiempos de emergencia. Las Comunidades Autónomas en las veredas del "federalismo climático" español», en *Revista Catalana de Dret Ambiental,* vol. XI, núm. 1, 2020, p. 9. El autor defiende, así, la idea de que estamos en situación de «emergencia constitucional» que requiere, a falta de un título competencial específico sobre cambio climático, la «climatización» de la Constitución, especialmente en lo relativo a las energías. En mi opinión, se trata de un planteamiento no sólo apropiado al contexto de emergencia climática con el que se ha comenzado este Trabajo, sino, también, necesario, para el que, sin embargo, parece haber un escollo importante en la

De un lado, el Proyecto de Ley de Cambio Climático y Transición Energética (en su versión inicial)[12], aunque reconoce en su Preámbulo la importancia de «la interconexión intraordinamental», y la capacidad de las Comunidades Autónomas de elevar el nivel de protección conforme al art. 149.1.23ª CE (§3), no parece que dé un paso adelante en la configuración de la aludida gobernanza multinivel[13]; antes al contrario, se sitúa en el escenario más tradicional de la coordinación interadministrativa, con alusiones expresas a las competencias de gestión de las CCAA en medio ambiente.

En este sentido, a modo de ejemplo de lo que digo, baste pensar en que el art. 2.l) del Proyecto simplemente enumera entre los principios rectores de la Ley, los de cooperación, colaboración y coordinación, sin abordar ninguna otra posibilidad de relación interadministrativa diversa en clave multinivel, como se demanda desde las instancias internacionales[14]; o que el art. 3 del texto, al establecer objetivos concretos de reducción de emisiones de GEI para el año 2030, expresamente señala que dichos objetivos se establecen «sin perjuicio

---

      complejidad actual de las relaciones existentes entre Estado y Comunidades Autónomas.

[12] El Proyecto se encuentra publicado en el *BOCD, Congreso de los Diputados,* Serie A núm. 19-1, de 29 de mayo). En el momento de escribir este Trabajo, se han presentado 758 enmiendas al Proyecto por los diferentes Grupos parlamentarios (véase *BOCG, Congreso de los Diputados,* Serie A núm. 19-2, de 28 de octubre), y continúa su tramitación en la Comisión de Transición Ecológica y Reto demográfico.

[13] Cfr. A. PALLARÉS SERRANO, «Análisis del Proyecto de Ley de Cambio Climático…», *op. cit.,* p. 32.

[14] De hecho, en materia de adaptación, los objetivos del Plan Nacional de Adaptación al Cambio Climático deben incluir «la promoción y coordinación de la participación de todos los agentes implicados en las políticas de adaptación», lo que supone contar, en un mismo plano, con «los distintos niveles de la administración, las organizaciones sociales y la ciudadanía en su conjunto» (art. 15.2.c) del Proyecto). En la misma línea se sitúa el art. 16 del Proyecto respecto de la elaboración de los Informes sobre riesgos climáticos y adaptación, que serán elaborados por el Ministerio competente en materia de cambio climático «en colaboración con otros Departamentos y con las Comunidades Autónomas», a fin de dar cumplimiento a los objetivos de información asumidos en el Acuerdo de París y otras normas internacionales y europeas. Como puede comprobarse, la participación de las Autonomías no resulta extraordinaria en materia de adaptación al cambio climático y, claramente, se otorga un papel relevante a la Administración estatal.

de las competencias autonómicas de ejecución», eludiendo cualquier referencia expresa a las competencias de desarrollo que corresponde a las Comunidades Autónomas, *ex* art. 149.1.23ª CE.

Junto a ello, el art. 34 del citado Proyecto, relativo a los Planes autonómicos de Energía y Clima, se limita a imponer a las Comunidades Autónomas la obligación de informar a la Comisión de Coordinación de Políticas de Cambio Climático de sus respectivos planes de energía y clima a partir de 2021. Las Leyes autonómicas vigentes en la actualidad no recogen expresamente esta denominación para la planificación autonómica, aunque, materialmente sí pueda reconocerse esta planificación, en la medida en que el precepto señala que tales planes podrán consistir «en un documento específico que recoja tanto las medidas adoptadas, como las medidas que prevean adoptar, en materia de cambio climático y transición energética, coherentes con los objetivos de esta Ley». La discrepancia terminológica evidencia, en mi opinión, una cierta lejanía del Proyecto respecto de modelos autonómicos de lucha contra el cambio climático y transición energética que existen en la actualidad, y produce el efecto de diluir las posibilidades de actuación de las Comunidades Autónomas frente al fenómeno que nos ocupa, en aras de una cierta homogeneización del modelo autonómico resultante.

De igual modo, las referencias a las Entidades Locales también pueden considerarse mínimas en el Proyecto de Ley, concentradas fundamentalmente en el Título IV, sobre movilidad sin emisiones y transporte[15]. En este sentido, las Entidades Locales deben renovar su parque móvil, como el resto de Administraciones, con el horizonte puesto en 2050[16], y los municipios con población superior a 50000 habitantes y territorios insulares han de introducir en la planificación de ordenación urbana «medidas de mitigación que permitan la reducción de emisiones derivadas de la movilidad»[17].

---

[15]   En esencia, son los arts. 12 y 13 del Proyecto los que contienen referencias a las Entidades Locales. Junto a ello, el art. 25, relativo a los convenios de transición justa, contempla su participación en los mismos, en tanto que vinculados a las «áreas geográficas vulnerables».

[16]   Art. 12.1 del Proyecto.

[17]   Art. 12. 3 del Proyecto. Entre estas medidas se contempla la declaración de zonas de bajas emisiones, no más tarde de 2023; el fomento de los desplazamientos a

Por su parte, en materia de adaptación (Título V del Proyecto), no hay una sola referencia a las Entidades Locales, aunque éstas van a encontrarse determinadas en el ejercicio de sus competencias territoriales, en la medida en que el art. 19 establece objetivos específicos de adaptación en la «planificación y gestión territorial y urbanística, así como (en) las intervenciones en el medio urbano, la edificación y las infraestructuras de transporte»[18].

No cabe duda que estas consideraciones son de carácter provisional, en la medida en que la tramitación del Proyecto de ley no ha concluido, pero, en mi opinión, no puede negarse que hay una cierta interiorización de una regulación de mínimos con poca conexión con las iniciativas autonómicas y locales más recientes, lo cual permite poner en cuestión el modelo jurídico-administrativo con el que se quiere hacer frente al cambio climático en nuestro Derecho.

De otro lado, la reciente STC 87/2019, de 20 de junio, que declara la inconstitucionalidad parcial de la Ley catalana 16/2017, de 1 de agosto, del Cambio Climático, parece impulsar un modelo autonómico de carácter limitado ante este fenómeno, en tanto que se restringen las posibilidades de que la Comunidad Autónoma pueda generar su propia política de lucha contra el cambio climático en el ejercicio de su competencia de desarrollo de las bases estatales, y elevar, así, el nivel de protección mediante el diseño de un modelo más o menos propio de protección ambiental por parte de la Comunidad Autónoma. En este sentido, como señala A. De la Varga Pastor, la inconstitucionalidad deriva de lo que el TC entiende una extralimitación por parte de la Ley, en tanto en cuanto se territorializan para la Comunidad Autónoma objetivos de reducción de emisiones de GEI y cambios orientados a articular un modelo propio de transición ener-

---

pie; medidas para la mejora y uso de la red de transporte público; o medidas de fomento de la movilidad eléctrica compartida.

[18] Básicamente, se trata de incorporar medidas de adaptación en la planificación territorial y urbanística, a fin de propiciar la resiliencia frente al cambio climático (letras a) y b) del art. 19); y de la adecuación de las nuevas instrucciones de cálculo y diseño de la edificación y de las infraestructuras (letra c)).

gética, poniendo en riesgo, sobre todo, las competencias asociadas al art. 149.1.13ª y 25ª CE[19].

Sin duda, se trata de un enfoque muy cuestionable, no sólo por lo que tiene de formalista y de recentralización de competencias, tal y como ha señalado la doctrina[20], sino, también, por lo que tiene de restrictivo, frente a lo acontecido en otros ámbitos de actuación directamente vinculados con la lucha frente al cambio climático como las energías renovables. Sorprende que las leyes autonómicas relativas al fomento de las energías renovables no hayan sido cuestionadas desde la perspectiva competencial, pese a que las mismas iban más lejos que la legislación básica estatal en el establecimiento de políticas propias de fomento de estas energías[21], y sí que haya que rehacer algunas propuestas autonómicas más ambiciosas que las previstas en el nivel estatal en cuanto a los objetivos de reducción de emisiones.

Finalmente, esta situación limitadora respecto del espacio que pueden ocupar las entidades infraestatales, encuentra un argumento

---

[19]   De forma específica, el TC considera que «se señalan objetivos vinculantes, concretos, mensurables y a término de reducción de emisiones contaminantes que son incompatibles con la posibilidad y el derecho a emitir GEI reconocidos por el Estado», de forma que sólo pueden considerarse constitucionales los objetivos genéricos, a modo de directriz: véase A. DE LA VARGA PASTOR, «La Ley catalana del Cambio Climático tras la Sentencia del Tribunal Constitucional. Estudio de las repercusiones de la Sentencia y su evolución legislativa», en *Revista Catalana de Dret Ambiental*, vol. XI, núm. 1, 2020, pp. 15 a 22.

[20]   En este sentido, véase A. DE LA VARGA PASTOR, *ibídem*, p. 16; y A. NOGUEIRA LÓPEZ, «O Rólex o Setas. Comunidades Autónomas…», *op. cit.*, p. 21. Ambas autoras ponen de manifiesto que se trata de una postura que otorga prevalencia a las consideraciones económicas.

[21]   Me refiero a la Ley 2/2007, de 27 de marzo, de Fomento de las Energías Renovables y del Ahorro y Eficiencia Energética de Andalucía (*BOJA* núm. 70, de 10 de abril); Ley 1/2007, de 15 de febrero, de Fomento de las Energías Renovables e Incentivación del Ahorro y Eficiencia Energética de Castilla-La Mancha (*DOCM* núm. 55, de 13 de marzo); y Ley 10/2006, de 21 de diciembre, de Energías Renovables y Ahorro y Eficiencia Energética en la Región de Murcia (*BORM* núm. 2, de 3 enero). Sobre el significado de estas normas en relación con la obligación derivada del Derecho Europeo de fomento de las energías renovables, véase M. MORA RUIZ, «Las regulaciones autonómicas de las energías renovables», en J. F., ALENZA GARCÍA, (Dir.), La regulación de las energías renovables ante el cambio climático, Ed. Aranzadi, Cizur Menor, Pamplona, 2015, pp. 111-112, 128-129.

adicional en el II Plan Nacional de Adaptación al cambio climático que, aunque plantea la necesidad de articular una «nueva gobernanza», con «nuevas prácticas para las Administraciones públicas en la forma de legislar, de planificar…», se configura como un instrumento de acción coordinada, sin perjuicio de las competencias de otras Administraciones, con lo que, en mi opinión, poco se avanza sobre la gobernanza multinivel que se exige en el contexto internacional.

Lo expuesto lleva a reconocer que existe un espacio para que las entidades infraestatales puedan contribuir a la lucha contra el cambio climático. La cuestión es, sin embargo, que es un espacio limitado, entre otras cosas porque parece desconocerse la trayectoria consolidada de numerosas Comunidades Autónomas en esta materia y las iniciativas locales que se han visto reforzadas, en mi opinión, por la legislación autonómica aparecida en este último tiempo. Insisto en que el escenario puede cambiar, en la medida en que, en el momento de escribir este Trabajo, estamos en fase de tramitación del Proyecto de ley, y puede flexibilizarse, si bien no parece que esa sea la dirección que se haya tomado.

2. SITUACIÓN ACTUAL EN EL ÁMBITO AUTONÓMICO

Sobre la base de lo expuesto en el apartado anterior, procede ahora el análisis algo más detenido de lo que vienen haciendo las Comunidades Autónomas en materia de cambio climático, con carácter general, y en el ámbito de la adaptación, de forma particular. Desde esta perspectiva, el escenario actual permite reconocer una cierta tendencia a la equiparación de unos territorios y otros en cuanto a la previsión en los ordenamientos respectivos de medidas de adaptación; sin embargo, las soluciones concretas tienen una densidad y entidad muy heterogénea, permitiendo diferenciar distintas situaciones.

En todo caso, es preciso reconocer la actitud proactiva que vienen manteniendo desde hace bastantes años las Comunidades Autónomas en la lucha contra el cambio climático, contribuyendo a la configuración de un ordenamiento climático. En este sentido, a modo de ejemplo, la Comunidad Autónoma de Andalucía aprobó la Ley 2/2007, de 27 de marzo, de Fomento de las Energías Renovables y del Ahorro y Eficiencia Energética, como pieza clave de una estrategia de mitigación; desde 2010 ha contado con el Programa Andaluz de Adaptación al Cambio Climático, y en 2018 aprueba la Ley 8/2018, de 8 de octubre, de Medidas frente al Cambio Climático y para la transición hacia un nuevo modelo energético en Andalucía, evidenciando toda una trayectoria en este ámbito de actuación[22].

Sin embargo, pese a lo dicho, también es necesario reconocer que la tendencia autonómica a adoptar medidas de adaptación frente al cambio climático no es equivalente en todos los territorios, presentando diferencias en relación con la contundencia de la respuesta legal que se haya dado a esta cuestión.

Así, en primer lugar, debo referirme a las tres Comunidades Autónomas que han aprobado sus respectivas Leyes de Cambio Climático (sin perjuicio de otras normas) y que han previsto en las mismas el desarrollo de una planificación específica sobre la adaptación al cambio climático. Esto es, Cataluña, Andalucía e Islas Baleares[23].

De una revisión general de estas Leyes[24], teniendo en cuenta la dimensión de este Trabajo, debe destacarse, en primer lugar, que el reconocimiento claro de una estrategia de adaptación como parte irrenunciable en la lucha frente al cambio climático, requiere de un enfoque holístico e integrador a partir del cual contemplar la consideración conjunta de los sistemas ambientales, económicos y sociales[25], y de ahí el interés de estas normas por tratar de forma conjunta di-

---

[22]   Téngase en cuenta M. MORA RUIZ, «La respuesta legal de la Comunidad Autónoma de Andalucía al cambio climático…», *op. cit.*, p. 8.

[23]   Véase *supra* notas al pie núms. 8 a 10.

[24]   Cfr. A. NOGUEIRA LÓPEZ, «O Rólex o Setas. Comunidades Autónomas…», *op. cit.*, pp. 11 y ss, para una consideración conjunta de las tres Leyes que se están considerando. Por su parte, para un estudio monográfico de las Leyes catalana y andaluza, téngase en cuenta, respectivamente: A. DE LA VARGA PASTOR, «Estudio de la Ley catalana 16/2017, de 1 de agosto, del Cambio Climático y comparativa con otras iniciativas legislativas subestatales», en *Revista Catalana de Dret Ambiental*, vol. IX, núm. 2, 2018, pp. 1- 56; y M. MORA RUIZ, «La respuesta legal de la Comunidad Autónoma de Andalucía al cambio climático…», *op. cit.*, pp. 1-44.

[25]   Piénsese que el art. 4.a) de la Ley Catalana 16/2017, de 1 de agosto, define la adaptación como «capacidad de ajuste de los sistemas naturales o humanos al cambio climático y a sus impactos para moderar los daños o aprovechar las oportunidades», favoreciendo el enfoque holístico que precisan las estrategias de adaptación al cambio climático.

versos sectores ambientales y de actividad. Así, a modo de ejemplo, el art. 11.2 de la Ley 8/2018, de 8 de octubre, de Andalucía enumera un total de 13 áreas estratégicas que van desde los recursos hídricos, a las migraciones asociadas al cambio climático, energía, urbanismo y ordenación del territorio o turismo, previendo el art. 19.1 que los planes autonómicos y municipales que se realicen en estas áreas estratégicas tendrán la consideración de planes con incidencia en materia de cambio climático.

De otra parte, la planificación se convierte en un instrumento fundamental en materia de adaptación que, sin embargo, sólo se entiende a través de un modelo de planificación en cascada, a partir de un plan de cabecera del que cuelgan otros inferiores. En este sentido, la Ley Catalana del Cambio Climático establece el Marco Estratégico de referencia de adaptación, al que se vincularán los planes y programas sectoriales de los Departamentos[26]; y la Ley de Islas Baleares opta por un Plan de Transición Energética y Cambio Climático, que da cobertura al Marco Estratégico de Adaptación[27].

Junto a ello, es importante que esta actividad se despliegue a partir de una identificación de las vulnerabilidades de cada territorio, de ahí la relevancia de la expresa previsión de herramientas como los escenarios climáticos de la Ley Andaluza o las proyecciones climáticas de la Ley Catalana, entendidas como instrumentos con capacidad para ofrecer información científica de carácter cualificado[28]. En este sentido, me gustaría insistir en que este tipo de herramientas son claves en la toma de decisiones, al aportar un conocimiento científico imprescindible. En mi opinión, es fundamental que el derecho del cambio climático interiorice la necesidad de regionalización de los escenarios climáticos, y esto sólo es posible a partir de instrumentos como los descritos, cuya expresa regulación viene a institucionalizar su uso como fundamento de las decisiones políticas y/o normativas.

Estos elementos ponen de manifiesto la opción, para las Comunidades Autónomas involucradas, por un modelo legal bien estructurado desde la perspectiva ordinamental, desde el momento en

---

[26]   Véanse arts. 10 y 11.
[27]   Véase art. 11.
[28]   Respectivamente, arts. 17 y 12.

que prevén la configuración de este ordenamiento a partir de las respectivas normas de cabeceras. Por supuesto, hay elementos materiales y estructurales de estas normas que son susceptibles de críticas, pero es necesario destacar la importancia de estas leyes en la construcción progresiva de la idea de un «Derecho del clima», como sector específico del Ordenamiento, con caracteres propios, que permita dar cobertura a la acción climática de las Administraciones en cada momento[29].

De otra parte, en contraposición con la situación que acaba de describirse, el resto de Comunidades Autónomas ha venido aprobando instrumentos diversos de carácter programador para afrontar la adaptación al Cambio Climático, con los que ofrecer una cierta ordenación en este ámbito, pero respecto de los cuales no es posible identificar un único modelo de intervención, generándose situaciones distintas, que paso a enumerar:

Primeramente, cabe reconocer un grupo de Comunidades que tenían aprobadas sus respectivas estrategias de lucha contra el cambio climático desde hace bastante tiempo, aunque con vigencia hasta 2020. En algunos casos, además, estas Estrategias están en fase de revisión, con lo que se presenta una magnífica oportunidad de avanzar en los objetivos de lucha contra el cambio climático y en consolidar la adaptación como un ámbito de actuación necesario. Aquí se encuentran Comunidades Autónomas como Canarias, Valencia o Madrid[30].

---

[29] Así lo ha puesto de manifiesto A. MORENO MOLINA, «Perspectivas y desarrollos recientes en el derecho del cambio climático», A. GARCÍA URETA, (dir.) y Mª C., BOLAÑO PIÑEIRO, (coord.), Nuevas perspectivas del Derecho ambiental en el siglo XXI, Marcial Pons, Barcelona, 2018, p. 128, referenciado en DE LA VARGA PASTOR, A., «Estudio de la Ley catalana 16/2017, de 1 de agosto, del Cambio Climático del Cambio Climático...», op. cit., p. 3, nota al pie núm. 3. Y en esta línea, véase A. NOGUEIRA LÓPEZ, «O Rólex o Setas. Comunidades Autónomas...», op. cit., p. 29, en relación con la idea de construir «modelos normativos flexibles»; y M. MORA RUIZ, «La respuesta legal de la Comunidad Autónoma de Andalucía al cambio climático...», op. cit., p. 40, respecto de la necesidad de diseñar «un marco jurídico suficiente para un escenario cambiante de forma constante» con el que permitir la acción pública.

[30] La situación de cada una de estas Comunidades en relación con la adopción de iniciativas sobre adaptación al cambio climático puede consultarse en el siguiente enlace: https://www.adaptecca.es/, visitada el 24 de noviembre de 2020.

En segundo término, hay Comunidades que optan por soluciones alternativas, como ocurre en Galicia, donde la adopción de medidas se lleva a cabo a partir de los Informes sobre Cambio Climático que maneja la Xunta[31]. En estos casos, es más difícil poder reconocer una actividad planificadora y programadora a más largo plazo, dada la temporalidad de los informes y consiguientes actuaciones.

Y, finalmente, es posible identificar un tercer grupo, que estaría integrado por Comunidades Autónomas que han aprobado Estrategias con mayor vigencia, planteándose los horizontes temporales de 2030 y/o 2050, como es el caso de Aragón[32], País Vasco[33] o Navarra[34]. En este Grupo podrían incluirse las Comunidades Autónomas que están elaborando estas Estrategias, como La Rioja o Murcia[35].

Sin duda, la heterogeneidad de la acción autonómica en materia de adaptación que acaba de describirse se verá aligerada con la aprobación de la Ley estatal de Cambio Climático y Transición Energética, pero es evidente que todas las Comunidades Autónomas están intentando crear una política propia de lucha contra el cambio climático y de adaptación que, en mi opinión, no puede obviarse, entre otras cuestiones, porque ello puede contribuir al cumplimiento efectivo de las obligaciones internacionales que recaen sobre el estado español, y constituye la vía por la que ir configurando la gobernanza multinivel exigida en el nivel internacional.

---

[31] Véase https://cambioclimatico.xunta.gal/emisions-dos-gases-de-efecto-invernadoiro-en-galicia, visitada el 24 de noviembre de 2020.

[32] Esta Comunidad Autónoma aprobó su «Estrategia de Cambio Climático. Horizonte 2030» mediante acuerdo del Consejo de Gobierno de 12 de febrero de 2019 (*BOA* de 19 de marzo). Accesible en http://www.estrategiaaragonesacambioclimatico.es/, visitada el 24 de noviembre de 2020.

[33] Estrategia de Cambio Climático 2050, aprobada por el Consejo de Gobierno el 2 de junio de 2015. Accesible en https://www.euskadi.eus/contenidos/documentacion/klima2050/es_def/adjuntos/KLIMA2050_es.pdf, visitada el 24 de noviembre de 2020.

[34] Acuerdo del Gobierno de Navarra, de 24 de enero de 2018, por el que se aprueba la Hoja de Ruta de Cambio Climático de Navarra (*BO* núm. 34, de 16 de febrero), accesible en https://bon.navarra.es/es/anuncio/-/texto/2018/34/16/, visitada el 24 de noviembre de 2020.

[35] Véase https://www.adaptecca.es/, visitada el 24 de noviembre de 2020.

3. POSIBILIDADES LOCALES FRENTE
A UN FENÓMENO GLOBAL

Una vez expuesta la situación de las Comunidades Autónomas en la respuesta al cambio climático, es necesario referir el papel de los Entes Locales en el establecimiento de medidas de adaptación al mismo, dada la indudable componente territorial de los efectos de este fenómeno, pese a su relevancia global, tal y como ya se ha indicado con anterioridad.

Desde esta perspectiva, creo que es conveniente diferenciar entre el espacio que las Entidades Locales pueden ocupar en la conformación de un «Derecho del clima», como consecuencia de las competencias atribuidas por Estado y Comunidades Autónomas, y las que están asumiendo por iniciativa propia, o en el marco de redes como la que representa la Red Ciudades por el Clima[36].

En el primer sentido señalado, no es discutible en la actualidad la capacidad de actuación de municipios en materia ambiental al amparo de normas administrativas generales como la Ley 7/1985, de 2 de abril, Reguladora de las Bases de Régimen Local o normas ambientales generales autonómicas, en cuya virtud municipios y provincias ostentan una serie de competencias que puede incidir en la reducción de emisiones de gases de efecto invernadero, o procurar la adaptación al cambio climático. Claramente, la competencia de los municipios sobre el medio ambiente urbano del art. 25 de la Ley 7/1985, legitima la intervención de los mismos sobre una serie de ámbitos con clara repercusión en la lucha contra el cambio climático, como ocurre con la energía, los transportes o la ordenación urbanística[37].

Pero, junto a ello, es importante poner el acento en la institucionalización de las competencias climáticas de las entidades locales por

---

[36] Véase https://www.redciudadesclima.es/, visitada el 24 de noviembre de 2020.

[37] Art. 25.2 b) en, relación con los apartados a) y g). Así, sobre la relevancia de esta regulación general sobre la movilidad sostenible, véase A. FORTES MARTÍN, «La movilidad urbana sostenible como fenómeno jurídico: el Derecho de la movilidad sostenible», en A. FORTES MARTÍN (Dir.), *Movilidad urbana sostenible y acción administrativa: perspectiva social, estrategias jurídicas y políticas de movilidad en el medio urbano*, Ed. Thomson Reuters Aranzadi, Cizur Menor, 2019, pp. 42-43.

efecto de las previsiones contenidas en las Leyes de Cambio Climático a las que me he referido con anterioridad. En este sentido, debe destacarse la preocupación de estas normas tanto por atribuir una competencia específica de planificación en materia de cambio climático, como por someter el planeamiento urbanístico a las exigencias de adaptación, imponiendo un mandato de inclusión de medidas que incrementen la resiliencia de los territorios locales, así como en el ámbito de la movilidad sostenible[38].

En este sentido, y a modo de ejemplo, el art. 22 de la Ley Balear de Cambio Climático y transición energética dispone la competencia de las Entidades Locales para aprobar planes de acción municipal para el clima y la energía sostenible, de forma coherente con el Plan de Transición Energética y Cambio Climático, debiendo contener, como mínimo, lo siguiente: «a) El análisis y la evaluación de emisiones de gases de efecto invernadero. b) La identificación y la caracterización de los elementos vulnerables. c) Los objetivos y las estrategias para la mitigación y la adaptación al cambio climático, que incluya las posibles modificaciones adecuadas del planeamiento urbanístico y las ordenanzas municipales. d) Las acciones de sensibilización y formación. e) Las reglas para la evaluación y seguimiento del Plan».

En la misma línea se sitúan los Planes Municipales contra el Cambio Climático del art. 15 de la Ley andaluza 8/2018, de 8 de octubre, que recaerán sobre las áreas estratégicas que la propia Ley identifica en materia de mitigación y adaptación. De igual modo, el apartado 2 del precepto establece un contenido mínimo, en el que destaca la vinculación del planeamiento urbanístico municipal a medidas de adaptación.

De otro lado, es interesante destacar la minuciosidad con la que el referido art. 15 regula estos planes, imponiéndose a los municipios la obligación de elaborar, cada dos años, un informe sobre el grado de cumplimiento de sus planes (apartado 4). Sin duda, la atribución de

---

[38]   También han de destacarse las medidas de incentivo o fomento de la acción municipal, consistentes en el reconocimiento de determinadas iniciativas. Así, por ejemplo, el art. 75.2 de la Ley Balear de Cambio Climático y Transición Energética remite a desarrollo reglamentario el otorgamiento de distintivos y calificaciones que a los municipios «que hayan conseguido más reducciones de emisiones o penetración de generación de energías renovables».

la competencia a los municipios para aprobar estos planes persigue un alto grado de eficacia en la adopción de medidas concretas para un determinado territorio local, y de ahí la relevancia de mecanismos de seguimiento como el de los informes del art. 15.4 de la Ley 8/2018, de 8 de octubre.

Por su parte, la Ley 16/2017, de 1 de agosto, de Cataluña condiciona las acciones de los municipios en urbanismo y vivienda a las exigencias de adaptación al cambio climático, tal y como dispone el art. 27[39], a la vez que reconoce la competencia de los municipios para aprobar sus respectivos planes de lucha contra el cambio climático, de acuerdo con el art. 33.3 de la Ley.

En materia de movilidad sostenible, también debe destacarse el interés por la planificación específica en este ámbito, como parte de las estrategias locales de transición energética, propiciando, como señala L. Mellado Ruiz, una suerte de «gobernanza local de los sistemas, espacios e infraestructuras urbanas de movilidad u transporte»[40]. Destacan en este sentido previsiones como las del art. 60 de la Ley balear, en relación con planes y proyectos de transporte colectivo e intermodal; o el art. 15.2.j) de la Ley andaluza sobre planes municipales de movilidad[41].

---

[39] Así, el art. 27.1 dispone que las medidas que se adopten en materia de urbanismo y vivienda deben orientarse a un cambio de modelo urbanístico, en el que debe incluirse «la adaptación de la normativa urbanística y ambiental para que tanto las figuras de nuevos planeamientos urbanísticos y sus modificaciones y revisiones como el planeamiento territorial incorporen un análisis cuantitativo y una valoración descriptiva del impacto sobre las emisiones de gases de efecto invernadero y los impactos del cambio climático sobre el nuevo planeamiento, así como medidas para mitigarlo y adaptarse a él...» (apartado c)).

[40] Véase L. MELLADO RUÍZ, «Marco regulador de la movilidad urbana sostenible en el ámbito local», en A. FORTES MARTÍN (Dir.), *Movilidad urbana sostenible y acción administrativa: perspectiva social, estrategias jurídicas y políticas de movilidad en el medio urbano*, Ed. Thomson Reuters Aranzadi, Cizur Menor, 2019, p. 157.

[41] Sobre esta planificación, téngase en cuenta M. MORA RUIZ, «La ordenación y evaluación ambiental de la movilidad urbana sostenible», en A. FORTES MARTÍN (Dir.), *Movilidad urbana sostenible y acción administrativa: perspectiva social, estrategias jurídicas y políticas de movilidad en el medio urbano*, Ed. Thomson Reuters Aranzadi, Cizur Menor, 2019, pp. 320 a 322.

En otro plano, sin embargo, se situarían las medidas de adaptación que los municipios vienen adoptando en el marco de estructuras de cooperación como las redes a las que me refería con anterioridad, y que, en cierta forma, constituyen una fórmula alternativa de cooperación administrativa con potencial para incidir en lo global, situando en un primer plano la intervención de las entidades locales en materia de adaptación.

En este sentido, tal y como pone de manifiesta el Sexto Informe Sobre Políticas Locales de Lucha contra el Cambio Climático elaborado por la Red Española de Ciudades por el Clima[42], son numerosos los planes de adaptación que han aprobado aquellos municipios que destacan por su adhesión al Pacto de los Alcaldes para el Clima y la Energía[43].

En este contexto, la adaptación al cambio climático se articula a través de una panoplia considerable de técnicas e instrumentos, que van desde la actualización de planes de ordenación urbana y planificación municipal, conforme a criterios de sostenibilidad, resiliencia y adaptación al cambio climático, o la implantación de sistemas de riego eficiente y utilización de agua regenerada para riego y agricultura y medidas de prevención y protección frente a inundaciones, a planes de aumento de sombra, medidas para combatir el efecto urbano de «isla de calor» o las Campañas de sensibilización ciudadana para el uso eficiente del agua, la energía y la mejora de la salud.

Como puede observarse, las medidas posibles se mueven en planos muy diferentes que incluyen actuaciones puramente técnicas, iniciativas imprescindibles de planificación (aunque tan solo el 26,9% de los municipios encuestados en el Informe ha integrado criterios de adaptación al cambio climático en su Plan General de Ordenación Urbana) o medidas orientadas a la participación e implicación activa

---

[42]   Véase https://sextoinforme.redciudadesclima.es/sites/default/files/2020-10/Sexto_Informe_sobre_Politicas_Locales_de_lucha_contra_el_Cambio_Climatico_0.pdf, visitada el 24 de noviembre de 2020.

[43]   https://www.pactodelosalcaldes.eu/, visitada el 24 de noviembre de 2020. En este sentido, es destacable que la Ley 10/2019, de 22 de febrero, ya citada, contemple en su Disposición Adicional novena el fomento por parte del Gobierno balear de la adhesión de sus municipios al Pacto.

de la sociedad, en aras del principio de responsabilidad compartida que recogen las nuevas leyes de cambio climático.

Desde esta última perspectiva, sin embargo, es necesario repensar la actuación local, en el sentido de plantear si la actual estructura administrativa y su funcionamiento favorece la acción ciudadana y, por tanto, la consecución de un modelo de gobernanza abierta que, de igual modo, contribuya a la adaptación de los territorios, atendiendo a sus peculiaridades ambientales, sociales y económicas, a fin de hacer posible la pervivencia de las poblaciones frente al cambio climático[44].

4. CONSIDERACIONES FINALES

Lo dicho a lo largo de este Trabajo, me lleva a dos ideas fundamentales en torno a la respuesta legal que Comunidades Autónomas y Entidades Locales pueden dar frente al cambio climático, a saber:

En primer lugar, no es posible plantear estrategias de lucha frente al cambio climático, ni atender la situación de emergencia climática sino es desde una perspectiva territorial, lo que debe significar la integración de entidades infraestatales en la toma de decisiones y en la creación de los oportunos marcos jurídicos, con los que ofrecer un anclaje sólido para el modelo de gobernanza multinivel ya citado y requerido a nivel internacional[45].

En este sentido, se viene reconociendo que la adaptación tiene un componente ético[46], en cuya virtud se requiere la protección de la ciudadanía por los poderes públicos, lo que, en mi opinión, constituye

[44]   Véase el Laboratorio Iberoamericano de Innovación Socioecológica, y las diversas iniciativas locales que se plantean desde la sociedad civil. Desde esta perspectiva, debería reflexionarse sobre qué papel ha de corresponder a las administraciones locales en la realización de las mismas o en su consolidación: véase https://liiise.org, visitada el 24 de noviembre de 2020.

[45]   En este sentido, véase E., COCCIOLO, «Cambio Climático en tiempos de emergencia. Las Comunidades Autónomas en las veredas del "federalismo climático" español»,...*op. cit.*, p. 10, quien insiste, además, en la necesidad de actualización constitucional.

[46]   También se le atribuye un componente ecológico, de conservación del patrimonio, y económico, a fin de evitar que los costes de los impactos que se produzcan sean más elevados que los de la recuperación.

un fundamento adicional para legitimar la participación de Entidades Locales y Comunidades Autónomas en la articulación de medidas de adaptación al cambio climático, ya que dicha protección debe corresponder a todos los poderes públicos en general, y, de forma particular, a todas las Administraciones territoriales.

En segundo lugar, por efecto de lo anterior, no puede desdeñarse el recorrido que han seguido las Comunidades Autónomas y también las Entidades Locales en el ámbito que nos ocupa. Existe toda una trayectoria seguida por unas y otros que acredita la oportunidad e idoneidad de las medidas adoptadas por estas Administraciones, especialmente en una situación de falta de legislación estatal, y que es perfectamente compatible con los Planes Nacionales aprobados hasta el momento tanto en materia de energía, como de adaptación. En consecuencia, pensando en desarrollos futuros de la legislación estatal, ha de procurarse dar entrada a lo ya realizado en estos niveles, en pro de un modelo descentralizado, que permita elevar el nivel de protección, concretado, en este caso, en el incremento de la resiliencia de los territorios[47].

En mi opinión, y con ello concluyo, el reto del cambio climático ofrece un escenario único para alcanzar un punto de inflexión en las relaciones interadministrativas, vinculándose, finalmente, a la noción más compleja, pero más abierta y flexible de gobernanza multinivel, que no puede demorarse más en cuanto a su materialización en el plano interno del Estado.

BIBLIOGRAFÍA

COCCIOLO, E., «Cambio Climático en tiempos de emergencia. Las Comunidades Autónomas en las veredas del "federalismo climático" español», en *Revista Catalana de Dret Ambiental,* vol. XI, núm. 1, 2020, pp. 1-14.

---

[47]   Véase A. NOGUEIRA LÓPEZ, «O Rólex o Setas. Comunidades Autónomas, Cambio Climático y modelo autonómico»...*op. cit.* p. 4: la autora señala que la situación del Estado español parece ser la opción «por la mirada corta competencial», para limitar el papel activo e innovador de las entidades infraestatales, sobre la base de «las viejas competencias energéticas y de planificación de la economía en detrimento de la perspectiva verde».

DE LA VARGA PASTOR, A., «La Ley catalana del Cambio Climático tras la Sentencia del Tribunal Constitucional. Estudio de las repercusiones de la Sentencia y su evolución legislativa», en *Revista Catalana de Dret Ambiental*, vol. XI, núm. 1, 2020, pp. 1-47.

DE LA VARGA PASTOR, A., «Estudio de la Ley catalana 16/2017, de 1 de agosto, del Cambio Climático y comparativa con otras iniciativas legislativas subestatales», en *Revista Catalana de Dret Ambiental*, vol. IX, núm. 2, 2018, p. 1- 56.

FORTES MARTÍN, A., «La movilidad urbana sostenible como fenómeno jurídico: el Derecho de la movilidad sostenible», en FORTES MARTÍN, A., (Dir.), *Movilidad urbana sostenible y acción administrativa: perspectiva social, estrategias jurídicas y políticas de movilidad en el medio urbano*, Ed. Thomson Reuters Aranzadi, Cizur Menor, 2019, pp. 33-74.

GILES CARNERO, R., «Las contribuciones determinadas a nivel nacional en materia de cambio climático: el diálogo entre el régimen internacional y los sistemas nacionales para el desarrollo sostenible», SANZ LARRUGA, F. J., (Dir.), *Derecho Ambiental en tiempos de crisis*, Ed. Tirant lo Blanch, Valencia, 2016, pp. 151-164.

GIRARDORT, J-J, «Inteligencia territorial y transición socio-eclógica», en *Trabajo*, Vol. (23), 2010, pp. 15-39.

MELLADO RUÍZ, L., «Marco regulador de la movilidad urbana sostenible en el ámbito local», en FORTES MARTÍN, A., (Dir.), *Movilidad urbana sostenible y acción administrativa: perspectiva social, estrategias jurídicas y políticas de movilidad en el medio urbano*, Ed. Thomson Reuters Aranzadi, Cizur Menor, 2019, pp. 155-196.

MORA RUIZ, M., «La respuesta legal de la Comunidad Autónoma de Andalucía al cambio climático: estudio sobre la Ley 8/2018, de 8 de octubre, de medidas frente al cambio climático y para la transición hacia un nuevo modelo energético en Andalucía», en *Revista Catalana de Dret Ambiental*, vol. XI, núm. 1, 2020, pp. 1-44.

MORA RUIZ, M., «La ordenación y evaluación ambiental de la movilidad urbana sostenible», en FORTES MARTÍN, A., (Dir.), *Movilidad urbana sostenible y acción administrativa: perspectiva social, estrategias jurídicas y políticas de movilidad en el medio urbano*, Ed. Thomson Reuters Aranzadi, Cizur Menor, 2019, pp. 311-345.

MORA RUIZ, M., «Las regulaciones autonómicas de las energías renovables», en ALENZA GARCÍA, J. F., (Dir.), La regulación de las energías renovables ante el cambio climático, Ed. Aranzadi, Cizur Menor, Pamplona, 2015, pp. 97-130.

MORENO MOLINA, A., «Perspectivas y desarrollos recientes en el derecho del cambio climático», GARCÍA URETA, A., (dir.) y BOLAÑO PIÑEIRO,

Mª C., (coord.), Nuevas perspectivas del Derecho ambiental en el siglo XXI, Marcial Pons, Barcelona, 2018, pp. 127-162.

NOGUEIRA LÓPEZ, A., «O Rólex o Setas. Comunidades Autónomas, Cambio Climático y modelo autonómico», *Revista Catalana de Dret Ambiental,* vol. XI, núm. 1, 2020, pp. 1-30.

PALLARÉS SERRANO, A., «Análisis del Proyecto de Ley de Cambio Climático y transición energética: luces y sombras», en *Revista Catalana de Dret Ambiental,* vol. XI, núm. 1, 2020, pp. 1-42.

Capítulo 11
LA VULNERABILIDAD DE LOS ECOSISTEMAS: REFLEXIONES PARA UNA MAYOR PRECISIÓN CONCEPTUAL[1]

PABLO SERRA PALAO[2]
Investigador predoctoral
Universidad de Murcia

1. INTRODUCCIÓN

Los efectos sociales, de salud pública, emocionales y económicos que ha provocado la pandemia de la COVID-19 nos están haciendo vivir tiempos de reconocimiento y aceptación de la vulnerabilidad. Esta pandemia, como ya alertaba hace algunos años el Programa de las Naciones Unidas para el Medio Ambiente (UNEP)[3], parece haber emergido como un evento catastrófico más en ese *continuum* carac-

---

[1] El presente trabajo se realiza en el marco del Proyecto de Investigación titulado «Bioderecho ambiental y protección de la vulnerabilidad: hacia un nuevo marco jurídico» —BIO-vul— (Referencia: DER2017-85981-C2-1-R), Ministerio de Ciencia, Innovación y Universidades (Convocatoria 2017 de Proyectos de I+D+i correspondientes al Programa estatal de Investigación, Desarrollo e Innovación orientada a los Retos de la Sociedad, en el marco del Plan Estatal de Investigación Científica y Técnica y de Innovación 2013-2016), Investigadores Principales: Dra. Blanca Soro Mateo (Universidad de Murcia) y Dr. José Francisco Alenza García (Universidad Pública de Navarra).

[2] ORCID: 0000-0002-4158-3535.

[3] Ya en 2016, el informe *Frontiers* alertaba sobre el incremento de enfermedades zoonóticas emergentes, señalando a los cambios en el medio ambiente originados por la actividad humana como una de las principales causas de este incremento y al consumo de animales domésticos como con un «puente de enfermedades» entre la vida salvaje y los seres humanos. Al respecto, *vid.* UNEP, *Frontiers Report: Emerging Issues of Environmental Concern*, United Nations Environment Programme (UNEP), Nairobi, 2016, pp. 22-23. Disponible en <http://hdl.handle.net/20.500.11822/7664>

terizado por una grave crisis socio-ecológica, de la cual llevamos
tiempo siendo testigos y protagonistas. Esta crisis socio-ecológica,
retratada por un extenso volumen de publicaciones científicas e informes de organismos internacionales, evidencia una degradada relación del ser humano con el entorno natural, y, de hecho, se están
poniendo en peligro las propias condiciones necesarias para la vida
en los ecosistemas. En este contexto, se ha puesto de manifiesto que
la constante susceptibilidad al daño define la realidad de múltiples
entidades de naturaleza heterogénea, tales como los individuos —
humanos y no humanos—, grupos de individuos, poblaciones, especies enteras, ecosistemas o países. La vulnerabilidad, como realidad insoslayable, se revela en este escenario de crisis como cualidad
inherente a proteger, estimulando la formulación de enfoques que
incorporan el elemento de la vulnerabilidad en múltiples disciplinas.
La capacidad descriptiva de este concepto, se ve ahora reforzada por
una capacidad normativa que el Derecho ambiental, como disciplina jurídica encargada de regular nuestra relación con el entorno, ha
de aprovechar.

Sin embargo, el carácter omnicomprensivo y la esencia transdisciplinar del concepto de vulnerabilidad, ha propiciado que su recepción por el Derecho ambiental haya estado marcada por la imprecisión conceptual, empleándose este término en muchas ocasiones
sin tan siquiera aportar una idea del mismo. Frente a este vacío de
contenido, y con el propósito de alcanzar una mayor precisión en
su conceptualización, este capítulo se centrará en la vulnerabilidad
como cualidad de una determinada entidad, los ecosistemas. Para tal
fin, y en primer lugar, abordaremos la dificultad que entraña concep-
tualizar este término, así como los obstáculos que todo concepto he-
redado de otras ciencias ha de sortear para incorporarse al Derecho
ambiental. Seguidamente, nos centraremos en el valor descriptivo y
normativo de considerar al ecosistema como una entidad vulnerable
para, en última instancia, tantear de manera superficial qué clase de
vínculo existe, si es que hay alguno, entre el concepto de integridad
ecológica y la vulnerabilidad.

2. SOBRE LA COMPLEJIDAD CONCEPTUAL DE LA VULNERABILIDAD Y SU INEVITABLE RELEVANCIA

El uso del término «vulnerabilidad» se ha expandido de una manera asombrosa. La investigación generada en el ámbito de múltiples disciplinas académicas se ha visto atraída por este concepto, estimulando el desarrollo de planteamientos teóricos que integran la vulnerabilidad desde la sociología, la bioética, la filosofía feminista, la filosofía del derecho, los estudios sobre derechos humanos, migraciones climáticas o aquellos relacionados con el cambio climático y la sostenibilidad, por mencionar solo algunos ejemplos[4]. En contraposi-

---

[4]   Las obras a continuación referidas en absoluto suponen un listado exhaustivo, sino que sirven simplemente para ilustrar la proliferación de esos planteamientos teóricos pluridisciplinares que otorgan un lugar central a la vulnerabilidad. Así, en la sociología: MISZTAL, B. A., *The Challenges of Vulnerability: In Search of Strategies for a Less Vulnerable Social Life*, Palgrave Macmillan, Basingstoke, 2011; y RANCI, C. (Ed.), *Social Vulnerability in Europe: The New Configuration of Social Risks*, Palgrave Macmillan, Basingstoke, 2010. En bioética: TEN HAVE, H., «Respect for Human Vulnerability: The Emergence of a New Principle in Bioethics», *Bioethical Inquiry*, Vol. 12, N° 3, 2015, pp. 395-408; del mismo autor, *Vulnerability: Challenging bioethics,* Routledge, New York, 2016; y DODDS, S., «Depending on care: recognition of vulnerability and the social contribution of care provision», *Bioethics*, Vol. 21, N° 9, 2007, pp. 500-510. Filosofía feminista: MACKENZIE, C., ROGERS, W. y DODDS, S. (Eds.), *Vulnerability: New Essays in Ethics and Feminist Philosophy*, Oxford University Press, New York, 2014. Filosofía del derecho: FINEMAN, M. A., «The Vulnerable Subject: Anchoring Equality in the Human Condition», *Yale Journal of Law & Feminism*, Vol. 20, N° 1, 2008, pp. 1-24; y FINEMAN, M. A. y GREAR, A. (Eds.), *Vulnerability: Reflections on a New Ethical Foundation for Law and Politics*, Ashgate, Farnham, 2013. Estudios sobre derechos humanos: MARCOS DEL CANO, A. M. (Ed.), *En tiempos de vulnerabilidad: Reflexión desde los derechos humanos*, Dykinson, Madrid, 2020. Migraciones climáticas: AFIFI, T. y JÄGER, J. (Eds.), *Environment, Forced Migration and Social Vulnerability,* Springer, Heidelberg, 2010; y BRZOSKA, M. y FRÖHLICH, C., «Climate change, migration and violent conflict: vulnerabilities, pathways and adaptation strategies», *Migration and Development*, Vol. 5, N° 2, 2016, pp. 190-210. Ciencias climáticas y de la sostenibilidad: ADGER, W. N., «Vulnerability», *Global Environmental Change*, Vol. 16, N° 3, 2006, pp. 268-281; FÜSSEL, H-M., «Vulnerability: A generally applicable conceptual framework for climate change research», *Global Environmental Change*, Vol. 17, N° 2, 2007, pp. 155-167; y TURNER, B. L. et al., «A framework for vulnerability analysis in sustainability science», *Proceedings of the National Academy of Sciences*, Vol. 100, N° 14, 2003, pp. 8074-8079.

ción, la elasticidad, ambigüedad y naturaleza omnicomprensiva que caracteriza a este concepto, ha fomentado que las diversas disciplinas sean proclives a moldearlo y adaptarlo a su fragmento de realidad objeto de estudio, lo cual ha tenido como consecuencia la preeminencia de aproximaciones *unidisciplinares* a un concepto de marcado espíritu *transdisciplinar*, esto es, que se halla *entre* y *más allá de* diversas disciplinas.

Con todo, si bien podríamos afirmar que estas aproximaciones unidisciplinares han generado múltiples variaciones o «fragmentos» de la vulnerabilidad, ajustando su contenido a las ya referidas porciones de realidad, tampoco nos encontraríamos ante un término estrictamente polisémico, en la medida en que puede apreciarse cómo tales variaciones, por lo general giran «en torno a un núcleo etimológico que vincula la vulnerabilidad con las condiciones de exposición o susceptibilidad al daño»[5]. Incluso, podríamos atrevernos a identificar algunos elementos comunes en medio de toda esa vaguedad conceptual que envuelve a la vulnerabilidad, tales como: (1) la *existencia de un evento interno o externo* a una determinada entidad que suponga una potencial perturbación para la misma; (2) la *posibilidad de exposición* a ese evento; y (3) el grado de *sensibilidad* o susceptibilidad de esa entidad a la perturbación que supone ese evento[6]. En adición, la vulnerabilidad aparece generalmente vinculada a otros conceptos de gran relevancia, como son la capacidad de adaptación (o adaptabilidad) y la resiliencia, evidenciando la interdependencia existente entre la vulnerabilidad de una entidad y estas otras cualidades o capaci-

---

[5] CUNHA, T. y GARRAFA, V., «Vulnerability: A Key Principle for Global Bioethics?», *Cambridge Quarterly of Healthcare Ethics*, Vol. 25, N° 2, 2016, p. 198. En cuanto al origen etimológico-conceptual, el término vulnerabilidad deriva del latín *vulnerare* (herir) y *vulnus* (herida). Al respecto, *vid.* LEVINE, C., «The Concept of Vulnerability in Disaster Research», *Journal of Traumatic Stress*, Vol. 17, N° 5, 2004, p. 396; PATRÃO NEVES, M., «Sentidos da vulnerabilidade: característica, condição, princípio», *Revista Brasileira de Bioética*, Vol. 2, N° 2, 2006, p. 158; TEN HAVE, H., *Vulnerability: Challenging bioethics*, Routledge, New York, 2016, p. 3; y TURNER, B. S., *Vulnerability and human rights*, The Pennsylvania State University Press, University Park (Pennsylvania), 2006, p. 28.

[6] Desde luego, no estamos en absoluto ante una relación de elementos universalmente compartida, y es que las diferentes interpretaciones de la vulnerabilidad que hallamos entre disciplinas hacen de ello una tarea prácticamente irrealizable.

dades presentes en la misma[7]. Por otro lado, conviene advertir que podemos hablar de vulnerabilidad en relación con una pluralidad de entidades: individuos —humanos y no humanos—, grupos de individuos, colectividades, poblaciones, ciudades, núcleos rurales, países, sistemas económicos, especies o ecosistemas, por mencionar los ejemplos más relevantes.

Pero más allá de esos elementos comunes que acabamos de señalar, lo cierto es que la pluralidad de entidades vulnerables, su naturaleza heterogénea, así como el predominio de aproximaciones unidisciplinares que tienden a ignorar el potencial más amplio de la vulnerabilidad, han dificultado la aparición y consolidación de enfoques basados en un concepto de carácter o, al menos, aspiración transdisciplinar. Sin duda, plantear siquiera la posibilidad de formular un concepto de vulnerabilidad con vocación transdisciplinar se escapa del propósito de estas páginas. Por lo tanto, habrá que limitarse a dejar constancia de que, incluso en ámbitos muy dispares entre sí, existen enfoques que apuntan en esa dirección.

Un ejemplo de ello lo encontramos en el ámbito de la ciencia climática y de la sostenibilidad, concretamente en el estudio de los cambios globales sobre los sistemas socioecológicos[8]. Así, mediante un

---

[7] Si bien es evidente que existe una interdependencia entre estos tres conceptos (vulnerabilidad, capacidad de adaptación o adaptabilidad y resiliencia), no lo es tanto la naturaleza específica de las relaciones mantenidas entre ellos. De hecho, todo dependerá de la interpretación que se esté utilizando de cada concepto. Por ejemplo, en el ámbito científico relacionado con el cambio climático, algunas tesis sostienen que la capacidad de adaptación es un componente de la resiliencia, otras que lo es de la vulnerabilidad, mientras que autores como GALLOPÍN distinguen entre capacidad de adaptación y capacidad de respuesta, siendo esta última el componente de la vulnerabilidad. Para un extraordinario análisis de las relaciones conceptuales entre estos términos, vid. GALLOPÍN, G. C., «Linkages between vulnerability, resilience, and adaptive capacity», Global Environmental Change, Vol. 16, Nº 3, 2006, pp. 293-303.

[8] Siguiendo a GALLOPÍN, los sistemas socioecológicos son aquellos compuestos por subsistemas sociales y ecológicos que interactúan mutuamente, y su escala varía desde «una comunidad local y el ambiente que la rodea hasta todo el sistema global formado por la humanidad en su conjunto (la "antroposfera") y la ecosfera». Vid. GALLOPÍN, G. C., «Linkages between...», op. cit., p. 294. Similar conceptualización encontramos en lo escrito por ADGER, para quien el concepto de sistema socioecológico «refleja la idea de que la acción humana y las estructuras sociales son parte integrante de la naturaleza y, por lo tanto,

análisis de los vínculos conceptuales existentes entre la vulnerabilidad, la capacidad de adaptación y la resiliencia, GALLOPÍN busca poner de relieve la importancia de contar con una interpretación de estos conceptos que pueda ser compartida por las ciencias naturales y sociales, dado el carácter interdisciplinar de la investigación desarrollada en este ámbito[9] (a las que tendríamos que añadir las ciencias jurídicas, al menos aquella rama del Derecho encargada de juridificar nuestra relación con los sistemas ecológicos, esto es, el Derecho ambiental). Centrándonos en lo que ahora nos ocupa, este autor parte de una interpretación genérica de la vulnerabilidad —entendida como susceptibilidad al daño y vinculada a las perturbaciones que afectan a un sistema— para luego dirigir su análisis hacia los posibles componentes de este concepto, tales como la sensibilidad, la capacidad de respuesta o la exposición. En primer lugar, la sensibilidad la define como el grado en que un sistema se ve modificado o afectado por una perturbación interna o externa, mientras que la capacidad de respuesta consistiría en la habilidad del sistema para ajustarse a esa perturbación, reducir el potencial daño, aprovecharse de las oportunidades que pudieran surgir y soportar las consecuencias de la perturbación[10]. Ambos atributos o cualidades del sistema serían considerados a la vez componentes de la vulnerabilidad. En cambio, GALLOPÍN estima que la exposición, esto es, «el grado, duración y/o la magnitud en que un sistema está en contacto con, o sujeto a, una perturbación»[11], se trataría de un atributo de la relación entre el sistema y la perturbación más que del propio sistema, por lo que no estaríamos ante un componente de la vulnerabilidad. Para respaldar esta tesis, el autor señala que, por ejemplo, una persona con el sistema inmunológico bajo es considerada vulnerable a una enfermedad infecciosa, con in-

---

cualquier distinción entre sistemas sociales y naturales es arbitraria. Evidentemente, los sistemas naturales hacen referencia a procesos biológicos y biofísicos, mientras que los sistemas sociales están integrados por normas e instituciones que regulan el uso humano de los recursos así como de sistemas éticos y de conocimiento que interpretan los sistemas naturales desde la perspectiva humana». En ADGER, W. N., «Vulnerability», op. cit., p. 268.

[9]   GALLOPÍN, G. C., «Linkages between...», op. cit., p. 302.
[10]   Ibidem, pp. 295-296.
[11]   Ibid., p. 296.

dependencia de que se halle o no expuesta al agente infeccioso[12]. Sin embargo, no compartimos, en parte, esta postura. Así, consideramos que la *posibilidad de exposición* a un evento interno o externo que a su vez comportara una perturbación para la entidad en cuestión, sí constituye un elemento de la vulnerabilidad. Aprovechando el ejemplo dado por GALLOPÍN, no tendría mucho sentido afirmar que una persona con el sistema inmunológico bajo es vulnerable a enfermedades infecciosas si no se planteara, al menos en un sentido hipotético y por lo tanto de forma incierta e indeterminada en el tiempo, la *posibilidad de exposición* a un agente infeccioso. En definitiva, la posibilidad de exposición a una perturbación es inherente a la idea misma de vulnerabilidad, y es que, en un escenario en el que tuviéramos la certeza de que nunca se produciría tal exposición, hablar de entidades vulnerables perdería todo su valor.

Otro ejemplo, en este caso desde el ámbito de la bioética y el bioderecho, podemos encontrarlo en el principio de vulnerabilidad fruto del proyecto de investigación BIOMED II «*Basic Ethical Principles in European Bioethics and Biolaw*» (1995-1998)[13]. Uno de los resultados principales de este proyecto fue la configuración de cuatro principios éticos fundamentales, con el objetivo de orientar el desarrollo de la bioética y el bioderecho en Europa: los principios de autonomía, dignidad, integridad y vulnerabilidad[14]. En lo que concierne al principio de vulnerabilidad, según este enfoque expresa aquella «condición de toda vida como capaz de ser dañada, herida o muerta»[15], por lo que en relación con el ser humano ha de ser considerada como «una expresión universal de la condición humana»[16]. Respecto a la aplicación de estos principios, KEMP y RENDTORFF sostienen que están pensados para trascender el ámbito propio de la bioética y el bioderecho e incluso el terreno de la reflexión ética, teniendo el potencial de inspirar y servir de fundamentación no solamente para la legislación

---

[12]   *Ibid.*
[13]   KEMP, P. y RENDTORFF, J. D., «The Barcelona Declaration. Towards an Integrated Approach to Basic Ethical Principles», *Synthesis philosophica*, Vol. 23, N° 2, 2008, p. 239.
[14]   *Ibidem*, pp. 245-249.
[15]   *Ibid.*, p. 240.
[16]   *Ibid.*

sobre derechos humanos, sino también para toda aquella relacionada con la protección del individuo[17]. De ahí que hayan afirmado que «el respeto de la vulnerabilidad debería ser esencial para la formulación de políticas en el Estado del bienestar moderno»[18]. Más aún, estos autores defienden una interpretación no antropocéntrica para tres de los cuatro principios, en concreto para el de dignidad, integridad y vulnerabilidad, abriendo la puerta a su aplicación como criterios orientadores en aquella parte del Derecho que guarde relación con el mundo no humano[19].

Finalmente, y sirviendo como preámbulo del próximo apartado, surge la necesidad de apuntar, muy sucintamente, cómo ha sido la aproximación que desde el Derecho ambiental se ha hecho al concepto de vulnerabilidad. Lo primero a tener en cuenta es que esta aproximación no se explica adecuadamente sin comprender, con carácter previo, la relación de dependencia con otras ciencias que esta disciplina jurídica ha tenido desde sus inicios. Al Derecho ambiental se le ha encomendado la complicada tarea de regular, máxime en un momento histórico que bien puede ser calificado de *crisis socio-ecológica*[20], las interacciones del ser humano con el entorno natural, para lo cual se ha visto ante la necesidad imperiosa de entablar un perpetuo diálogo con aquellas otras ciencias que le informan, precisamente, sobre esa interacción con el mundo no humano; un diálogo que se halla en

---

17 RENDTORFF, J. D. y KEMP, P., «Four Ethical Principles in European Bioethics and Biolaw: Autonomy, Dignity, Integrity and Vulnerability», en VALDÉS, E. y LECAROS, J. A. (Eds.), *Biolaw and Policy in the Twenty-First Century: Building Answers for New Questions*, Springer, Cham, 2019, p. 34.

18 KEMP, P. y RENDTORFF, J. D., «The Barcelona Declaration…», *op. cit.*, p. 240.

19 RENDTORFF, J. D. y KEMP, P., «Four Ethical Principles…», *op. cit.*, p. 35.

20 En palabras del economista político Martin Craig, «una crisis socio-ecológica es distinta de una "crisis ambiental" y una "crisis ecológica" al ser una crisis de y por las relaciones socio-ecológicas que sustentan una determinada forma de organizar las sociedades humanas. Implica que las causas y las peligrosas consecuencias de esta crisis se localizan simultáneamente en las dinámicas entre una forma determinada de organización social y la biosfera, de la cual surgen aquellas condiciones ecológicas que posibilitan ese tipo de sociedad. En la medida en que las sociedades capitalistas se desarrollan de una manera que merman aquellas condiciones ecológicas que la posibilitan, el resultado es una crisis socio-ecológica». *Vid.* CRAIG, M. P. A., *Ecological Political Economy and the Socio-Ecological Crisis*, Palgrave Macmillan, Sheffield, 2017, p. 6.

constante evolución y en el que, como hemos adelantado, el Derecho ambiental mantiene una posición de dependencia frente a los avances y conclusiones alcanzadas en las ciencias naturales o sociales. Nuestra intención en este momento no pasa por ahondar en esa relación entre ciencia y Derecho ambiental[21], lo que pretendemos destacar aquí, simplemente, es el principal protagonismo del concepto de vulnerabilidad en esa transposición y adaptación jurídica de conceptos provenientes de otras ciencias, fruto precisamente de esa mencionada relación y en donde el perfil divulgativo de entidades científicas como el Grupo Intergubernamental de Expertos sobre el Cambio Climático (IPCC) ha jugado un papel fundamental. Esta transposición se ha basado en los factores climáticos y ambientales como fuentes de vulnerabilidad, de ahí que el análisis de las entidades vulnerables reconocidas como tales en la normativa ambiental y climática se haya centrado en su afectación por estos factores. De entre estas entidades destacan, por la atención recibida, el ser humano, las especies de animales no humanos y vegetales, las poblaciones humanas[22], los países y ecosistemas. Tal y como pone de relieve ALENZA GARCÍA, el concepto de vulnerabilidad se ha propagado a lo largo de toda la normativa ambiental y climática de cualquier ámbito —ya sea internacional, regional, estatal o subestatal— y materia específica; de ahí que el autor distinga entre vulnerabilidad ambiental y climática, referida esta última a los efectos adversos del cambio climático sobre aquellas entidades que la norma califica como vulnerables[23].

---

[21] Para ello contamos ya con excelentes contribuciones en esta obra, como las de TORRE-SCHAUB, MOTAS GUZMÁN o ÁLVAREZ CARREÑO. Para profundizar sobre esta cuestión, son de obligada lectura las recientes reflexiones de ÁLVAREZ CARREÑO, S. M., «El derecho ambiental entre la ciencia, la economía y la sociología: reflexiones introductorias sobre el valor normativo de los conceptos extrajurídicos», *Revista Catalana de Dret Ambiental*, Vol. 10, Nº 1, 2019, pp. 1-26; y TORRE-SCHAUB, M., «La construcción del régimen jurídico del clima: entre ciencia, derecho y política económica», *Revista Catalana de Dret Ambiental*, Vol. 10, Nº 1, 2019, pp. 1-35.

[22] Para un estudio sobre la vulnerabilidad de poblaciones humanas con origen en factores ambientales como la contaminación, *vid.* SORO MATEO, B., «Daño ambiental y poblaciones vulnerables», *Ius et Scientia*, Vol. 4, Nº 2, 2018, pp. 87-106.

[23] ALENZA GARCÍA, J. F., «Vulnerabilidad ambiental y vulnerabilidad climática», *Revista Catalana de Dret Ambiental*, Vol. 10, Nº 1, 2019, pp. 1-46.

Pero esa transposición y recepción de la vulnerabilidad, al igual que sucede con otros conceptos heredados, no está exenta de dificultad y controversia. ÁLVAREZ CARREÑO ya nos advierte que estos conceptos se incorporan al Derecho ambiental adoptando «perfiles singulares, a veces, alejados de la ciencia matriz donde se forjaron», pero, incluso, en ocasiones este «perfil singular» supone un verdadero vaciamiento de contenido: la normativa ambiental y climática en el ámbito español —al igual que ha venido ocurriendo en el plano internacional o regional— ha sido proclive a utilizar este término muchas veces sin tan siquiera aportar una idea del mismo[24], demostrando una imprecisión conceptual casi «deliberada», aprovechándose de la ya referida elasticidad, ambigüedad y carácter omnicomprensivo de la vulnerabilidad para emplearlo como una suerte de expresión popularizada o consigna de actualidad. Los interrogantes que surgen al respecto no son pocos: ¿cómo es posible que la normativa ambiental se haya inundado del término «vulnerabilidad» y, sin embargo, la ca-

---

[24] En relación con la población como entidad vulnerable, valga como ejemplo el art. 24.1 del Real Decreto 102/2011, de 28 de enero, relativo a la mejora de la calidad del aire (BOE Nº 25, de 29 de enero de 2011), el cual se refiere a los planes de calidad del aire y a la posibilidad de incluir «medidas específicas destinadas a proteger a los *sectores vulnerables de la población*, incluidos los niños», sin especificar qué ha de entenderse por vulnerabilidad o qué sector de la población es considerado vulnerable, más allá de la infancia. Sobre la vulnerabilidad de especies de animales y vegetales, el art. 58.1.b) de la Ley 42/2007, de 13 de diciembre, del Patrimonio Natural y de la Biodiversidad (BOE Nº 299, de 14 de diciembre de 2007) se limita a establecer la categoría de «vulnerable» en el Catálogo Español de Especies Amenazadas, también sin precisión alguna sobre qué significa ser vulnerable. Por su parte, los ecosistemas como entidades vulnerables reciben su atención en el Real Decreto 1274/2011, de 16 de septiembre, por el que se aprueba el Plan estratégico del patrimonio natural y de la biodiversidad 2011-2017, en aplicación de la Ley 42/2007, de 13 de diciembre, del Patrimonio Natural y de la Biodiversidad (BOE Nº 236, de 30 de septiembre de 2011), recibiendo una especial mención como ecosistemas vulnerables las zonas de montaña o las islas. Finalmente, para el calificativo de vulnerable en relación con los países es necesario acudir al ámbito internacional, especialmente a la Convención Marco de las Naciones Unidas sobre el Cambio Climático de 1992 (arts. 3.2, 4.4 y 4.10) y al Acuerdo de París de 2015 (arts. 6.6, 7.2, 7.6, 9.4 y 11.1). Sobre las distintas entidades calificadas como vulnerables en la normativa ambiental y climática, *vid.* ALENZA GARCÍA, J. F., «Vulnerabilidad ambiental…», *op. cit.*, pp. 9-18 y 27-34; y SORO MATEO, B., «La vulnerabilidad en derecho ambiental», *Revista Aranzadi de derecho ambiental*, Nº 42, 2019, pp. 11-18.

pacidad normativa de este concepto y sus cualidades apenas son reconocibles? ¿Quién podría, acaso, resultar beneficiado de un lenguaje jurídico-ambiental superfluo y vacío, con el consiguiente detrimento que esto genera en la aplicación efectiva de la norma ambiental? No ofreceremos respuestas aquí para ello, pero todo apunta a que quizás puedan encontrarse prestando atención a los múltiples intereses económicos y políticos detrás de la materia objeto del Derecho ambiental.

Sacar provecho a todo el potencial que encierra este concepto exige, ante todo, estimular el desarrollo de planteamientos teóricos que busquen perfilar, al menos para alguna o algunas entidades vulnerables, una definición precisa de la vulnerabilidad, y, cuando sea posible, de aspiración transdisciplinar, para que pueda ser compartido y manejado de forma transversal. Precisamente, es en esa dirección hacia la cual se orientan las páginas subsiguientes, cuya aportación se limita a ofrecer algunas reflexiones conceptuales sobre la noción de vulnerabilidad de una determinada entidad, el ecosistema.

3. EL ECOSISTEMA COMO ENTIDAD VULNERABLE: CONSIDERACIONES CONCEPTUALES Y CARENCIAS EN LA ADAPTACIÓN JURÍDICA

En este apartado nos acercaremos al reconocimiento de los ecosistemas como entidades vulnerables. Siendo consciente de la complejidad terminológica que tenemos por delante, conviene aclarar que el factor climático y ambiental como origen de esa vulnerabilidad se entenderá en su más amplio sentido, englobando en consecuencia tanto los efectos adversos del cambio climático[25] (factor climático) como

---

[25]   Aquí nos atenemos a la definición sobre «efecto adverso del cambio climático» que ofrece la Convención Marco de las Naciones Unidas sobre el Cambio Climático (1992) en su art. 1.1: «[p]or "efectos adversos del cambio climático" se entiende los cambios en el medio ambiente físico o en la biota resultantes del cambio climático que tienen efectos nocivos significativos en la composición, la capacidad de recuperación o la productividad de los ecosistemas naturales o sujetos a ordenación, o en el funcionamiento de los sistemas socioeconómicos, o en la salud y el bienestar humanos». Ahora bien, por más que se haga una referencia a los cambios en la biota, creo firmemente que en la definición de «efectos adversos del cambio climático» habrían de reflejarse explícitamente los

aquellas perturbaciones de carácter no climático (esto es, la contaminación, deforestación, uso y erosión de la tierra, etc.) pero que causan o agravan este cambio, o simplemente impactan negativamente en un ecosistema (factor ambiental).

Por lo tanto, no abordaremos esta cuestión desde la diferenciación entre vulnerabilidad ambiental y climática, o la recepción por la normativa ambiental y climática de estos conceptos así como las técnicas jurídicas empleadas para hacer frente a las mismas[26]. En realidad, nuestro cometido aquí es mucho más modesto, y se reduce a poner de manifiesto cómo se relaciona a nivel descriptivo y normativo la noción de vulnerabilidad con los ecosistemas.

---

efectos nocivos en la salud y el bienestar humanos *y no humanos*. Existe un extenso volumen de estudios dedicados al impacto del cambio climático sobre los animales no humanos (ya sean salvajes o domesticados) sobre los que sustentar esta ampliación conceptual. En este sentido, *vid.* entre otros LACETERA, N., «Impact of climate change on animal health and welfare», *Animal Frontiers*, Vol. 9, N° 1, pp. 26-31; y SEJIAN, V. *et al.*, «Review: Adaptation of animals to heat stress», *Animal*, Vol. 12, Supl. 2, 2018, pp. s431-s444. En cambio, y simplemente por razones de precisión conceptual, creemos conveniente apartarnos aquí de la definición de «cambio climático» que ofrece la Convención en su art. 1.2, en la medida en que parece limitar este concepto exclusivamente al cambio en el clima atribuible a las actividades humanas, ya sea directa o indirectamente. Por lo tanto, toda referencia al cambio climático en estas páginas se entenderá de conformidad con la definición dada por el IPCC, precisando cuando sea necesario que hablamos del provocado por causas antropógenas: «El cambio climático hace referencia a una variación del estado del clima identificable en las variaciones del valor medio o en la variabilidad de sus propiedades, que persiste durante períodos prolongados, generalmente décadas o períodos más largos. El cambio climático puede deberse a procesos internos naturales o a forzamientos externos, tales como modulaciones de los ciclos solares, erupciones volcánicas y cambios antropógenos persistentes de la composición de la atmósfera o del uso de la tierra». Véase IPCC, «Anexo I: Glosario», en IPCC, *Calentamiento global de 1,5° C. Informe especial del IPCC sobre los impactos del calentamiento global de 1,5° C con respecto a los niveles preindustriales y las trayectorias correspondientes que deberían seguir las emisiones mundiales de gases de efecto invernadero, en el contexto del reforzamiento de la respuesta mundial a la amenaza del cambio climático, el desarrollo sostenible y los esfuerzos por erradicar la pobreza*, IPCC, Ginebra, 2018, p. 75. Disponible en <https://www.ipcc.ch/site/assets/uploads/sites/2/2019/10/SR15_Glossary_spanish.pdf>

[26]   Para un análisis en profundidad sobre estas cuestiones, nos remitimos al trabajo de ALENZA GARCÍA, J. F., «Vulnerabilidad ambiental...», *op. cit.*

Pero antes de continuar, parece que lo más sensato sea detenerse un momento a precisar qué entendemos por ecosistema. Para ello, será suficiente con acudir al Informe especial del IPCC sobre los ipactos de un calentamiento global de 1,5°C (publicado en octubre de 2018), el cual nos ofrece la siguiente definición:

> Unidad funcional que consta de organismos vivos, su entorno no vivo y las interacciones entre ellos. Los componentes incluidos en un ecosistema concreto y sus límites espaciales dependen del propósito para el que se defina el ecosistema: en algunos casos están relativamente diferenciados, mientras que en otros son difusos. [...] Los ecosistemas se organizan dentro de otros ecosistemas, y la escala a la que se manifiestan puede ser desde muy pequeña hasta el conjunto de la biosfera. En la era actual, la mayoría de los ecosistemas o bien contienen seres humanos como organismos fundamentales, o bien están influidos por los efectos de las actividades humanas en su entorno[27].

Esta definición coincide en términos generales con la esgrimida por la Unión Internacional para la Conservación de la Naturaleza (UICN): «conjunto de comunidades de plantas, animales y microorganismos y su ambiente no viviente que interactúan dentro de una unidad geográfica específica»[28]. Y lo mismo ocurre con la acogida por la normativa ambiental interna, señaladamente en la Ley 42/2007, del Patrimonio Natural y de la Biodiversidad, cuyo art. 3.10 determina que un ecosistema es aquel «complejo dinámico de comunidades vegetales, animales y de microorganismos y su medio no viviente que interactúan como una unidad funcional»[29]. Así pues, podemos comprobar que se trata de un término adaptable a la realidad más o menos amplia que se pretenda describir, dada su gran capacidad abarcativa. De ahí que el IPCC insista en que «los componentes incluidos en un ecosistema concreto y sus límites espaciales dependen del propósito para el que se defina el ecosistema»[30]. Existen múltiples

---

27 IPCC, «Anexo I: Glosario», *op. cit.*, p. 79.
28 IZA, A. (Ed.), *Gobernanza para la adaptación basada en ecosistemas*, UICN, Gland (Suiza), 2019, p. 11.
29 Ley 42/2007, de 13 de diciembre, del Patrimonio Natural y de la Biodiversidad (BOE Nº 299, de 14 de diciembre de 2007). La definición dada por esta ley reproduce con exactitud la contenida en el art. 2 del Convenio sobre la Diversidad Biológica, de 5 de junio de 1992.
30 IPCC, «Anexo I: Glosario», *op. cit.*, p. 79.

clasificaciones de los ecosistemas, siendo la más genérica aquella que los divide en ecosistemas terrestres (bosques, desiertos, montañas), acuáticos (lagunas, mares, ríos) y mixtos (humedales, costas). En resumen, podemos decir que la idea que captura este término es la de ese «sistema» dinámico y en constante cambio que está integrado por un entorno natural no vivo, los organismos vivos presentes en el mismo y las interacciones que se originan tanto entre los organismos como entre estos y el entorno, pudiendo manifestarse a una escala muy pequeña o abarcar el conjunto de la biosfera.

Por lo que se refiere a la vulnerabilidad aplicada a los ecosistemas, el IPCC viene haciendo uso del término vulnerabilidad desde la publicación del Primer Informe de Evaluación en 1990, en aquel momento principalmente para exponer la vulnerabilidad de los ecosistemas costeros ante el aumento de la temperatura del agua y la elevación del nivel del mar. Sin embargo, en ese primer informe no se aportó una definición del concepto, sino que fue a partir del Segundo Informe de Evaluación de 1995 cuando el IPCC comenzó a incorporar regularmente una definición de vulnerabilidad[31]. Esto se llevó a cabo funda-

---

[31]   En realidad, fue en el año 1994 cuando el IPCC introdujo por primera vez una definición de vulnerabilidad en uno de sus documentos, concretamente en el *IPCC Technical Guidelines for Assessing Climate Change Impacts and Adaptations*. En él, se define la vulnerabilidad como «el grado en el que una unidad de exposición se ve perturbada o afectada negativamente como resultado de los efectos climáticos. Tanto los factores socioeconómicos como los físicos son importantes para determinar la vulnerabilidad». Al respecto, *vid.* CARTER, R. T., PARRY, M. L., HARASAWA, H. y NISHIOKA, S. (Eds.), *IPCC Technical Guidelines for Assessing Climate Change Impacts and Adaptations*, University College London (UK) y Center for Global Environmental Research, National Institute of Environmental Studies (Japón), Londres y Tsukuba (Japón), 1994, p. 3. Disponible en <https://www.ipcc.ch/site/assets/uploads/2018/03/ipcc-technical-guidelines-1994n-1.pdf>. Sin embargo, parecía más apropiado señalar la fecha del Segundo Informe de Evaluación, no solo por la importancia de este documento sino también porque la definición de vulnerabilidad en él contenida delimita, en cierto modo, la estructura conceptual que se ha ido respetando con posterioridad. Así, en la Contribución del Grupo de Trabajo II al Segundo Informe de Evaluación, la vulnerabilidad se define como «el grado en que el cambio climático puede ser perjudicial o nocivo para un sistema. No solo depende de la sensibilidad del sistema, sino también de su capacidad para adaptarse a nuevas condiciones climáticas». *Vid.* IPCC, *Climate Change 1995. Impacts, Adaptations and Mitigation of Climate Change: Scientific-Technical Analyses*.

mentalmente por medio de las contribuciones del Grupo de Trabajo II, encargado de evaluar la vulnerabilidad y capacidad de adaptación de los ecosistemas frente a los efectos adversos del cambio climático. Pese a la existencia de pequeñas variaciones con el paso de los años, puede decirse que para el IPCC la vulnerabilidad frente al cambio climático se define del siguiente modo:

> Grado de susceptibilidad o de incapacidad de un sistema para afrontar los efectos adversos del cambio climático y, en particular, la variabilidad del clima y los fenómenos extremos. La vulnerabilidad dependerá del carácter, magnitud y rapidez del cambio climático a que esté expuesto un sistema, y de su sensibilidad y capacidad de adaptación[32].

En el ámbito interno, concretamente en la normativa climática autonómica, esta conceptualización ofrecida por el IPCC se reproduce, con ligeras modificaciones, en el Anexo de la Ley 8/2018 de Andalucía[33], así como en el art. 4 letra q) de la Ley 16/2017 de Cataluña[34]. En cambio, si bien la vulnerabilidad impregna todo el texto de la ley de cambio climático de las Islas Baleares[35], de las 26 definiciones recogidas en su art. 4 este concepto brilla por su ausencia. Al parecer, la omnipresencia de la vulnerabilidad y a la vez su imprecisión conceptual continúa siendo una tendencia en el Proyecto de Ley de Cambio Climático y Transición Energética[36].

Contribution of Working Group II to the Second Assessment Report of the Intergovernmental Panel on Climate Change, Cambridge University Press, Cambridge (UK) y New York, 1996, p. 5. Disponible en <https://www.ipcc.ch/site/assets/uploads/2018/03/ipcc_sar_wg_II_full_report.pdf>

[32] Esta definición aparece, por ejemplo, en IPCC, *Cambio climático 2007. Informe de síntesis. Contribución de los Grupos de trabajo I, II y III al Cuarto Informe de evaluación del Grupo Intergubernamental de Expertos sobre el Cambio Climático*, IPCC, Ginebra, 2007, p. 89. Disponible en <https://www.ipcc.ch/site/assets/uploads/2018/02/ar4_syr_sp.pdf>

[33] Ley 8/2018, de 8 de octubre, de medidas frente al cambio climático y para la transición hacia un nuevo modelo energético en Andalucía (BOJA Nº 199, de 15 de octubre de 2018).

[34] Ley 16/2017, de 1 de agosto, del cambio climático (DOGC Nº 7426, de 3 de agosto de 2017).

[35] Ley 10/2019, de 22 de febrero, de cambio climático y transición energética (BOIB Nº 27, de 2 de marzo de 2019).

[36] Para el texto del proyecto, *vid.* Proyecto de Ley de cambio climático y transición energética (121/000019) (BOCG, Congreso de los Diputados Nº A-19-1, de 29

La anterior definición de vulnerabilidad ofrecida por el IPCC nos permite extraer dos conclusiones. En primer lugar, queda reflejada, como ya anticipábamos en páginas anteriores, la relación de interdependencia existente entre la vulnerabilidad y otros conceptos, como son la posibilidad de exposición, la sensibilidad o la capacidad de adaptación. En relación con esta última, el IPCC entiende la capacidad de adaptación como aquella presente en una entidad que le permite «adaptarse ante posibles daños, aprovechar las oportunidades o afrontar las consecuencias»[37]. No obstante, y como también veíamos *supra*, esta definición vendría a coincidir con lo que GALLOPÍN denomina como «capacidad de respuesta»[38]. Para este autor, en la definición dada por el IPCC se estaría excluyendo la posibilidad de que un sistema incremente o mejore su adaptación al entorno incluso cuando este no haya cambiado, por lo que estaríamos ante un concepto limitado a la idea de superar o hacer frente a cambios en el entorno[39]. Por consiguiente, GALLOPÍN considera que la capacidad de adaptación es un concepto más amplio, que engloba no solo la capacidad del sistema de mantener o ajustar su condición frente a cambios en el entorno, sino también la de mejorar su adaptación a ese entorno sin necesidad de que se produzcan cambios. La segunda conclusión se deriva del propio enfoque del IPCC, y es que esta noción de vulnerabilidad respondería únicamente a lo que se ha calificado por la doctrina como «vulnerabilidad climática», esto es, la posibilidad de verse afectado por los efectos adversos del cambio climático, abarcando en consecuencia solo una parte de este concepto y desatendiendo la susceptibilidad a perturbaciones de carácter no climático.

A mayor abundamiento, en el glosario de definiciones que se adjunta al Plan Nacional de Adaptación al Cambio Climático (PNACC) 2021-2030, nos encontramos con un concepto de vulnerabilidad[40]

---

de mayo de 2020).

[37]   IPCC, «Anexo I: Glosario», *op. cit.*, p. 76.
[38]   GALLOPIN, G. C., «Linkages between…», *op. cit.*, p. 296.
[39]   GALLOPÍN, G. C., «Linkages between…», *op. cit.*, p. 300.
[40]   En este documento se define la vulnerabilidad como la «propensión o predisposición a resultar afectado negativamente. La vulnerabilidad comprende una serie de elementos que incluyen la sensibilidad, o susceptibilidad al daño, y la falta de capacidad para hacer frente a o adaptarse a los daños». Véase Plan Nacional de Adaptación al Cambio Climático (PNACC) 2021-2030, p. 236. Disponible

que, si bien adopta un perfil más amplio que le permite liberarse de esa conceptualización exclusivamente climática, incluye, erróneamente a nuestro parecer, la capacidad de adaptación como un elemento de la vulnerabilidad. Si atendemos a las puntualizaciones efectuadas hasta ahora, la capacidad de adaptación mantiene una relación de estrecha interdependencia con la vulnerabilidad, pero se configura como una cualidad de la propia entidad objeto de análisis y no como un elemento de la vulnerabilidad.

En suma, construir un concepto más amplio de vulnerabilidad aplicado a los ecosistemas que permita su utilización de forma transversal (tanto en la normativa climática como la ambiental), necesita de una mayor exhaustividad que la planteada en este trabajo. A pesar de ello, y con ninguna pretensión más que la de recapitular las ideas aquí presentadas, la vulnerabilidad podría entenderse como *cualidad inherente de un ecosistema entendida como la constante posibilidad de exposición y susceptibilidad a los efectos del cambio climático así como al impacto de aquellas perturbaciones de carácter no climático. La vulnerabilidad de un ecosistema dependerá del carácter, magnitud y duración de la perturbación a la que se vea expuesto, así como a la capacidad de adaptación y resiliencia.*

4. LA VULNERABILIDAD DE LOS ECOSISTEMAS DESDE EL CONCEPTO DE INTEGRIDAD ECOLÓGICA

4.1. *El desarrollo conceptual y la recepción normativa de la integridad ecológica: notas introductorias*

Como acabamos de señalar, concebir a un ecosistema como una entidad vulnerable no solo se reduce a la posibilidad de exposición y susceptibilidad a los efectos adversos del cambio climático, sino también hace alusión a cómo se puede ver afectado por todas aquellas perturbaciones no climáticas (uso y erosión de la tierra, contaminación, deforestación, etc.) pero que impactan en el ecosistema. Por esta razón, creemos que el concepto de *integridad ecológica* del ecosistema

en <https://www.miteco.gob.es/es/cambio-climatico/temas/impactos-vulnerabilidad-y-adaptacion/pnacc-2021-2030_tcm30-512163.pdf>

puede ser de enorme utilidad a la hora de proteger esa vulnerabilidad como cualidad, entendiendo esta desde la afectación o no de su integridad ecológica.

Sobre el origen de este concepto, hay quienes lo ubican en la obra de ALDO LEOPOLD *A Sand County Almanac* (1949), concretamente en la tan citada frase «algo es correcto cuando tiende a preservar la integridad, estabilidad y belleza de la comunidad biótica»[41]. Actualmente, alusiones a la conservación, protección o restauración de la integridad de los ecosistemas pueden hallarse en una gran cantidad de textos legales a escala multinivel[42]. Con todo, este uso extendido no ha venido acompañado de un consenso en la delimitación de su significado, y eso que iniciativas como el *Global Ecological Integrity Group* (GEIG)[43] lleva desde 1992 trabajando sobre el contenido, función y alcance de este concepto[44]. Pese a la vaguedad conceptual generalizada, el GEIG llegó a una serie de conclusiones que nos permiten tener una idea más completa sobre la noción de integridad ecológica. Hemos considerado oportuno reproducir aquellas que resultaban más esclarecedoras:

a) La integridad ecológica se define como la capacidad inalterada de un ecosistema para continuar con la trayectoria natural de

---

[41]   LEOPOLD, A., *A Sand County Almanac and sketches here and there*, Oxford University Press, New York, 1949, pp. 224-225, citado en BRIDGEWATER, P., KIM, R. E. y BOSSELMANN, K., «Ecological Integrity: A Relevant Concept for International Environmental Law in the Anthropocene?», *Yearbook of international Environmental Law*, Vol. 25, N° 1, 2015, p. 63.

[42]   Según BRIDGEWATER, P. *et al.*, «Ecological Integrity...», *op. cit.*, p. 63, «el primer acuerdo multilateral en incluir la noción de integridad ecológica fue la Convención sobre la Conservación de los Recursos Vivos Marinos Antárticos de 1980».

[43]   Fundado en 1992, está conformado por más de 250 personas del ámbito académico y de la investigación procedentes de múltiples disciplinas (ecología, biología, filosofía, epidemiología, salud pública, economía y derecho), cuyo objetivo radica en «ampliar los límites del desempeño académico mediante la participación inter y transdisciplinaria en asuntos que afectan y condicionan la sostenibilidad de la vida tanto para las generaciones presentes como para las futuras». Para más información, *vid.* <https://www.globalecointegrity.org/about-us>

[44]   WESTRA, L., «Ecological Integrity: Its History, Its Future and the Development of the Global Ecological Integrity Group», en WESTRA, L., BOSSELMANN, K. y WESTRA, R. (Eds.), *Reconciling Human Existence with Ecological Integrity: Science, Ethics, Economics and Law*, Earthscan, Londres, 2008, pp. 5-20.

la evolución, su transición normal a lo largo del tiempo y su capacidad para recuperarse sucesivamente de perturbaciones.

b) Este concepto denota la calidad del ecosistema y su biota, lo cual es el resultado de procesos evolutivos con una mínima influencia de las sociedades humanas.

c) A la hora de proteger la integridad ecológica, lo que se está buscando es proteger o restablecer una capacidad estructural óptima que refleje esa trayectoria evolutiva del ecosistema.

d) Los ecosistemas están conformados por una multitud de especies que mantienen toda una serie de relaciones dinámicas. Si bien las especies y otras variables del sistema están en constante cambio, los ecosistemas sí que mantienen una estructura, características y funciones determinadas que proporcionan bienes y servicios sobre los que depende la vida en ellos.

e) La protección de la integridad ecológica se concibe como un objetivo más amplio que el de proteger la biodiversidad o especies en peligro de extinción, ya que no solo se puede ver amenazada antes de que tenga lugar esa pérdida de biodiversidad, sino que al proteger la integridad ecológica la atención recae sobre el sistema ecológico del que dependen todas las especies[45].

Por lo tanto, el concepto de integridad ecológica haría referencia a esas características definitorias de un ecosistema que posibilitan y garantizan el desarrollo de la vida en él contenida. Es incuestionable la cardinalidad que para el Derecho ambiental tiene este contenido, y, lamentablemente, también lo es que la recepción de este concepto más allá de la normativa en materia de conservación ha sido prácticamente nula.

En lo que respecta al derecho español sobre biodiversidad, una rápida revisión de los diversos textos normativos en materia de conservación del patrimonio natural bastará para descubrir cómo se ha propagado el uso de la expresión «integridad de los ecosistemas»,

---

[45] Estas conclusiones aparecen recogidas en BROWN, D. A., MANNO, J. P., WESTRA, L., PIMENTEL, D. y CRABBÉ, P., «Implementing Global Ecological Integrity: A Synthesis», en PIMENTEL, D., WESTRA, L. y NOSS, R. F. (Eds.), *Ecological Integrity: Integrating Environment, Conservation, and Health*, Island Press, Washington, D. C., 2000, pp. 387-389.

Pablo Serra Palao

a pesar de no aportar definición alguna sobre la misma. A modo de ejemplo, el art. 5.2.f) de la Ley 42/2007, del Patrimonio Natural y de la Biodiversidad, al referirse a los deberes de los poderes públicos en materia de conservación y utilización del patrimonio natural en el territorio nacional, establece lo siguiente: «Las Administraciones públicas en su respectivo ámbito competencial: [...] f) Integrarán en las políticas sectoriales los objetivos y las previsiones necesarios para [...] el mantenimiento y, en su caso, la restauración de la *integridad de los ecosistemas*». Idéntica imprecisión conceptual se reproduce en el ámbito autonómico, como puede observarse por ejemplo en la Ley 5/2005, para la conservación de los espacios de relevancia ambiental de las Islas Baleares, en la cual el término de integridad se utiliza tanto en la exposición de motivos como en la enumeración de las infracciones administrativas. Así, el art. 51 de esta ley establece que «son infracciones administrativas graves: [...] d. La alteración de los procesos ecológicos que sean fundamentales para la *integridad de los ecosistemas*»[46]. Por otro lado, su presencia en la normativa sobre parques naturales se reduce a proporcionar una justificación sobre la finalidad del contenido de la misma, asumiendo una función teleológica que no viene acompañada de la construcción de un concepto jurídico de integridad ecológica, de tal forma que pudiera servir de fundamento para el objetivo de conservar la *integridad* de los valores de un espacio natural. Objetivo que, precisamente, es lo que motiva la declaración de ese espacio natural como parque nacional[47].

El derecho comparado nos ofrece algo más de luz, por ejemplo la Ley de parques nacionales de Canadá (2000), para la que la integridad ecológica cumple esa función teleológica, ofreciendo a la vez la siguiente definición de la misma: «el estado de un parque considerado característico de la región natural de la que forma parte y que probablemente se mantendrá, incluidos los elementos abióticos, la

---

[46] Ley 5/2005, de 26 de mayo, para la conservación de los espacios de relevancia ambiental (LECO) (BOIB Nº 85, de 4 de junio de 2005).

[47] En este sentido, véase el art. 5 de la Ley 30/2014, de 3 de diciembre, de Parques Nacionales (BOE Nº 293, de 4 de diciembre de 2014), así como los objetivos estratégicos de carácter general del Plan Director de la Red de Parques Nacionales, aprobado por Real Decreto 389/2016, de 22 de octubre (BOE Nº 257, de 24 de octubre de 2016).

composición y abundancia de las especies nativas y las comunidades biológicas, el ritmo de los cambios y el mantenimiento de los procesos ecológicos»[48].

4.2. Sobre la conveniencia de reconceptualizar la integridad ecológica en el contexto del Antropoceno

En una época de cambios abruptos, imprevisibles y no lineales, con una injerencia de la actividad humana sobre el Sistema Tierra que ha llegado incluso a poner en marcha una nueva era geológica, el Antropoceno[49], se hace difícil imaginar una idea de integridad ecológica como sinónimo de capacidades inalteradas de los ecosistemas o mínima influencia humana en su proceso evolutivo. En consecuencia, BRIDGEWATER et al. se han planteado la necesidad de un concepto de integridad ecológica más flexible, que se libere de esa idea del «todo» inmutable. De este modo, entienden la integridad ecológica como la combinación de la biodiversidad y las funciones ecosistémicas que caracterizan una zona en un momento determinado; y el mantenimiento de esta integridad presupone que los bienes y servicios que proporciona el ecosistema o ecosistemas presentes en esa zona estén

---

[48] Art. 2(1) Canada National Parks Act 2000 (S.C. 2000, c. 32).

[49] El Antropoceno es el término comúnmente empleado en la actualidad para designar una nueva época geológica distinta al Holoceno (que cubre los últimos 11.700 años hasta el presente) y que estaría marcada por el gran impacto que está teniendo la humanidad en los procesos planetarios. El inicio de esta nueva época geológica se ubicaría en la mitad del siglo XX, coincidiendo con lo que se ha denominado como «La Gran Aceleración» (expresión que refleja el aumento que ha experimentado el ritmo de desarrollo y la magnitud que han adquirido las actividades humanas a partir de 1950). Con todo, el Antropoceno aún no se ha convertido en una época geológica formal. Sobre los orígenes de este concepto, fueron Paul J. Crutzen y Eugene F. Stoermer quienes por primera vez lanzaron esta idea al debate público en el año 2000. Vid. CRUTZEN, P. J. y STOERMER, E. F., «The "Anthropocene"», Global Change Newsletter, N° 41, 2000, pp. 17-18; STEFFEN, W., CRUTZEN, P. J. y McNEILL, J. R., «The Anthropocene: Are Humans Now Overwhelming the Great Forces of Nature?», Ambio, Vol. 36, N° 8, 2007, pp. 614-621; VALLADARES, F., MAGRO, S. y MARTÍN-FORÉS, I., «Anthropocene, the challenge of Homo sapiens to set its own limits», Cuadernos de Investigación Geográfica, Vol. 45, N° 1, 2019, pp. 33-59; y ZALASIEWICZ, J., WATERS, C., SUMMERHAYES, C. y WILLIAMS, M., «The Anthropocene», Geology Today, Vol. 34, N° 5, 2018, pp. 177-181.

disponibles de forma continuada[50]. De esta manera, la integridad ecológica se vería comprometida si esa «combinación de biodiversidad y procesos ecosistémicos se alterase notablemente en comparación con un determinado momento, solo si ese cambio también incluyera la degradación en el suministro de los bienes y servicios ecosistémicos»[51].

Por otro lado, si hablamos de integridad ecológica a escala planetaria, para BRIDGEWATER *et al.* se trataría de la combinación de la biodiversidad y procesos ecosistémicos que han caracterizado la biosfera durante la época geológica inmediatamente anterior, el Holoceno[52]. De hecho, identificar esta «integridad ecológica global» con las condiciones ambientales que caracterizan la época geológica del Holoceno se ajusta a las conclusiones formuladas por, entre otros, STEFFEN *et al.*, al ser las únicas condiciones sobre las que existe la seguridad de que son adecuadas para el correcto desarrollo de la vida en la Tierra. Así, los procesos físicos, geológicos, químicos y biológicos que definen el estado del ambiente en el Holoceno conforman «el único ambiente global del que estamos seguros que es un "espacio operativo seguro" para la compleja y extensa civilización que el *Homo Sapiens* ha construido»[53].

En definitiva, inspirándonos en lo previsto por BRIDGEWATER *et al.*, podríamos definir la integridad ecológica como *aquella combinación de biodiversidad y procesos ecosistémicos que caracteriza a un ecosistema en un momento determinado, de tal forma que los bienes y servicios que proporciona ese ecosistema estén disponibles de forma continuada en el tiempo.*

Por último, debemos advertir que lo aquí expuesto carece de la exhaustividad suficiente como para sacar conclusiones de ese vínculo entre la integridad ecológica y la vulnerabilidad de un ecosistema, más allá de reconocer la existencia del mismo. Por lo tanto, serán necesarios estudios en el futuro que estén orientados a indagar y profundizar en esa relación entre conceptos, lo cual permitiría, incluso, abrir la posibilidad de planteamientos alternativos en el ámbito del

---

[50]   BRIDGEWATER, P. *et al.*, «Ecological Integrity…», *op. cit.*, p. 72.
[51]   *Ibidem*, p. 73.
[52]   *Ibid.*
[53]   STEFFEN, W. *et al.*, «The Anthropocene: From Global Change to Planetary Stewardship», *Ambio*, Vol. 40, N° 7, 2011, p. 747.

Derecho ambiental que fueran más eficaces en la protección de la vulnerabilidad de los ecosistemas.

5. REFLEXIONES FINALES

Al igual que anticipábamos en las primeras páginas, la capacidad que tiene la vulnerabilidad para reflejar la realidad, constituye, al mismo tiempo, su fortuna y su desdicha.

Fortuna, porque el potencial de un enfoque basado en la vulnerabilidad está aún sin explorar. La constante posibilidad de ser dañado, esa fragilidad que caracteriza y define a tan diversas entidades, pasa a ser una cualidad digna de ser protegida. Pensar las necesidades de un ecosistema en base a su vulnerabilidad, comprender cómo podría verse afectado por la injerencia de ciertos eventos negativos, y de ahí formular medidas destinadas a la protección de la misma, reforzaría la consolidación de un Derecho ambiental con el valor intrínseco de la naturaleza como eje central.

Desdicha, porque el predominio de aproximaciones unidisciplinares a la vulnerabilidad, así como la aceptación del presunto carácter irremediable de su imprecisión conceptual, merman toda iniciativa doctrinal entregada a la búsqueda de una definición de vulnerabilidad que pueda ser aplicada de forma transversal o, por lo menos, de mayor precisión en su conceptualización. Esto último ha sido lo que hemos tratado de perseguir aquí, en relación con una determinada entidad vulnerable, los ecosistemas.

BIBLIOGRAFÍA

ADGER, W. N., «Vulnerability», *Global Environmental Change*, Vol. 16, Nº 3, 2006, pp. 268-281.

ALENZA GARCÍA, J. F., «Vulnerabilidad ambiental y vulnerabilidad climática», *Revista Catalana de Dret Ambiental*, Vol. 10, Nº 1, 2019, pp. 1-46.

ÁLVAREZ CARREÑO, S. M., «El derecho ambiental entre la ciencia, la economía y la sociología: reflexiones introductorias sobre el valor normativo de los conceptos extrajurídicos», *Revista Catalana de Dret Ambiental*, Vol. 10, Nº 1, 2019, pp. 1-26.

BRIDGEWATER, P., KIM, R. E. y BOSSELMANN, K., «Ecological Integrity: A Relevant Concept for International Environmental Law in the

Anthropocene?», *Yearbook of international Environmental Law*, Vol. 25, N° 1, 2015, pp. 61-78.

BROWN, D. A., MANNO, J. P., WESTRA, L., PIMENTEL, D. y CRABBÉ, P., «Implementing Global Ecological Integrity: A Synthesis», en PIMENTEL, D., WESTRA, L. y NOSS, R. F. (Eds.), *Ecological Integrity: Integrating Environment, Conservation, and Health*, Island Press, Washington, D. C., 2000, pp. 385-405.

CARTER, R. T., PARRY, M. L., HARASAWA, H. y NISHIOKA, S. (Eds.), *IPCC Technical Guidelines for Assessing Climate Change Impacts and Adaptations*, University College London (UK) y Center for Global Environmental Research, National Institute of Environmental Studies (Japón), Londres y Tsukuba (Japón), 1994. Disponible en <https://www.ipcc.ch/site/assets/uploads/2018/03/ipcc-technical-guidelines-1994n-1.pdf>

CRAIG, M. P. A., *Ecological Political Economy and the Socio-Ecological Crisis*, Palgrave Macmillan, Sheffield, 2017.

CRUTZEN, P. J. y STOERMER, E. F., «The "Anthropocene"», *Global Change Newsletter*, N° 41, 2000, pp. 17-18.

CUNHA, T. y GARRAFA, V., «Vulnerability: A Key Principle for Global Bioethics?», *Cambridge Quarterly of Healthcare Ethics*, Vol. 25, N° 2, 2016, pp. 197-208.

GALLOPÍN, G. C., «Linkages between vulnerability, resilience, and adaptive capacity», *Global Environmental Change*, Vol. 16, N° 3, 2006, pp. 293-303.

IPCC, «Anexo I: Glosario», en IPCC, *Calentamiento global de 1,5° C. Informe especial del IPCC sobre los impactos del calentamiento global de 1,5° C con respecto a los niveles preindustriales y las trayectorias correspondientes que deberían seguir las emisiones mundiales de gases de efecto invernadero, en el contexto del reforzamiento de la respuesta mundial a la amenaza del cambio climático, el desarrollo sostenible y los esfuerzos por erradicar la pobreza*, IPCC, Ginebra, 2018. Disponible en <https://www.ipcc.ch/site/assets/uploads/sites/2/2019/10/SR15_Glossary_spanish.pdf>

IPCC, *Cambio climático 2007. Informe de síntesis. Contribución de los Grupos de trabajo I, II y III al Cuarto Informe de evaluación del Grupo Intergubernamental de Expertos sobre el Cambio Climático*, IPCC, Ginebra, 2007. Disponible en <https://www.ipcc.ch/site/assets/uploads/2018/02/ar4_syr_sp.pdf>

IPCC, *Climate Change 1995. Impacts, Adaptations and Mitigation of Climate Change: Scientific-Technical Analyses. Contribution of Working Group II to the Second Assessment Report of the Intergovernmental Panel on Climate Change*, Cambridge University Press, Cambridge

(UK) y New York, 1996. Disponible en <https://www.ipcc.ch/site/assets/uploads/2018/03/ipcc_sar_wg_II_full_report.pdf>

IZA, A. (Ed.), *Gobernanza para la adaptación basada en ecosistemas*, UICN, Gland (Suiza), 2019.

KEMP, P. y RENDTORFF, J. D., «The Barcelona Declaration. Towards an Integrated Approach to Basic Ethical Principles», *Synthesis philosophica*, Vol. 23, N° 2, 2008, pp. 239-251.

LACETERA, N., «Impact of climate change on animal health and welfare», *Animal Frontiers*, Vol. 9, N° 1, pp. 26-31.

LEVINE, C., «The Concept of Vulnerability in Disaster Research», *Journal of Traumatic Stress*, Vol. 17, N° 5, 2004, pp. 395-402.

PATRÃO NEVES, M., «Sentidos da vulnerabilidade: característica, condição, princípio», *Revista Brasileira de Bioética*, Vol. 2, N° 2, 2006, pp. 157-172.

RENDTORFF, J. D. y KEMP, P., «Four Ethical Principles in European Bioethics and Biolaw: Autonomy, Dignity, Integrity and Vulnerability», en VALDÉS, E. y LECAROS, J. A. (Eds.), *Biolaw and Policy in the Twenty-First Century: Building Answers for New Questions*, Springer, Cham, 2019.

SEJIAN, V. *et al.*, «Review: Adaptation of animals to heat stress», *Animal*, Vol. 12, Supl. 2, 2018, pp. s431-s444.

SORO MATEO, B., «La vulnerabilidad en derecho ambiental», *Revista Aranzadi de derecho ambiental*, N° 42, 2019, pp. 11-18.

SORO MATEO, B., «Daño ambiental y poblaciones vulnerables», *Ius et Scientia*, Vol. 4, N° 2, 2018, pp. 87-106.

STEFFEN, W. *et al.*, «The Anthropocene: From Global Change to Planetary Stewardship», *Ambio*, Vol. 40, N° 7, 2011, pp. 739-761.

STEFFEN, W., CRUTZEN, P. J. y McNEILL, J. R., «The Anthropocene: Are Humans Now Overwhelming the Great Forces of Nature?», *Ambio*, Vol. 36, N° 8, 2007, pp. 614-621.

TEN HAVE, H., *Vulnerability: Challenging bioethics*, Routledge, New York, 2016.

TORRE-SCHAUB, M., «La construcción del régimen jurídico del clima: entre ciencia, derecho y política económica», *Revista Catalana de Dret Ambiental*, Vol. 10, N° 1, 2019, pp. 1-35.

TURNER, B. S., *Vulnerability and human rights*, The Pennsylvania State University Press, University Park (Pennsylvania), 2006.

UNEP, *Frontiers Report: Emerging Issues of Environmental Concern*, United Nations Environment Programme (UNEP), Nairobi, 2016. Disponible en <http://hdl.handle.net/20.500.11822/7664>

VALLADARES, F., MAGRO, S. y MARTÍN-FORÉS, I., «Anthropocene, the challenge of Homo sapiens to set its own limits», *Cuadernos de Investigación Geográfica*, Vol. 45, N° 1, 2019, pp. 33-59.

WESTRA, L., «Ecological Integrity: Its History, Its Future and the Development of the Global Ecological Integrity Group», en WESTRA, L., BOSSELMANN, K. y WESTRA, R. (Eds.), *Reconciling Human Existence with Ecological Integrity: Science, Ethics, Economics and Law*, Earthscan, Londres, 2008, pp. 5-20.

ZALASIEWICZ, J., WATERS, C., SUMMERHAYES, C. y WILLIAMS, M., «The Anthropocene», *Geology Today*, Vol. 34, N° 5, 2018, pp. 177-181.

Capítulo 12
LA VULNERABILIDAD AMBIENTAL EN LA CONTRATACIÓN DEL SECTOR PÚBLICO[1]

MARTÍN MARÍA RAZQUIN LIZARRAGA
Catedrático de Derecho Administrativo
Universidad Pública de Navarra
ORCID: 0000-0003-1771-5259

1. VULNERABILIDAD AMBIENTAL

La vulnerabilidad ambiental es una realidad incuestionable. El medio ambiente está sufriendo continuos ataques de las intervenciones humanas, y además se encuentra en una posición de suma debilidad.

Los Estados son conscientes de esta vulnerabilidad ambiental a nivel general, y prueba de ella es la aprobación de los Objetivos de Desarrollo Sostenible que deben ser llevados a ejecución.

En el nivel de la Unión Europea, en 2019, se han aprobado dos documentos relevantes: el Pacto Verde Europeo y el Pacto Europeo por el Clima. El primero de ellos contiene referencias a la contratación pública en orden a incorporar la sostenibilidad ambiental en los contratos públicos[2].

Más aún, la nueva Comisión Europea, liderada por su Presidenta Ursula von der Leyen, ha presentado como ideas fuerza de su programa de gobierno comunitario, las ambientales y de digitalización

---

[1] Este trabajo se ha realizado en el marco del Proyecto de investigación «Bioderecho ambiental y protección de la vulnerabilidad: hacia un nuevo marco jurídico» —BIO-vul— (DER 2017-85981-C2-1-R) del Ministerio de Ciencia, Innovación y Universidades (Convocatoria 2017 de Proyectos de I+D+i correspondientes al Programa estatal de Investigación, Desarrollo e Innovación orientada a los Retos de la Sociedad, en el marco del Plan Estatal de Investigación Científica y Técnica y de Innovación 2013-2016).
[2] Véase el comentario a este documento de MEDINA ARNÁIZ (2020: 91-932).

(Discurso de la Unión del día 16 de septiembre de 2020 ante el Parlamento Europeo).

En todo caso, el artículo 11 del Tratado de Funcionamiento de la Unión Europea (TFUE) exige que todas las políticas europeas tengan presente e inserten dentro de ellas el objetivo ambiental. De ahí que la contratación pública deba ser, por imperativo legal, una política dirigida a desarrollar objetivos ambientales, que deben ser incorporados en las distintas licitaciones que efectúen las Instituciones europeas y los poderes adjudicadores de todos los Estados miembros. Así lo afirma el Considerando 92 de la Directiva 2014/24/UE: «El artículo 11 del TFUE requiere que las exigencias de la protección del medio ambiente se integren en la definición y en la realización de las políticas y acciones de la Unión, en particular con objeto de fomentar un desarrollo sostenible. La presente Directiva clarifica de qué modo pueden contribuir los poderes adjudicadores a la protección del medio ambiente y al fomento del desarrollo sostenible, garantizando al mismo tiempo la posibilidad de obtener para sus contratos la mejor relación calidad precio»[3].

En España el Consejo de Ministros aprobó, en su sesión de 29 de junio de 2018, el documento «Plan de Acción para la implementación de la Agenda 2030. Hacia una Estrategia de Desarrollo Sostenible». En primer lugar, dentro del Objetivo 12, hace referencia a la LCSP de la que se indica que trata «de conseguir que se utilice la contratación pública como instrumento para implementar las políticas tanto europeas como nacionales en materia ambiental...» (p. 51). Y más adelante se anima a la AGE a «Incorporar en la **contratación pública** criterios sostenibles y conceder **incentivos** a empresas que adopten criterios de sostenibilidad alineados con los ODS» (p. 126). Como medida transformadora (número 8) enumera la de «alinear la compra pública con los ODS», adquiriéndose el compromiso de que la Estrategia Nacional de Contratación Pública incorporará la Agenda

---

3   SANZ RUBIALES (2018: 53) lo explica del siguiente modo: «No es casual que haya sido el derecho comunitario el que ha venido a estimular la contratación pública como vía de protección ambiental: este imaginativo aprovechamiento de la potencialidad de la contratación pública responde al principio de integración del medio ambiente en las demás políticas europeas, recogido en el art. 35 de la Carta de Derechos Fundamentales de la UE y en el art. 11 TFUE».

2030 y, en particular, el ODS 12 (meta 12.7) en su marco general, objetivos y metas, y promoverá las medidas necesarias para utilizar las posibilidades de la contratación pública para apoyar los ODS, lo que significa la incorporación de aspectos ambientales en la contratación pública (p. 151).

Y en esta línea el Consejo de Ministros, en su sesión de 7 de diciembre de 2018, aprobó el Plan de Contratación Pública Ecológica de la Administración General del Estado, sus organismos autónomos y las entidades gestoras de la Seguridad Social (2018-2025), que aparece publicado en el BOE de 4 de febrero de 2019.

La pregunta que va a desarrollarse en este trabajo es la siguiente: ¿la contratación pública sirve para atender la vulnerabilidad ambiental? Más aún: ¿la contratación pública debe ser una avanzadilla en la protección del medio ambiente?

2. CARÁCTER ESTRATÉGICO DE LA CONTRATACIÓN PÚBLICA

La contratación pública es una estrategia al servicio de las demás políticas públicas[4]. No se trata de efectuar compras para adquirir bienes, sino que deben perseguirse otros objetivos como son los de carácter ambiental, social o de innovación[5].

La Comisión Europea aprobó, en 2010, la Estrategia Europa 2020, que persigue un crecimiento inteligente, sostenible e integrador. Y en su órbita se inscriben las Directivas sobre contratación pública de

---

[4]   GIMENO FELIÚ (2014: 39-60) lo destacó desde el principio en su libro, donde dedica su capítulo II a una prospectiva estratégica de la contratación pública, desarrollando la puesta en valor de una estrategia de compra pública y las nuevas perspectivas de medidas de compra estratégica. Y así lo resalta también al referirse a la visión de la contratación pública como estrategia en España desde la óptica de la incorporación de las exigencias europeas: hacia un modelo estratégico, eficiente y transparente (GIMENO FELIÚ 2018: 53-59).

[5]   GALLEGO CÓRCOLES (2017: 93) afirma que: «La contratación pública no puede concebirse exclusivamente como una herramienta de aprovisionamiento de los poderes públicos, sino como un poderoso instrumento para llevar a cabo políticas públicas tan diversas como la promoción de la innovación, el fomento de las Pymes o la sostenibilidad social y ambiental».

2014. Así la Directiva 2014/24/UE señala que la modificación de las anteriores Directivas de 2004 se opera con el fin de integrar los objetivos de la Estrategia Europa 2020 dentro de la contratación pública. Su Considerando 95 afirma: «Es de capital importancia aprovechar plenamente las posibilidades que ofrece la contratación pública para alcanzar los objetivos de la Estrategia Europa 2020».

La Comisión Europea aprobó, en 2017, la Comunicación «Conseguir que la contratación pública funcione en Europa y para Europa», en la que destaca el papel estratégico de la contratación pública[6]. Así afirma: «Una parte sustancial de la inversión pública en nuestra economía se destina a la contratación pública, que supone el 14% del PIB de la UE, convirtiéndola en un elemento fundamental del ecosistema inversor. Las autoridades públicas pueden utilizar esta palanca de una manera más estratégica, para obtener una mayor rentabilidad por cada euro de dinero público gastado y contribuir a una economía más innovadora, sostenible, inclusiva y competitiva». Y añade que: «Para **las autoridades públicas**, la contratación es una **potente herramienta para gastar el dinero público de una manera eficiente, sostenible y estratégica**, especialmente en tiempos en los que los presupuestos nacionales están muy ajustados. Una mejor gestión de la contratación, que asciende a 2 billones EUR cada año, puede dar lugar a ahorros significativos en los presupuestos públicos y a más inversión».

Y de forma más rotunda, si cabe, sigue diciendo: «**La contratación pública es un instrumento estratégico** en el conjunto de medidas económicas de cada Estado miembro. La Estrategia para el Mercado Único de 2015 abogaba por sistemas de contratación pública más transparentes, eficientes y responsables. Esto exige pasar de un enfoque puramente administrativo a un enfoque con una perspectiva estratégica y basado en las necesidades, que respete completamente las normas. Con un gasto anual de aproximadamente el 14% del PIB de la UE, la contratación pública puede contribuir a afrontar muchos de los principales retos de Europa, especialmente la consecución de un crecimiento sostenible y la creación de empleo. Puede permitir in-

---

6   Un comentario a esta Comunicación de la Comisión puede verse en MEDINA ARNÁIZ (2020: 81-99).

versiones en la economía real y estimular la demanda para aumentar la competitividad basada en la innovación y en la digitalización, tal como destacaba la Comunicación sobre la industria. También puede promover la transición a una economía circular, eficiente en el uso de recursos y en el uso de la energía, y fomentar el desarrollo económico sostenible y sociedades más equitativas e inclusivas».

Y dentro de las seis prioridades estratégicas, la primera se centra en «garantizar una mayor aceptación de la contratación pública estratégica». Para ello es necesario introducir, entre otros, criterios ambientales en la contratación pública: «La contratación pública estratégica deberá desempeñar un papel mayor para que las administraciones centrales y locales den respuesta a los objetivos sociales, medioambientales y económicos, tales como la economía circular. La incorporación de criterios innovadores, medioambientales y sociales, un uso más extenso de consultas o evaluaciones cualitativas previas a la introducción en el mercado (MEAT) así como la contratación de soluciones innovadoras en la etapa previa a la comercialización requiere no solamente un conjunto muy competente de contratistas públicos, sino sobre todo visión estratégica y compromiso político. Algunos Estados miembros realizaron MEAT, e incluyeron criterios ecológicos obligatorios en sus procedimientos de contratación. Otros podrían considerar establecer objetivos voluntarios para supervisar la adopción. En cualquier caso, para lograr resultados óptimos en la contratación pública, **los criterios estratégicos deben aplicarse de forma sistemática**. Esto puede lograrse mediante un apoyo práctico amplio, tal como la divulgación de normas, metodologías para establecer parámetros de referencia, actualizaciones regulares de etiquetas y criterios de evaluación, y disponibilidad de una biblioteca de buenas prácticas».

La Unión Europea ha aprobado diversos documentos donde se recogen las variables ambientales de la contratación pública. Por un lado, en 2016 publicó la guía «Buying Green» y en 2017 el documento «Public Procurement for an circular economy». Y ya en 2020 ha fijado criterios ambientales para equipos de imágenes, elementos de recambio e impresión dentro del Programa «Green Public Procurement».

Este carácter estratégico de la contratación pública se ha visto acogido en España mediante la Ley 9/2017, de 8 de noviembre, de

Contratos del Sector Público (LCSP), en cuyo preámbulo se afirma: «En la actualidad, nos encontramos ante un panorama legislativo marcado por la denominada "Estrategia Europa 2020", dentro de la cual, la contratación pública desempeña un papel clave, puesto que se configura como uno de los instrumentos basados en el mercado interior que deben ser utilizados para conseguir un crecimiento inteligente, sostenible e integrador, garantizando al mismo tiempo un uso con mayor racionalidad económica de los fondos públicos».

Más adelante el Preámbulo consigna como objetivos de la Ley los de lograr una mayor transparencia y conseguir una mejor relación calidad-precio. Respecto de este segundo objetivo, el Preámbulo indica lo siguiente: «Para lograr este último objetivo por primera vez se establece la obligación de los órganos de contratación de velar por que el diseño de los criterios de adjudicación permita obtener obras, suministros y servicios de gran calidad, concretamente mediante la inclusión de aspectos cualitativos, medioambientales, sociales e innovadores vinculados al objeto del contrato».

Este carácter estratégico de la contratación pública se revela más abiertamente cuando dicho Preámbulo insiste en los verdaderos objetivos de la Ley: «El sistema legal de contratación pública que se establece en la presente Ley persigue aclarar las normas vigentes, en aras de una mayor seguridad jurídica y trata de conseguir que se utilice la contratación pública como instrumento para implementar las políticas tanto europeas como nacionales en materia social, medioambiental, de innovación y desarrollo, de promoción de las PYMES, y de defensa de la competencia».

Así pues, la contratación pública es un instrumento de las políticas ambientales, tendente por tanto a luchar contra la vulnerabilidad ambiental, poniendo medidas que ayuden a una mejor protección del medio ambiente.

Y este carácter estratégico se muestra ya en el art. 1 de la Ley, cuyo apartado 3 dice así: «En toda contratación pública se incorporarán de manera transversal y preceptiva criterios sociales y medioambientales siempre que guarde relación con el objeto del contrato, en la convicción de que su inclusión proporciona una mejor relación calidad-precio en la prestación contractual, así como una mayor y mejor eficiencia en la utilización de los fondos públicos. Igualmente se facilitará el acceso a la contratación pública de las pequeñas y medianas empresas, así como de las empresas de economía social».

Este es uno de los grandes cambios que opera la LCSP 2017 sobre la normativa española precedente. La contratación pública es una estrategia que sirve al cumplimiento de los objetivos ambientales, que tienen que estar presentes dentro de todos los contratos que celebren los entes del sector público. En suma, no puede existir contratación pública sin que se tenga la dimensión ambiental.

Por tanto, la contratación pública no se limita a ser una compra de bienes que precisan las entidades del sector público para cumplir y realizar sus fines institucionales (art. 28.1 LCSP), sino que también es un conjunto de herramientas que incide en otras políticas públicas, entre las que se encuentra la política ambiental.

La LCSP no hace sino seguir el camino abierto por las Directivas de contratación pública de 2014 y por la Comunicación de la Comisión de 3 de octubre de 2017 que insiste en el carácter estratégico de la contratación pública. La cuestión se encuentra en la operatividad de esta estrategia, es decir, en que los entes públicos comprendan que la contratación pública debe ser un medio para la protección ambiental.

3. CUMPLIMIENTO DE LA LEGALIDAD AMBIENTAL Y PROFUNDIZACIÓN EN LA POLÍTICA AMBIENTAL

Conviene diferenciar dos aspectos esenciales dentro de la estrategia ambiental de la contratación pública[7].

En primer lugar, el cumplimiento de la normativa vigente sobre medio ambiente. A ello se refiere el art. 18.2 de la Directiva 2014/24/UE: «Los Estados miembros tomarán las medidas pertinentes para garantizar que, en la ejecución de contratos públicos, los operadores económicos cumplen las obligaciones aplicables en materia medioambiental, social o laboral establecidas en el Derecho de la Unión, el Derecho nacional, los convenios colectivos o por las disposiciones de

---

[7]   FERNÁNDEZ ACEVEDO (2017: 77-127) destaca estos dos aspectos: el cumplimiento efectivo de las obligaciones impuestas por el derecho ambiental y la compra pública ecológica.

Derecho internacional medioambiental, social y laboral enumeradas en el anexo X».

Este cumplimiento de la normativa ambiental obliga a los poderes adjudicadores a su garantía conforme a la normativa ambiental internacional, europea y de cada Estado miembro (Considerando 37).

Como señala el Considerando 40 de esta Directiva: «El control del cumplimiento de dichas disposiciones de Derecho medioambiental, social y laboral debe realizarse en las respectivas fases del procedimiento de licitación, a saber, cuando se apliquen los principios generales aplicables a la elección de participantes y la adjudicación de contratos, los criterios de exclusión y al aplicar las disposiciones relativas a ofertas anormalmente bajas».

Las consecuencias del incumplimiento de la normativa ambiental son varias. Por un lado, constituye una causa de rechazo de la oferta presentada: «Los poderes adjudicadores rechazarán la oferta si comprueban que es anormalmente baja porque no cumple las obligaciones aplicables contempladas en el artículo 18, apartado 2» (art. 69.3 Directiva). También es un motivo que permite excluir al contratista de la licitación: «Los poderes adjudicadores podrán excluir a un operador económico de la participación en un procedimiento de contratación, por sí mismos o a petición de los Estados miembros, en cualquiera de las siguientes situaciones: a) cuando el poder adjudicador pueda demostrar por cualquier medio apropiado que se han incumplido obligaciones aplicables en virtud del artículo 18, apartado 2», (art. 57.4). Asimismo «los poderes adjudicadores rechazarán la oferta si comprueban que es anormalmente baja porque no cumple con las obligaciones aplicables en el artículo 18, apartado 2» (art. 69.3, párr. 2º). Se trata de obligaciones que alcanzan tanto a los contratistas como a los subcontratistas (art. 71.1).

Puede verse un caso de aplicación de la normativa ambiental en los supuestos de que sea necesaria la previa EIA para la ejecución de proyectos públicos, tal como recientemente ha expuesto Pernas García (2020a:152-220).

En segundo lugar, se encuentra la profundización ambiental, es decir, los avances ambientales que debe propiciar una concepción estratégica de la contratación pública. Ya no se trata del simple cumplimiento de la normativa ambiental existente, sino de un plus sobre lo prescrito en las normas, en orden a ir avanzando en los objetivos ambientales fijados en la normativa internacional, europea, española y autonómica[8].

Este segundo aspecto es el que debe ser desarrollado por la estrategia de la contratación pública. Así lo señala el apartado 47 de la exposición de motivos de la Directiva 2014/24/UE: «La investigación y la innovación, incluidas la innovación ecológica y la innovación social, se encuentran entre los principales motores del crecimiento futuro y ocupan un lugar central de la Estrategia Europa 2020. Los poderes públicos deben hacer la mejor utilización estratégica posible de la contratación pública para fomentar la innovación. La adquisición de bienes, obras y servicios innovadores desempeña un papel clave en la mejora de la eficiencia y la calidad de los servicios públicos, al mismo tiempo que responde a desafíos fundamentales para la sociedad. Contribuye a obtener la mejor relación calidad-precio en las inversiones públicas, así como amplias ventajas económicas, medioambientales y sociales, al generar nuevas ideas, plasmarlas en productos y servicios innovadores y, de este modo, fomentar un crecimiento económico sostenible».

Esta doble faceta de la protección ambiental, también queda claramente deslindada en la LCSP de 2017. No cabe duda de que la contratación pública está sometida a las leyes ambientales y que su cumplimiento constituye una premisa ineludible, de modo que en ningún contrato público pueden desconocerse las obligaciones ambientales establecidas en la normativa vigente.

---

[8]   SANZ RUBIALES (2018: 54) lo describe perfectamente: «Cuando los contratos públicos establecen condiciones o requisitos ambientales en los pliegos, no imponen unilateralmente nuevas obligaciones de protección ambiental, pero estimulan la producción "verde" al condicionar la posibilidad de contratar con los poderes públicos al cumplimiento de determinados requisitos (que incluyen el cumplimiento de la normativa ambiental pero que van más allá de lo estrictamente obligatorio); desde esta perspectiva, la política de contratación pública puede configurarse como una técnica de "fomento" o estímulo de la actuación privada "ajustada" al interés público. En efecto, con la contratación verde la Administración estimula a las empresas para que, libremente, cambien sus técnicas de producción, a cambio de la ventaja de participar y, en su caso, ser adjudicatarias de un contrato público. La Ley de Contratos habilita a la Administración para otorgar "beneficios" (vía adjudicación del contrato) a quienes cumplan la prestación pactada de la forma más respetuosa con el medio ambiente».

Es, por ello, que el art. 129 exige que se informe a los contratistas sobre las obligaciones relativas a la protección del medio ambiente. Más aún el art. 201 obliga a los órganos de contratación a dos aspectos: 1) tomar las medidas para garantizar que en la ejecución de los contratos los contratistas cumplen las obligaciones aplicables en materia medioambiental establecidas en el Derecho Internacional, en el derecho de la Unión Europea y en el derecho nacional; y 2) tomar las medidas oportunas para comprobar, durante el procedimiento de licitación, que los candidatos y licitadores cumplen las obligaciones ambientales.

Y asimismo la LCSP considera causa de exclusión de los contratistas que hayan sido condenados por sentencia firme por delitos relativos a la protección del medio ambiente o sancionados con carácter firme por infracción muy grave en materia medioambiental (art. 71.1 letras a) y b)). También es causa de rechazo de la oferta anormalmente baja el incumplimiento de las obligaciones aplicables en materia medioambiental (art. 149.4).

No obstante, la LCSP no se para ahí, en el cumplimiento de obligaciones legales, sino que impone la obligación de perseguir objetivos ambientales que exceden de las exigencias normativas, y que deben ser incorporados en ese avance necesario para la protección ambiental. Se trata de ir creando, mediante la contratación pública, un avance ambiental para atender la vulnerabilidad más allá de lo establecido en la normativa vigente en cada momento. Los desiderata ambientales constituyen un elemento imprescindible de la contratación pública, fomentados y exigidos por la LCSP. Este es el auténtico sentido de lo que la LCSP afirma en su Preámbulo y de lo que enuncian sus arts. 1.3 y 28.2: la integración de aspectos o cláusulas ambientales en la contratación pública es necesaria y, además, positiva.

En este segundo aspecto de las Directivas y de la LCSP, en el sentido de que la contratación pública es una estrategia que debe atender a la vulnerabilidad ambiental, va a centrarse este trabajo, a fin de ofrecer pautas para la introducción de objetivos y aspectos ambientales en la contratación pública, singularmente en los pliegos, y mostrar, asimismo, cuál es la realidad a la que se enfrenta dicha incorporación y cómo vencerla.

4. CÓMO INTRODUCIR LOS AVANCES AMBIENTALES EN LA CONTRATACIÓN PÚBLICA

La introducción de aspectos ambientales en la licitación no es una pura discrecionalidad de los entes del sector público. Es, por el contrario, un imperativo normativo impuesto por las disposiciones de Derecho Internacional y europeo, así como por la legislación española[9].

Así pues, la incorporación de avances ambientales, más allá de los estrictamente ya fijados en las normas vigentes, constituye algo positivo, a pesar de que en el resultado final la licitación provoque la adjudicación del contrato a la oferta más cara económicamente, dado que debe tener en cuenta la mayor calidad ambiental. Es importante tener en cuenta en esta valoración el principio de proporcionalidad.

Adquieren especial relevancia a este respecto las consultas preliminares al mercado. Por un lado, el mercado ofrece productos, obras o servicios de mejor calidad ambiental que exceden de las exigencias legales, que son sólo un mínimo. Por otro, es necesario que los poderes públicos conduzcan al mercado hacia mayores cotas ambientales. Todo ello permitirá definir el diseño verde del objeto del contrato que deberá incorporarse a los pliegos[10].

---

[9]   Según GALLEGO CÓRCOLES (2017: 97), «el contenido prescriptivo del art. 1.3 LCSP no ha de ser desdeñado, ya que el mandato no sólo inequívoco, sino que se acompaña a lo largo de la norma de determinados mecanismos que permiten dotarlo de la necesaria efectividad. La visión estratégica de la contratación pública late en toda la norma».

[10]   ROMÁN MÁRQUEZ (2018: 4) destaca la importancia de la preparación del contrato y afirma que «la determinación del objeto del contrato presenta una enorme potencialidad para la preservación del medio ambiente, pues los poderes adjudicadores pueden elegir la contratación de obras, productos o servicios que por su propia configuración supongan un menor grado de afectación al entorno que otros de naturaleza similar (v.gr. al adquirir un vehículo eléctrico, contratación la construcción de edificios con un alto rendimiento energético o el suministro de bombillas de bajo consumo energético). También es posible exigir que en obras, productos o servicios tradicionales se eliminen determinados componentes o materiales especialmente contaminantes o difíciles de reutilizar, o que su proceso de creación sea respetuoso con el medio ambiente (como al adquirir papel reciclado y sin blanqueamiento por cloro, muebles elaborados con madera sostenible o productos de limpieza no contaminantes)».

Las Directivas y la LCSP[11] contemplan diversos mecanismos para la incorporación de los avances ambientales en la contratación pública[12]. Resumidamente son los siguientes:

- Como solvencia: certificados de gestión ambiental: art. 62 Directiva y art. 94 LCSP.
- Como criterios de adjudicación: arts. 67.2 y 68 Directiva y arts. 145. 2. 1º y 148 LCSP.
- Como condiciones de ejecución: art. 70 Directiva y art. 202 LCSP.
- Especificaciones o prescripciones técnicas: arts. 42 y 43 Directiva y arts. 125 y 126 LCSP.

En cuanto a la solvencia, cabe exigir también una capacidad en materia ambiental como base para que el contratista puede contratar con los poderes adjudicadores[13]. Y ello porque los poderes adjudicadores deben poder exigir que se apliquen medidas o sistemas de gestión medioambiental durante la ejecución de un contrato público (Considerando 88 de la Directiva). Y así dentro de los documentos que permiten la acreditación de la solvencia técnica, la LCSP se refiere a: «En los casos adecuados, indicación de las medidas de gestión medioambiental que el empresario podrá aplicar al ejecutar el contrato» (art. 88.1 f) para el contrato de obras y art. 90.1 f) para el contrato de servicios). Y, además, el art. 91 LCSP exige para los contratos sujetos a regulación armonizada que los medios de acreditación ambiental hagan referencia «al sistema comunitario de gestión y auditoría medioambientales (EMAS) de la Unión Europea, o a otros sistemas de gestión medioambiental reconocidos de conformidad con el artículo 45 del Reglamento (CE) nº 1221/2009, de 25 de noviembre de 2009, o a otras normas de gestión medioambiental basadas en las

---

11   ALONSO GARCÍA (2018: 2804) efectúa una crítica a la regulación de la LCSP, exigiéndole una mayor ambición al legislador español así como advirtiendo los problemas prácticos de los órganos de contratación y de las empresas a la hora de incorporar los avances ambientales.

12   Véase una amplia exposición en RAZQUIN LIZARRAGA (2017: 147-178), Serna Sarmiento (2018: 127-134), MIRANZO DÍAZ (2017: 12-29), y ALONSO GARCÍA (2018: 2753-2807).

13   Véase al respecto VALCÁRCEL FERNÁNDEZ y GÓMEZ FARIÑAS (2018: 79-101).

normas europeas o internacionales pertinentes de organismos acreditados». Y asimismo deben reconocerse los certificados equivalentes de otros Estados miembros, así como «otras pruebas de medidas equivalentes de gestión medioambiental que presente el licitador, y, en particular, una descripción de las medidas de gestión medioambiental ejecutadas, siempre que el licitador demuestre que dichas medidas son equivalentes a las exigidas con arreglo al sistema o norma de gestión medioambiental aplicable».

Los certificados ambientales son exigibles como requisito de solvencia pero no como criterio de adjudicación, tal como han declarado los Tribunales Administrativos de Recursos Contractuales (TARC)[14].

Las especificaciones técnicas son un medio de defensa ambiental. Así el Considerando 74 de la Directiva afirma que «Las especificaciones técnicas elaboradas por los compradores públicos tienen que permitir la apertura de la contratación pública a la competencia, así como la consecución de los objetivos de sostenibilidad». Es cierto que las prescripciones técnicas no se pueden convertir en barreras del mercado (art. 126. 1 LCSP), de ahí la importancia de las consultas preliminares al mercado en orden a conocer cuál es el estado del mismo respecto de una obra, un suministro o un servicio (art. 115 LCSP). En concreto, la LCSP establece la siguiente exigencia: «Siempre que el objeto del contrato afecte o pueda afectar al medio ambiente, las prescripciones técnicas se definirán aplicando criterios de sostenibilidad y protección ambiental, de acuerdo con las definiciones y principios regulados en los artículos 3 y 4, respectivamente, de la Ley 16/2002, de 1 de julio, de Prevención y Control Integrados de la Contaminación». Por otra parte, el etiquetaje ambiental puede servir como medio para la adquisición de obras suministros o servicios con características específicas de tipo ambiental (art. 127.2 LCSP).

Los poderes adjudicadores pueden introducir condiciones especiales de ejecución del contrato, que contengan consideraciones de tipo ambiental (art. 70 Directiva). Y el art. 202 LCSP ofrece una

---

14   SANTIAGO FERNÁNDEZ (2018: 73-74) cita diversas Resoluciones de los TARC así como Informes de la Junta Consultiva de Contratación Administrativa del Estado que sostienen esta aclaración. Asimismo, puede verse HERNÁEZ SALGUERO (2018: 189-206).

enumeración ejemplificativa de las condiciones de ejecución de carácter ambiental: «En particular, se podrán establecer, entre otras, consideraciones de tipo medioambiental que persigan: la reducción de las emisiones de gases de efecto invernadero, contribuyéndose así a dar cumplimiento al objetivo que establece el artículo 88 de la Ley 2/2011, de 4 de marzo, de Economía Sostenible; el mantenimiento o mejora de los valores medioambientales que puedan verse afectados por la ejecución del contrato; una gestión más sostenible del agua; el fomento del uso de las energías renovables; la promoción del reciclado de productos y el uso de envases reutilizables; o el impulso de la entrega de productos a granel y la producción ecológica»[15].

Merece detenerse en los criterios de adjudicación, puesto que es donde se plantean mayores problemas dado que constituyen elementos de evaluación de las ofertas, que provocan la adjudicación del contrato en favor de un concreto licitador[16].

En primer término, cabe referirse al cambio de concepto que introduce la Directiva, dejando de lado el relativo a la «oferta económicamente más ventajosa», y abriendo paso al nuevo concepto de la «mejor relación calidad-precio», concepto mucho más amplio que el anterior y que lo comprende (Considerando 89 Directiva). No cabe duda que el principio de igualdad de trato es esencial en la contratación pública (Considerando 90) y que por tanto debe estar presente en la adjudicación de los contratos. No obstante, este principio no es contrario a la admisión de cláusulas ambientales en la contratación pública, a cuyo efecto la Directiva (y la LCSP) ofrecen pautas para dicha incorporación. Por eso, la Directiva alienta a los poderes adjudicadores a introducir dichas cláusulas ambientales (Considerando 92), para lo que ofrece importantes reflexiones sobre el cálculo del coste del ciclo de vida, a fin de que se incluyan los costes atribuidos a

---

15   GUERRERO (2018: 174) examina las condiciones especiales de ejecución y su inclusión en la contratación pública. Y señala que «las condiciones especiales de ejecución constituyen requisitos objetivos fijos que determinan la forma concreta en que deberá actuar el adjudicatario para cumplir con las previsiones del contrato. Por este motivo resultan especialmente eficaces en la protección del medio ambiente». Asimismo, insiste en el necesario control de su cumplimiento.

16   Véase una amplia exposición en SOLA TEYSSIERE (2018: 125-161); y también en VÁZQUEZ MATILLA (2017: 217-223), GALLEGO CÓRCOLES (2017: 99-104).

factores medioambientales externos (Considerando 96) y se integren consideraciones ambientales relativas a todas las fases del ciclo de vida «desde la extracción de materias primas para el producto hasta la fase de la eliminación del producto, incluidos los factores que intervengan en el proceso específico de producción, prestación o comercio de dichas obras y sus condiciones, suministros o servicios, o un proceso específico en una fase ulterior de su ciclo de vida, incluso cuando dichos factores no formen parte de su sustancia material. Entre los criterios y condiciones relativos a dicho proceso de producción o prestación figura, por ejemplo, que en la fabricación de los productos adquiridos no se hayan utilizado productos químicos tóxicos, o la de que los servicios adquiridos se presten utilizando máquinas eficientes desde el punto de vista energético».

La LCSP, siguiendo lo dispuesto por las Directivas europeas, no sólo permite sino que exige que las variables ambientales sean consideradas como criterios de adjudicación (art. 145)[17]. Incluso introduce una regulación específica del coste del ciclo de vida[18], donde lo importante será cuantificar los aspectos de dicho coste a los efectos de valorarlos en la adjudicación (art. 148)[19].

El problema se encuentra en la vinculación de las cláusulas ambientales con el objeto del contrato[20], que viene exigido por el art. 67.3 de la Directiva. El art. 145 LCSP reproduce lo establecido por la Directiva en los siguientes términos:

---

[17] En palabras de BLANCO LÓPEZ (2018 1283): «La nueva Ley de contratos del sector público ha integrado de forma decidida los planteamientos propicios para la implantación de una contratación pública estratégica y, entre otras regulaciones, ha fijado con detalle en el artículo 145 los criterios de adjudicación que la hagan posible».

[18] GARCÍA SAURA (2019:545) afirma que «la problemática fundamental que se suscita por el CCV es su aplicación práctica una vez determinados los objetivos, condiciones, costes y otras consideraciones sobre criterios objetivamente verificables, accesible a las partes interesadas, información necesaria». Para una explicación técnica del ciclo de vida me remito a LETÓN GARCÍA (2018: 347-365).

[19] SANZ RUBIALES (2018: 70-74) considera que el coste del ciclo de vida muestra que los costes ambientales son también costes económicos. Véase también Sarasíbar Iriarte (2017: 129-145) y LAZO VITORIA (2018: 136-144).

[20] Sobre la vinculación de las cláusulas ambientales al objeto del contrato véase SANZ RUBIALES (2018: 59-65).

«Se considerará que un criterio de adjudicación está vinculado al objeto del contrato cuando se refiera o integre las prestaciones que deban realizarse en virtud de dicho contrato, en cualquiera de sus aspectos y en cualquier etapa de su ciclo de vida, incluidos los factores que intervienen en los siguientes procesos:

a) en el proceso específico de producción, prestación o comercialización de, en su caso, las obras, los suministros o los servicios, con especial referencia a formas de producción, prestación o comercialización medioambiental y socialmente sostenibles y justas;

b) o en el proceso específico de otra etapa de su ciclo de vida, incluso cuando dichos factores no formen parte de su sustancia material».

Como puede verse tanto la Directiva como la LCSP se caracterizan por ofrecer una concepción amplia de esa vinculación de las cláusulas ambientales con el objeto del contrato. Así pues, no debieran existir especiales dificultades para la incorporación de cláusulas ambientales en los Pliegos a los efectos de valorar la mejor oferta en su relación calidad-precio. Sin embargo, como de inmediato se va a desarrollar los Tribunales Administrativos de Recursos Contractuales están poniendo trabas a estas disposiciones legales con una interpretación restrictiva del concepto de objeto del contrato, y por tanto limitan la inclusión de cláusulas ambientales en los pliegos.

5. LA REALIDAD: LAS DIFICULTADES PARA LA INCORPORACIÓN DE LOS AVANCES AMBIENTALES EN LA CONTRATACIÓN PÚBLICA

A pesar de la meridiana claridad de las disposiciones de las Directivas europeas y de la LCSP, la realidad muestra las enormes dificultades con que se está encontrando la incorporación en los Pliegos de los avances ambientales en la contratación pública, singularmente en cuanto a su consideración como criterios de adjudicación[21].

Una interesante exposición de la doctrina de los TARC puede verse en el estudio de Santiago Fernández (2018:79-89), que aborda de forma más extensa los aspectos ambientales como criterios de adjudicación en la etapa anterior a la LCSP. Por un lado, se admite

---

[21] Véase FERNÁNDEZ DE GATTA SÁNCHEZ (2020: 159-214)

su posibilidad, como ocurría en el caso examinado de exigencia de contenedores reutilizables para residuos en centros hospitalarios. Por otro, los TARC exigían la concreción de los criterios de adjudicación, es decir, su forma de ponderación.

Sin embargo, ya con la aplicación efectiva de la LCSP han surgido problemas con la admisión de las cláusulas ambientales como criterios de adjudicación.

Pernas García (2020b) ha denunciado la doctrina de los TARC que limitan o vedan la introducción de criterios ambientales en los Pliegos, sobre todo, por entender que no tienen relación con el objeto del contrato, por cuanto frente a la claridad de las Directivas y de la LCSP, el Tribunal Administrativo Central de Recursos Contractuales (TACRC) «hace aparecer de la nada, de su chistera creativa, unos criterios doctrinales (particularmente el de los "requisitos intrínsecos" de los criterios de adjudicación y el objeto "restringido" del contrato), con vocación de aplicación general a todos los criterios de valoración estratégicos, que solo se entienden desde un posicionamiento apriorístico contrario al enfoque estratégico de la contratación pública» (p. 13). Y realiza un análisis crítico de la Resolución del TACRC 235/2019, de 11 de abril, señalando que su doctrina va en contra de la compra pública estratégica exponiendo seis puntos en los que centra su discrepancia. Interesa detenerse en el tercer punto frente a la afirmación del TACRC de que los criterios (ambientales) «… no pueden constituir criterios de adjudicación aquellos que no permiten evaluar comparativamente las ofertas en términos de su rendimiento sobre el objeto del contrato, en cuanto no afectan a la calidad de su ejecución ni, por ello, a su valor económico». Pernas García se opone a esta afirmación señalando que hay que diferenciar dos tipologías de criterios:

> «— Criterios de calidad, entendida esta en sentido estricto (como un mejor rendimiento operativa o funcional de la prestación), vinculados a objetivos estratégicos. En este supuestos, el juicio de proporcionalidad aplicable por los Tribunales administrativos, debe exigir lógicamente el cumplimiento del "subtest" de "adecuación" o "utilidad". Si se plantea un criterio social o laboral sobre la base de su incidencia en la mejora de la calidad de los servicios (como, por ejemplo, los criterios referidos al incremento salarial o a la experiencia profesional del concreto personal encargado de la ejecución), deberá quedar acreditado que contribuye a mejorar el rendimiento funcional y la calidad de la prestación. En caso contrario se trataría de un criterio desproporcionado. Es en este espacio donde tiene

sentido la doctrina del TARC definida en su Resolución 235/2019. Con estos mimbres el Tribunal podría haber resuelto de forma específica este caso en relación a las "mejoras salariales", como criterio de adjudicación, sin desarrollar una doctrina de alcance general que frena el uso estratégico de la contratación pública vulnerando el efecto útil de la Directiva y sus concretas previsiones.

— Criterios estratégicos en sentido estricto. En este caso se trata de criterios que permiten valorar característica de la prestación que no tienen incidencia directa en la mejora de la calidad de la prestación. Posibilitan valorar el rendimiento social, laboral o ambiental de las ofertas, pero no necesariamente su repercusión en el rendimiento operativo o económico de la prestación. Estaríamos antes medidas proporcionadas, al menos desde la perspectiva de la aplicación del *test* de utilidad o adecuación, si sirven para alcanzar fines de mejora ambiental, social o laboral definidos por órgano de contratación»[22].

Y concluye que estos criterios estratégicos no pueden ser objeto de control de los TARC, dado que deben ser definidos por el órgano de contratación. Y, además, los TARC deben tener en cuenta que tanto la Directiva como la LCSP permiten a los órganos de contratación utilizar los criterios ambientales, de una forma amplia y no restrictiva, como se deriva de la doctrina de los TARC.

Esta doctrina limitadora (y en ciertos casos delimitadora) de la incorporación de los avances ambientales se ha seguido plasmando en otras Resoluciones posteriores del TACRC.

Por un lado, la Resolución 394/2020, de 12 de marzo, examina un caso de denuncia de falta de pluralidad de criterios en los Pliegos de un contrato de «Servicio de vigilancia y mantenimiento del paisaje protegido de la desembocadura del río Mijares». El TACRC desestima el recurso especial por entender de aplicación la letra g) del art. 145.3 LCSP, y por tanto se da un supuesto de que el precio sea el único criterio de adjudicación. Sin embargo, su exigua fundamentación concluye que no resulta aplicable la letra h), con una afirmación que no puede compartirse: «Pues bien, el Tribunal considera que no se produce este supuesto de hecho, porque interpreta que el impacto sobre el medio ambiente a que hace referencia la Ley de Contratos es un impacto negativo, que es, precisamente, lo contrario a lo que se pretende con

---

[22]   PERNAS GARCÍA (2020b: 8 y 9).

este contrato: preservar el medio ambiente del Paisaje Protegido de la desembocadura del Rio Mijares». Y no comparto dicha afirmación puesto que la letra h) encierra no sólo valores «negativos» sino también «positivos» de avances ambientales en la preservación del medio ambiente, lo que afecta de forma especial a las medidas relativas a la vulnerabilidad ambiental.

Por el contrario, la Resolución 10/2020, de 9 de enero, estimó el recurso contra los pliegos que fijaban un único criterio de adjudicación. Así el TACRC afirma lo siguiente para exigir que se incorporen más criterios de adjudicación: «Debe tenerse en cuenta que, con arreglo a lo establecido en la Exposición de Motivos de la LCSP, "Los objetivos que inspiran la regulación contenida en la presente Ley son, en primer lugar, lograr una mayor transparencia en la contratación pública, y en segundo lugar el de conseguir una mejor relación calidad-precio. Para lograr este último objetivo por primera vez se establece la obligación de los órganos de contratación de velar por que el diseño de los criterios de adjudicación permita obtener obras, suministros y servicios de gran calidad, concretamente mediante la inclusión de aspectos cualitativos, medioambientales, sociales e innovadores vinculados al objeto del contrato". Y justamente a la consecución de este último objetivo obedece la novedosa regulación del artículo 145 de la LCSP, entre la que se incluye la exigencia de que los criterios relacionados con la calidad representen, al menos, el 51 por ciento de la puntuación asignable en la valoración total de las ofertas para los contratos de servicios (sin distinción) incluidos en el Anexo IV».

Por otra parte, la Resolución 684/2020, de 19 de junio, y la Resolución 976/2020, de 11 de septiembre, anulan el criterio del pliego sobre el porcentaje de energía renovable en el suministro de energía eléctrica.

Así la Resolución 684/2020 vuelve de nuevo a examinar la vinculación de los criterios de adjudicación ambientales con el objeto del contrato. Examina la incorporación como criterio de adjudicación del siguiente: «Etiquetado energético, auditorías ambientales, análisis huella de carbono, auditorías energéticas, corrección del factor de potencia, información, curvas de carga, o cualquier otro servicio de características medioambientales (se asignará 5 puntos a cada una, hasta un máximo de 35 puntos). Energía procedente de fuentes de energía renovable, según el Certificado de Garantías de Origen de la CNMC, del último informe publicado a fecha de presentación de ofertas. El porcentaje mínimo puntuable será el 50% (se asignará un máximo de 10 puntos en intervalos de 2 de 50% a 100%)».

Por un lado, recuerda su doctrina: «Este Tribunal ha declarado en numerosas ocasiones que el órgano de contratación goza de una amplia discrecionalidad a la hora de seleccionar los criterios de adjudicación que considere más idóneos en cada caso, si bien esa facultad tiene su límite en la exigencia de que los criterios de adjudicación seleccionados guarden una vinculación directa con el objeto del contrato y no con características o circunstancias de la empresa licitadora». Y con apoyo en la doctrina de otros TARC (Madrid y Castilla y León) señala que este criterio no es objetivo sino subjetivo y además vinculado a una etiqueta, lo que lo hace contrario a lo dispuesto en el art. 145 LCSP. Y de ahí concluye aceptando la fijación por los Pliegos como condición especial de ejecución de tipo medioambiental (artículo 202 de la LCSP) la «Reducción de las emisiones de gases de efecto invernadero. Certificado de Garantías de Origen correspondientes al 100% procedentes de energía renovables de la energía suministrada en este contrato, certificado por la CNMC» (tal y como se recoge en el apartado 26.2.2 del Cuadro de Características del PCAP), pero no el criterio de valoración 1 (A1) del apartado 17.2.2 del Cuadro de Características, que valora una circunstancia ajena a las características de la prestación del contrato y no vinculada al objeto del contrato, como era el «Etiquetado energético, auditorías ambientales, análisis huella de carbono, auditorías energéticas, corrección del factor de potencia, información, curvas de carga, o cualquier otro servicio de características medioambientales (se asignará 5 puntos a cada una, hasta un máximo de 35 puntos). Energía procedente de fuentes de energía renovable, según el Certificado de Garantías de Origen de la CNMC, del último informe publicado a fecha de presentación de ofertas. El porcentaje mínimo puntuable será el 50% (se asignará un máximo de 10 puntos en intervalos de 2 de 50% a 100%)», que permitía asignar a los licitadores hasta un máximo de 45 puntos.

La Resolución 976/2020 del TACRC adopta similar posición respecto de otro Pliego relativo al contrato de «servicio de mantenimiento integral respetuoso con el medio ambiente y la salud laboral del Centro de Investigación Biomédica de La Rioja, CIBIR. Fundación

Rioja Salud». En dicho recurso especial la empresa recurrente consideraba que «dos de los criterios de adjudicación evaluables de forma automática no se ajustan a lo establecido en la LCSP, en particular por falta de vinculación al objeto del contrato exigida por el art. 145 de la LCSP. Específicamente los criterios cuestionados son los previstos, bajo el Apartado 8, 1.3 de los PCAP ("Calidad del servicio"), por los que se prevé la valoración de estar en posesión del Certificado de Gestión Energética ISO 50.001 (valorado con 2 puntos) y el Certificado de Seguridad de la Información ISO 27.001 (valorado con 2 puntos)».

El TACRC expone cuál viene siendo su posición al respecto: «este Tribunal ha mantenido un criterio general desfavorable a la utilización de certificados de calidad como criterios de valoración, por entender que en realidad se trataban de criterios que revelaban la solvencia de las empresas licitadoras pero sin conexión con el objeto del contrato». Aunque dicha posición ha variado más recientemente: «Ahora bien, es cierto que de igual modo este Tribunal en recientes resoluciones, en particular la Resolución 786/2019, de 11 de julio, con referencia los argumentos de la Resolución 456/2019, ha venido modificando el criterio que el Tribunal venía manteniendo sobre los certificados de sistemas de calidad». Y da un aviso importante para los órganos de contratación: «Tal y como indicamos en la Resolución 456 y 786/2019, el Tribunal carece de los conocimientos técnicos suficientes para resolver en qué medida los sistemas de calidad, gestión, medioambientales o de salud en el trabajo que tenga implantados la empresa incidirán en la prestación concreta que es objeto del contrato de servicios que se pretende contratar, pero esta justificación debería haber sido incluida en el expediente, tal y como resulta exigible en el artículo 116 de la LCSP; y la falta de motivación del vínculo entre los citados sistemas y el objeto del contrato, por sí sola, puede dar lugar a la infracción de la citada norma».

Para ello el TACRC analiza los certificados exigidos para negarles a ambos el valor de criterio de adjudicación: «Por consiguiente, la consideración de que, con el mencionado certificado se constata que la empresa tiene medios a su disposición que van a redundar en una mejor prestación del servicio es una cuestión que, propiamente, se refiere a la solvencia técnica del empresario, pero que como tal no sirve como criterio que, por su vinculación al objeto del contrato, permita una comparación cualitativa de las cualidades intrínsecas de las distintas ofertas planteadas por los licitadores». Y concluye lo siguiente: «Por consiguiente, atendidas las circunstancias del presente caso y, en concreto, del objeto de las prestaciones en que porque los citados certificados, en el presente caso, únicamente acreditarían aspectos organizativos actualmente existentes en los licitadores, pero no permiten realizar una evaluación comparativa de las ofertas respecto de su calidad intrínseca».

6. CONCLUSIÓN

La normativa ambiental (europea y española) exigen la incorporación de cláusulas de avances ambientales que apoyen la protección del medio ambiente y prevengan la vulnerabilidad de los recursos naturales. No cabe duda de ello.

Sin embargo, los poderes adjudicadores no utilizan en la medida suficiente las posibilidades que les brinda el ordenamiento jurídico. Y a veces la emplean sin ajustarse a las características de cada uno de los mecanismos de incorporación de cláusulas ambientales o sin la correspondiente justificación adecuada de su inclusión. Además, los TARC también mantienen una posición restrictiva, especialmente, en orden a su incorporación como criterios de adjudicación exigiendo una vinculación con el objeto del contrato con una interpretación restrictiva que no se encuentra en las Directivas ni en la LCSP.

Por tanto, sería deseable que, primero, los órganos de contratación formularan unos Pliegos en los que se incorporaran cláusulas ambientales, también como criterios de adjudicación, acordes con lo dispuesto en las Directivas y en la LCSP[23], y luego que los TARC efectuaran

---

23   SOLA TEYSSIERE (2018: 131) señala que «la aplicación del criterio de vinculación al objeto debe llevar, como regla de principio, a excluir de los criterios de adjudicación todos aquellos aspectos relacionados con las cualidades subjetivas de los licitadores, que deben ser utilizados, en su caso en la fase previa de selección de contratistas. Dicho de otro modo, como pauta los criterios de adjudicación deben centrarse en todos aquellos elementos que respondan al *qué* o el *cómo* vinculados al objeto y características de la prestación contractual, mientras que los aspectos que respondan al *quién* normalmente aparecerán asociadas a las características del sujeto ofertante y deben incluirse entre los criterios de selección».

una interpretación amplia de su inclusión por estar vinculados al objeto del contrato[24], todo ello bajo el prisma del carácter estratégico de la contratación pública[25].

El panorama de la contratación pública parece enfrentarse a un nuevo cambio con motivo de la respuesta a la crisis del coronavirus COVID-19. La Unión Europea ha aprobado un programa extraordinario de ayudas a los Estados miembros denominado Next Generation EU, por importe de 750.000 millones de euros, de los que 140.000 millones parece que corresponderán a España. Este programa va a incidir en dos vertientes fundamentales: el medio ambiente y la digitalización.

Para la aplicación de estos fondos europeos en España ya se habla[26] de una modificación de la LCSP, que deberá tener en cuenta los objetivos europeos. Incluso la prensa ha informado que el Gobierno de España ha encargado a cinco grandes despachos de abogados el estudio de la reforma de la LCSP.

Confiemos en que el dinero europeo constituya un apoyo decisivo en relación con la vulnerabilidad ambiental[27].

---

[24] GALLEGO CÓRCOLES (2017: 99) se refiere a «la relajación de la exigencia de vinculación con el objeto del contrato».

[25] ROMÁN MÁRQUEZ (2018: 10) insiste también en la necesidad que los TARC y los tribunales de justicia flexibilicen el vínculo de los criterios ambientales con el objeto del contrato.

[26] Así puede verse GIMENO FELIÚ (2020) y VÁZQUEZ MATILLA (2020).

[27] VÁZQUEZ MATILLA (2020) ofrece ideas para dar solución a los problemas de la aplicación de la LCSP para la gestión de los fondos europeos a fin de evitar luego las dolorosas correcciones financieras. Y ofrece una reflexión que resala una concepción, ahora más que nunca, estratégica de la contratación pública: «Sin perjuicio de proponer en este trabajo algunas medidas que podrían flexibilizar la excesiva burocratización de la contratación pública, es necesario, pensar en grande, buscar inversiones estratégicas, innovadoras, sostenibles, y que generen un efecto tractor de la economía y de los modelos empresariales actuales en España. Es posible hacerlo incluso sin modificaciones legislativas. Es necesario adoptar comportamientos, protocolos y estrategias destinados a hacer de la contratación pública una actividad verdaderamente estratégica y que consiga, en este caso, lo perseguido, el máximo volumen de fondos para España y su utilización estratégica».

BIBLIOGRAFÍA

ALONSO GARCÍA, M. C., «Contratación pública ecológica». En GAMERO CASADO, E. y GALLEGO CÓRCOLES, I. (Dir.): *Tratado de contratos del sector público* (pp. 2753-2807). Valencia: Tirant lo Blanch, 2018.

ALONSO GARCÍA, M. C., «Compra pública ecológica». Gabilex: *Revista del Gabinete Jurídico de Castilla-La Mancha*, 2019, 159-176, 2019.

ARAGÂO, A., «Los criterios ambientales de valoración y adjudicación en la contratación pública: situación actual y desarrollos futuros». En GALÁN VIOQUE, R. (Dir.): *Las cláusulas ambientales en la contratación pública* (pp. 153-178). Sevilla: Universidad de Sevilla, 2018.

BLANCO LÓPEZ, F., «Los criterios de adjudicación en la contratación pública estratégica». En GIMENO FELIÚ, J. M.: *Estudio sistemático de la ley de contratos del sector público* (pp. 1271-1296). Cizur Menor (Navarra): Aranzadi, 2018.

FERNÁNDEZ ACEVEDO, R., «Los retos ambientales de las nuevas Directivas. La contratación pública como herramienta». En RAZQUIN LIZARRAGA, M. M. (Dir.): *Nueva Contratación Pública: mercado y medio ambiente* (pp. 77-127). Thomson Reuters Aranzadi. Cizur Menor (Navarra): Aranzadi, 2017.

FERNÁNDEZ ACEVEDO, R., «Incorporación cláusulas ambientales en la contratación pública». En LAZO VITORIA, X: *Compra pública verde* (pp. 29-51). Barcelona: Atelier, 2018.

FERNÁNDEZ DE GATTA SÁNCHEZ, D., «La progresiva integración del medio ambiente en la actividad contractual y convencional de las Administraciones Públicas». En GALÁN VIOQUE, R. (Dir.): *Las cláusulas ambientales en la contratación pública* (pp. 23-48). Sevilla: Universidad de Sevilla, 2018.

FERNÁNDEZ DE GATTA SÁNCHEZ, D., «La contratación del sector público y la protección del medio ambiente». En QUINTANA LÓPEZ, T. (Dir.): *La contratación pública estratégica en la contratación del sector público* (pp. 159-214). Valencia: Tirant lo Blanch, 2020.

GALÁN VIOQUE, R. (Dir.), *Las cláusulas ambientales en la contratación pública*. Sevilla: Universidad de Sevilla, 2018.

GALLEGO CÓRCOLES, I., «La integración de cláusulas sociales, ambientales y de innovación en la contratación pública». *Documentación Administrativa*, 4, 92-113, 2017.

GARCÍA SAURA, P. J., «La bonificación de la eficiencia medioambiental del operador económico a través del coste del ciclo de vida». En PARDO LÓPEZ, Mª y SÁNCHEZ GARCÍA. A., (Dirs.): *Inclusión de cláusulas sociales y medioambientales en los pliegos de contratos públicos. Guía práctica profesional* (pp. 527-546). Cizur Menor (Navarra): Thomson Aranzadi, 2019.

GIMENO FELIÚ, J. M., *El nuevo paquete legislativo comunitario sobre contratación pública. De la burocracia a la estrategia. El contrato público como herramienta del liderazgo institucional de los poderes públicos.* Cizur Menor: Thomson-Aranzadi, 2014.

GIMENO FELIÚ, J. M., «La nueva regulación de la contratación pública en España desde la óptica de la incorporación de las exigencias europeas: hacia un modelo estratégico, eficiente y trasparente». En GIMENO FELIÚ, J. M.: *Estudio sistemático de la ley de contratos del sector público* (pp. 47-132). Cizur Menor (Navarra): Aranzadi, 2018.

GIMENO FELIÚ, J. M., «Los pilares de Next Generation EU y la contratación pública». *Observatorio de Contratación Pública.* hhtp://obcp/opiniones. 06/10/2020, 2020.

GONÇALVES MONIZ, A. R. y ROMÁN MÁRQUEZ, A., «La inclusión de criterios ambientales durante la fase de preparación de los contratos públicos. Regulación en los ordenamientos jurídicos portugués y español». En GALÁN VIOQUE, R. (Dir.): *Las cláusulas ambientales en la contratación pública* (pp. 91-123). Sevilla: Universidad de Sevilla, 2018.

GUERRERO, C., «La inclusión de condiciones especiales de ejecución como medida efectiva para la defensa del medio ambiente a través de la contratación pública». *Revista Aragonesa de Administración Pública*, Extra 19, 141-177, 2018.

HERNÁEZ SALGUERO, E., «Las cláusulas de estrategia medioambiental en la doctrina de los Tribunales de Recursos Contractuales». Capítulo 9 de LAZO VITORIA, X: *Compra pública verde* (pp. 189-206). Barcelona: Atelier, 2018.

LAZO VITORIA, X., «La perspectiva ambiental de la Ley 9/2017, de contratos del sector público, especial referencia al coste del ciclo de vida». Capítulo 5 de LAZO VITORIA, X: *Compra pública verde* (pp. 129-144). Barcelona: Atelier, 2018.

LAZO VITORIA, X: *Compra pública verde*. Barcelona: Atelier.

LETÓN GARCÍA, P., «El análisis del ciclo de vida: metodologías y aplicaciones». Capítulo 17 de LAZO VITORIA, X: *Compra pública verde* (pp. 347-365). Barcelona: Atelier, 2018.

MEDINA ARNÁIZ, T., «La contratación pública estratégica». En QUINTANA LÓPEZ, T. (Dir.): *La contratación pública estratégica en la contratación del sector público* (pp. 81-99). Valencia: Tirant lo Blanch, 2020.

MIRANZO DÍAZ, J., «Hacia una Administración Pública sostenible: novedades en la legislación europea de contratación pública». *Actualidad Jurídica Ambiental*, 64, 2017.

PARDO LÓPEZ, Mª y SÁNCHEZ GARCÍA. A., (Dirs.), *Inclusión de cláusulas sociales y medioambientales en los pliegos de contratos públicos. Guía práctica profesional*. Cizur Menor (Navarra): Thomson Aranzadi, 2019.

PERNAS GARCÍA, J. J., «El uso de las etiquetas ambientales en la contratación pública». En LAZO VITORIA, X: *Compra pública verde* (pp. 103-128). Barcelona: Atelier, 2018.

PERNAS GARCÍA, J. J.,: «Intervención administrativa ambiental y contratación pública. A propósito de la evaluación de impacto ambiental de proyectos públicos». *Revista Aragonesa de Administración Pública*, 55, 152-220, 2020.

PERNAS GARCÍA, J. J., «El Tribunal Administrativo Central de Recursos Contractuales: ¿fuente de seguridad jurídica o de confusión en la utilización de criterios o cláusulas ambientales? Análisis de la doctrina del TARC y su perjuicio injustificado al uso estratégico de la compra pública». *Contratación Administrativa Práctica*, 168, 2020.

RAZQUIN LIZARRAGA, M. M. (Dir.), *Nueva Contratación Pública: mercado y medio ambiente*. Cizur Menor (Navarra): Thomson Reuters Aranzadi, 2017.

RAZQUIN LIZARRAGA, M. M., «Mecanismos para la inclusión de cláusulas ambientales en los contratos públicos». En RAZQUIN LIZARRAGA, M. M. (Dir.): *Nueva Contratación Pública: mercado y medio ambiente* (p. 147-178). Cizur Menor (Navarra): Thomson Reuters Aranzadi, 2017.

ROMÁN MÁRQUEZ, A., «Contratación pública ecológica y objeto del contrato: el diseño "verde" de las prestaciones contractuales en el derecho comunitario e interno». *Revista Aranzadi de derecho ambiental*, 39, 97-134, 2018.

SANTIAGO FERNÁNDEZ, M. J., «Doctrina de los Tribunales Administrativos de recursos contractuales en relación a los aspectos medioambientales de la contratación pública». En GALÁN VIOQUE, R. (Dir.): *Las cláusulas ambientales en la contratación pública* (pp. 65-90). Sevilla: Universidad de Sevilla, 2018.

SANZ RUBIALES, I., «La protección del ambiente en la nueva ley de contratos: del Estado meramente "comprador" al Estado "ordenador"». *Revista de Administración Pública*, 205, 49-80, 2018.

SARASIBAR IRIARTE, M., «Cláusulas ambientales en la contratación pública: Referencia al ciclo de vida como criterio de adjudicación». En RAZQUIN LIZARRAGA, M. M. (Dir.) (2017): *Nueva Contratación*

Pública: mercado y medio ambiente (p. 129-145). Cizur Menor (Navarra): Thomson Reuters Aranzadi, 2017.

SERNA SARMIENTO, D., «Mecanismos para la protección del medio ambiente en la nueva Ley de Contratos del Sector Público». *Revista Aragonesa de Administración Pública*, XIX, 117-139, 2018.

SOLA TEYSSIERE, J., «Las cláusulas ambientales como criterios de adjudicación del contrato». En GALÁN VIOQUE, R. (Dir.): *Las cláusulas ambientales en la contratación pública* (pp. 125-161). Sevilla: Universidad de Sevilla, 2018.

TAVARES DA SILVA, S., «Sostenibilidad ambiental en las Directivas sobre contratación pública». En GALÁN VIOQUE, R. (Dir.): *Las cláusulas ambientales en la contratación pública* (pp. 49-63). Sevilla: Universidad de Sevilla, 2018.

VALCÁRCEL FERNÁNDEZ, P. y GÓMEZ FARIÑAS, B., «Criterios de solvencia y exigibilidad de certificados de gestión ambiental». Capítulo 3 de LAZO VITORIA, X: *Compra pública verde* (pp. 79-101). Barcelona: Atelier, 2018.

VÁZQUEZ MATILLA, F. J., «Los criterios de adjudicación del contrato. Definición y aplicación práctica», Capítulo III del libro RAZQUIN LIZARRAGA, M. M. y VÁZQUEZ MATILLA, F. J. (pp. 163-242). Cizur Menor (Navarra): Thomson Reuters Aranzadi, 2017.

VÁZQUEZ MATILLA, F. J., «Fondos europeos COVID-19: pautas para la gestión exitosa de las contrataciones públicas maximizando los fondos y evitando las correcciones». *Contratación Administrativa Práctica*, 170, 2020.

Capítulo 13
VULNERABILIDAD Y DERECHO A LA CIUDAD: RECONSTRUYENDO LAS CIUDADES DEL FUTURO[1][2]

BLANCA SORO MATEO
Profesora Titular de Derecho Administrativo
Universidad de Murcia

1. DERECHO ADMINISTRATIVO, FENÓMENOS GLOBALES Y DECLIVE DE CONCEPTOS: LA CIUDAD GLOBAL

1.1. Derecho administrativo y fenómenos globales

El impacto que la globalización ha producido sobre la disciplina administrativa, magníficamente estudiada por parte de nuestra doctrina, es bien conocido: liberalizaciones sobre realidades antes intervenidas, fórmulas de colaboración público-privada en espacios tradicionalmente reservados al sector público, procedimientos administrativos compuestos (en los que participan autoridades procedentes de diversos escalones de poder) colaboración de los sujetos privados en tareas regulatorias, protagonismo de los particulares en la

---

[1]   El presente trabajo se realiza en el marco del Proyecto de investigación BIODE-RECHO AMBIENTAL Y PROTECCIÓN DE LA VULNERABILIDAD: HACIA UN NUEVO MARCO JURÍDICO —BIO-vul— (DER2017-85981-C2-1-R), 2018-2020, Programa Estatal de I+D+i Orientada a los Retos de la Sociedad, 2017.

[2]   El presente estudio es una versión ampliada de la relación presentada en el XV Congreso de Profesores de Derecho Administrativo celebrado en Ibiza los días 7 y 8 de febrero de 2020. *Vid.* SORO MATEO, B., «La ciudad como espacio global», en CONCEPCIÓN BARRERO RODRÍGUEZ, C. y SOCÍAS CAMACHO, J. M., (coords.), *La ciudad del siglo XXI: transformaciones y retos*, INAP, 2020, pp. 823-830.

gestión de lo público, incorporación de modelos de gestión privada al sector público, una importante apuesta por el *soft law* y un sinfín de necesarias y a veces innecesarias y desajustadas reformas normativas para la pretendida adaptación del Derecho Administrativo del siglo XX a la Europa a la que pertenecemos y al mundo en que vivimos en el nuevo siglo XXI.

Otro tanto cabe decir del impacto de la revolución tecnológica, que ha supuesto la incorporación de las nuevas tecnologías al procedimiento administrativo y en general a la gestión del quehacer administrativo, con sus ventajas y con sus inconvenientes, y que ha justificado algunas recientes reformas del clásico derecho administrativo, algunas de ellas derivadas de la necesidad de incorporar el derecho comunitario a nuestro ordenamiento interno, concretamente en sede de contratación pública, y otras veces por imposición de normas sustantivas y procedimentales establecidas, ya no sólo a nivel comunitario sino a nivel mundial. También es conocido que se ha buscado la excusa de la transposición del derecho comunitario para la regresión en algunos ámbitos, como la gestión de los servicios públicos.

En fin, en tercer término, junto a la globalización y la digitalización, el fenómeno global que aún presenta un incipiente impacto en el ordenamiento español es el cambio climático. Tras una primera etapa en la que el negacionismo empañaba el avance de las medidas de mitigación que venían abriéndose paso, la acción jurídica ahora se dirige a la urgente adaptación para corregir la vulnerabilidad climática de algunos grupos y de algunas ciudades, y se alzan voces que invocan la urgencia de climatizar el derecho, los derechos y las instituciones jurídicas[3].

Como se ha venido afirmando en todas las sesiones, la ciudad es ya indiscutiblemente una realidad social en el mundo de hoy y presumiblemente lo será y lo seguirá siendo en el futuro[4].

---

[3]   TORRE SCHAUB, M.,» La construcción del régimen jurídico del clima: Entre ciencia, derecho y política económica», *Revista Catalana de Dret Ambiental*, ISSN-e 2014-038X, Vol. 10, Núm. 1, 2019.

[4]   Según datos de Naciones Unidas, el 70% de la población mundial vivirá en ciudades en el año 2050, y si no cambia esta tendencia, que no es de esperar, el gran reto de la humanidad será adaptar las ciudades al nuevo escenario económico, social y ambiental del siglo XXI. Las sucesivas Cumbres de la ONU sobre

Hasta ahora, como suele suceder con los diversos fenómenos de la realidad, la ciudad ya ha sido objeto de estudio por diversas disciplinas extrajurídicas y sólo más recientemente se convierte en objeto de estudio para juristas, desde la perspectiva política, administrativa, urbanística, social y ambiental. Se ha tratado la ciudad como espacio político —y de la emergencia del derecho a la ciudad y del gobierno desde y para la ciudad— como espacio físico —con la necesidad de regenerar y resolver los problemas y oportunidades que plantea la ciudad turística—, como espacio sostenible —desde el punto de vista ambiental y digital— y hemos de referirnos ahora a la ciudad como espacio global.

Una de las disciplinas no jurídicas que nos han precedido en el estudio de la ciudad como espacio global es la sociología, que en relación con la ciudad ha partido, como es propio, del estudio y análisis empírico de la sociedad urbana y del fenómeno social urbano. Las conocidas aportaciones de Saskia Sassen, sobre todo a partir de su trabajo «*La ciudad global: una introducción al concepto y su historia*» dan cuenta del radical cambio de modelo social que viene gestándose desde 1980, acelerado en los años 90 a partir de la privatización, la desregulación, la apertura del mercado nacional a empresas extranjeras y la participación creciente de los actores económicos de las economías nacionales en el mercado global[5]. Los efectos de este cambio de modelo, agravados por la reciente crisis económica mundial, en el terreno social y ambiental, se convierten ahora en retos irresolubles a corto plazo[6]. La sociología del derecho como campo científico inaugurado por Max Weber al que también acompañaron juristas clásicos

---

ciudades, que se celebran cada 20 años, ha arrojado los siguientes datos: En Vancouver (1976), el 30% de la humanidad vivía en ciudades, en Estambul (1996) el 40% de la humanidad vivía en ciudades, en Quito (2016), 54% de la humanidad vivía en ciudades.

[5] SASSEN, S. *La ciudad global*. The Global City, New York, London, Tokyo. Princeton: Princeton University Press, 2001.

[6] El origen del término «ciudad global» lo encontramos en la Sociología, de la mano de Saskia Sassen, y se aplica a ciudades que tienen influencia notable a nivel mundial en los ámbitos socioeconómico, político y cultural. La ciudad global, por tanto, no coincide con el término megaciudad, megápolis o conurbación que se emplea para designar a las ciudades con una elevada población, normalmente superior a los 2000 habitantes por kilómetro cuadrado. El origen del concepto «ciudad global», en cambio, viene de la mano de la Geografía urbana y estudia

y reconocidos administrativistas como Kelsen, también viene poniendo en evidencia las interacciones entre derecho y sociedad conocidas por todos, destacando la necesidad o más bien conveniencia de desarrollar paralelamente la sociología de la ética y del derecho de forma paralela. Sin ser este el lugar adecuado para resolver las disputas Kelsen-Eugen Ehrlich, si podemos decir que los fenómenos históricos como la emergencia de la relevancia de la ciudad en todos los órdenes son los antecedentes de la producción de normas jurídicas, lo cual corrobora el entendimiento del derecho como producto social[7].

Y resulta la tónica general que nuestra disciplina, el Derecho administrativo, aborde la problemática derivada de los fenómenos sociales una vez que se encuentran implantados, tratando de dar respuestas a las externalidades negativas, como hemos avanzado, que generan sobre los derechos tutelados.

1.2. Declive de conceptos y emergencia de una nueva cultura: territorio, gobierno público

Además de estos los tres fenómenos globales a los que nos hemos referido supra, que generan y a veces agravan vulnerabilidades individuales y de las poblaciones, y que inciden en la ciudad de modo

---

de la estructura y funciones de la ciudad, entendida como paisaje urbano resultado de la revolución urbana teniendo en cuenta el medio ambiente urbano.

[7] ROBLES MORCHÓN, G., La polémica entre Kelsen y Ehrlich en torno a la naturaleza de la Ciencia Jurídica, *Anuario de filosofía del derecho*, ISSN 0518-0872, Nº 19, 1976-1977, págs. 183-198. Sin ser este el lugar adecuado para resolver las disputas KELSEN-EUGEN EHRLICH, si podemos decir que los fenómenos históricos como la emergencia de la relevancia de la ciudad en todos los órdenes son los antecedentes de la producción de normas jurídicas, lo cual corrobora el entendimiento del derecho como producto social. Del mismo modo que se ha operado y se viene operando en relación con otros fenómenos globales que ya nos resultan muy familiares, como la globalización —valga la redundancia—, la gobernanza, la sostenibilidad, las nuevas tecnologías y, más recientemente el cambio climático, las diversas disciplinas que integran la ciencia se ocupan de forma escalonada del estudio de dichos fenómenos emergentes desde distintas perspectivas. Así, la globalización, la revolución tecnológica y la crisis humanitaria y ambiental son, sin lugar a dudas, los fenómenos mundiales que mayores retos vienen planteando a las sociedades contemporáneas en cualquier lugar del planeta. Todo se reinventa, las comunicaciones, los medios de comunicación, la cultura, el ritmo de vida, las migraciones ...

notable como hemos podido comprobar, a nivel conceptual y de principios, el siglo XXI se inaugura con el declive de algunos conceptos clásicos y basilares del derecho público, que constituían sus cimientos, y que ahora parecen ser removidos, declive que se hace patente de modo singular en el espacio de convivencia que constituye la ciudad. Me refiero, especialmente al territorio como justificación del poder político, a la gestión pública y al gobierno público del interés general.

Por lo que se refiere al territorio, si fue un concepto y elemento clave, referente para el ejercicio y justificación de la soberanía y del poder político (ese espacio político al que se refiere Parejo en una de sus dualidades), hoy se manifiesta señaladamente en su vertiente física, en un espacio físico donde se desenvuelven una serie de relaciones jurídicas públicas y privadas, locales, regionales, nacionales y mundiales.

Este debilitamiento del principio de territorialidad que genera la globalización y que complica la aplicación de las normas (y que suscita la necesidad de emergencia de un derecho sobre la norma aplicable en el ámbito de lo público como consecuencia de la mundialización) se completa con el desarrollo de nuevas formas de actuación (la renombrada «gobernanza»), que completan la gestión pública y que se inspiran ahora en los principios de cooperación y corresponsabilidad de todos los actores económicos y sociales, tanto públicos como privados, nacionales e internacionales, se dice más acorde con los tiempos actuales y que hay que estudiar con todas las cautelas, con objetivo el logro de un desarrollo económico, social e institucional duradero, promoviendo un sano equilibrio entre el Estado, la sociedad civil y el mercado de la economía[8]. Además, la incorporación de la eficiencia

---

[8]   MUÑOZ MACHADO, SANTIAGO. *Servicio público y mercado. I. Los fundamentos*, Madrid, Civitas, 1998, p. 291. La denominada crisis del derecho administrativo o de las categorías dogmáticas del derecho administrativo viene siendo una constante en el ámbito de la actividad administrativa. La correlación entre Administración y sociedad, entre lo público y lo privado, se encuentra en constante evolución y depende, en gran medida, del entorno social, político y económico de cada momento y lugar. Hay posiciones ideológicas y doctrinales que sostienen una conveniente ampliación del radio de acción de las Administraciones Públicas, mientras que otras posiciones aconsejan una contención de la actividad pública para conceder un papel prioritario a los particulares, al mercado, a la sociedad civil o a los operadores. Pues bien, en este contexto de recomposición de las relaciones Estado Sociedad al que se refiere ESTEVE PARDO (*Manual de*

Derecho Administrativo, Marcial Pons, 2017, p. 353.), están gestándose nuevos modos de actividad de la Administración. Mas, estas nuevas modalidades de intervención no acaban, sin embargo, con los tradicionales modos de actividad que desde antaño conforman lo que se ha venido en denominar actividad material de la Administración (servicio público, policía y fomento), sino que se mantienen y coexisten con esas nuevas fórmulas de gestión. Nos referimos, como nuevas modalidades de actividad pública, en general, a la privatización generalizada que incorpora al panorama jurídico a las entidades colaboradoras, a las discutibles fórmulas privadas de control de riesgos, a la privatización de los servicios públicos o de su gestión, a las recientes comunicaciones previas y declaraciones responsables, a la actividad de regulación propia del nuevo modelo de Estado garante —que trasciende el tradicional Estado policial o de intervención—, y, en general, a la cogestión y a la custodia del territorio como fórmulas de gestión privada de intereses públicos. Como fundamentos de esta privatización de funciones públicas pueden encontrarse diversos principios: mínima intervención, corresponsabilización, eficiencia, eficacia, agilidad y participación y control entre otros. Así, por un lado, por lo que se refiere a la actividad de intervención, que se materializa tradicionalmente en licencias, autorizaciones y concesiones, la incorporación de la comunicación previa y de la declaración responsable al elenco de títulos habilitantes para el ejercicio de actividades, auspiciada por políticas de liberalización de actividades, supone un importante riesgo para la garantía del cumplimiento del derecho ambiental y una desresponsabilización de la Administración en relación a un importante número de sectores de actividad. En el ámbito del servicio público, y apelando a la mayor eficacia y eficiencia de la gestión privada, asistimos a una oleada de privatizaciones que, si bien pudiera resultar adecuada en el ámbito de los servicios públicos de contenido económico, no encuentra, en cambio, igual justificación en el ámbito de los servicios públicos de contenido social, y supone, sin lugar a dudas, un retroceso del Estado social. En fin, por lo que se refiere al desarrollo de políticas públicas en las que se materializa el deber de las AAPP de preservar el medio ambiente o función pública ambiental, y especialmente en sede de conservación de la naturaleza, el fundamento de la privatización de dicha función se ha querido encontrar en el principio de participación. Puede decirse, a priori, que la generalización de los instrumentos privados entraña ciertos peligros, como la privatización de las políticas públicas, caldo de cultivo de la corrupción. Mas lo cierto es que es necesario explorar las ventajas de estos instrumentos respecto de la pasividad, analizándose cuidadosamente los límites a que debe someterse el desarrollo de estas herramientas para garantizar la indemnidad de los derechos en presencia. Los instrumentos voluntarios y de mercado dirigidos a colaborar en la acción pública, así como la desregulación como tendencia generalizada en gran parte de los ámbitos de acción pública se van abriendo paso paulatinamente. Estas «nuevas» herramientas, deben conservar su carácter complementario del instrumental tradicional. Desde fechas relativamente recientes, viene empleándose el término «gobernanza» al tratar prácticamente cualquier sector de intervención pública, como sinónimo de manera de gobernar más acorde con los tiempos actuales.

como principio general aplicable a la gestión de servicios públicos también genera nuevas externalidades que es preciso corregir.

Otro de los conceptos debilitados en estos tiempos es el del gobierno público. También se observa la emergencia de una nueva cultura de lo público y de una sociedad civil que demanda autogestión y gobernanza. En efecto, desde fechas relativamente recientes, viene empleándose el término «gobernanza» al tratar prácticamente cualquier sector de intervención pública, como sinónimo de manera de gobernar más acorde con los tiempos actuales. Ya son numerosas las normas que se refieren a la gobernanza. Debemos apuntar, sin embargo, que, a la luz de nuestro ordenamiento jurídico, el término se emplea con diferentes significados. En primer lugar, la *Gobernanza por parte del gobierno,* o gobernanza pública, que puede identificarse con la gobernanza pública y que se aplicaría al cumplimiento de funciones públicas, a la prestación de servicios públicos y a la protección de los bienes de dominio público. En segundo lugar, la *Gobernanza compartida,* que implicaría una gestión «colaborativa» que implica información y consulta de los agentes implicados. Esta gobernanza puede además reforzar la participación e implicar una gestión colaborativa, asignando a grupos de varios agentes implicados la responsabilidad de desarrollar propuestas técnicas para la regulación y gestión, que serán finalmente remitidas a la autoridad de toma de decisiones para su aprobación. Otra modalidad de gobernanza compartida sería la gestión «conjunta», según la cual diversas instancias de poder territoriales forman parte de la instancia que toma las decisiones y se responsabiliza de la gestión. Es posible que las decisiones requieran consenso, lo cual implica un complejo desarrollo de la capacidad de negociación, muy útil cuando se aplica a la ordenación del territorio y que nos recuerda la falta de instrumentos jurídicos de colaboración en nuestro Estado autonómico[9]. En tercer lugar, se encontraría la *Gobernanza privada,* cuyo exponente en nuestro ordenamiento jurídico sería la custodia del territorio, aplicable también en suelo urbano. Y, por último, se encontraría la *Gobernanza por parte de pueblos indígenas y comunidades locales,* contemplada en nuestro

---

[9]   RIVERO ORTEGA, R. *La necesaria innovación en las instituciones administrativas*, INAP, 2012.

ordenamiento jurídico en el ámbito de los montes y que responde al modelo de gestión propio de los bienes comunales como categoría de bienes públicos, aunque también, salvando las distancias, por tratarse en todo caso de un bien de dominio público —a diferencia de lo que sucede en relación con los espacios naturales—, con el reconocimiento del derecho consuetudinario en materia de aguas.

En fin, descendiendo al plano normativo, puede afirmarse que todavía son escasas, aunque cada vez más frecuentes, las normas que emplean el término gobernanza, aunque para referirse a realidades diversas, utilizándose con frecuencia en las Exposiciones de motivos y títulos de las normas al diseñarse su estructura, omitiéndose en todos los casos un deseable concepto jurídico de gobernanza[10].

---

[10]   Así, la Ley 14/2011, de 1 de junio, de la Ciencia, la Tecnología y la Innovación emplea el término en el título I sobre Gobernanza del Sistema Español de Ciencia, Tecnología e Innovación, modelo que comprende estrategias - Estrategia Española de Ciencia y Tecnología y Estrategia Española de Innovación (arts. 6 y 7), planes - Plan Estatal de Investigación Científica y Técnica y Plan Estatal de Innovación (arts. 42 y 43) y órganos de gobernanza, como la Comisión Delegada del Gobierno para Política Científica, Tecnológica y de Innovación (art. 41). Se trata en este caso e una gobernanza pública en la que a lo sumo existe participación en los procedimientos de elaboración de las estrategias y los planes, participación que, sin embargo, se echa en falta en el plano organizativo, dada la composición íntegramente pública del órgano de gobernanza creado. Por su parte, el Real Decreto-ley 4/2015, de 22 de marzo, para la reforma urgente del Sistema de Formación Profesional para el Empleo en el ámbito laboral, se refiere en su Exposición de motivos al Sistema de Gobernanza (pública) de la formación profesional, como sinónimo de ordenación pública de un servicio público educativo. El Real Decreto 769/2017, de 28 de julio, por el que se desarrolla la estructura orgánica básica del Ministerio de Hacienda y Función Pública y se modifica el Real Decreto 424/2016, de 11 de noviembre, por el que se establece la estructura orgánica básica de los departamentos ministeriales, crea la Dirección General de Gobernanza Pública como órgano administrativo dependiente del Ministerio, en cuya composición no se atisba ninguna presencia extraña a lo público. La Ley 45/2007, de 13 de diciembre, para el desarrollo sostenible del medio rural también en su parte expositiva advierte que la aplicación de esta Ley requiere un elevado grado de gobernanza, para lo cual se establecen instrumentos de programación y colaboración entre Administraciones, principalmente un Programa de Desarrollo Rural Sostenible plurianual, y se promueve e incentiva la participación del sector privado en el proceso de desarrollo rural sostenible. Se trata, sin duda, de un paso adelante en la gobernanza, que en este caso comprende la colaboración entre Administraciones y la participación del sector privado en la consecución del desarrollo sostenible del medio rural. Quizá las normas

Como corriente paralela a este proceso de derribo controlado de conceptos arraigados en nuestro Derecho Público, nos hemos referido a tres de ellos, se desarrollan tendencias como el valor de lo local, de lo internacional en lo local, de la fusión y de la multiculturalidad. Las entidades locales se integran en redes internacionales que transcienden las fronteras y que quieren ser escuchados en las esferas donde se adoptan las decisiones importantes. A la vez se plantean dudas sobre la legitimidad de la acción exterior local y sus bases constitucionales que llegan a los Tribunales, magníficamente estudiadas por Díaz González en su obra prologada por Vandelli, muy sensible al papel de las entidades locales como protagonistas de grandes transformaciones políticas y que en el ámbito que abordamos afecta o compromete

---

más trasversales que aluden expresamente a la gobernanza sean las leyes autonómicas sobre transparencia que han proliferado en los últimos años. Puede citarse, en primer término, la Ley 12/2014, de 16 de diciembre, de Transparencia y Participación Ciudadana de la Comunidad Autónoma de la Región de Murcia, cuyo art. 3 incluye, entre los principios generales que inspiran esta ley el principio de gobernanza, enfocado a garantizar la interacción de las distintas instancias públicas, los entornos cívicos y económicos, y la ciudadanía, en el proceso de toma de decisiones. Se adopta, pues, un avanzado concepto de gobernanza que va más allá de la participación en los procedimientos o en la composición de órganos sin competencias decisoras, para comprender una verdadera participación en la toma de decisiones en asuntos públicos. No obstante, este principio debe ser concretado por la normativa sectorial, en la medida en que no deja de ser una declaración de intenciones en el plano teórico, difícilmente invocable para exigir una participación real en asuntos concretos. En similar sentido, también son dignas de mención, por contener el término gobernanza en su texto, la Ley 4/2016, de 15 de diciembre, de Transparencia y Buen Gobierno de Castilla-La Mancha o la Ley 5/2017, de 1 de junio, de Integridad y Ética Públicas de Aragón, que en su exposición de motivos advierte que la consolidación de la democracia requiere que el conjunto del modelo institucional y social asuma como elemento estructural la transparencia, la participación, la integridad y la ética pública, contribuyendo de este modo a una mejor gobernanza, a mejores prácticas regulatorias, a un mejor servicio a los intereses generales y a las demandas sociales. Muy interesante, y ya de parte de la normativa sectorial, resulta la Ley 10/2014, de 27 de noviembre, de Aguas y Ríos de Aragón, que habla de gobernanza del agua para referirse al modelo que se deriva de la Directiva 2000/60/CE, por la que se establece un marco comunitario de actuación en el ámbito de la política de aguas, en relación a la participación pública en la toma de decisiones en la organización del agua y al acceso de todos los interesados a la información sobre el medio hídrico, otorgando a esta información la consideración de ambiental a los efectos establecidos en la normativa comunitaria.

conceptos fundamentales que tienen que ver con la autonomía y con el territorio[11].

1.3. *La corrección del mosaico de vulnerabilidades como retos de la ciudad global*

Comprobada la crisis de conceptos y la emergencia de nuevos valores, reforzadas y matizadas como consecuencia de la pandemia del COVID-19, no cabe duda de que las ciudades se erigen como espacios en los que es preciso corregir la pérdida en la calidad de vida, convirtiéndose la especial vulnerabilidad y su protección en el presupuesto del que deben partir las reformas normativas y las políticas públicas.

La ciudad, pues, debe superar su consideración como entidad local, pues se trata de un espacio global antrópico y complejo donde coexisten intereses distintos pero integrados y donde se satisfacen necesidades humanas. La fisionomía de la ciudad debe dar paso a un gobierno del territorio holístico e integrador, no sectorial ni excepcional y privado, que transcienda lo que hemos venido entendiendo como urbanismo, funcionalizando de modo integrado el derecho de propiedad. No obstante, como se verá *infra*, la articulación de competencias que convoca el desarrollo urbano sostenible resulta compleja, al pertenecer a distintas instancias territoriales la competencia en materias como la ordenación del territorio, el urbanismo, el medio ambiente, el desarrollo económico, la cohesión social, el derecho vivienda digna, la salud pública, la protección del patrimonio cultural, entre otros. Mas la excusa no puede ser la difícil articulación de competencias procedente de distintas instancias, sino que es necesario un cambio de paradigma, una planificación estratégica, una integración competencial, lo cual exige profundas reformas en el plano normativo. En esta línea, a continuación se procede al análisis de dos teorías formuladas

---

[11]   DÍAZ GONZÁLEZ, G., *La acción exterior local, Bases constitucionales Iustel*, 2019.

por Parejo García[12] y Gianluca Gardini[13] sobre la ciudad global de nuestro tiempo, que suponen un avance de propuestas de reforma normativa sobre todo en el ámbito del derecho local y urbanístico.

Bien, en este panorama complejo que sólo hemos esbozado, pueden ser formuladas algunas líneas de evolución —avance o retroceso— del Derecho administrativo, esto es, algunas fórmulas de evolución del Derecho Público ante los retos de la ciudad como espacio global, que no siempre implicarán una mayor presencia de la Administración, de lo público, en todos los espacios y para cuya solución debemos partir de la premisa de que ensayar una formula unívoca para resolver todos los retos de muy diversa índole que presenta la globalización obviamente no es posible. Pero sí puede afirmarse que el gran reto del derecho de la ciudad como espacio global pasa por resituar la presencia de lo público donde realmente hace falta, sin perder de vista las obligaciones del poder público para con los administrados-ciudadanos, tanto en lo político como en lo administrativo, para la garantía de los derechos.

Ello supone reconocer que las soluciones al mosaico de vulnerabilidades que plantea la ciudad deben ser, no sólo jurídicas, sino también políticas. Por lo que hace a estas últimas, se pueden enumerar algunas, aunque quedan fuera de nuestra consideración los juicios sobre la conveniencia y oportunidad, que solo a los políticos corresponde apreciar, como la limitación del precio alquileres viviendas y locales, el establecimiento de impuestos turísticos y e inmobiliarios[14]

---

12   PAREJO GARCÍA, L., «Reflexiones en torno a la ciudad y el Derecho Administrativo», BARRERO RODRÍGUEZ, C. y SOCÍAS CAMACHO, J. M., (coords.), *La ciudad del siglo XXI: transformaciones y retos*, INAP, 2020, pp. 629-664.

13   GARDINI, G., «Rigenerazione urbana e nuova pianificazione urbanistica. Verso la "città giusta"», en BARRERO RODRÍGUEZ, C. y SOCÍAS CAMACHO, J. M., (coords.), *La ciudad del siglo XXI: transformaciones y retos*, INAP, 2020, pp. 665-701.

14   Es importante, aunque excede el ámbito de estas páginas, el necesario desarrollo del derecho tributario. No me refiero a las relaciones entre urbanismo y fiscalidad, ampliamente estudiada por los despachos de abogados fiscalistas, sino al desarrollo del Derecho fiscal del medio ambiente y del urbanismo para corregir la vulnerabilidad ambiental y social en la ciudad. Como es sabido, en materia de vivienda ha habido algunos intentos de regular tasas que graven las viviendas vacías cuya impugnación ha llegado a los Tribunales. Así, la STS (Sala de lo Contencioso-administrativo) 845/2019, de 18 de junio, confirma la nulidad

y el establecimiento de la obligación de construir vivienda social en cada nueva promoción urbanística como sucede en Francia, a diferencia de la liberalización automática a los veinte años que rige en nuestro ordenamiento. En la actualidad se encuentra en vigor el Real Decreto 106/2018, de 9 de marzo, por el que se regula el Plan Estatal de Vivienda 2018-2021, que con una vocación social se orienta especialmente a los colectivos más vulnerables (desahuciados, deudores hipotecarios que no pueden pagar, mayores, personas con discapacidad, jóvenes) dedicando especial énfasis en el fomento del alquiler, como una de las fórmulas más adecuadas para el acceso a la vivienda. De este modo, fomentando el parque de viviendas en alquiler y viviendas para personas mayores y personas con discapacidad se pretende contribuir, además, a activar y a completar las reservas mínimas obligatorias de suelo que el texto refundido de la Ley de Suelo y Rehabilitación Urbana aprobado por Real Decreto Legislativo 7/2015, de 30 de octubre, y la legislación urbanística autonómica demandan para la construcción de viviendas sujetas a algún régimen de protección pública, fomentando asimismo la rehabilitación y regeneración y renovación urbana y rural, y mejorando la calidad de la edificación y, en particular, de su conservación, de su eficiencia energética, de su accesibilidad universal y de su sostenibilidad ambiental y contribuyendo a evitar la despoblación de municipios de pequeño tamaño, entendiendo por tales, aquellos de menos de 5.000 habitantes, facilitando a los jóvenes el acceso a la adquisición o rehabilitación de una vivienda en dichos municipios.

---

de la tasa del ayuntamiento de Barcelona sobre el control de viviendas vacías sobre actuaciones de inspección y control de viviendas declaradas vacías o permanentemente desocupadas, por entender que no es competente para aprobar disposiciones de carácter general en esta materia y, en particular, que la actividad gravada por dicha tasa no es de competencia municipal.

2. LA TEORÍA DE LA CIUDAD BIEN DISPUESTA (PAREJO GARCÍA)[15]

La ciudad bien dispuesta de Parejo Alfonso requiere reformas importantes del ordenamiento español, especialmente en los ámbitos del derecho local y urbanístico. Aplicar la teoría de los sistemas proveniente de las ciencias a la ciudad como sistema más complejo creado por el hombre, a cuya gestión hay que incorporar la idea de metabolismo como propone Rose de parte de la doctrina anglosajona[16]. Las cinco cualidades que caracterizan a la ciudad bien dispuesta son la coherencia o integración, la circularidad, la resiliencia la comunidad y la sensibilidad, entendida como equilibrio entre bienestar individual y colectivo).

2.1. Propuestas de reforma del Derecho local español

Por lo que se refiere al Derecho local español propone algunos requerimientos de la ciudad bien dispuesta que consisten en una puesta a punto de técnicas jurídico- administrativas.

En primer término, se muestra escéptico sobre una eventual reforma de la planta municipal que enfrente la disyuntiva uniformidad-diversidad, que sí ha tenido lugar en otros lugares, y sitúa el acento en el terreno competencial, esto es, en la compatibilización de lo básico común y la diferenciación en el régimen local, como en la práctica sucede con los municipios de gran población. Se encuentra todavía pendiente la redistribución territorial del poder público que profundice en el ámbito local para completar la construcción del Estado autonómico, resultando las razones de esta denominada segunda descentralización o descentralización intracomunitaria, no solo de orden administrativo sino de orden constitucional, como ya se ocupó de advertir el TC en su STC 11/1999 sostuvo, de 11 de febrero.

---

[15]   PAREJO GARCÍA, L., «Reflexiones en torno a la ciudad y el Derecho Administrativo», BARRERO RODRÍGUEZ, C. y SOCÍAS CAMACHO, J. M., (coords.), *La ciudad del siglo XXI: transformaciones y retos*, INAP, 2020, pp. 629-664.

[16]   ROSE, J. F. P., *The well-tempered city. What modern science, ancient civilizations, and human nature teach us about the future of urban life*, Ed. Harper Wave. An Imprint of HarperCollins Publishers, New York, 2016.

En segundo lugar, defiende una nueva fórmula gobierno-administración que facilitará la gestión cuando se trate de ejercer potestades regladas, sin vulnerar el principio democrático y de un necesario reforzamiento del gobierno y la autonomía local, destacando el necesario papel que deben jugar las entidades supramunicipales.

Destaca que todavía no existe consenso acerca del umbral (población) a partir del cual la dimensión administrativo-gestora de las Administraciones Locales pasa a ser relevante, y ello teniendo en cuenta la limitada autonomía que deriva del art. 140 CE.

Por lo que se refiere a los municipios de menos de 5.000 habitantes no presentan problemas en el plano político, pero sí en el administrativo, para cuya corrección propone potenciar el nivel supramunicipal *ex* art. 141 CE. En cambio, a los municipios de más de 5.000 habitantes que no lleguen al *estatus* de los de gran población, se les debe potenciar su potestad de autoorganización para reforzar los mecanismos de participación ciudadana. Y, en tercer lugar, es necesario y comúnmente aceptado que hay que incrementar la democracia local en los municipios de gran población (pero también en general, lo que requiere reforma del régimen electoral) ampliando potestad de autoorganización, la creación de unidades desconcentradas (los distritos), como lugar apto para una más intensa participación ciudadana.

En este sentido, propone, al mostrarse compatible con la CE, que la normativa básica sobre régimen local distinga entre la alta dirección política de los asuntos locales que corresponda a los Ayuntamientos y la alta dirección de la Administración municipal, reservando al municipio las decisiones ejecutivas de amplia discrecionalidad permitiendo la atribución del resto de la actividad ejecutiva (reglada y mera gestión) a órganos provistos de personal no electo, criticando que se encomiendo a órganos políticos, que funcionan con lógica partitocrática, la adopción de decisiones regladas.

Se ha mostrado crítico con las reformas legislativas que han estrechado las posibilidades orgánicas de participación ciudadana, reducidas a la desconcentración y no a la descentralización, principios ambos dirigido a todas las AAPP incluidos los municipios.

En tercer término, se muestra partidario de la actualización de las fórmulas de gestión introducidas en el ordenamiento jurídico con la excusa de la sostenibilidad financiera, en la medida en que se trata, de reformas que, desde luego, no eran exigidas por el derecho comunitario en materia de contratos, y en este sentido propone llegar al rescate o a la remunicipalización, de la mano de una necesaria reinterpretación de la ineficiencia económica, avanzando hacía lo que podemos denominar gestión circular de los servicios públicos. Se reivindica, pues, a través de una actualización de las fórmulas de gestión, corregir las restricciones introducidas por razones económico financieras en 2013, considerando como eficiente económicamente el coste que requieran los servicios públicos para conseguir avanzar hacia la adecuada vida urbana, corrigiendo la contaminación indebida, optimizando el aprovechamiento de recursos y eliminando al máximo la producción de residuos.

2.2. Propuestas de reforma en el terreno urbanístico

En el terreno urbanístico tradicional no ofrece respuestas adecuadas a las diversas problemáticas derivadas de la ciudad global, por lo que el autor propone modificaciones importantes que pasamos a recapitular.

En primer lugar, se requiere un tratamiento más acorde de la propiedad urbana de acuerdo con su función social. Junto a la versión tradicional de la misma, que se resume en uso, disfrute y disposición con exclusión de terceros, y que concibe la ciudad como soporte a la vez de actividades de generación de productos inmobiliarios y de explotación de viviendas que genera un mercado, una versión actualizada que internalice dicha función social exige la regulación del mercado, para proporcionar a la población un acceso a una vivienda digna y adecuada, a precio razonable y asequible. Sólo cuando la regulación no alcance a solucionar situaciones sociales, entonces se debe desplegar, a su modo de ver, la actividad de servicio público tendente a satisfacer esta necesidad social, todo ello con fundamento en los arts. 10 y 18 de la CE como condición de la digna calidad de vida también en la ciudad. En este sentido, el suelo deja de ser un mero soporte de actividades transformadoras para convertirse en un lugar, en un espacio que ofrece la satisfacción del derecho de los ciudadanos a una vivienda digna.

En segundo lugar, Parejo advierte la necesidad de no perder de vista que, a pesar de su escasa regulación desde esta perspectiva, el suelo es un recurso natural escaso, que requiere una nueva mirada, que consiste en enfrentar desde las ciudades su preservación. En este sentido aporta interesantes reflexiones sobre el suelo como objeto de protección, como recurso natural preciado y escaso, esto es, como bien preciado en sí mismo desconsiderado. Se trata de un elemento más del medio ambiente, de un medio vivo y dinámico y cuya restauración en su fertilidad puede ser imposible lamentando el fallido destino de la Propuesta de Directiva del suelo, retirada en 2014 — que parece se va a retomar ahora en el marco de la Estrategia de la Biodiversidad 2030, con la complejidad añadida que deriva de los retos que para muchas de nuestras ciudades plantea la contaminación histórica de suelo o el cambio climático, propugnando limitar la urbanización, reutilizar la cubierta vegetal y no utilizar la tierra fértil como simple residuo sólido. Para incorporar este enfoque, los planes deben contemplar suficientes superficies naturales que complementen y compensen lo urbanizado, que absorban y canalicen los fenómenos extremos cada vez más frecuentes, por insuficiencia de la capacidad de canalización de las infraestructuras actuales.

En tercer término, también en sede de ordenación de las ciudades, lleva a cabo una nueva caracterización de la nueva planificación urbanística, como un necesario diálogo de políticas, apostando por una planificación integral y estratégica desde el primer momento.

Una característica fundamental de los planes urbanísticos debe ser la flexibilidad, entendiendo la planificación como proceso continuo y capaz de resolver confluencia de competencias sectoriales. Caminar hacia la planificación como proceso continuo exige potenciar la autonomía local y permitir a los municipios de cierta población la aprobación definitiva, atribuyendo la competencia para la aprobación de los planes municipales de menos población a las entidades supramunicipales. Las Comunidades Autónomas se ocuparían de elaborar y aprobar los instrumentos de ordenación del territorio, que enmarcarían el planeamiento municipal. Frente a este entendimiento, la rigidez en la modificación de los planes, como es sabido, impide su adaptación a nuevos fenómenos urbanos dada la dificultad de predecir el largo plazo, aunque ésa dimensión temporal debe ser el objetivo, para la comprensión, entre otros, del derecho de las generaciones futuras, por lo que, reitera, los planes deben ser fácilmente adaptables.

El urbanismo, en consecuencia, ya no puede ni debe cumplir su función horizontal, dado su necesario carácter multifuncional, por lo que resulta desaconsejable mantener los planes urbanísticos tal y como lo son hoy. Debe repararse en que en el plano competencial el municipio tiene atribuidas competencias (como la salud, la cultura, el medio ambiente, la vivienda, los consumidores y usuarios, entre otros) y la responsabilidad de transformarlas en derechos, haciendo realidad derechos fundamentales de mucha importancia en presencia en el espacio ciudad, como la libertad religiosa, la libertad personal, la seguridad, la elección de residencia y circulación, la educación, entre otros.

La acción urbanística, pues, debe favorecer la consecución de todos ellos, y de modo especial el derecho a la vivienda, dejando caro que el TRLS de 2015 apuesta por la ciudad compacta, limitando la expansión del medio urbano, lo cual no deja de ser un mito, formulando dos propuestas. Por un lado, mejorar la articulación de las funciones de ordenación del territorio y urbanismo, y, por otro, desarrollar una ordenación espacial según las necesidades de la economía, en dialogo con las políticas de las CCAA, incorporando la ordenación del suelo rural circundante al urbano a la planificación urbanística, comprendiendo dotaciones y servicios locales sin desvirtuar su carácter rural, lo cual exige una planificación supramunicipal que evitaría la concatenación de instrumentos al PGOU. Propone además la integración de la evaluación ambiental estratégica (EAE) en el proceso de planificación, atribuyendo la competencia a un órgano especializado no integrado en la estructura jerarquizada de la Administración, recordando que el derecho europeo no exige que lo haga la Comunidad Autónoma.

En tercer lugar, se propone importar las conferencias de servicios italianas, rescatando el órgano colegiado contemplado por la LS de 1956, para integrar informes sectoriales que tanto complican la aprobación y que después motivan el recurso a las nulidades, con los consabidos efectos explosivos a los que se refirió Santamaría Pastor[17].

---

[17]	Cfr. SANTAMARÍA PASTOR, J. A., «Muerte y transfiguración de la desviación de poder: sobre las sentencias anulatorias de planes urbanísticos», *RAP*, núm. 195, 2014; SANTAMARÍA PASTOR, J. A., «Una imprevista disfunción del sistema urbanístico: la mortalidad judicial de los planes», *Práctica urbanística: Revista mensual de urbanismo*, núm. 141, 2016. Además, puede verse DEL SAZ CORDERO, S., «¿Debemos repensar los poderes del juez ante la constatación de la ilegalidad de una disposición general o un acto administrativo? La anulación parcial del Plan General de Madrid de 1997: un inmejorable ejemplo», *RVAP*, núm. especial 99-100, mayo-diciembre 2014; DOMÉNECH PASCUAL, G., *La invalidez de los Reglamentos*, Tirant lo Blanch, 2002; GALÁN VIOQUE, R. R.,

En cuarto lugar, destaca finalmente la conveniencia de desligar el binomio propiedad y gestión del suelo que tanto daño ha hecho a nuestras ciudades, abandonando también otra lacra de nuestro derecho urbanístico, la clasificación del suelo, como categoría distorsionante que ha coadyuvado a la confusión entre el derecho de propiedad y el derecho a urbanizar. Hay, pues, que desalimentar la expectativa del valor del suelo y caminar hacia un modelo público que encauce el libre curso del mercado en el marco de nuevas exigencias públicas derivadas de la concienciación ciudadana sobre la incorporación de la variable ambiental y social, no sólo a los contratos del sector público, sino también al urbanismo[18].

3. LA TEORÍA DE LA CIUDAD CORRECTA, HERMOSA Y JUSTA (GIANLUCA GARDINI)[19]

Para Gianluca Gardini el camino hacia la ciudad «correcta, hermosa y justa» centrada en la calidad de vida del hombre presente y

«La anulación de un plan urbanístico como fuente de responsabilidad patrimonial de las Administraciones Públicas», *Administración de Andalucía: Revista Andaluza de Administración Pública*, núm. 46, 2002; GARCÍA DE ENTERRÍA, E., «Un paso importante para el desarrollo de nuestra justicia constitucional: la doctrina prospectiva en la declaración de ineficacia de las leyes inconstitucionales», *REDA*, núm. 61, 1989; INIESTA DELGADO, J. J., y FERNÁNDEZ SALMERÓN, M., «Naturaleza y efectos de las Sentencias de anulación recaídas en procesos contra normas: la invalidez en el sistema normativo y su anulación jurisdiccional», *REDC* núm. 59, 2000, pp. 139-175; RAZQUIN LIZARRAGA, J. A., «La nulidad de los planes de urbanismo aprobados con omisión de informes sectoriales preceptivos o en contra de informes sectoriales vinculantes», *Revista Aranzadi Doctrinal* núm. 5/2013; SANCHEZ GOYANES, E., «Extinción jurídica de un plan y supervivencia de sus actos derivados: uniformidad en la diversidad jurisprudencial Práctica urbanística», *Revista mensual de urbanismo*, núm. 106, 2011, págs. 16-25. El presente año, han visto la luz dos sentencias importantes. Por un lado, la STS (Sala de lo contencioso-administrativo), de 4 de marzo de 2020 y la STS (Sala de lo contencioso-administrativo) 25 de mayo de 2020.

18   BAÑO LEÓN, J. M., «La obsolescencia de la idea de plan general», *REALA*, núm. 13, 2020, pp. 6-21.
19   GARDINI, G., «Rigenerazione urbana e nuova pianificazione urbanistica. Verso la "città giusta"», BARRERO RODRÍGUEZ, C. y SOCÍAS CAMACHO, J. M.,

futuro, a la luz del derecho europeo e italiano, coincide con el camino para un urbanismo de lo que sería una cuarta generación.

En primer término, coincidiendo con la teoría de la ciudad bien dispuesta de Parejo García, conviene en reforzar la descentralización a nivel local, fortaleciendo el gobierno local y los intereses colectivos sobre el derecho individual a construir.

En segundo lugar, y para superar los errores del pasado, propone un verdadero cambio de paradigma, una de gobernanza del territorio, que vaya más allá de la dimensión participativa al uso, y que desarrolle instrumentos innovadores a partir de categorías jurídicas como el acto administrativo consensual —que plantea no pocos problemas dogmáticos importantes en el ordenamiento español—, o el desarrollo de presupuestos participativos, ya puestos en práctica en España aunque tímidamente y en diversas variantes en los últimos años. Se apuesta, en suma, por un gobierno urbano innovador, una ciudad a la vez macrorregenerada, a partir de una planificación pública participada por los ciudadanos y colaborativa desde la perspectiva micro.

En tercer término, sitúa en el centro del urbanismo, esto es, de la ciudad como espacio global, al plan urbanístico, que ahora debe convertirse en un plan multifunción, multipropósito, un plan de la urbe o ciudad en el que la inclusión social y la cuestión ambiental, incluido el cambio climático, se convierta en objetivo de la planificación.

Ahora bien, para Gardini la gobernanza urbana debe conseguir encontrar, conciliar y hacer confluir dos visiones opuestas, a saber aquella centrada en la protección del medio ambiente y del paisaje histórico y que promueve relaciones de proximidad entre el campo y la ciudad, con aquella otra para la que prima el desarrollo y crecimiento urbano, que pretende aún a estas alturas revitalizar el sector de la construcción en espacios no desnaturalizados o agrícolas, justificada en la libertad de iniciativa económica, y que confiere prevalencia a la propiedad y al interés privado, esto es, la que responde a la planificación urbanística contratada con el sector privado, al conocido urbanismo del «teletransporte», al mercado de derechos de construcción, al urbanismo «precontratado», para el que las limitaciones o

---

(coords.), *La ciudad del siglo XXI: transformaciones y retos*, INAP, 2020, pp. 665-701.

delimitaciones fundadas en la protección de valores superiores vulneran el derecho de los propietarios del suelo. Se trata, a su juicio, de una visión obsoleta del urbanismo, teniendo en cuenta que el suelo es un recurso limitado e ilimitadas las presiones a que se encuentra sometido.

Por ello, y descartada la vía socializadora y un derecho de propiedad ilimitado, como diría nuestra derogada LS de 1956, es legítimo, en el marco de esa función social de la propiedad, como *tertium genus*, establecer limitaciones que establezcan un actualizado equilibrio entre el interés general y el derecho de propiedad, estando claro que nuestro urbanismo, nuestro derecho urbanístico, no ha sido eficaz con la salvaguarda de los intereses generales.

Su versión sincrética de posturas, o esa cuarta generación de la planificación urbanística ideal, debe partir de los presupuestos de contención del consumo de suelo y de regeneración de lo existente para, rompiendo la lógica que enfrenta a un marco autoritario de intervención pública y superando también la posición ultraliberal de negociación de los planes con la iniciativa privada, llegar a un tercer modelo que sintetice ambas ideologías opuestas pero complementarias, rescatando el carácter público del plan para garantizar el «derecho a la ciudad», como un plan estratégico participado por los distintos intereses.

4. ALGUNAS LÍNEAS DE AVANCE Y REFLEXIÓN SOBRE LA CIUDAD GLOBAL Y PROPUESTAS DE LEGE FERENDA

4.1. *Exigencias de sostenibilidad ambiental en la ciudad*

4.1.1. Déficit normativos en la protección del suelo como recurso natural. Los nuevos horizontes que ofrece de la Estrategia de la Biodiversidad 2030 en el entorno urbano

La conocida por todos ambientalización del derecho de aguas derivada de la Directiva marco 2000/60/CE que tanto ha complicado el derecho de aguas en España aún no se ha producido en relación con el suelo. Más allá del régimen jurídico, complejísimo, aplicable a los suelos contaminados, que por cierto a veces quedan a escasos metros de la ciudad, que termina absorbiendo suelos industriales del pasado que en su momento cumplían con la regla de las distancias del RAMINP, no hemos sido capaces aún de abordar la regulación del suelo como recurso natural, no sólo en España sino a nivel europeo, resultando el único elemento del medio ambiente que a día de hoy no dispone de regulación desde la perspectiva de la conservación[20].

Se ha comentado que es ya un futurible que en el horizonte 2030 no podamos consumir más suelo para urbanizar. La Estrategia temática para la protección del suelo de 2016, aunque se trate de *soft law*, establece como objetivo para 2030 el uso de tierra nueva cero, lo que supone limitar los cambios de uso que supongan una regresión ambiental y la contención absoluta del uso de nueva tierra. Si esto fuera así, será necesario modificar entonces, no ya solo el derecho estatal sobre el suelo y el autonómico sobre ordenación del territorio y urbanismo, sino la también la Ley de montes, la Ley de costas además de todos los planes de ordenación territorial y urbanística vigentes en España. Los colectivos Stop consumo de suelo, zonas 0 urbanización, están comenzando a nacer a nivel mundial como lo harían los colectivos cero emisiones, cero fracking, cero OMG, cero fitosanitarios … Bien, sea esto así o no, las tendencias, desde hace años, sabemos que dan preferencia a la rehabilitación de lo ya urbanizado, y ese es el barniz que por ahora se ha dado a las últimas reformas en sede urbanística.

Dicho esto, y en una economía de mercado en la que nos encontramos, la especulación urbana del futuro, o el problema urbanístico del mañana, podría ser cómo intervenir, si hay que intervenir, la previsible especulación con el suelo urbano que hay y que pretendemos conservar. La economía nos dice que la escasez, la carestía, sube el precio. Pues ¿será justo, estará bien dispuesto el reparto que resulte en el momento del fin del consumo del suelo si llega este día?

Por lo pronto, y a la espera de los acontecimientos, que como se ha anticipado pueden llegar a la prohibición de consumo de suelo,

---

[20]   Algunos avances son puestos de manifiesto en LOZANO CUTANDA, B., «Urbanismo y corrupción: algunas reflexiones desde el derecho administrativo», *Revista de Administración Pública,* ISSN: 0034-7639, núm. 172, Madrid, enero-abril (2007), págs. 339-361.

debemos dejar de admitir, desde ya, la explotación del recurso suelo sin internalizar en su precio su valor como recurso natural, lo cual, por lo pronto, desincentivará su consumo. Los instrumentos jurídicos para la internalización del valor ambiental del suelo en el precio existen y deben desarrollarse, plasmarse en las normas y ponerse en práctica. Desde luego que el precio del suelo se dispararía y se abriría toda una gama de instrumentos jurídicos a explorar, ya puestos en práctica en otros lugares y para resolver otros problemas, como los bancos de conservación, los mercados de derechos, las temidas compensaciones, y un largo etc. Habrá que estudiar entonces sus ventajas e inconvenientes como hemos hecho al aplicarlos a otros sectores como la conservación de la biodiversidad, desarrollando un nueva línea de investigación sobre suelo y mercado similar a la ECOVER en el ámbito urbanístico[21].

Otra línea a explorar podría ser la creación de un cuerpo de economistas públicos que estudien cómo hacer rentable la planificación de la rehabilitación en las ciudades, para fomentar el desarrollo del sector, combinando, con el existente derecho fiscal que grava la propiedad del suelo, de mera finalidad recaudatoria y principal fuente de financiación de los municipios, como el IBI y el ITP cuya aportación a las arcas públicas desde los años noventa se ha multiplicado por 8 y 3 respectivamente, tendencia absolutamente contraria al resto de países donde apenas ha crecido o se ha reducido), con impuestos finalistas, además de recaudatoria, extrafiscal (incentivar la construcción y la rehabilitación para evitar la especulación urbanística) y que graven la no edificación en suelos urbanos o declarados en ruina, así como la transformación de suelo no urbano y desincentiven la expansión horizontal de las ciudades[22].

---

[21] Se trata de una **Red de Investigación estable y permanente que nació del Proyecto Redes de investigación, Medio ambiente y mercado: para una economía verde,** Xunta de Galicia, 2014-2017. **IP. Javier Sanz Larruga. Encuentra entre sus objetivos** integrar a nuevos grupos europeos con trayectoria en materia de Derecho ambiental, especialmente aquellos interesados en el estudio de las relaciones entre mercado y medio ambiente. Vid: https://www.redecover.es/ (última consulta 23 de noviembre de 2020).

[22] Decreto Legislativo 2/2006, de 12 de diciembre, por el que se aprueba el Texto Refundido de las disposiciones legales de la Comunidad Autónoma de Extremadura en materia de Tributos Propios, derogado por Ley 19/2010, de 28 de

4.1.2. Sobre el desarrollo sostenible y las demandas y compromisos de procurar el bienestar humano en la ciudad

Además la transparencia y la gobernanza, resulta ya muy familiar para todos hablar de sostenibilidad casi en cualquier ámbito. Se trata de modas que se convierten al final en «fondo de armario» como ha sucedido con la participación, sin la que nadie entendería hoy nuestro Derecho público. Y a estas alturas debemos preguntarnos si pasará de moda la sostenibilidad o ha venido para quedarse.

El desarrollo sostenible es un concepto que se gesta en el ámbito del Derecho ambiental y que ahora se aplica a cualquier ámbito, resultando ya un abuso el empleo del término sostenible en las leyes dictadas en los últimos años. Sirvan de ejemplo la Ley de economía sostenible de 2011, la Ley orgánica de estabilidad presupuestaria y sostenibilidad financiera de 2012, la Ley de sostenibilidad de la Administración Local de 2013, la Ley de sostenibilidad energética y la Ley de sostenibilidad de la costa de 2013. También hemos bautizado el TRLS de 2015 como Ley del urbanismo sostenible. En fin, la sostenibilidad se convirtió en el apellido favorito de la crisis pues vale para justificar casi todo, y le ha valido incluso al TC cuando se ha pronunciado sobre algunas de estas leyes, algunas regresivas desde el punto de vista ambiental. Y si no, están la eficacia y la eficiencia, sobre todo en el ámbito de la gestión de los servicios públicos.

Cuando uno se adentra en el estudio de un sector (medio marino, pesticidas, urbanismo) encuentra normas que se refieren a la sostenibilidad, al desarrollo sostenible del medio rural, a la sostenibilidad de la costa, al uso sostenible de fitosanitarios, y observamos cómo se aprovecha como excusa para dar cabida a excepciones a la sostenibilidad y a vulneraciones del principio de no regresión, y se añade a la inviabilidad técnica la inviabilidad económica. La clave de la sostenibilidad, no es el equilibrio entre el desarrollo y la calidad ambiental, sino la dimensión temporal, esto es la incorporación del largo plazo en la toma de decisiones.

---

diciembre, de medidas tributarias y administrativas de la Comunidad Autónoma de Extremadura.

Partiendo de la naturaleza bifronte que se quiere ver en el desarrollo sostenible, como objetivo y como principio, y a falta de objetivos concretos, sólo nos queda la ponderación de intereses, a veces limitada por criterios que reducen el grado de discrecionalidad del planificador (salud de las poblaciones, beneficio colectivo, rentabilidad económica y ambiental, largo plazo) o la prevalencia de otros instrumentos planificadores (como los derivados de la Ley 42/2007) que sólo es posible excepcionar por razones imperiosas de interés público de primer orden, incluidas las económicas y sociales, entre las que se encuentran la vivienda social, las energías renovables, la protección de los consumidores y la seguridad vial. Solo es necesario justificarlos si la evaluación es negativa, teniendo en cuenta que hay que velar por que no resulte positiva y oculte una ponderación previa de esos intereses, porque cuando se alegan al TJUE, para que se pronuncie sobre la conformidad a Derecho comunitario de la excepción, entonces ya sólo cabe alegar el orden público, la seguridad pública, la protección civil, de los consumidores y del patrimonio cultural y la sanidad, no el desarrollo económico ni los puestos de trabajo[23].

---

[23] El concepto de razones imperiosas de interés público de primer orden es empleado para excepcionar la prevalencia de la protección Red Natura, así como la prohibición de cambio de uso de los montes incendiados, teniendo en cuenta las limitaciones que derivan del art. 50 de la Ley de montes. El alcance del concepto de estas razones imperiosas de interés público no ha sido determinado a nivel normativo, y sólo encontramos una referencia a la definición de un concepto próximo, que es el concepto de «razones imperiosas de interés general» definido por la Directiva 2006/123/CE del Parlamento Europeo y del Consejo, de 12 de diciembre, relativa a los servicios en el mercado interior, en su art. 4.8 como *aquella reconocida como tal en la jurisprudencia del Tribunal de Justicia, incluidas las siguientes: el orden público, la seguridad pública, la protección civil, la preservación del equilibrio financiero de la seguridad social, la protección de los consumidores, de los destinatarios de servicios y de los trabajadores, las exigencias de buena fe en las transacciones comerciales, la lucha contra el fraude, la protección del medio ambiente y del entorno urbano, la sanidad animal, la propiedad intelectual e industrial, la conservación del patrimonio histórico y artístico nacional y los objetivos de la política social y cultural (cfr. art. 3.11 de la Ley 17/2009, de 22 de diciembre, sobre el libre acceso a las actividades de servicios y su ejercicio).* Debe acudirse, pues, a la jurisprudencia, para dotar de contenido a este concepto jurídico indeterminado. Estos son los criterios jurisprudenciales más importantes a tener en cuenta: STJUE de 7 de septiembre de 2004. Es decisivo, para que proceda una evaluación de repercusiones que el proyecto pueda comprometer los objetivos de conservación del hábitat sin

Por todo lo anterior, el desarrollo sostenible debe ser un principio que nos ayude a deducir los objetivos de sostenibilidad en los planes. Recordemos que *Maastricht* incluyó como objetivos distintos el progreso económico equilibrado y sostenible y la protección ambiental, objetivos que aúna Lisboa incorporando el concepto de desarrollo sostenible que paradójicamente inaugura una período negro del desarrollo sostenible que se sustituye por el crecimiento inteligente sostenible e integrador al que se refiere ahora la renombrada agenda 2030,

---

que sea necesaria la certeza de tal efecto, sino la mera probabilidad. El Tribunal parte de la presunción de que se produce esta afección significativa cuando el plan o proyecto afecte a la Red Natura 2000, y así, exige que esta «inocuidad» quede acreditada objetiva, fehaciente y exhaustivamente respecto del estado de conservación favorable del hábitat. STJUE (Sala Primera) de 21 de julio de 2011: la protección ambiental de los espacios naturales protegidos y de las aves debe primar sobre la instalación de cualquier actividad económica que suponga un peligro para ellas, aunque se trate de una instalación de generación de energías renovables como lo son los parques eólicos. STJUE (Sala Tercera) de 11 de abril de 2013. En una ponderación ordinaria (art. 6.3) no se tendrán en consideración las circunstancias económicas o sociales del lugar afectado. Solo cabrá la consideración de estos intereses, de forma extraordinaria y cuando no quepa otra alternativa, en aplicación entonces del art. 6.4 de la Directiva hábitat (art. 6.4). STJCE de 29 de enero de 2004. En ningún caso la ampliación de un campo de golf puede ser considerada una actividad de interés público de primer orden. STJUE (Sala Cuarta) de 24 de noviembre de 2011. Se reconoce que la actividad minera, por su importancia social y económica en la zona, puede constituir una «razón imperiosa de interés público de primer orden» en los términos previstos en el art. 6.4. STJUE de 21 de julio de 2016. Un plan de ampliación de un puerto, que prevé la desaparición de 20 hectáreas de la zona protegida y la creación de un espacio similar que venga a sustituir el hábitat perdido, tomando en consideración los beneficios para el desarrollo, es conforme con la Directiva hábitat. A modo de resumen, podemos afirmar que a la hora de considerar si concurren razones imperiosas de interés público de primer orden que justifiquen la aprobación de un plan o proyecto en un lugar de la Red Natura 2000 o que afecte a un lugar Red Natura 2000, habrá que llevar a cabo la evaluación de repercusiones sin considerar circunstancias no ambientales y, una vez detectadas las repercusiones y a falta de soluciones alternativas, la autoridad competente llevará a cabo una ponderación de circunstancias en cada caso concreto, considerándose razones de interés público de primer orden las relacionadas por el art. 6.4 de la Directiva Hábitat, especialmente las que produzcan un beneficio de primordial importancia para el medio ambiente, la salud humana o la seguridad pública, entre otros, no solo en cuanto a la importancia de la actividad en sí, sino que además suponga un beneficio para el desarrollo a largo plazo.

que omite los principios de río y el desarrollo sostenible, sustituyéndolos por la encomienda a los Estados de cumplir con los ODS[24].

Se comienza a hablar ahora del sistema jurídico del desarrollo sostenible, que supone, a mi juicio, poner en duda el derecho ambiental. El problema es integrar y compatibilizar, no reformular un derecho integrador del derecho ambiental y resto del ordenamiento jurídico. El desarrollo sostenible es un principio que fundamenta límites y excepciones, no un objetivo. Cuando no es mesurable entonces es un principio o un criterio. Por ello, cuando se propone manejar los ODS en las EIA (OCDE) estaremos ante una evaluación del impacto sostenible, ante una evaluación de impacto ambiental desnaturalizada, y no ante una verdadera EIA.

Otra cosa es que las demás variables, económicas, sociales culturales, sanitarias … sean tenidas en cuenta por el órgano competente para resolver, como la evaluación del impacto sobre la salud de políticas urbanas que contempla evaluar los efectos de las políticas públicas y de las actividades públicas y privadas en la salud de las poblaciones y que tan importantes hemos visto que resultan a la luz de la pandemia COVID-19.

La EIS puede definirse, pues, como una metodología propuesta Unión Europea y respaldada por la OMS, que supone un proceso previo a la toma de decisiones y que consiste en la evaluación de los impactos que, para la salud, tendrá la materialización de un proyecto o proceso que culmina con el planteamiento de recomendaciones para minimizar su impacto negativo en la salud o maximizar su impacto positivo sobre la salud[25]. Este instrumento legitima la adopción de medidas de excepción, en tanto se mantenga la incertidumbre, en ámbitos en los que se encuentra en juego la salud de las personas y

---

[24]   Objetivos de desarrollo sostenible, acordados el 25 de septiembre de 2015. Se trata de 17 metas a alcanzar por todos os países y personas del planeta. El 11, concretamente establece como objetivo «lograr que las ciudades y los asentamientos urbanos sean inclusivos, seguros, resilientes y sostenibles».

[25]   El estudio lo realiza un equipo multidisciplinar y en el proceso se garantiza la participación de los ciudadanos, grupos y organizaciones. Se trata, pues, de una interesante herramienta infrautilizada, la cual puede llevar a la toma de decisiones políticas de carácter precautorio en relación a lo que sí está permitido de conformidad con el derecho que disciplina el sector material de que se trate.

además permite incorporar a las decisiones públicas la apreciación de la sociedad sobre los riesgos que desea asumir como riesgos del progreso, lo cual, desde luego, supone un avance hacia la democracia ambiental y legitima la socialización del riesgo, resultando muy útil como herramienta al servicio de la ordenación de la ciudad[26]. La recepción en España de este instrumento ha tenido lugar mediante su incorporación a la Ley 33/2011, de 4 de octubre, de Salud pública, que acoge un concepto omnicomprensivo de salud. Así, más allá de su entendimiento como ausencia de enfermedad se define salud como como *«el estado de bienestar físico, mental y social y la capacidad de funcionar en la sociedad»* o como *«el estado de adaptación al medio y la capacidad de funcionar en las mejores condiciones posibles en este medio»*. El art. 35 de la Ley recoge esta herramienta de evaluación de políticas públicas y sus efectos en relación con la calidad de vida de la población, de modo que junto al impacto económico, ambiental y social se incorpora el impacto sobre la salud de los planes y proyectos de cualquier índole, incluidos los planes urbanísticos. Por lo que se refiere al ámbito de aplicación de la EIS, dispone el referido precepto que *«Las Administraciones públicas deberán someter a evaluación del impacto en salud las normas, planes, programas y proyectos que seleccionen por tener un impacto significativo en la salud, en los términos previstos en esta ley»* (art. 35.1). Como puede observarse, se reconoce amplia discrecionalidad a las diversas Administraciones Públicas que

---

[26]   Los principios en los que se basa esta herramienta son fundamentalmente cuatro. En primer lugar, *la democratización de la salud*. Se tiene en cuenta el punto de vista de la población, así como el de expertos científicos. En segundo lugar, la *equidad y la reducción de las desigualdades sociales en salud*, en la medida en que se examinan la distribución de las posibles consecuencias para la salud de una disposición o proyecto entre los grupos sociales. En tercer lugar, *sostenibilidad*, pues se comprende el corto y el largo plazo en los efectos de las actividades y planes que inciden en la salud de las poblaciones. En cuarto lugar, *evidencia*, pues es necesario partir de u obtener datos cuantitativos y cualitativos que fundamenten las medidas a adoptar. Y, en quinto y último lugar, intersectorialidad, habida cuenta de los vínculos existentes entre la salud y otros campos a los que se referirá la evaluación como el urbanismo, la vivienda, la agricultura, la planificación urbana y el transporte, entre otros, como factores determinantes de la salud. Centro de recursos sobre EIS http://www.creis.es/. En Francia, puede consultarse la siguiente web: http://inpes.santepubliquefrance.fr/INPES/quisommesnous.asp.

pueden resultar competentes para someter o no a EIS *las normas, planes, programas y proyectos*. No aclara la Ley si se refiere sólo a la EIS de normas, planes y proyectos públicos, de modo que podría entenderse que cabe también el sometimiento caso por caso de proyectos de iniciativa privada.

Aunque el progreso en matera de EIS está siendo lento, a la luz de la regulación autonómica[27] se atisba una positiva tendencia hacia la integración de los aspectos ambientales y de salud en la toma de decisiones públicas, que enlazan con la constantes reivindicaciones sobre el bienestar humano, goce de los derechos fundamentales en la ciudad, *bien être durable* o bienestar sostenible, derecho al buen vivir o al *bonheur,* conceptos vagos y subjetivos que ya se encuentran contemplados en textos internacionales[28] y que comienzan a contemplarse a nivel interno en nuestro ordenamiento, y concretamente el derecho administrativo como el EBEP, que alude al bienestar sociolaboral de los funcionarios públicos y sus familias, la LOU, que alude al objetivo del bienestar, el reciente Decreto Ley 2/2019, de 26 de diciembre, de Protección integral del Mar Menor y algunas otras Leyes ambientales autonómicas, como la Ley valencia 2/1989, de 3 de marzo, la Ley gallega 5/2019, de 2 de agosto, la Ley gallega 7/2008, de 7 de julio del paisaje, la Ley andaluza 16/2011, de 23 de diciembre, de Salud pública y la Ley aragonesa 7/2010 de contaminación acústica. Y, por lo que se refiere a la normativa local, destacan sobre todo las Ordenanzas de contaminación lumínica.

Mayores avances encontramos de la mano de la jurisprudencia, en la medida en que el TEDH hace suyo el bienestar a partir de la Sentencia López Ostra de 1994, que vincula con la protección del medio ambiente, entendiendo, pues, que el bienestar humano y el bienestar del medio ambiente se nutren mutuamente.

---

[27]   Algunas CCAA, como Cataluña, Baleares y Andalucía, han incorporado esta técnica, aunque con un tímido alcance, y previsiblemente se vayan incorporando otras CCAA a esta tendencia. Así, la Ley catalana 18/2009, de 22 de octubre, de salud pública, la Ley *16/2010, de 28 de diciembre, de salud pública de las Illes Balears*. la Ley andaluza 16/2011, de 23 de diciembre, de Salud Pública.

[28]   al que se refiere tanto el TUE (art. 3.1) como la Conferencia de Estocolmo de 1972, de Rio +20.

La práctica jurídica más reciente evidencia una evolución desde la dimensión individualista propia de la tutela de los derechos humanos, a un derecho humano si se me permite de carácter colectivo, que en puridad tiende a garantizar la dignidad de todos los seres humanos, es más, de las generaciones presentes y las futuras. El ejercicio de este derecho humano de carácter colectivo en tanto que protege el interés general puede ser colectivo, porque afecta al bienestar de los pueblos, de las comunidades y en definitiva de la ciudad. El bienestar en la ciudad se convierte, sin lugar a dudas, en un reto para los actores territoriales locales, a los que se les demanda la comprensión de la salud en los planes metropolitanos o de ordenación urbana.

La Sentencia *Urgenda 2* también aborda una interesante interpretación del alcance del art. 34 del CEDH en sede de legitimación. Recordemos que el art. 34 del CEDH establece que el TEDH «*podrá conocer de una demanda presentada por cualquier persona física, organización no gubernamental o grupo de particulares que se considere víctima de una violación por una de las Altas Partes Contratantes de los derechos reconocidos en el Convenio o sus Protocolos. Las Altas Partes Contratantes se comprometen a no poner traba alguna al ejercicio eficaz de este derecho*»[29].

Ha sido numerosa ya la doctrina del TEDH sobre el alcance del concepto de víctima a efectos del art. 34 del CEDH[30]. En este sentido, y para después concluir sobre la posibilidad de articular una demanda

---

[29]   SORO MATEO, B., «Responsabilidad pública, vulnerabilidad y litigios climáticos», *Revista Aragonesa de Administración Pública*, ISSN 1133-4797, Nº 54, 2019, págs. 57-140.

[30]   Como advirtió MARTÍN RETORTILLO, «*A veces, un mismo problema afecta a un grupo de residentes en un barrio o vecinos de una ciudad. Hay suficientes ejemplos en que varía enormemente el número de personas que concurren. Por citar una muestra paradigmática, aludiré al caso Guerra c. Italia, de 19 de febrero de 1998, que a mí me gusta denominar "las cuarenta de Manfredonia", pues en este destacado asunto de sensibilidad medioambiental habían firmado la demanda cuarenta mujeres, todas de un pueblo de Italia, imagino que vinculadas a los hombres que trabajaban en unas instalaciones industriales de cierta peligrosidad y poco respetuosas con el medio ambiente* (p. 268) ... *Significativa muestra de la primera tendencia la ofrece el caso Vides Aizsardzibas Club c. Letonia, de 27 de mayo de 2004: una asociación medioambiental publica en la prensa un enérgico artículo denunciando que el sistema de dunas de Riga está siendo objeto de ataques por parte de urbanizaciones desaprensivas e ilegales* ... *En este con-*

climática en España, vuelve a resultar muy interesante el análisis de la reciente Sentencia del TEDH *Cordella y otros c. Italia* de 24 de enero de 2019 (demandas n° 54414/13 y 54264/15). El TEDH deja claro que *ex* art. 34 CEDH, el individuo, organización no gubernamental o grupo de particulares que se considere víctima de una violación de los derechos fundamentales frente a una Estado parte debe demostrar que ha sido afectado directamente por la situación alegada y tiene que existir un vínculo suficientemente estrecho entre el demandante y el perjuicio sufrido. No caben, en consecuencia, las reclamaciones en defensa de intereses públicos o generales, sin identificar a las víctimas directas o indirectas, pues la Convención claramente prohíbe la actio popularis. Ello no obsta, sin embargo, a que se admitan reclamaciones colectivas, como la que resuelve la STEDH *Cordella y otros c. Italia*, a partir de la prueba de la relación de causalidad entre la actividad dañosa y la situación sanitaria en la provincia italiana que afecta al bienestar de los demandantes.

4.2. *Urbanismo ciudadano. Nuevos enfoques*

4.2.1. La especial vulnerabilidad como externalidad del urbanismo

Las ciudades de hoy han hipotecado algunos derechos de las generaciones futuras. Por ello es necesario invocar la nueva cultura de la ética pública o buen gobierno en la gestión del suelo, resultando la ciudad un espacio de referencia para incorporar estas dimensiones espacial, ética y temporal. Todo lo que ha sido jurídica, técnicamente o físicamente posible no es aceptable en términos éticos y jurídicos a día de hoy.

Resulta lamentable ver a los políticos locales cabizbajos, estudiando cómo corrigen con dinero público las consecuencias de un modelo expansivo obsoleto cuyo resultado ahora es la herencia de nuestros hijos. Barrios pretendidamente ricos inundados e incomunicados por construir en terrenos inundables, dejando que la iniciativa privada dirija la explotación urbana y la destrucción del suelo-huerta que ro-

---

texto será la asociación quien recurra al Tribunal Europeo, que le dará la razón, condenando a Letonia» (p. 270). L. MARTÍN RETORTILLO (2008: 253-284).

deaba a las ciudades del levante, ... y ahora proyectos esquizofrénicos para acercar la ciudad al mundo rural que hemos hecho desaparecer, al que llegábamos caminando hace sólo veinte años.

Y es que, agravada la vulnerabilidad urbana en las ciudades de hoy, se observan iniciativas enmarcadas en las nuevas agendas urbanas y en los ODS que ponen el foco de atención en esta consecuencia de nuestro desmedido y miope urbanismo. Debe destacarse la importante labor desarrollada en este ámbito por el Observatorio de la Vulnerabilidad Urbana, proyecto a largo plazo auspiciado por el Ministerio de Fomento, donde se da cabida a distintos estudios relacionados con la Vulnerabilidad Urbana en España, en desarrollo de lo establecido en la Disposición adicional primera del Real Decreto Legislativo 7/2015, de 30 de octubre, por el que se aprueba el texto refundido de la Ley de Suelo y Rehabilitación Urbana[31]. Los estudios hechos públicos por este instituto resultan ser una base de datos valiosísima, un trabajo de campo que descubre el mosaico de vulnerabilidades urbanas, a partir de la cual arbitrar soluciones legales que resuelvan las situaciones de vulnerabilidad más graves y frecuentes detectadas.

---

[31] El Observatorio de la Vulnerabilidad Urbana contiene: El Atlas de la Vulnerabilidad Urbana, con información a nivel de sección censal de todos los municipios españoles (referido a los Censos de Población y Vivienda de 2001 y 2011). El Atlas de la Edificación Residencial en España, con información sobre las características de los edificios residenciales y las viviendas a nivel de sección censal de todos los municipios españoles (referido a los Censos de Población y Vivienda de 2001 y de 2011). El Análisis de las características de la Edificación Residencial en España, informe a nivel nacional y por Comunidades Autónomas sobre las características de la edificación residencial y sus necesidades de rehabilitación, elaborado en base a los Censos de 2001 y 2011. El Análisis Urbanístico de Barrios Vulnerables en España, referido a los años 1991, 2001, 2006 y 2011, cuya herramienta más destacada es el Catálogo del Visor de Barrios Vulnerables. Estudios específicos detallados sobre la vulnerabilidad en las grandes ciudades españolas: el Atlas de Barrios Vulnerables de España: 12 Ciudades 1991-2001-2006, Barrios Vulnerables de las grandes ciudades españolas 1991-2001-2011 y Vulnerabilidad residencial en las grandes ciudades españolas 2001-2011, Informe sobre Fórmulas innovadoras de Gestión y Financiación en actuaciones de Regeneración de Barrios. El Mapa sobre Vivienda y Comunidad Gitana en España 2007, realizado por la Fundación Secretariado Gitano y el Ministerio de Vivienda. El acceso a otros Observatorios europeos de similares características. Links destacados con otros Observatorios autonómicos o municipales.

La especial vulnerabilidad y su protección como presupuesto del derecho a la ciudad en su dimensión colectiva debe ser el camino a seguir para corregir los excesos del urbanismo de tercera generación, del que nos hablan Parejo y Giardini. La pérdida de la calidad de vida en la ciudad es una tónica generalizada, que se agrava con la superpoblación de las ciudades como consecuencia del despoblamiento del mundo rural (la España vaciada), en zonas suburbiales, todo ello como consecuencia de la ciudad difusa heredad, de esa aspiración de segunda residencia de un importante número de ciudadanos y de la utilización desmesurada de vehículos a motor.

La concentración de la población en un lugar concreto y el estilo de vida global genera una serie de intereses encontrados que es preciso ordenar. Por un lado, se encuentran los intereses individuales amenazados por la ciudad y sus externalidades y por otros, están los intereses colectivos comunes o públicos consustanciales a la ciudad.

Ya hemos comprobado cómo la rehabilitación mal programada o la creación de los muros en la línea de la miope sostenibilidad ambiental favorecen solo a los más ricos, agravando la vulnerabilidad de los más desfavorecidos. Las mejoras ambientales si no van acompañadas de otro tipo de intervenciones fracasan, produciéndose, como pone de manifiesto Isabelle Anguelovski (urbanista) una gentrificación verde que acaba expulsando a los pobres[32]. Lo social, pues, no puede perderse de vista en las actuaciones públicas en la ciudad.

Además, las intervenciones *ex novo*, que persiguen la generación de barrios más ricos, más verdes, mejor configurados, con más centros deportivos, tienen una esperanza de vida superior a la población de los barrios desfavorecidos. Así, igual que en medio ambiente urbano es importante adoptar medidas en el ámbito de la salud urbana, desarrollando algunas experiencias como los denominados barrios cardiosaludables[33].

---

[32]   Por ejemplo, en el Barrio madrileño de Lavapiés, la rehabilitación y el desarrollo de zonas verdes generó el aumento del precio y el cambio del comercio. Uno de los factores que influyen en esta gentrificación es el desarrollo de zonas verdes que es utilizado por los promotores para vender más pisos, autoexpulsándose los pobres de los parques y generando un aislamiento.

[33]   Manuel Franco, Proyecto *Heart Healthy hoods* (Universidad de Alcalá).

En tercer lugar, la España envejecida, la reducción del tamaño familiar, la España vaciada, la referida gentrificación, la coexistencia de la ciudad difusa como resultado del desordenado urbanismo de otros tiempos, los apartamentos turísticos contribuyen a la gentrificación y a que cada vez sea inferior la oferta convencional de alquiler, son problemas a los que la doctrina administrativista dedica sus esfuerzos para ofrecer respuestas innovadoras muchos de las cuales ya han sido tratadas estos días.

Se ha abundado también en el resurgimiento de la idea de lo común, que irrumpe con fuerza en los últimos años, con OSTROM y la gobernanza de bienes compartidos, con ROSANVALLÓN y la activación de vínculos solidarios como complemento a políticas públicas (ambos 2012) y con NEGNI y HARDT con la capacidad de autogobierno transformador (2009). El mercantilismo, la globalización y la transición digital han generado problemas comunes en las denominadas ciudades globales y se plantea ahora qué respuestas debe ofrecer el Derecho ante todo este cambio, si se deben dar respuestas a nivel nacional o deben explorarse modelos vinculados a la cosa común en ámbitos de proximidad. El gobierno local en la segunda década del siglo XXI se encuentra con una sociedad que demanda autotutela de derechos como alternativa a una clásica protección institucional pública o público-privada que no ha sabido o podido llegar a todos los ciudadanos: han emergido la apropiación comunitaria de servicios públicos, los presupuestos participativos, la democracia activa, la economía cooperativa, la perspectiva común y los comunes urbanos, que no son más que conforme a la clasificación de bienes de dominio público de nuestro derecho patrimonial, aquellos destinados a un uso público. Se habla ahora de superar la alianza público-privada por una nueva alianza público-ciudadana[34].

Las cuestiones a resolver en la ciudad tienen que ver con problemas globales como la inmigración y la transición ecológica y estatales como el control público de alquileres. Pero a pesar de la dimensión translocal de estos retos emerge una máxima que pasa ahora por pen-

---

[34] Sobre el uso público en la ciudad, *Vid.* SOCÍAS CAMACHO, J. M., «Espacio público en la ciudad turística» BARRERO RODRÍGUEZ, C. y SOCÍAS CAMACHO, J. M., (coords.), *La ciudad del siglo XXI: transformaciones y retos*, INAP, 2020, pp. 225-257, y la bibliografía allí citada.

sar local y actuar local, porque el mundo es más complejo que antes. Se persigue un estado ecológico de derecho en la ciudad que sitúe tres dimensiones de la agenda urbana: la ecología urbana, la economía ciudadana y el bienestar de proximidad. La ciudad se convierte, como nos recordaba Parejo a la vez en el espacio para reconstruir los derechos sociales más allá del estado del bienestar, a partir de una dimensión urbana de la justicia social, económica y ambiental.

4.2.2. Sobre el Principio de no regresión como condicionante de la planificación urbanística

El principio de no regresión —o cláusula Standstill— se ha consolidado como un instrumento eficaz para evitar la supresión o relajación del nivel de protección conferida por el Derecho ambiental a determinados espacios naturales que pueda producir daños ambientales de carácter irreversibles. El Tribunal Supremo, en su Sentencia de 10 julio 2012 (Sala de lo Contencioso-Administrativo, Sección 5ª) recordó las implicaciones que tiene este principio sobre las Poderes Públicos, y en particular, sobre las potestades discrecionales de las Administraciones Públicas:

«Ello nos sitúa en el ámbito, propio del Derecho Medioambiental, del principio de no regresión, que, en supuestos como el de autos, implicaría la imposibilidad de no regresar de —o poder alterar— una protección especial del terreno, como es la derivada de Montes Preservados y de los terrenos que integran la Red Natura 2000 y los que forman parte del PORN del Curso Medio del Río Guadarrama y su entorno, desde luego incompatible con su urbanización, pero también directamente dirigida a la protección y conservación, frente a las propias potestades de gestión de tales suelos tanto por aplicación de su legislación específica como por el planificador urbanístico».

Por lo tanto, este principio se consolida como una suerte de obligación impuesta a los Poderes Públicos de no hacer y de no modificar o suprimir los estándares de protección ambiental que supongan una disminución del nivel de protección establecido.

La cláusula Standstill encuentra apoyo en nuestro derecho positivo europeo y estatal (art. 45 CE y artículo 3 y concordantes de la Ley del Suelo 2015), así como en el carácter finalista del derecho ambiental, y ha sido respaldada por nuestra doctrina administrativista y jurisprudencial. La anteriormente aludida STS de 10 de julio de 2012 menciona un Dictamen del Consejo de Estado del año 2002 que ya refería la virtualidad de este principio:

«Este principio de no regresión ha sido considerado como una cláusula de "status quo" o "de no regresión", con la finalidad, siempre, de proteger los avances de protección alcanzados en el contenido de las normas medioambientales, con base en razones vinculadas al carácter finalista del citado derecho medioambiental, como es el caso del Dictamen del Consejo de Estado 3297/2002, que si bien referido a modificación de zonas verdes, de que "la modificación no puede comportar disminución de las superficies totales destinadas a zonas verdes, salvo existencia acreditada de un interés público prevalente. En otros términos, la superficie de zona verde en un municipio se configura como un mínimo sin retorno, a modo de cláusula stand still propia del derecho comunitario, que debe respetar la Administración. Sólo es dable minorar dicha superficie cuando existe un interés público especialmente prevalente, acreditado y general; no cabe cuando dicho interés es particular o privado, por gran relevancia social que tenga"».

De este último fragmento se infiere que el principio de no regresión tiene grandes implicaciones en la práctica, en la medida en que constituye un auténtico límite de las actuaciones de los Poderes Públicos que disminuyan y afecten a los avances alcanzados en materia de protección ambiental.

No obstante, se ha de advertir que la vigencia de este principio no supone en ningún caso una perpetuidad de la normativa de protección medioambiental existente, aunque sí requiere una especial motivación de las actuaciones de los Poderes Públicos que disminuyan el nivel de protección de los suelos:

«En consecuencia, y sin perjuicio de su particular influencia en el marco de los principios, obvio es que, con apoyo en los citados preceptos constitucional (artículo 45 Constitución Española (RCL 1978, 2836)) y legales (artículo 2 y concordantes del TRLS08 (RCL 2008, 1260)), el citado principio de no regresión calificadora de los suelos especialmente protegidos implica, exige e impone un plus de motivación razonada, pormenorizada y particularizada de aquellas

*actuaciones administrativas que impliquen la desprotección de todo o
parte de esos suelos» (STS de 10 de julio de 2012).*

Y es en esta exigencia extra de justificación donde radica la verdadera limitación a los Poderes Públicos y, en particular, al *ius variandi*
de la Administración al ejercer sus potestades de planificación. Nos
encontramos, por ende, ante actuaciones injustas cuando se altere re-
gresivamente el nivel de protección conferido al suelo sin estar debidamente motivado.

En materia urbanística, la cláusula Standstill se traduce en la exigencia de una mayor y específica motivación de las modificaciones
del planeamiento que afecten y modifiquen la calificación del suelo
como zonas verdes o cuando se pretenda modificar la clasificación de
suelos especialmente protegidos. A modo de ejemplo, la Sentencia del
Tribunal Supremo de 16 de abril de 2015 (Sala 3ª de lo Contencioso-
administrativo, Sección 5ª) indica que la modificación de la clasificación de suelo no urbanizable de especial protección a suelo urbanizable no sectorizado exige, en virtud de este principio, una especial
motivación:

«Por otra parte, no cabe tampoco desconocer que, tratándose de
la clasificación como suelo urbanizable no sectorizado de cuatro ámbitos, que el anterior planeamiento clasificaba como suelo no urbanizable de especial protección, nos movemos en el ámbito de aplicación del principio de no regresión planificadora para la protección
medioambiental (Cfr. STS de 30 de septiembre de 2011) (Casación
1294/2008); de 29 de marzo de 2012 (Casación 3425/2009); 10 de
julio de 2012 (Casación 2483/2009) y 29 de noviembre de 2012
(Casación 6440/2010) y de 14 octubre 2014 (Casación 2488/2012)
que, por lo que aquí interesa, comporta la exigencia de una especial
motivación de las innovaciones de planeamiento que incidan sobre la
calificación de las zonas verdes o la clasificación de los suelos especialmente protegidos porque, como dijimos en nuestra sentencia de
30 de septiembre de 2011 (Casación 1294/2008) el citado principio
de no regresión, que, en supuestos como el de autos, implicaría la
imposibilidad de no regresar de —o, de no poder alterar— una clasificación o calificación urbanística —como podría ser la de las zonas
verdes— directamente dirigida a la protección y conservación, frente*

a las propias potestades del planificador urbanístico, de un suelo urbano frágil y escaso».

Lo anterior no quiere decir que la clasificación como suelo no urbanizable especialmente protegido suponga una inmutabilidad de tal clasificación. Como hemos indicado, si la memoria del plan justifica debidamente un interés público que sea superior al interés público ambiental podrá modificarse la clasificación del suelo no urbanizable especialmente protegido. Asimismo, podrán realizarse tales modificaciones cuando de la clasificación como suelo no urbanizable especialmente protegido subyace una finalidad espuria distinta a la protección ambiental, en tanto que impide la aplicación del principio de no regresión. Respecto a este último extremo, la STS de 26 de mayo de 2016 razona lo siguiente:

«No aporta la representación procesal del Ayuntamiento recurrente dato alguno demostrativo de que esa apreciación de la Sala de instancia sea errónea, por lo que hemos de concluir que no es aplicable la doctrina jurisprudencial relativa al principio de no regresión, dado que el suelo en cuestión, a pesar de haber sido calificado, en su día, como protegido, carecía de elementos para merecer dicha protección, pues ésta, como asegura el Tribunal de instancia, no tuvo otra finalidad que tratar de evitar el desarrollo urbanístico en un suelo clasificado como no urbanizable por haber considerado que el ordenamiento jurídico entonces vigente posibilitaba dicho desarrollo»[35].

Por lo expuesto, podemos concluir que el principio de no regresión constituye, por un lado, un auténtico límite de la actuación de los Poderes Públicos, en especial para la potestad de planeamiento urbanístico de las Administraciones Públicas, y, en consecuencia, actúa como un auténtico parámetro de validez de las actuaciones que incidan en el medio ambiente y en este concreto caso en la ciudad. En este sentido, pues, debe ser interpretado el desarrollo urbano sostenible al que se refiere el Real Decreto Legislativo 7/2015, de 30 de octubre[36].

---

[35] *Vid.* STSJ de Andalucía, Granada (Sala de lo Contencioso-Administrativo, Sección 3ª) Sentencia núm. 480/2012 de 13 febrero. JUR 2012\154692 y STS (Sala de lo Contencioso-Administrativo, Sección 5ª), de 10 julio 2012. RJ 2013\2346.

[36] El artículo 3 se refiere al *principio del desarrollo territorial y urbano sostenible,* en virtud del cual las *políticas públicas relativas a la regulación, ordenación, ocupación, transformación y uso del suelo deben propiciar el uso racional de los*

Blanca Soro Mateo

4.2.3. La reivindicación del derecho a la ciudad

El bienestar en la ciudad se está convirtiendo, sin lugar a dudas, en un reto para los actores territoriales locales, a los que se les demanda la comprensión de la salud en los planes metropolitanos o de ordenación urbana más allá de lo que a día de hoy también se demanda en la era covid y postcovid. Las respuestas dogmáticas en este ámbito que venimos tratando en los tiempos recientes vienen de la mano de la reivindicación del ya aludido derecho a la ciudad, acertadamente conectado con los derechos humanos[37], e interdependiente de todos los derechos humanos internacionalmente reconocidos, concebidos integralmente. Incluye, por tanto, todos los derechos civiles, políticos, económicos, sociales, culturales y ambientales que ya están reglamentados en los tratados internacionales de derechos humanos (art. 1.2 de la Carta Mundial del derecho a la ciudad)[38].

La doctrina moderna, a partir de Lefebvre (1978)[39], parte del estudio de los movimientos sociales que reivindican la idea de que todos los derechos humanos son derechos imprescindibles para lle-

---

recursos naturales armonizando los requerimientos de la economía, el empleo, la cohesión social, la igualdad de trato y de oportunidades, la salud y la seguridad de las personas y la protección del medio ambiente.

[37] BANDRÉS SÁNCHEZ-CRUZAT, J. M., «El derecho a la ciudad», *Cuadernos de derecho local*, ISSN 1696-0955, Número 35, 2014, pp. 97-103.

[38] Podemos situar los orígenes del derecho a la ciudad en la II Conferencia Mundial de Naciones Unidas sobre Medio Ambiente que bajo el título «Cumbre de la Tierra» se realizó en Río de Janeiro, Brasil, en 1992, concretamente en una de los foros preparatorios de dicha Cumbre, que tuvo lugar en Túnez y que versó sobre Medio Ambiente, Pobreza y Derecho a la Ciudad y posteriormente en el Foro «Hacia la Ciudad de la Solidaridad y la Ciudadanía» convocado por UNESCO en 1995. Ese mismo año las organizaciones brasileñas promovían la Carta de Derechos Humanos en la Ciudad, antecedente civil del Estatuto de la Ciudad que promulgaría años más tarde el gobierno de Brasil. Y después, la Primera Asamblea Mundial de Pobladores, realizada en México en el año 2000, en la que participaron alrededor de 300 delegados de organizaciones y movimientos sociales de 35 países. Bajo el lema «repensando la ciudad desde la gente», se debatió en torno a la concepción de un ideal colectivo que diera base a propuestas orientadas a la construcción de ciudades democráticas, incluyentes, educadoras, habitables, sustentables, productivas y seguras.

[39] LEFEBVRE construye una propuesta política denominada derecho a la ciudad, que consiste en «rescatar al hombre como elemento principal, protagonista de la ciudad que él mismo ha construido». El derecho a la ciudad es entonces restaurar

var a cabo un proyecto de vida autónomo, fundado en la dignidad e igualdad de las personas, y de la necesidad de que sean accesibles en la ciudad, formulando un derecho fundamental a la ciudad que debe ser reconocido y tutelado, para el ejercicio del resto de los derechos humanos. Estas ideas, como se verá, pronto comienzan a cristalizar en instrumentos internacionales, como la Carta mundial del derecho a la ciudad de 2000, que amplía el tradicional enfoque sobre la mejora de la calidad de vida de las personas centrado en la vivienda y el barrio, hasta abarcar la calidad de vida a escala de ciudad y su entorno rural, como un mecanismo de protección de la población que vive en ciudades o regiones en acelerado proceso de urbanización[40.] De forma paralela a esta iniciativa, a nivel europeo, destaca la Carta Europea de Salvaguarda de los Derechos Humanos en la Ciudad, firmada hasta ahora por más de 400 ciudades[41].

Tratándose, a nivel internacional, de un derecho humano emergente, muy estudiado por la doctrina internacionalista, lo cierto es que aún no ha sido incorporado a los ordenamientos jurídicos nacionales[42].

---

[40]   el sentido de ciudad, instaurar la posibilidad del «buen vivir» para todos, y hacer de la ciudad «para la construcción de la vida colectiva»
Jacobs (2011), Mitchell (2003), Borja (2010) y Gehl (2014). Esto implica enfatizar una nueva manera de promoción, respeto, defensa y realización de los derechos civiles, políticos, económicos, sociales, culturales y ambientales garantizados en los instrumentos regionales e internacionales de derechos humanos. En la ciudad y su entorno rural, la correlación entre estos derechos y la necesaria contrapartida de deberes es exigible de acuerdo a las diferentes responsabilidades y situaciones socioeconómicas de sus habitantes, como forma de promover la justa distribución de los beneficios y responsabilidades resultantes del proceso de urbanización; el cumplimiento de la función social de la ciudad y de la propiedad; la distribución de la renta urbana y la democratización del acceso a la tierra y a los servicios públicos para todos los ciudadanos, especialmente aquellos con menos recursos económicos y en situación de vulnerabilidad.

[41]   Destacan, asimismo, iniciativas paralelas en América latina como el Estatuto de la Ciudad de Brasil, decretado en julio de 2001; y, a escala local, la Carta de Montreal, y la Carta de la ciudad de México por el derecho a la ciudad. Cabe destacar también la inclusión reciente del derecho a la ciudad en las constituciones de Ecuador y de Bolivia.

[42]   PONCE SOLÉ, J., «Derecho a la ciudad y desarrollo local» y VIANA GARCÉS, A., «Introducción. El derecho a la ciudad: Diagnóstico de un derecho emergente», en GUILLERMO ESCOBAR ROCA, *La protección de los derechos humanos por las defensorías del pueblo: Actas del I Congreso Internacional del PRADPI*, Dykinson, 2013, págs. 149-174 y 131-148 respectivamente. GUI-

No existe consenso doctrinal sobre si debe prevalecer la perspectiva del derecho o la del deber. Tampoco si se trata de un derecho autónomo o se encuentra integrado en el derecho al que se refiere el art. 45 de la CE, o si integra a la vez el 45, el 46 y el 47 CE A mi juicio, como entiende Parejo, se trata de una fórmula condensada del conjunto de derechos y deberes encuadrables en el estatus de ciudadanía, con una función más evocadora que efectiva, que se refiere, en sus palabras, *más a la dimensión colectiva o pública de la vida urbana y que se concreta en la participación en el gobierno de la ciudad y el disfrute de bienes y servicios que la ciudad ofrece*[43]. Exponente de este derecho, según Castillo Blanco, es el temprano reconocimiento de la acción pública en el ámbito urbanístico, no solo como posibilidad de colaborar con la AP en la protección de la legalidad urbanística, sino porque el urbanismo es algo de todos, de la comunidad. En este sentido, según el autor, además del desarrollo urbano los poderes públicos deben garantizar el derecho de la ciudadanía al espacio urbano, que integra el derecho a un medio ambiente adecuado y la protección del

---

LLÉN LANZAROTE, A., El derecho a la ciudad. Análisis de la carta europea de salvaguarda de los derechos humanos en la ciudad, en FRANCISCO JAVIER ANSUÁTEGUI ROIG, JOSÉ MANUEL RODRÍGUEZ URIBES, GREGORIO PECES-BARBA MARTÍNEZ, EUSEBIO FERNÁNDEZ GARCÍA, *Historia de los derechos fundamentales* (coord.) por, Vol. 4, Tomo 6, 2013 (El Derecho positivo de los derechos humanos), pp. 2099-2138 Barragán Robles, Fernández García, «Los Derechos Humanos hacia el Derecho a la Ciudad. Participación y Gobernanza», *70º aniversario de la declaración universal de derechos humanos: La Protección Internacional de los Derechos* Humanos en cuestión, coord. por CAROL PRONER, HÉCTOR OLÁSOLO ALONSO, CARLOS VILLÁN DURÁN, GISELE RICOBOM, CHARLOTTH BACK, 2018, Tirant lo Blanch, pp. 641-646. Aluden a los instrumentos internacionales más importante en este ámbito: Carta Mundial del Derecho a la Ciudad. Porto Alegre, 2006. Coalición Europea de Ciudades contra el Racismo, IV Conferencia Europea de las Ciudades por Derechos Humanos. Núremberg, 2004, Declaración Ciudades y Gobiernos Locales Unidos, Carta Europea de Salvaguardia de los Derechos Humanos en la Ciudad 2000, Carta Europea del Derecho de la Mujer a la Ciudad, Comisión Europea 1995, Agenda 21 de la Cultura. Barcelona 2004, Agenda Municipal Latinoamericana-Federación Latinoamericana de Ciudades y Municipios. 2001, Observatorio internacional de los Derechos a la Ciudad, pro-mueve la observación y registros de prácticas de implementación o reivindicación del Derechos a la Ciudad y Fórum urbano Mundial, organizado por Naciones Unidas.

43   PAREJO GARCÍA, L., «Reflexiones en torno a la ciudad ...», *cit.* p. 657.

patrimonio histórico[44]. Ramallo se pregunta si debe primar, la función administrativa o deber de protección de los poderes públicos, como entendió Montoro Chiner[45]o la vertiente del derecho, planteándose, si cabe entender el derecho urbano sostenible como una subespecie del derecho a un medio ambiente adecuado consagrado por el art. 45 de la CE con el que comparte caracteres, considerando que la consecución del desarrollo urbano sostenible será más visible si lo abordamos desde la perspectiva del deber de los poderes públicos que desde la perspectiva del derecho subjetivo.

Lo cierto, como nos recordaba López Ramón, es que la receta legal que tenemos es el urbanismo sostenible, pero nuestro ordenamiento jurídico debe avanzar para integrar, además de la rehabilitación, medidas más contundentes para integrar el cambio climático y el derecho a la vivienda.

4.2.4. Del urbanismo de la privatización y de la liberalización del suelo al urbanismo ciudadano. Potestades revisoras y reducción de espacios de discrecionalidad

Se pretende evolucionar de un urbanismo globalizado, el de la privatización del urbanismo y la liberalización del suelo, caracterizado por una urbanización difusa y discontinua, con áreas degradadas, red de autopistas, parque empresariales y zonas verdes, pasando por el nuevo urbanismo que propone la ciudad compacta, que afea el paisaje desde el punto de vista ambiental, ciudad de la que hablábamos en el Congreso de la AEPDA de Alicante, que se contrapone ahora a un urbanismo ciudadano, desarrollado en Francia y en Gran Bretaña, y que apuesta por la calidad del entorno y la integración de políticas y

---

[44]   CASTILLO BLANCO, Claves para la sostenibilidad de ciudades y territorios, Aranzadi, 2014.
[45]   RAMALLO LÓPEZ, F. «Derecho a la ciudad. Buen gobierno y buena administración», WPS Review International on Sustainable Housing and Urban Renewal, núm. 4 2016. pp. 8 a 36 y MONTORO CHINER M. J., «El Estado ambiental de Derecho: bases constitucionales», en SOSA WAGNER, F., *El derecho administrativo en el umbral del siglo XXI: homenaje al profesor Dr. D. Ramón Martín Mateo*, Vol. 3, 2000, ISBN 84-8442-098-1, págs. 3437-3466.

que tampoco resulta ser la panacea (*proyect urbain*) y que no termina con la urbanización difusa[46].

Hoy se habla de drásticas reformas en sede urbanística. El profesor Parejo, da cuenta de algunas de ellas[47]. Hablaba de un nuevo urbanismo, de una nueva ordenación territorial y urbanística que integre consideraciones energéticas en fase planificadora, que condicione el modelo de ciudad y las características de los edificios públicos y privados, adaptándose a los nuevos condicionamientos climáticos para reducir los riesgos, creando sumideros de CO_2, no alterando el desagüe natural y manteniendo la permeabilidad del suelo. Mas los procedimientos legales tradicionales no son aptos para la ejecución de estas políticas[48].

---

[46] Los principios que inspiraron la Ley del suelo de 1956 sobre los que la propia exposición de motivos decía que iban a tener una validez casi permanente, vemos que hoy, como tantos otros cimientos del derecho público, se tambalean. En el derecho urbanístico vigente sigue dominando la iniciativa municipal, aunque se observa un reforzamiento de las instancias revisoras de la disciplina urbanística especialmente por parte de las Administraciones ambientales.

[47] Sobre el necesario desmantelamiento del PGOU, *vid*. BAÑO LEÓN, J. M., «La obsolescencia de la idea de plan general», REALA, núm. 13, 2020, pp. 6-21.

[48] PAREJO GARCÍA, L., «Reflexiones en torno a la ciudad y el Derecho Administrativo», *cit.*, pp. 660-661. Frente a la rigidez procedimental vigente advierte lo siguiente: «*La flexibilización de la ordenación urbanística para dotarla de capacidad de absorción de los cambios inducidos por la dinámica propia de la vida urbana o, en todo caso, de rápida adaptación a la misma. Con superación así de la actual tensión, indebida, pero existente, entre la perspectiva medioambiental y la urbanística, siendo así que ambas tienen en común su carácter holístico y proceso de ponderación de intereses, sin merma de la seguridad jurídica requerida. En este orden de cosas el avance debería consistir, por de pronto, en la asunción por la legislación de las Comunidades Autónomas (hasta ahora reacias a ello) y, por tanto, la generalización, de la separación del régimen urbanístico de la propiedad del suelo y el régimen de las actuaciones urbanísticas de transformación del suelo (nueva urbanización o reforma o regeneración de esta). Pues solo esta separación permite, de un lado, atender a la situación propia del propietario del suelo en cuanto tal, es decir, con independencia de su participación en una actuación urbanística (que es una actividad de contenido económico que supone solo un episodio temporal) y, de otro lado, regular adecuadamente el estatuto del responsable de la gestión y ejecución de una tal actuación urbanística (sea o no propietario de suelo). La resistencia a la generalización de esta separación trae causa, sin duda, del arraigo de la identificación de propietario del suelo y agente de la urbanización (y edificación). Y gracias a tal separación (establecida por la legislación estatal desde 2007) se hace posible prescindir de una de las*

Es posible que se haga necesario desplegar potestades revisoras, expropiatorias y redelimitadoras del contenido del derecho de propiedad, que habrán de considerar, cuando proceda, las indemnizaciones correspondientes.

En este sentido, Santaella entiende que la función social de la propiedad brinda al legislador un espacio de configuración normativa en el que no existe la obligación de compensación y que, por lo mismo, las limitaciones impuestas en su nombre, a diferencia de las expropiaciones, no deben ser obligatoriamente compensadas. Así, pues, mientras que la delimitación conlleva la definición de las facultades y deberes que integran el contenido normal del derecho de propiedad no sujeta a compensación, como sabemos, la expropiación representa una privación del derecho por razones de interés general cuya indemnización resulta imperativa, lo cual no significa que no pueda haber delimitaciones constitucionalmente legítimas que sí deban ser compensadas.

Lo que es cierto es que en los últimos años se observa una reducción de los espacios de la discrecionalidad en dos sentidos: Por un lado, las normas tuitivas que disciplinan la protección de los espacios naturales y la protección del patrimonio cultural, tanto para la protección como para la desprotección se deben justificar en juicios

---

técnicas más distorsionantes para el correcto funcionamiento del sistema urbanístico: la de la clasificación del suelo, es decir, la de la vinculación de este a un destino genérico (no solo presente, ya que este viene dado por la realidad de la integración efectiva del suelo en el entramado de la ciudad hecha, sino —donde está el problema— futuro, mediante el otorgamiento al mismo del carácter "(re) urbanizable"); destino que, al incorporarse al derecho dominical, lleva aparejado un régimen jurídico en el que se confunde el del derecho de propiedad del suelo con el estatuto de la actividad de transformación de este mediante la (re) urbanización. Se trata de una técnica singular de nuestro ordenamiento hoy ya en todo caso prescindible. Pues, estando fijado legalmente el estatuto de toda actuación urbanística, la única determinación que resta es la conocida como zonificación, calificación, toda vez que es esta la que —en las superficies susceptibles de aprovechamiento lucrativo (por no vinculación a un destino público o libre de edificación)— determina dicho aprovechamiento (la edificabilidad y el uso en cada unidad susceptible del mismo de modo independiente), es decir, ultima la delimitación del contenido urbanístico del derecho de propiedad conforme a su función social (sin perjuicio de las cargas que resulten de su inclusión en una actuación urbanística)».

técnicos quedando fuera, por tanto, de la discrecionalidad administrativa. Éstos, además, no son ya los problemas que protagonizan
los conflictos y el discurso, sectores que fueron los protagonistas
hace sólo unos años, con el auge del sector inmobiliario en España,
sino, como hemos visto, las externalidades que genera el resultado
de ese boom. En segundo lugar, el avance de la ciencia, las diversas
zonificaciones derivadas de normas ambientales, los nuevos escenarios climáticos..., ya pocos acontecimientos puede decirse que constituyan azar o caso fortuito, y la previsibilidad de los mismos estrecha el espacio de la discrecionalidad administrativa del planificador,
que necesariamente debe tener en cuenta estos estudios al adoptar
decisiones sobre el territorio. Las Administraciones Públicas deben
basar sus decisiones en estudios científicos lo suficientemente sólidos, pues les incumbe un deber de protección acorde con el estado
de la ciencia y de la técnica.

Por ello, en mi opinión, y a estas alturas, ya no debe haber temor
al plan integrador como enemigo del mercado, pues ya no cabe la
vasta discrecionalidad del pasado, se ha reducido su campo de acción y, además, ahora se va a trabajar fundamentalmente en suelo
urbano, salvo el arte que puede coadyuvar al diseño estético de la
ciudad, esto es salvo en la subjetividad del paisaje del bienestar. El
nuevo urbanismo, pues, ya no tendrá que recurrir con frecuencia a la
ponderación entre derecho a construir y lo que ahora se denomina
derecho a la ciudad como aglutinador de otros derechos, a partir de
la funcionalización actualizada del derecho de propiedad, pues los
conflictos que puedan surgir se resolverán, bien por la prevalencia
de otros planes (basados en estudios previos que detecten las diversas vulnerabilidades ambientales y sociales), bien a través de la
integración de los intereses que conforman el que hoy se denomina
derecho a la ciudad.

Se augura, pues, un tránsito de un conocido urbanismo político,
de la discrecionalidad, de la clasificación de suelo, de la desnaturalización del suelo y de los informes vinculantes, cuya ausencia determina
la nulidad radical de todo el planeamiento, a un urbanismo administrativo, de lo reglado, holístico, preferentemente rehabilitador, circular y ciudadano.

4.3. La relevancia internacional de la iniciativa local

4.3.1. La relativización del principio de territorialidad y el desarrollo del principio de subsidiariedad a través de nuevos principios, como la gobernanza multinivel

Es ya una constante que independientemente de las competencias que ostentan los entes locales en derecho español, surjan iniciativas desde el ámbito local, desde las ciudades, frente a problemas globales como la crisis de refugiados, el cambio climático[49], la transición energética[50], entre otras cuestiones. Se trata, en definitiva, de ciudades conectadas entre sí en redes que cada vez más demandan un mayor protagonismo en el ámbito exterior. Este movimiento sucede en todo tipo de Estados, centralistas y descentralizados, y España no es una excepción.

Tanto el derecho internacional como el Derecho comunitario de algún modo están empezando a dar entrada a los entes descentralizados a través de su participación en la integración europea, con la creación del Comité de las Regiones o a través de la constante apelación en las normas y decisiones comunitarias al principio de subsidiariedad desde su consagración por el *Tratado de Maastricht* (1992) y a la adopción de decisiones por la Administración más cercana al ciudadano. Pero la regulación de la participación de las colectividades territoriales o de los entes descentralizados en las «relaciones exteriores» no la ofrece el Derecho internacional —el *Convenio de Viena* en su art. 6 establece que todo Estado tiene competencia para celebrar Tratados— sino el Derecho constitucional de cada Estado.

4.3.2. La iniciativa local en derecho comparado

El método comparativo para los cultivadores del derecho urbanístico de hoy nos ofrece muchas ventajas y nos permite descubrir la relatividad de postulados tan arraigados en nuestro ordenamiento que quizá requieran una reforma para avanzar en la senda perseguida.

---

[49]   C-40: red global de ciudades que lideran iniciativas y políticas de Cambio climático.

[50]   Movimiento de ciudades europeas hacia la transición ecológica.

322 Blanca Soro Mateo

El derecho comparado nos ofrece algunas posibles líneas de evolución del derecho español, que podrían dar acogida a la acción exterior de los entes locales como canal de formalización de esta necesidad que manifiestan las ciudades y que resulta ahora el signo de los tiempos. Díaz González nos da cuenta del Estado de la cuestión en Italia[51], Alemania[52] y Francia[53]

El ordenamiento italiano, se ha mostrado restrictivo, admitiéndose sólo las actividades de mero relieve internacional y predominando el deber de lealtad. A día de hoy la Ley 131/2003 reconoce expresamente la posibilidad de que los entes locales desarrollen actividades de relieve internacional, limitado a su espacio competencial, como puede ser el caso de hermanamiento de ciudades.

En Alemania, la acción local exterior carece de apoyo normativo expreso pero se observa un desarrollo «alegal» del mismo y numerosos pronunciamientos jurisprudenciales que si en un primer momento, admitieron la celebración de acuerdos que no tuvieran la naturaleza de tratados internacionales en tanto que no obligaban al Estado, en el ámbito de la gestión de asuntos de interés para la comunidad local (STCF alemán de 30 de julio de 1958), después, se llega a excluir la posibilidad de hermanamientos en contra de la política nuclear del Estado, pues se excluye la posibilidad de que el municipio tome postura en materias reservadas a la competencia del Estado en el contexto Internacional.

En Francia, los denominados Acuerdos infraestatales con proyección internacional se admitieron, pero se sometieron a autorización del gobierno, (LOI 82-2013, de 2 de marzo), intervención después rebajada a través de Circulares a información y coordinación por parte del delegado del gobierno, y admitiéndose después sólo en relación con municipios fronterizos. Tras un período aperturista a la admisión de esta acción exterior, con el presidente FABIOUS, en el período de presidencia del conservador Chirac se advirtió de la incompatibilidad de la interpretación dada al art. 65.2 de la referida Ley. Con posterio-

---

51 DÍAZ GONZÁLEZ, G., *La acción exterior local, Bases constitucionales*, Iustel, 2019, pp. 166 y ss.
52 Ibidem, pp. 83 y ss.
53 Ibidem, pp. 103 y ss.

ridad, se reguló lo que en Francia se denomina cooperación descentralizada, que no es más que la acción exterior de los entes locales en la Ley 92-125 sobre Administración territorial de la República, que admitía a las entidades locales (regiones, municipios y departamentos) la suscripción de acuerdos con sus homólogas extranjeras en el ámbito de sus competencias y con observancia de los compromisos internacionales adquiridos por el Estado. Se superaban así las dificultades interpretativas de la Ley anterior. Por fin, esta regulación fue más desarrollada por la Ley 96-142, de 21 de febrero. Por lo que se refiere a la jurisprudencia, además de la exigencia de previa habilitación legal y concurrencia de interés local, se exigió que la acción pudiera calificarse de neutra desde el punto de vista político, que persiguiera necesidades de la población, o que se tratara de cooperación al desarrollo extranjero, no quedando comprendida, por tanto, la acción en el ámbito de conflictos internacionales.

Si en Europa hemos visto un incipiente compromiso de los legisladores con este fenómeno, en México, como se verá, la cuestión ha sido objeto de regulación en el texto constitucional. El ya superado distrito federal de México, hoy Ciudad de México, en el art. 20 de su constitución CCM, recientemente aprobada[54], establece que la CM «*promoverá su presencia en el mundo y su inserción en el sistema global y de redes de ciudades y gobiernos locales, establecerá acuerdos de cooperación técnica con organismos multilaterales, instituciones extranjeras y organizaciones internacionales, de conformidad con las leyes en la materia, y asumirá la corresponsabilidad en la solución de problemas de la humanidad, bajo los principios que rigen la política exterior*». En México se denominan acuerdos interinstitucionales. El precepto, se refiere en especial a la protección y garantía de las personas migrantes, refugiados, asilados, niños, adolescentes, desplazados climáticos (art. 20.5), habilitando a las alcaldías a celebrar acuerdos interinstitucionales con entidades equivalentes en otros Estados en pro de la cooperación internacional y relaciones de amistad, de conformidad con las leyes en la materia (art. 20.6). Los apartados 7 y 8 del art. 20 CCM se refieren a los acuerdos interinstitucionales, sobre

---

[54]   La CCM fue aprobada el 31 de enero de 2017, como parte de la Reforma política del Distrito Federal de México de 2015, entrando en vigor el 17 de septiembre de 2018.

los que no se ha regulado un sistema de control del resultado del desarrollo de estos acuerdos.

El art. 20 fue recurrido por invadir o transgredir competencias de política exterior y celebración de tratados internacionales contempladas en la Constitución federal[55] La Suprema Corte de Justicia de la nación llega a la conclusión de que los acuerdos interinstitucionales a que se refiere el apartado 7 y 8 del art. 20 de la CCM no son tratados internacionales en los términos de los arts. 76 y 133 de la Constitución federal, sino acuerdos interinstitucionales que las entidades federativas están facultadas a suscribir, entendiendo que su fundamento jurídico no se encuentra en la Constitución sino en la Ley sobre celebración de tratados (LCT). Estos acuerdos interinstitucionales constituyen la asunción legal de una costumbre o una práctica internacional[56].

4.3.3. El derecho español sobre el papel internacional de las entidades locales

En nuestro caso, el art. 149.1.3ª CE establece la competencia exclusiva del Estado en materia relaciones internacionales. En consecuencia, los EEAA reconocen tímidas posibilidades de acción exterior de las CCAA que no pasan de instar la negociación de Tratados Internacionales y recibir información por parte del Estado.

El Tribunal Constitucional, en un primer momento, se mostró muy contundente al señalar que sólo el Estado podía concertar acuerdos internacionales sobre cualquier materia (STC 137/1989, de 20 de junio[57]), pues el «ius contraendi» sólo corresponde al Estado. Esta tajante doctrina se mantiene hasta nuestros días en las SsTC 132/1996, de 22 de junio, 198/2013, de 5 de diciembre, 228/2016 y 107/2017, de 20 de junio, entre otras, por entender el TC que se trataba, en todos los casos, de intromisiones en la acción exterior que excedían

---

[55] Acciones de inconstitucionalidad 15/2017 y 16/2017, 18/2017 y 19/2017.
[56] BECERRA RAMÍREZ, M., «La constitución y la ciudad Global de México», *Anuario mexicano de Derecho Internacional,* vol. XIX, 2019, pp. 529-537.
[57] Esta Sentencia declara inconstitucional un acuerdo de colaboración suscrito por la Junta de Andalucía y la Dirección General de medio ambiente del Estado de Dinamarca.

las posibilidades de las CCAA para desarrollar su competencia sobre cooperación al desarrollo con proyección internacional, la cual, en principio, podía proyectarse sobre cualquier materia[58]. Más aperturista, frente a la corriente doctrinal mayoritaria, se mostró, no obstante, la STC 165/1994, de 26 de mayo, que, tras reconocer que las competencias para la celebración de acuerdos internacionales, el ejercicio del *ius legationis* o la asunción de responsabilidad internacional quedan residenciadas en la esfera competencial exclusiva del Estado, sin embargo, deja abierta la posibilidad de que los entes descentralizados realicen tareas más modestas, y reducidas a la instrumentación del ejercicio de competencias propias, y en el concreto caso resuelto, se refiere a aquellas actividades de información y conexión respecto de instituciones europeas. Sólo si se celebraran acuerdos internacionales, se ejerciera el *ius legationis* o se asumiera responsabilidad internacional, ciertamente se produciría una actuación *ultra vires* y podría ser objeto de la correspondiente impugnación[59].

---

[58] MONTORO CHINER, M. J. «Las relaciones internacionales y las CCAA a propósito de un libro reciente», *REDC* núm. 45, 1995.

[59] El Tribunal se ha pronunciado en diversas ocasiones sobre el alcance de este título competencial. En la STC 137/1989, de 20 julio (RTC 1989, 137), que enjuició un supuesto que tiene ciertas similitudes con el que ahora se examina —el objeto del conflicto suscitado era un «comunicado» de colaboración suscrito entre el Consejero de Ordenación del Territorio y Medio Ambiente de la Junta de Galicia y la Dirección General del Medio Ambiente del Gobierno del Reino de Dinamarca—, se llegó a la conclusión de que «solo al Estado le es dable concertar pactos internacionales sobre toda suerte de materias» (FJ 5). Esta Sentencia declara que esta conclusión se fundamenta no solo en el «art. 149.1.3 del Texto constitucional aisladamente considerado, sino que encuentra asimismo fundamento y confirmación en otros preceptos de la Constitución, en los antecedentes de la elaboración de esta y en la interpretación efectuada a propósito por el legislador de los Estatutos de Autonomía». Esta afirmación se desarrolla en la Sentencia argumentando: (a) Los arts. 93, 94 y 97 CE, aunque no constituyen ningún título atributivo de competencias, contribuyen a perfilar el título competencial que contiene el art. 149.1.3 CE, ya que estos preceptos, al regular la intervención de las Cortes Generales y del Gobierno en el procedimiento para la celebración de los distintos tratados internacionales, ponen de manifiesto que corresponde al Estado en exclusiva el ius contrahendi [derecho de obligarse]. (b) La STC 137/1989, de 20 de julio, FJ 4, pone de manifiesto que «los constituyentes tuvieron ocasión de pronunciarse sobre la cuestión del *ius contrahendi* de las Comunidades Autónomas a resultas de una enmienda del Grupo Parlamentario Vasco al anteproyecto constitucional, enmienda en la que

A pesar de la escasa regulación de la acción exterior de los entes locales, y de la doctrina constitucional al respecto —acogida también por nuestro TS como nos ilustraba el profesor Alegrae Ávila hace unos días—, se prevé que la «acción exterior local» vaya adquiriendo relevancia y, por tanto, carta de naturaleza, superando la reserva estatal de estas competencias para la defensa de los intereses locales, como una expresión más de su autonomía, siempre en el marco de las competencias estatales y autonómicas y teniendo en cuenta el art. 149.1.3 y el principio de lealtad institucional. Buena muestra de esta relevancia resulta del estudio del derecho comparado y, como nos recuerda Vandelli, la acción exterior local, incipientemente reconocida en otros ordenamientos, se encuentra formulada en la Constitución italiana, la cual no se limita a garantizar la autonomía de los entes locales (art. 5),

---

se proponía que la competencia exclusiva del Estado se entendiese sin perjuicio de que en aquellas materias comprendidas en el ámbito de la potestad normativa de los territorios autónomos, éstos puedan concertar acuerdos con el consentimiento del Gobierno del Estado. La enmienda fue derrotada en la Comisión de Asuntos Constitucionales del Congreso y retirada en el debate plenario por sus promotores». (c) «[L]os Estatutos de Autonomía se limitan, en la cuestión que examinamos, a facultar, en general, a las Comunidades Autónomas para instar del Estado la negociación de ciertos Tratados y/o para recibir información acerca de la negociación relativa a los Tratados referentes a ciertas materias». A la misma conclusión han llegado las SSTC 31/2010, de 28 de junio (RTC 2010, 31), FJ 87, y 80/2012, de 18 de abril (RTC 2012, 80), FJ 4, esta última con motivo del recurso de inconstitucionalidad contra el art. 16.6 de la Ley del Parlamento Vasco 14/1998, de 11 de junio (LPV 1998, 316), del deporte. En esta resolución, el Tribunal reiterando la doctrina existente, especialmente en las SSTC 137/1989, de 20 de julio (RTC 1989, 137) y 165/1994, de 26 de mayo (RTC 1994, 165), afirma que el objeto de la reserva del art. 149.1.3 CE se refiere, aunque no solo, a «materias tan características del ordenamiento internacional como son las relativas a la celebración de tratados (*ius contrahendi*), y a la representación exterior del Estado (*ius legationis*), así como a la creación de obligaciones internacionales y a la responsabilidad internacional del Estado (SSTC 137/1987 [RTC 1987, 137], 153/1989 [RTC 1989, 153] y 80/1993 [RTC 1993, 80])» y por ello sostiene que, «la posibilidad de las Comunidades Autónomas de llevar a cabo actividades que tengan una proyección exterior debe entenderse limitada a aquellas que, siendo necesarias, o al menos convenientes para el ejercicio de sus competencias, no impliquen el ejercicio de un *ius contrahendi*, no originen obligaciones inmediatas y actuales frente a poderes públicos extranjeros, no incidan en la política exterior del Estado y no generen responsabilidad de este frente a Estados extranjeros u organizaciones inter o supranacionales» (STC 165/1994, de 26 de mayo [RTC 1994, 165], FJ 6).

sino que la reconoce[60]. De este modo, si para nuestro TC el territorio (STC 228/2016) es un elemento configurador de las competencias de las AAPP territoriales, según la postura que parece inspirar la Carta Europea de Autonomía Local (art. 10.3[61]), el territorio ya no es el límite infranqueable para la acción de la Administración territorial, sino un elemento de identificación de la comunidad representada. En palabras de Vandelli, la autonomía *«atraviesa el espacio, si bien manteniendo sus raíces profundas en el territorio, el territorio donde se sitúa la comunidad que se encuentra en su base»*[62]. En suma, el principio de territorialidad y su relativización y el interés local abren nuevos derroteros que facilitarán el protagonismo de las ciudades en el ámbito exterior[63].

---

[60] Prólogo a la obra DÍAZ GONZÁLEZ, G. *La acción exterior local, Bases constitucionales,* Iustel, 2019.

[61] Dicho precepto reconoce el derecho de los entes locales a cooperar con entidades de otros Estados.

[62] Sobre la revisión del principio de territorialidad y la interpretación subjetivadora del principio de territorialidad, que se identifica con el deber de dar satisfacción a las necesidades y aspiraciones de la población del ente local, *vid.* DÍAZ GONZÁLEZ, G., *La acción exterior local …, cit.*, pp. 236 y 237. Según el autor, *«las exigencias que pesan sobre la actividad de las entidades locales en un mundo globalizado determinan el forzoso ejercicio de las propias potestades con un alcance que rebasa, no ya el propio territorio geográfico, sino, también en numerosas ocasiones, las fronteras del Estado de pertenencia».* Un entendimiento contrario, advierte, *«comportaría la anulación práctica de la posibilidad de satisfacción de los intereses de las corporaciones locales».* A su juicio, incluso en el actual contexto normativo, en el que es necesaria la determinación legal de las competencias locales, el reconocimiento de la acción exterior de los entes locales no es una competencia autónoma sino un presupuesto para el ejercicio eficaz de las competencias legalmente reconocidas, por lo que considera que dicha facultad debe entenderse comprendida en la garantía constitucional de la autonomía local. El legislador, podrá establecer formas de implementación, mecanismos de control, etc. pero no podrá arrogarse la capacidad de atribuirla, en la medida en que deriva directamente del texto constitucional.

[63] Prólogo a la obra DÍAZ GONZÁLEZ, G. *La acción exterior local … cit.*, p. 20.

4.4. Competencias locales: gobernanza, participación y cambio climático

4.4.1. La gobernanza multinivel como principio y método disrruptor

En relación con lo anterior, debe darse cuenta en este lugar de la emergencia de otro principio, la denominada «gobernanza multinivel», que está dando entrada a la participación de las ciudades y en general de las entidades locales en las agendas urbanas. Un recentísimo documento comunitario titulado «*Agenda urbana para la UE: gobernanza multinivel en acción*» (2019)[64] nos da las claves de esa nueva visión participativa de la gestión de los problemas a los que se enfrenta la ciudad, que se contrapone a la visión Estadocéntrica, en la que cada nivel se corresponde con un tipo de actores, de distinta naturaleza, estatal, regional y local (perspectiva vertical) con el que coexisten, además, actores no institucionales como ONGS, ciudadanía, expertos y agentes económicos (perspectiva horizontal)[65].

Los antecedentes de esta Gobernanza multinivel se encuentran en el reconocimiento de la misma como principio a nivel comunitario para el reforzamiento de las regiones y los municipios en el desarrollo de algunos programas desde la aprobación de la *Carta para la gobernanza multinivel en Europa* (2014) aprobada por el Comité de las Regiones a la que se han adherido 17 ciudades españolas. Después también ha sido acogido por la *Agenda urbana para la Unión europea* (2016) aprobada en Ámsterdam, que pretende implantarla como método novedoso en el que ciudadanos participan en prácticamente pie de igualdad con la Comisión Europea y con los Estados.

La Agenda urbana española también se refiere a la gobernanza multinivel es un documento estratégico sin carácter normativo que, de conformidad con los criterios establecidos por la Agenda 2030, persigue, según declara, el logro de la sostenibilidad en las políticas de

---

[64]   https://ec.europa.eu/regional_policy/en/information/publications/brochures/2019/urban-agenda-for-the-eu-multi-level-governance-in-action.

[65]   Consúltese Blog Juan Antonio Chinchilla Peinado en la web del Instituto del Derecho Local de la Universidad Autónoma de Madrid (https://www.idluam.org/blog/)

desarrollo urbano[66]. Constituye, además, un método de trabajo y un proceso para todos los actores, públicos y privados, que intervienen en las ciudades y que buscan un desarrollo equitativo, justo y sostenible desde sus distintos campos de actuación.

Pues bien, la *Agenda urbana para la UE: gobernanza multinivel en acción* de 2019 aludido *supra* recoge el resultado de la evolución de las iniciativas de gobernanza multinivel en Europa, en diversas materias. Debe destacarse, en primer término, que España está presente en el 50% de dichas iniciativas —las cuales van en aumento, de 4 en 2016 a 14 en 2019— y en segundo término, que en ocasiones se trata de la participación del Estado, de Administración institucional autonómica (con competencias en materia de energía, suelo y clima) o de ciudades, como es el caso de Úbeda, Barcelona y Madrid. Se trata, en cualquier caso, de una participación de hecho, en la medida en que los cauces de participación de estas ciudades no están establecidos en el ordenamiento jurídico, lo cual debería ser corregido, a la vista de que este tipo de participación del mundo local en la esfera global irá en aumento.

4.4.2. Reforzar la participación, sin dejación de competencias. Presupuestos participativos: desarrollo de esta experiencia en su justa medida

Los últimos tiempos son tiempos de reivindicaciones de participación y se observa ya a todos los niveles y por parte de todos los sectores sociales, expertos, denunciantes, ciudadanos, sociedad civil, barrios enteros, hasta niños. La participación a todos los niveles es una demanda y a la vez una necesidad constante.

Por ello, entiendo que, sin importar a ciegas instrumentos jurídico-privados al Derecho público, como me ocupé de fundamentar al estudiar la custodia del territorio y los bancos de conservación[67], y

---

[66]   http://www.aue.gob.es/
[67]   SORO MATEO, B., ÁLVAREZ CARREÑO, S. M., CASADO CASADO, L., PÉREZ DE LOS COBOS HERNÁNDEZ, E., DURÁ ALEMAÑ, C. J., SALCEDO HERNÁNDEZ, J. R., SALAZAR ORTUÑO, E., SCOPELLITI, M., «Custodia del territorio y bancos de conservación», en JAVIER SANZ LARRUGA, JUAN JOSÉ PERNAS GARCÍA, JENNIFER SÁNCHEZ GONZÁLEZ (coords.), *Dere-*

más recientemente la gobernanza de áreas marinas protegidas[68], sí debe reconocerse la virtualidad del impulso de la sociedad civil como motor para responder con rapidez a ciertas circunstancias, y la inmigración, la degradación de los barrios, el patrimonio cultural y el cambio climático requieren una participación activa en el diseño y remodelación de la ciudad. El derecho a la participación en asuntos que a todos nos conciernen en democracia brinda a los ciudadanos la oportunidad de actuar de forma efectiva en la solución a los problemas de la sociedad y en nuestro caso de la ciudad[69].

El acercamiento de los ciudadanos al gobierno de la ciudad requiere pedagogía y mesura, pues todo no puede quedar en manos de la decisión de los ciudadanos, en la medida en que los poderes públicos tienen la responsabilidad de hacer efectivos los derechos y a ellos se les va a pedir la rendición de cuentas. Ahora bien, si se decide que, sobre una parcela de los presupuestos, los ciudadanos decidan la prioridad del gasto, lo cual supone construir desde la ciudadanía el concepto de calidad de vida en la ciudad que quieren, debe entonces desarrollarse la tendencia participativa en nuestro país, porque resulta bajísima en comparación con otros países. En la actualidad se encuentra en elaboración el IV Plan de gobierno abierto en España, que programará las actuaciones a desarrollar hasta 2021[70]. Si en un primer momento fue una técnica incorporada a los presupuestos de la Administración local en los denominados «Ayuntamientos de la confluencia», a día de hoy se incorpora por las diversas Administraciones y de todo signo político. Se observa, además, que el tamaño de la ciudad influye en la cuantía de presupuesto que se reserva a la participación, decreciendo en los superiores a 200.000 habitantes (13,5%), manteniéndose en un 36% en los municipios medianos —de entre 50.000 y 200000 ha-

cho ambiental para una economía verde: informe Red Ecover, Aranzadi, 2016, pp. 311-382.

68   SORO MATEO, B., La gobernanza de las áreas marinas Estado de la cuestión y propuestas de lege ferenda, Tirant lo Blanch, 2020.

69   ALONSO GARCÍA, N., Retos jurídico-políticos de las funciones parlamentarias y los novedosos instrumentos de participación en la democracia del siglo XXI, Dykinson, 2019.

70   A nivel autonómico, por poner un ejemplo, la CARM incluyó los presupuestos participativos en los presupuestos para 2018.

bitantes— y resultando algo inferior (22,7%) en municipios de hasta 10.000 habitantes.

Debe advertirse, además, que presupuestos participativos los hay de diversos tipo, administrativos, representativos y participativos. En los primeros, los ciudadanos proponen y delibran, decidiendo finalmente las AAPP; en los segundos, son las asociaciones las que dominan el proceso; por fin, en los terceros se discuten y deciden en Asambleas abiertas al público. Así, por ejemplo, en la CARM se decide por el gobierno de la Administración Regional las cuantías reservadas, por sectores, y a partir de entonces participa la ciudadanía, de modo que la decisión originaria sobre los sectores en los que cabe participación es determinada por el poder público. Pues bien, del análisis de dichos presupuestos, se observa que los sectores económicos son los que contemplan una dotación más elevada reservada a la participación, lo cual supone una fácil vía de entrada de intereses de los lobbies, en detrimento de los derechos de la ciudadanía, cuya reserva es llamativamente más baja, convirtiéndose finalmente la renombrada participación ciudadana en una quimera.

4.4.3. Competencias locales y cambio climático

Como es sabido, el Real Decreto Legislativo 7/2015, de 30 de octubre, por el que se aprueba el Texto Refundido de la Ley de Suelo y Rehabilitación Urbana (LSRU), hasta la fecha, no contiene referencia alguna al cambio climático. El Proyecto de Ley estatal de cambio climático y transición energética PLCCTE[71] pretende climatizar tímidamente dicha norma, aunque puede decirse que la climatización del urbanismo tendrá que venir, sobre todo de la mano de la normativa autonómica[72].

Así, el texto proyectado, en su disp. final séptima, plantea la modificación del art. 20.1 c) LSRU sobre criterios básicos de utilización

---

[71] El Proyecto fue publicado en el BOCCGG el pasado 29 de mayo de 2020.

[72] SORO MATEO, B., «Marco jurídico general de la cuestión climática, Algunas reflexiones a la espera de la aprobación de la Ley española de cambio climático y transición energética», en Francisco Lorenzo Hernández González (coord.), *El derecho ante el reto del cambio climático*, Aranzadi (en prensa), 2020, ISBN 978-84-1345-236-4, pp. 111-155.

del suelo. Para hacer efectivos los principios y los derechos y deberes enunciados en el Título preliminar y en el Título I, respectivamente, las Administraciones Públicas, y en particular las competentes en materia de ordenación territorial y urbanística —esto es, las CCAA y la Administración local—, además de atender, en la ordenación de los usos del suelo, a los principios a que se refiere el vigente art. 20.1.*c)*, deben tener en cuenta, incluir o comprender los riesgos derivados del cambio climático, entre ellos los derivados de los embates marinos, inundaciones costeras y ascenso del nivel del mar, de eventos meteorológicos extremos sobre las infraestructuras y los servicios públicos esenciales, como el abastecimiento de agua y electricidad o los servicios de emergencias, riesgos de mortalidad y morbilidad derivados de las altas temperaturas y, en particular, aquellos que afectan a poblaciones vulnerables, desagregando estos datos por sexo, riesgos asociados a la pérdida de ecosistemas y biodiversidad y, en particular, de deterioro o pérdida de bienes, funciones y servicios ecosistémicos esenciales y, por último, riesgos de incendios, con especial atención a los riesgos en la interfaz urbano-forestal y entre las infraestructuras y las zonas forestales. Se trata, pues, de una obligación dirigida a las AAPP, de comprender dichos riesgos en el diseño de la planificación territorial, esto es, en la toma de decisiones que afecte al territorio, que hasta ahora, si eran tenidos en cuenta, lo era en el instrumento de evaluación ambiental. Para que esta disposición resulte eficaz y cumpla, por tanto, con su finalidad, es necesario contar con estudios de riesgos en los diversos ámbitos que comprende, que sin duda reducirán convenientemente el espacio de la discrecionalidad del planificador.

En la línea de la anterior modificación de la LSRU, el art. 19 PLCCTE reitera la necesaria consideración del cambio climático en la planificación y gestión territorial y urbanística, así como en las intervenciones en el medio urbano, en la edificación y en las infraestructuras del transporte, que perseguirán principalmente los siguientes objetivos: *a) La consideración, en su elaboración, de los riesgos derivados del cambio climático, en coherencia con las demás políticas relacionadas. b) La integración, en los instrumentos de planificación y de gestión, de las medidas necesarias para propiciar la adaptación progresiva y resiliencia frente al cambio climático. c) La adecuación de las nuevas instrucciones de cálculo y diseño de la edificación y las infraestructuras de transporte a los efectos derivados del cambio cli-*

mático, así como la adaptación progresiva de las ya aprobadas. Esta disposición, como norma básica sobre protección del medio ambiente, obligará al planificador autonómico y local, independientemente de lo que dispongan las normas autonómicas de ordenación territorial y urbanísticas.

Además, en sede de movilidad, el art. 12. 3 PLCCTE establece que *Los municipios de más de 50.000 habitantes y los territorios insulares introducirán en la planificación de ordenación urbana medidas de mitigación que permitan reducir las emisiones derivadas de la movilidad incluyendo, al menos: a) El establecimiento de zonas de bajas emisiones no más tarde de 2023[73]. b) Medidas para facilitar los desplazamientos a pie, en bicicleta u otros medios de transporte activo, asociándolos con hábitos de vida saludables. c) Medidas para la mejora y uso de la red de transporte público. d) Medidas para la electrificación de la red de transporte público y otros combustibles sin emisiones de gases de efecto invernadero, como el biometano. e) Medidas para fomentar el uso de medios de transporte eléctricos privados, incluyendo puntos de recarga. f) Medidas de impulso de la movilidad eléctrica compartida.* Y añade el art. 12.4 que, *De acuerdo con la normativa de movilidad limpia aprobada por la Unión Europea y con las revisiones y mejoras posteriores que se acuerden, las Comunidades Autónomas insulares, considerando su vulnerabilidad frente al cambio climático, podrán instar al Estado el establecimiento de medidas de promoción de movilidad limpia, consistentes en restricciones en su ámbito territorial de la circulación de turismos y furgonetas.* Se trata, esto último, de una operación inédita en el contexto del ejercicio de competencias autonómicas, el preverse una suerte de requerimiento de la CA

---

[73]   Se entiende por zona de baja emisión el ámbito delimitado por una Administración pública, en ejercicio de sus competencias, dentro de su territorio, de carácter continuó, y en el que se aplican restricciones de acceso, circulación y estacionamiento de vehículos para mejorar la calidad del aire y mitigar las emisiones de gases de efecto invernadero, conforme a la clasificación de los vehículos por su nivel de emisiones de acuerdo con lo establecido en el Reglamento General de Vehículos vigente.

Cualquier medida que suponga una regresión de las zonas de bajas emisiones ya existentes deberá contar con el informe previo del Ministerio para la Transición Ecológica y el Reto Demográfico y del órgano autonómico competente en materia de protección del medio ambiente.

al Estado para que establezca medidas restrictivas de circulación de vehículos en el territorio autonómico, discutible desde el punto de vista del constitucional.

Los preceptos inmediatamente comentados (arts. 19 y 12.3 del PLCCTE) no establecen plazo para que las Administraciones competentes (CCAA en su caso y Administración local) cumplan con la obligación de incorporar en la planificación territorial y urbanística los diversos aspectos referidos, salvo para el establecimiento de zonas de bajas emisiones, que debe estar no más tarde de 2023 y que vincula a los municipios de más de 50.000 habitantes y a los territorios insulares, lo cual obligará a estas entidades locales a modificar su planeamiento urbanístico. Sería conveniente, entendemos, establecer un plazo para la adaptación de los planes urbanísticos al resto de cuestiones a que se refiere la Ley, frente a lo que establece la Disposición transitoria segunda del PLCCTE, según la cual, *en relación con las previsiones establecidas en los apartados a) y b) del artículo 19 relativos a la consideración del cambio climático en la planificación y gestión del desarrollo urbano, de la edificación y de las infraestructuras del transporte, estas disposiciones no serán de aplicación al caso de planes, programas y estudios cuya tramitación ya se hubiese completado en el momento de entrada en vigor de esta Ley. En las modificaciones posteriores de dichos documentos, se deberán integrar los criterios no incluidos en la fase estudio.* No obstante lo anterior, debe tenerse en cuenta que el cambio climático, desde 2013, pero sobre todo desde la reforma operada por Ley 9/2018, quedó integrado en la Ley 21/2013, de Evaluación Ambiental.

A la luz de todo lo dicho, puede observarse cómo se apuesta por la integración de los riesgos climáticos y de la adaptación en las políticas de ordenación del territorio y urbanismo *pro futuro*, de modo que serán las CCAA las que decidirán si resulta más adecuado crear la figura de los planes integrados de cambio climático (así lo han entendido por ahora Cataluña, Baleares y Andalucía) o si resulta más adecuado o simultáneamente necesario integrar la cuestión climática en los planes sectoriales, incluidos los planes urbanísticos. A este respecto el art. 34 del PLCCTE se limita a establecer que *A partir del 31 de diciembre de 2021 las comunidades autónomas deberán informar en la Comisión de Coordinación de Políticas de Cambio Climático de todos sus planes de energía y clima en vigor. Dichos planes podrán consistir en un documento específico que recoja tanto las medidas adoptadas, como las medidas que prevean adoptar, en materia de cambio climático y transición energética, coherentes con los objetivos de esta Ley.*

Por ahora, como decimos, las CCAA ya han dado un paso adelante, optando de un modo más o menos determinante por los planes municipales de cambio climático, que se superponen al resto de la planificación sectorial. Así, la Ley catalana Ley 16/2017, de 1 de agosto, del Cambio climático, en su art. 33 contempla la participación de los entes locales tanto en la planificación de las políticas climáticas como en los planes de acción sectorial de cada departamento en los aspectos relevantes para el cambio climático, la obligación de integrar en la planificación local tanto la mitigación de los gases de efecto invernadero como la adaptación a los impactos del cambio climático y da por sentada la posibilidad de que se aprueben planes municipales de lucha contra el cambio climático, que podrán financiarse con el Fondo Climático que crea la Ley, si los municipios aplican políticas fiscales que incentiven las buenas prácticas, favoreciendo la mitigación y disminuyendo la vulnerabilidad. Por su parte, la Ley balear 10/2019, de 22 de febrero, de cambio climático y transición energética, establece en su art. 22 la obligación de todos los municipios de aprobar los Planes de acción municipales para el clima y la energía sostenible, de acuerdo con la metodología adoptada en el ámbito de la Unión Europea y en coherencia con el Plan de Transición Energética y Cambio Climático (art. 22.1 y 2). Los municipios de población inferior a 20.000 habitantes podrán aprobar los planes de forma mancomunada o individual (art. 22.3)[74]. Por su parte, la ley andaluza 8/2018, de 8 de octubre, de medidas frente al cambio climático y para la transición hacia un nuevo modelo energético, resulta más ambiciosa y contempla una figura planificadora *ad hoc* sobre cambio climático, el denominado Plan andaluz de acción por el clima (arts. 8 a 14),

---

[74] La norma establece el contenido mínimo de los PAM: a) El análisis y la evaluación de emisiones de gases de efecto invernadero. b) La identificación y la caracterización de los elementos vulnerables. c) Los objetivos y las estrategias para la mitigación y la adaptación al cambio climático, que incluya las posibles modificaciones adecuadas del planeamiento urbanístico y las ordenanzas municipales. d) Las acciones de sensibilización y formación. e) Las reglas para la evaluación y seguimiento del Plan.

que será aprobado por Consejo de Gobierno. Se configura como un instrumento general de planificación de la Comunidad Autónoma de Andalucía para la lucha contra el cambio climático. Sus determinaciones obligan a las distintas Administraciones públicas que ejerzan sus funciones en el territorio andaluz y a las personas físicas o jurídicas titulares de actividades incluidas en el ámbito de la ley. Se aclara que tendrá la consideración de plan con incidencia en la ordenación del territorio, a los efectos previstos en la Ley 1/1994, de 11 de enero, de Ordenación del Territorio de la Comunidad Autónoma de Andalucía. De especial interés resulta la necesaria adaptación de la planificación a los escenarios climáticos contemplados en el plan andaluz y a los avances científicos (art. 17). Por lo que se refiere a la planificación municipal, esta ley autonómica crea los planes municipales contra el cambio climático (art. 15)[75], cuya aprobación resulta obligatoria[76].

---

[75] Los planes municipales recaerán sobre las áreas estratégicas en materia de mitigación de emisiones y adaptación establecidas en la presente ley y tendrán al menos el siguiente contenido: a) Análisis y evaluación de las emisiones de gases de efecto invernadero del municipio y, en particular, de las infraestructuras, equipamientos y servicios municipales. b) Identificación y caracterización de los elementos vulnerables y de los impactos del cambio climático sobre el territorio municipal, basado en el análisis de los Escenarios Climáticos regionales, incluyendo el análisis de eventos meteorológicos extremos. c) Objetivos y estrategias para la mitigación y adaptación al cambio climático e impulso de la transición energética. d) Actuaciones para la reducción de emisiones, considerando particularmente las de mayor potencial de mejora de la calidad del aire en el medio urbano, en el marco de las determinaciones del Plan Andaluz de Acción por el Clima. e) Actuaciones que permitan incorporar las medidas de adaptación al cambio climático e impulso de la transición energética en los instrumentos de planificación y programación municipal, especialmente en el planeamiento urbanístico general. f) Actuaciones para el fomento de la investigación, el desarrollo y la innovación (I+D+i) para la aplicación de medidas de mitigación, adaptación y transición energética en el ámbito de su competencia. g) Actuaciones para la sensibilización y formación en materia de cambio climático y transición energética a nivel local, con incorporación de los principios de igualdad de género. h) Actuaciones para la sustitución progresiva del consumo municipal de energías de origen fósil por energías renovables producidas in situ. i) Actuaciones en materia de construcción y rehabilitación energética de las edificaciones municipales al objeto de alcanzar los objetivos de eficiencia y ahorro energético establecidos en el plan municipal. j) Medidas para impulsar la transición energética en el seno de los planes de movilidad urbana. k) Actuaciones para optimizar el alumbrado público, de tal suerte que, de acuerdo con la legislación aplicable, se minimice el consumo eléctrico, se garantice la máxima eficiencia energética y se reduz-

Por último, la Proposición de Ley de cambio climático de la Región de Murcia, que por tercera vez es registrada en la Asamblea Regional el 5 de junio de 2020, contempla, además de la Estrategia regional y los planes municipales de cambio climático de obligatoria aprobación en todos los municipios de la Región de Murcia, las denominadas zonas especiales de adaptación al cambio climático (art. 19)[77]. Se trata de áreas declaradas mediante Decreto por el Consejo de Gobierno a propuesta del Consejo Interdepartamental de Cambio Climático, en las que la vulnerabilidad al cambio climático resulta de especial intensidad, que condicionarán los usos del suelo y deberán ser tenidas en cuenta en la ordenación territorial, física y urbanística. El instrumento de declaración contendrá su delimitación, así como su régimen jurídico, incluidas las medidas de prevención, amortiguación y adaptación necesarias para minimizar su vulnerabilidad climática. Entre otros objetivos, dichas medidas perseguirán: amortiguar el efecto de las olas de calor y reducir el efecto de isla térmica de las ciudades, mejorar la seguridad alimentaria y la resiliencia en producción de alimentos autóctonos, mantener la biodiversidad como medida de protección frente al cambio climático y reducir los impactos del cambio climático sobre la salud. Las zonas especiales de adaptación al cambio climático (ZEACC) deberán ser tenidas en cuenta por los instrumentos de ordenación territorial y física y, en general, por los planes con incidencia en el cambio climático a que se refiere la Ley.

A la vista de lo anterior, parece que un nuevo instrumento planificador se incorpora al elenco de planes con incidencia territorial ya existentes, lo cual, desde luego, obliga a reproducir aquí la problemática derivada de las relaciones entre figuras planificadoras y eventual prevalencia de unas sobre otras. Esta cuestión, dado el silencio del legislador estatal en este punto, deberá ser resuelta por el derecho

---

ca la contaminación lumínica en función de la mejor tecnología disponible. l) Programación temporal de las actuaciones previstas, su evaluación económica y ejecución (art. 15.2).

[76] «Los municipios andaluces elaborarán y aprobarán planes municipales contra el cambio climático, en el ámbito de las competencias propias que les atribuye el artículo 9 de la Ley 5/2010, de 11 junio, de Autonomía Local de Andalucía, y en el marco de las determinaciones del Plan Andaluz de Acción por el Clima» (art. 15.1).

[77] http://wwwold.asambleamurcia.es/armnet/iniciativas.jsp.

autonómico. A nosotros nos parece que la integración de la cuestión climática en la planificación existente resultará menos problemática, eso sí, partiendo de unos rigurosos mapas de riesgos e incluso de la declaración de zonas especiales de adaptación al cambio climático, que deban ser necesariamente tenidas en cuenta a la hora de diseñar y rediseñar el territorio y los usos del suelo.

Creo que el derecho debe construirse desde la Ley, y a falta de respuestas en la normativa básica, se ha de reivindicar la posibilidad de hacer una interpretación amplia de la adicionalidad ex art. 149.1.23 CE, así como de la adicionalidad por parte de las entidades locales, que como Administración más cercana a la ciudad tiene más a la mano detectar distorsiones al bienestar, como sucedió, por ejemplo con la contaminación lumínica. Sabemos que la potestad normativa local es una línea de avance importante. En materia de cambio climático, por ejemplo, están haciendo las veces de normas adicionales de protección. Aunque no se ha tratado el cambio climático como materia competencial, sí se observa cómo se va internalizado en las competencias en materia de urbanismo y medio ambiente, por lo que es importante entender en clave climática las competencias locales y que los entes locales participen en todos los procedimientos decisorios tramitados por otras Administraciones que incidan sobre ciudad.

4.4.4. Competencias locales y Biodiversidad

No debemos olvidar, a renglón seguido de lo anterior, que La Estrategia para a Biodiversidad 2030[78] contempla la infraestructura verde como aliada imprescindible llamada a desempeñar un papel fundamental frente a la pérdida de los ecosistemas urbanos, por

---

[78] El texto puede consultarse en https://ec.europa.eu/info/strategy/priorities-2019-2024/european-green-deal/actions-being-taken-eu/eu-biodiversity-strategy-2030_es La ecologización de las ciudades ofrece numerosas oportunidades de empleo innovadoras para diseñadores, planificadores urbanísticos, botánicos y agricultores urbanos. Las soluciones centradas en la naturaleza, como la protección de la biodiversidad y la recuperación de los ecosistemas, constituyen un excelente medio para combatir los efectos del cambio climático e implican un uso de los recursos muy rentable. Recuperar los bosques, los suelos y los humedales y crear espacios verdes en las ciudades resulta clave para alcanzar la mitigación del cambio climático que se requiere antes de 2030.

contribuir a la reducción de consumo de energía, recursos y costes, gracias a la refrigeración y al aislamiento que proporcionan los árboles, los techos y las paredes verdes, así como a mitigar las catástrofes naturales. Los contenidos de la Infraestructura Verde incluye también la infraestructura azul, esto es, los cursos fluviales. Hasta el momento, existen varias iniciativas europeas que, con carácter general, han preparado el camino para que este desafío técnico, político y jurídico sea posible y que confluirán en una Plataforma de la UE en la que se incluyan lo que la Estrategia denomina «planes de ecologización urbana», que las ciudades de más de 20.000 habitantes hayan voluntariamente aprobado para 2021, y sobre los que no se ofrecen más detalles. Para dotar de contenido jurídico concreto a dichos planes y determinar su alcance vinculante, es imprescindible analizar la regulación específica aplicable a las infraestructuras verdes, primero en el ámbito comunitario y después en el ordenamiento jurídico español.

Las soluciones centradas en la naturaleza, como la protección de la biodiversidad y la recuperación de los ecosistemas, constituyen un excelente medio para combatir los efectos del cambio climático en la ciudad e implican un uso de los recursos muy rentable. Recuperar los bosques, los suelos y los humedales y, por lo que al presente estudio interesa, crear espacios verdes en las ciudades resulta clave para alcanzar la mitigación del cambio climático que se requiere antes de 2030. La escasa referencia a la adicionalidad local en el ámbito de la biodiversidad en la Disposición adicional segunda de la Ley 42/2007 de la Ley de Patrimonio Natural y Biodiversidad es el único fundamento jurídico que encontramos al importante papel que debe desempeñar las ciudades, no sólo en la lucha del cambio climático, como veíamos *supra,* sino en la ecologización de la misma[79].

---

[79] Establece la disposición adicional segunda de la LPNB que *Las entidades locales, en el ámbito de sus competencias y en el marco de lo establecido en la legislación estatal y autonómica, podrán establecer medidas normativas o administrativas adicionales de conservación del patrimonio natural y la biodiversidad.*

4.5. Limitación de pretensiones: una traba procesal del ordenamiento español para la defensa de intereses climáticos que se reproducen en la ciudad

Además de la acción en la lucha y adaptación frente al cambio climático, el Derecho debe prepararse para dar una respuesta satisfactoria al cambio climático como daño ambiental histórico y a los concretos eventos dañosos que se derivan o que agravan el cambio del clima, sobre todo en lugares especialmente expuestos o vulnerables. El cambio climático como daño ambiental genera una pluralidad de daños de diversa naturaleza a los que es preciso que el ordenamiento jurídico otorgue una respuesta. Así, genera y agrava daños a bienes individuales y colectivos, pudiendo atentar además contra derechos fundamentales y/o humanos.

Pero para estar preparado, al Derecho no le basta con un reconocimiento legal de los derechos, ni con facilitar el acceso a la Justicia, ni con flexibilizar el planeamiento urbanístico, ni con una perfección del sistema de responsabilidad aplicable, sino que es necesario que el derecho procesal también acoja las posibilidades para la defensa de los ciudadanos, tanto de derechos individuales como de intereses colectivos. Y dada la implicación de los poderes públicos en este terreno, por recaer sobre ellos parte de la responsabilidad respecto del daño, y en todo caso la obligación de garantizar un medio ambiente adecuado para el desarrollo de la personalidad ex art. 45 CE, se trata ahora de dilucidar si la LJCA se encuentra a la altura de ofrecer unos cauces adecuados al alcance de las pretensiones que interesa defender.

Por lo que se refiere a los derechos e intereses individuales que puede lesionar el cambio climático, no encontramos problema de legitimación más allá de las trabas en el acceso a la justicia administrativa que pueden predicarse con carácter general. Más cuando nos centramos en el análisis del régimen jurídico aplicable a la defensa del interés climático, se reproducen como veremos, los problemas que encontramos en el acceso a la Justicia ambiental.

Vencida, no sin dificultades, la cuestión de la legitimación, si se consideran las pretensiones que pueden sostenerse respecto a los derechos e intereses vulnerados por las omisiones de la Administración en sede de cambio climático la cuestión se complica aún más. Así, para la defensa de intereses individuales y colectivos frente a la inactividad administrativa frente al cambio climático y sus causas, encontramos importantes trabas en el acceso a la justicia ambiental.

El art. 31 de la LJCA establece que «*El demandante podrá pretender la declaración de no ser conformes a Derecho y, en su caso, la anulación de los actos y disposiciones susceptibles de impugnación según el capítulo precedente*». También podrá pretender «*el reconocimiento de una situación jurídica individualizada y la adopción de las medidas adecuadas para el pleno restablecimiento de la misma, entre ellas la indemnización de los daños y perjuicios, cuando proceda*». Ahora bien, cuando el recurso se dirija contra la inactividad administrativa, que es lo que más interesa en el caso que estudiamos —que puede ser imputable, además de a otras Administraciones Públicas, a la Administración local—, conforme a lo dispuesto en el art. 29 LJCA, *el demandante podrá pretender del órgano jurisdiccional que condene a la Administración al cumplimiento de sus obligaciones en los concretos términos en que estén establecidas* (art. 32 LJCA). De este modo, se observa cómo el art. 29 de la LJCA limita las pretensiones que pueden sostenerse ante los Tribunales frente a la inactividad administrativa, a diferencia de otros ordenamientos jurídicos, salvo en el caso de inejecución de un acto administrativo firme (arts. 29.2 y 32.1 LJCA) o en relación a una vía de hecho (art. 32.2 LJCA), supuestos en los que el juez puede ordenar una actuación material o su cese. En consecuencia, si no están concretamente establecidas las obligaciones climáticas de la Administración local, difícilmente podrá prosperar una acción en la que se pretenda que la Administración no omita su deber de diligencia genérico.

En consecuencia, además de otros avances en el derecho sustantivo a los que nos hemos referido *supra*, puede decirse que es necesario que se amplíen las pretensiones que pueden hacerse valer a través del ejercicio de la acción popular en materia ambiental en el contencioso-administrativo, superándose así la exclusiva defensa de la legalidad, para la efectiva protección de intereses colectivos, lo cual coincide con afirmar que es conveniente que la LJCA contemple las pretensiones

Blanca Soro Mateo

constitutivas y de condena directas frente a la inactividad administrativa cuando se defienden intereses colectivos[80].

Por otra parte, nos interesa ahora el contenido del art. 32.2, según el cual, *si el recurso tiene por objeto una actuación material constitutiva de vía de hecho, el demandante podrá pretender que se declare contraria a Derecho, que se ordene el cese de dicha actuación y que se adopten, en su caso, las demás medidas previstas en el artículo 31.2.* Podría platearse, *a sensu contrario*, la posibilidad de entender que la no actuación material debida en sede de prevención, evitación, adaptación y reparación de los efectos del cambio climático, constituye una vía omisiva de hecho —contraria a derecho—, sobre todo cuando se defienden intereses colectivos y se comprometen derechos fundamentales, lo cual permitiría al juez hacer un pronunciamiento de condena de hacer a la Administración que tendría acceso a la jurisdicción por la vía del art. 32.2. De este modo, ese mirar para otro lado podría recibir una respuesta judicial que ordenara a la Administración la adopción de medidas concretas frente al cambio climático. Así, forzando

---

[80] Por ahora sólo caben sentencias de condena respecto de deberes prestacionales ambientales concretos y así establecidos en la normativa ambiental. Como ha entendido PEÑALVER I CABRÉ encontramos limitaciones objetivas del recurso contra la inactividad administrativa que en sede ambiental es insuficiente, pues sólo podemos obtener una sentencia de anulación. *Vid.* PEÑALVER I CABRÉ «Las pretensiones en el contencioso-administrativo para la efectiva protección de los intereses colectivos», *RAP* núm. 190, 2013, pp. 109-154 y *La defensa de los intereses colectivos en el contencioso-administrativo: legitimación y limitaciones económicas*, Aranzadi, 2016, Thomson Reuters Aranzadi, 2016, 601 pp.
Debe acogerse, pues, la crítica que efectúa el autor que, al referirse al recurso frente a la inactividad de la Administración, pone de manifiesto cómo la pretensión de anulación no es suficiente, siendo necesario admitir pretensiones constitutivas y de condena directas frente a la inactividad de la Administración en la defensa de intereses colectivos, máxime, añado yo, cuando dicha inactividad, como en el caso resuelto por la Sentencia *Urgenda II*, genera un daño o pone seriamente en peligro un derecho fundamental incluido en la CEDH. Recuérdese que el recurso frente a la inactividad es más limitado que la interpretación que hace la jurisdicción penal de la prevaricación por omisión, pues se limita a la inactividad referida a una prestación concreta a una persona o grupo de personas que tuvieran derecho a ella y cuando la Administración estuviera obligada a actuar en virtud de una disposición legal. Así lo hemos defendido en nuestro trabajo SORO MATEO, B., «Responsabilidad pública, vulnerabilidad y litigios climáticos», *Revista Aragonesa de Administración Pública*, ISSN 1133-4797, N° 54, 2019, págs. 57-140.

la interpretación de la vía de hecho, los tribunales podrían plantearse la posibilidad de entender que la no actuación material debida constituye un supuesto que contempla el art. 32.2. Se trataría, en suma, del control judicial de la inactividad administrativa en espacios en los que la discrecionalidad administrativa, y esto es muy importante en sede planificadora, es desplazada por la ampliación del espacio de la discrecionalidad técnica que trae causa en los avances de la ciencia en sede de cambio climático[81]. Nos referimos a las necesarias modulaciones del control de la discrecionalidad por ampliación del espacio de la discrecionalidad técnica que trae causa en los avances de la ciencia en sede de cambio climático. El informe del IPCC del 8 de octubre de 2018 es categórico en este sentido: [...][82].

Resta por referirnos muy brevemente en este lugar a una vía para la defensa jurisdiccional frente al cambio climático que admite el ordenamiento jurídico español muy relevante en relación con la ciudad, concretamente el ejercicio de la acción vecinal, en defensa de los bienes y derechos de la entidad local, contemplada en el art. 68 de la LBRL.

---

[81]   Aunque a veces, como denuncia M TORRE SCHAUB, derecho y ciencia cada vez estén más distanciados en las cumbres. La autora advierte del reciente distanciamiento entre la ciencia y el derecho del clima tanto por el carácter voluntario del Acuerdo de París, como porque en las últimas Conferencias no ha habido avances en los objetivos de reducción. *Vid.* TORRE SCHAUB, M., «La construcción del régimen jurídico del clima: Entre ciencia, derecho y política económica», *Revista Catalana de Derecho Ambiental*, Año 2019, Vol. 10, Número 1, p. 30.

[82]   *«Si queremos conseguir estabilizar el clima, debemos tomar ya las medidas más drásticas y sólidas posibles en cuanto a la reducción de emisiones y en cuanto al desarrollo de políticas de adaptación y de justicia social y económica, de modo que sea posible acompañar a las poblaciones más vulnerables en el proceso de supervivencia y adaptación al calentamiento que ya está en marcha y que se agravará y acelerará considerablemente en los años venideros».* El último informe del IPCC del que tenemos noticia es el de 25 de septiembre de 2019. Se advierte que las decisiones que adoptemos ahora son fundamentales para el futuro de los océanos y la criosfera y se destaca la necesidad de actuar con carácter urgente a fin de priorizar iniciativas oportunas, ambiciosas y coordinadas que permitan abordar cambios perdurables en los océanos y la criosfera que no tienen precedentes. En el informe se ponen de manifiesto los beneficios que supondría la adopción de medidas de adaptación ambiciosas y eficaces en pro del desarrollo sostenible y, a la inversa, se evidencia que postergarlas entrañaría un incremento de los costos y los riesgos.

Esta acción supera las cuestiones de mera legalidad que pueden ser planteadas en un contencioso-administrativo por inactividad de la Administración, pues se admite la defensa y protección de los derechos y bienes de la entidad local. El juez contencioso-administrativo podría pronunciarse sobre estas medidas de prevención, evitación y reparación frente al cambio climático, obligando a la Administración local a adoptarlas, aunque sólo resultaría aplicable para la defensa de bienes de titularidad municipal, no de bienes que constituyen el dominio público del Estado, como la costa, las playas y los cursos de los ríos, entre otros[83].

5. ¿REVOLUCIÓN DEL DERECHO PÚBLICO ANTE LA CIUDAD COMO ESPACIO GLOBAL? EMERGENCIA DEL DERECHO DE LA CIUDAD

A modo de conclusión, del estudio precedente, la consecuencia más palpable del proceso de globalización al que asistimos, supone una redefinición de la importancia no sólo a nivel interno sino también a nivel internacional de algunos territorios locales o regionales, en definitiva de ciudades, como proceso paralelo al debilitamiento de lo nacional. La crisis del COVID-19 no ha hecho más que reforzar esta idea.

En el concreto ámbito de la ciudad nos encontramos con intentos de extensión de títulos competenciales sobre infinidad de sectores que inciden en el territorio, en su diseño, junto con la con la emergencia y reforzamiento del derecho a una buena administración y estándares e indicadores para la medición de la consecución de estos objetivos, compromisos internacionales de distinto grado de vinculatoriedad, presupuestos participativos y demandas de gobernanza como la autogestión de barrios, el rescate servicios públicos, la ampliación del control de los actos políticos, la diligencia púbica debida, entre otras demandas ciudadanas.

---

[83] Sobre los posibles litigios sobre el clima en España y la vía de la acción vecinal, *vid.* SORO MATEO, B., «Responsabilidad pública, vulnerabilidad y litigios climáticos», *Revista Aragonesa de Administración Pública*, ISSN 1133-4797, Nº 54, 2019, págs. 57-140.

El Derecho administrativo, como disciplina dinámica en constante evolución y en permanente formación no debe ser ajena a este proceso. Ahora bien, ha de dársele a este concreto fenómeno, la globalización en la ciudad, la importancia que tiene, y lejos, a priori, de sostener una revolución en el Derecho Público, o la emergencia de un nuevo sector denominado «Derecho de la ciudad», que acabe con el urbanismo, como pretendidamente parece que quiere hacer el Derecho del clima —que prefiero denominar derecho para el clima— con el Derecho ambiental, debemos echar la vista atrás para corroborar que muy reconocidos administrativistas vienen estudiando desde hace bastantes años los efectos de la globalización en cada una de las instituciones que conforman nuestro objeto de estudio[84].

El Derecho, en este caso, no define una realidad que se desarrolla a partir de él. Esto sí sucede cuando se plasman ideas políticas y económicas como pueden ser las liberalizadoras que se recogen en las normas y consiguen modificar la realidad. En el caso de rediseñar la ciudad, que es de lo que se trata ahora, nos encontramos con una realidad, un producto de nuestro tiempo, una realidad física que sostiene el suelo como recurso que constituye el medio en el que se desen-

---

[84] Por poner algunos ejemplos más concretos, podemos referirnos, en el ámbito del Derecho Público al reciente estudios sobre Juez nacional como juez europeo, al desbordamiento de las tradicionales fuentes del derecho y a las relaciones ordinamentales, entre el derecho autonómico, el nacional y el europeo, entre otras. Pueden consultarse, sin ánimo de exhaustividad los siguientes trabajos: ÁLVAREZ CARREÑO, S., *Los retos del Proyecto Europeo como comunidad de Derecho el papel del juez nacional en tiempos de Brexit*, Laborum, 2020. PÉREZ LUÑO, A. E., *El desbordamiento de las fuentes del derecho*, La Ley, 2011; ALLI ARANGUREN; J. C., Derecho Administrativo y Globalización, Aranzadi; MIR PUIGPELAT, O., Globalización, estado y derecho: las transformaciones recientes del derecho administrativo, Madrid: Civitas, 2004; BALLBÉ, M., El futuro del Derecho administrativo en la globalización: entre la americanización y la europeización, *Revista de administración pública*, Nº 174, 2007, págs. 215-276; GONZÁLEZ GARCÍA, J. V., Globalización económica, Administraciones públicas y Derecho administrativo: presupuestos de una relación, *Revista de administración pública*, Nº 164, 2004, pp. 7-40; RODRÍGUEZ-ARANA MUÑOZ, J., El derecho administrativo global: Un derecho principal Construyendo el futuro: conversaciones jurídicas sobre la globalización / SUSANA GALERA RODRIGO (ed. lit.), MERCEDES ALDA FERNÁNDEZ (ed. lit.), 2017, pp. 83-122; MEILÁN GIL, J. L., Una aproximación al derecho administrativo global, Sevilla: Global Law Press = Editorial Derecho Global, 2011.

vuelven los ciudadanos del mundo, cuyo diseño es el dado, resultado de políticas procedentes de distintas escalas territoriales, de distinto carácter y de distinto objeto (urbanístico, ambiental, de transporte, energética, económica, de patrimonio cultural...) que ahora pretendemos ordenar como un todo, como un territorio común para corregir las externalidades sociales y ambientales negativas, intentando readaptar lo que hay, con un enfoque conservacionista, rehabilitador, resiliente, integrador y a la vez de progreso en los indicadores de calidad de vida de los ciudadanos, cada vez más exigentes con sus administraciones locales, que se convierten, por el hartazgo ciudadano como consecuencia de la generalizada corrupción, en los poderes públicos más observados e incluso condenados por el propio TEDH.

Creo que la especial vulnerabilidad y su protección se convierte en el presupuesto del derecho a la ciudad como derecho colectivo y me sigo preguntando si hace falta formularlo o es la respuesta natural a la falta de políticas públicas integradoras, decantándome más por lo segundo, que considero que es por lo que hay que trabajar ahora.

BIBLIOGRAFÍA

ALLI ARANGUREN, J. C., *Derecho Administrativo y Globalización*, Aranzadi, 2004.

ALONSO GARCÍA, N., *Retos jurídico-políticos de las funciones parlamentarias y los novedosos instrumentos de participación en la democracia del siglo XXI*, Dykinson, 2019.

ÁLVAREZ CARREÑO, S., *Los retos del Proyecto Europeo como comunidad de Derecho el papel del juez nacional en tiempos de Brexit*, Laborum, 2020.

BALLBÉ, M., «El futuro del Derecho administrativo en la globalización: entre la americanización y la europeización», *Revista de administración pública*, Nº 174, 2007, págs. 215-276.

BANDRÉS SÁNCHEZ-CRUZAT, J. M., «Los nuevos paradigmas de gobernanza de los entes locales y el derecho a la ciudad», en MARCOS VAQUER CABALLERÍA, ÁNGEL MANUEL MORENO MOLINA, ANTONIO DESCALZO GONZÁLEZ; *Estudios de Derecho Público en homenaje a Luciano Parejo Alfonso*, Vol. 3 (Organización y poder de organización), Tirant lo Blanch, 2018, pp. 2391-2408.

BANDRÉS SÁNCHEZ-CRUZAT, J. M., «El derecho a la ciudad», *Cuadernos de derecho local*, ISSN 1696-0955, Número 35, 2014, págs. 97-103.

BAÑO LEÓN, J. M., «La obsolescencia de la idea de plan general», REALA, núm. 13, 2020, pp. 6-21.

BARRAGÁN ROBLES, V., y FERNÁNDEZ GARCÍA, M., «Los Derechos Humanos hacia el Derecho a la Ciudad. Participación y Gobernanza», en CAROL PRONER, HÉCTOR OLÁSOLO ALONSO, CARLOS VILLÁN DURÁN, GISELE RICOBOM, CHARLOTTH BACK, *70° aniversario de la declaración universal de derechos humanos: La Protección Internacional de los Derechos Humanos en cuestión*, Tirant lo Blanch, 2018, pp. 641-64.

BECERRA RAMÍREZ, M., «La constitución y la ciudad Global de México», Anuario Mexicano de Derecho Internacional, vol. XIX, 2019, Ciudad de México, pp. 529-537.

CASTILLO BLANCO, *Claves para la sostenibilidad de ciudades y territorios*, Aranzadi, 2014.

DEL SAZ CORDERO, S., «¿Debemos repensar los poderes del juez ante la constatación de la ilegalidad de una disposición general o un acto administrativo? La anulación parcial del Plan General de Madrid de 1997: un inmejorable ejemplo», *RVAP*, núm. especial 99-100, mayo-diciembre 2014.

DÍAZ GONZÁLEZ, G., *La acción exterior local*, Bases constitucionales Iustel, 2019.

DOMÉNECH PASCUAL, G., *La invalidez de los Reglamentos*, Tirant lo Blanch, 2002.

ESTEVE PARDO, J., *Manual de Derecho Administrativo*, Marcial Pons, 2017.

FONT I LLOVET, T. y GALÁN GALÁN, A., «Más allá de la autonomía local: de la despoblación rural al poder de las ciudades», Anuario del Gobierno Local (AGL), n. 1, 2019.

FRANCO M., *Proyecto Heart Healthy hoods* (Universidad de Alcalá).

GALÁN VIOQUE, R. R., «La anulación de un plan urbanístico como fuente de responsabilidad patrimonial de las Administraciones Públicas», *Administración de Andalucía: Revista Andaluza de Administración Pública,* núm. 46, 2002.

GARCÍA DE ENTERRÍA, E., «Un paso importante para el desarrollo de nuestra justicia constitucional: la doctrina prospectiva en la declaración de ineficacia de las leyes inconstitucionales», *REDA*, núm. 61, 1989.

GARDINI, G., «Rigenerazione urbana e nuova pianificazione urbanistica. Verso la "città giusta"», en CONCEPCIÓN BARRERO RODRÍGUEZ, C. y SOCÍAS CAMACHO, J. M., (coords.), *La ciudad del siglo XXI: transformaciones y retos*, INAP, 2020, pp. 665-701.

348

 Blanca Soro Mateo

INIESTA DELGADO, J. J., y FERNÁNDEZ SALMERÓN, M., «Naturaleza y efectos de las Sentencias de anulación recaídas en procesos contra normas: la invalidez en el sistema normativo y su anulación jurisdiccional», REDC núm. 59, 2000, pp. 139-175;

GUILLÉN LANZAROTE, A., «El derecho a la ciudad. Análisis de la carta europea de salvaguarda de los derechos humanos en la ciudad», en FRANCISCO JAVIER ANSUÁTEGUI ROIG, JOSÉ MANUEL RODRÍGUEZ URIBES, GREGORIO PECES-BARBA MARTÍNEZ, EUSEBIO FERNÁNDEZ GARCÍA, Historia de los derechos fundamentales (coord.) por, Vol. 4, Tomo 6, 2013 (El Derecho positivo de los derechos humanos), pp. 2099-2138.

GONZÁLEZ GARCÍA, J. V., «Globalización económica, Administraciones públicas y Derecho administrativo: presupuestos de una relación», Revista de administración pública, Nº 164, 2004, pp. 7-40.

LÓPEZ PELLICER, J. A., Autonomía territorial y competencias municipales. El Pacto local en la Región de Murcia, Consejo jurídico de la Región de Murcia, Cuadernos del Consejo, núm. 2, 2003.

LOZANO CUTANDA, B., «Urbanismo y corrupción: algunas reflexiones desde el derecho administrativo», Revista de Administración Pública, núm. 172, 2007, págs. 339-361.

MARTÍN RETORTILLO, L., «El concepto "víctima de una violación de los derechos" como determinante para el acceso al Tribunal Europeo de Derechos Humanos», RAP, núm. 175, 2008, pp. 253-284.

MEILÁN GIL, J. L., Una aproximación al derecho administrativo global, Sevilla: Global Law Press = Editorial Derecho Global, 2011.

MIR PUIGPELAT, O., Globalización, estado y derecho: las transformaciones recientes del derecho administrativo, Madrid: Civitas, 2004.

MONTORO CHINER, M. J. «Las relaciones internacionales y las CCAA a propósito de un libro reciente», REDC, núm. 45, 1995.

MONTORO I CHINER, M. J., «El estado ambiental de derecho: Bases constitucionales», en Sosa Wagner, F. (coord.), El derecho administrativo en el umbral del siglo XXI: homenaje al profesor Dr. D. Ramón Martín Mateo, Vol. 3, 2000, págs. 3437-3466.

MUÑOZ MACHADO, S., Servicio público y mercado. I. Los fundamentos, Madrid, Civitas, 1998.

PAREJO ALFONSO, L., «Urbanismo y medioambiente bajo el signo del desarrollo sostenible», en RVAP, núm. Especial 99-100, 2014.

PAREJO ALFONSO, L., «Urbanismo temporal, derecho a la ciudad y marco estatal de las políticas urbanas», en FERNÁNDEZ, M. Y GIFREU, J. (dirs.), El uso temporal de los vacíos urbanos, Serie Urbanismo y Vivienda, Barcelona, Diputación de Barcelona, 2016, pp. 107-127.

PAREJO GARCÍA, L., «Reflexiones en torno a la ciudad y el Derecho Administrativo», CONCEPCIÓN BARRERO RODRÍGUEZ, C. y SOCÍAS CAMACHO, J. M., (coords.), *La ciudad del siglo XXI: transformaciones y retos,* INAP, 2020, pp. 629-664.

PAREJO NAVAJAS, T., «La ciudad compartida. Ideas sobre la necesidad del desarrollo de políticas públicas para lograr un desarrollo sostenible en las ciudades en los países en vías de desarrollo (o en las más vulnerables), sobre la base del concepto de bienes comunes (urbanos) y de la idea de economía colaborativa que subyace a la naturaleza de su gestión», en WPS RI-SHUR, WPS Review International on Sustainable Housing and Urban Renewal, n.º 4, vol. 1, número monográfico sobre Gobernanza Urbana, 2016, pp. 145-153.

PEÑALVER I CABRÉ, A., «Las pretensiones en el contencioso-administrativo para la efectiva protección de los intereses colectivos», *RAP* núm. 190, 2013, pp. 109-154.

PEÑALVER I CABRÉ, A., *La defensa de los intereses colectivos en el contencioso-administrativo: legitimación y limitaciones económicas,* Aranzadi, 2016, 601 pp.

PONCE SOLÉ, J, «Políticas públicas para afrontar la regeneración urbana en barrios degradados una visión integrada desde el derecho», RArAP, núm. 41-42, 2013, pp. 11-70.

PONCE SOLÉ, J, «Derecho a la ciudad y desarrollo local», en ESCOBAR ROCA, G. (coord.), *La protección de los derechos humanos por las defensorías del pueblo: Actas del I Congreso Internacional del PRADPI,* Dykinson, 2013, págs. 149-174.

PÉREZ LUÑO, A. E., *El desbordamiento de las fuentes del derecho,* La Ley, 2011.

RAMALLO LÓPEZ, F., «Derecho a la ciudad. Buen gobierno y buena administración», WPS Review International on Sustainable Housing and Urban Renewal, núm. 4, 2016, pp. 8-36.

RAZQUIN LIZARRAGA, J. A., «La nulidad de los planes de urbanismo aprobados con omisión de informes sectoriales preceptivos o en contra de informes sectoriales vinculantes», *Revista Aranzadi Doctrinal,* núm. 5/2013.

RIVERO ORTEGA, Ricardo, La necesaria innovación en las instituciones administrativas, INAP, 2012.

RODRÍGUEZ-ARANA MUÑOZ, J., «El derecho administrativo global: Un derecho principal», en GALERA RODRIGO, S. y ALDA FERNÁNDEZ, M. (ed. lit.), *Construyendo el futuro: conversaciones jurídicas sobre la globalización,* Atelier, 2017, pp. 83-122.

SANCHEZ GOYANES, E., «Extinción jurídica de un plan y supervivencia de sus actos derivados: uniformidad en la diversidad jurisprudencial Práctica urbanística», *Revista mensual de urbanismo*, núm. 106, 2011, págs. 16-25;

SANTAELLA QUINTERO, H., *El régimen constitucional de la propiedad privada y su garantía en Colombia. Análisis fundamentado en el estudio de la garantía de la propiedad privada en los ordenamientos constitucionales alemán y español*, Directores de la Tesis: ALFREDO GALLEGO ANABITARTE (dir. tes.), Universidad Autónoma de Madrid (España) en 2010.

SANTAMARÍA PASTOR, J. A., «Muerte y transfiguración de la desviación de poder: sobre las sentencias anulatorias de planes urbanísticos», *RAP*, núm. 195, 2014.

SANTAMARÍA PASTOR, J. A., «Una imprevista disfunción del sistema urbanístico: la mortalidad judicial de los planes», *Práctica urbanística: Revista mensual de urbanismo*, núm. 141, 2016.

SASSEN, S. *La ciudad global*. The Global City, New York, London, Tokyo. Princeton: Princeton University Press, 2001.

SOCÍAS CAMACHO, J. M., «Espacio público en la ciudad turística», en BARRERO RODRÍGUEZ, C. y SOCÍAS CAMACHO, J. M., (coords.), *La ciudad del siglo XXI: transformaciones y retos*, INAP, 2020, pp. 225-257.

SORO MATEO, B., «Responsabilidad pública, vulnerabilidad y litigios climáticos», *Revista Aragonesa de Administración Pública*, Nº 54, 2019, págs. 57-140.

SORO MATEO, B., «Marco jurídico general de la cuestión climática, Algunas reflexiones a la espera de la aprobación de la Ley española de cambio climático y transición energética», en HERNÁNDEZ GONZÁLEZ, F. L. (coord.), *El derecho ante el reto del cambio climático*, Aranzadi, 2020, pp. 111-155.

SORO MATEO, B., *La gobernanza de las áreas marinas* Estado de la cuestión y propuestas de *lege ferenda*, Tirant lo Blanch, 2020.

SORO MATEO, B., ÁLVAREZ CARREÑO, S. M., CASADO CASADO, L., PÉREZ DE LOS COBOS HERNÁNDEZ, E., DURÁ ALEMAÑ, C. J., SALCEDO HERNÁNDEZ, J. R., SALAZAR ORTUÑO, E., SCOPELLITI, M., «Custodia del territorio y bancos de conservación», en JAVIER SANZ LARRUGA, JUAN JOSÉ PERNAS GARCÍA, JENNIFER SÁNCHEZ GONZÁLEZ (coords.), *Derecho ambiental para una economía verde: informe Red Ecover*, Aranzadi, 2016, pp. 311-382.

TORRE-SCHAUB, M., «La construcción del régimen jurídico del clima: Entre ciencia, derecho y política económica», *Revista Catalana de Derecho Ambiental*, Vol. 10, Núm. 1, 2019, pp. 1-35.

TRAYTER, J. M., «Problemas actuales del Derecho urbanístico en un mundo global», en M. VAQUER CABALLERÍA, A. M. MORENO MOLINA, A. DESCALZO GONZÁLEZ (coord.), *Estudios de Derecho público en homenaje a Luciano Parejo Alfonso, Tomo III,* Tirant lo Blanch, 2018.

VIANA GARCÉS, A., «Introducción. El derecho a la ciudad: Diagnóstico de un derecho emergente», en GUILLERMO ESCOBAR ROCA, *La protección de los derechos humanos por las defensorías del pueblo: Actas del I Congreso Internacional del PRADPI,* Dykinson, 2013, pp. 131-148.

VILLAR ROJAS, *Crisis del planeamiento urbano,* Aranzadi, 2019.

VVAA «Reflexiones sobre la protección de la legalidad urbanística: un balance retrospectivo y varias propuestas como instrumento del desarrollo sostenible de territorios», en Claves para la sostenibilidad de ciudades y territorios, Aranzadi, 2014.

Capítulo 14
LA VULNERABILIDAD DE LAS PERSONAS CON DISCAPACIDAD EN LA NORMATIVA SOBRE CAMBIO CLIMÁTICO[1]

MIREN SARASÍBAR IRIARTE
Profesora Titular de Derecho Administrativo
Universidad Pública de Navarra

1. EL CAMBIO CLIMÁTICO COMO EL GRAN PROBLEMA AMBIENTAL

En la actualidad, hay una cosa clara. El cambio climático constituye un problema alarmante e incuestionable. Lo afirma, entre otros, el Panel Intergubernamental sobre el Cambio Climático, que es el máximo órgano científico que estudia esta materia. El exceso de gases contaminantes produce ese calentamiento exagerado, lo cual produce efectos adversos de distinta índole comenzando, por ejemplo, por un aumento del nivel del mar producido por un proceso de deshielo de los glaciares, un aumento, igualmente, de las precipitaciones, aumento de fenómenos meteorológicos extremos, existencia frecuente de olas de calor, etc.

Este efecto invernadero que se produce en la atmósfera provocado por la acción humana ha sido motivo de preocupación por toda la comunidad internacional, iniciándose un debate importante, ya en la Cumbre de Río, sobre la necesidad de establecer unos objetivos de

[1] Trabajo realizado en el marco del Proyecto de investigación «Bioderecho ambiental y protección de la vulnerabilidad: hacia un nuevo marco jurídico» — BIO-vul— (DER 2017-85981-C2-1-R) del Ministerio de Ciencia, Innovación y Universidades (Convocatoria 2017 de Proyectos de I+D+i correspondientes al Programa estatal de Investigación, Desarrollo e Innovación orientada a los Retos de la Sociedad, en el marco del Plan Estatal de Investigación Científica y Técnica y de Innovación 2013-2016).

reducción de emisiones. Se trata de un fenómeno global, tanto por sus causas como por sus efectos y requiere una respuesta multilateral basada en la colaboración de todos los países.

Evidentemente, las consecuencias del cambio climático, como se ha dicho, son muy perjudiciales. Es un problema que afecta negativamente a la salud humana, en particular, y a la naturaleza, en general y, por las notas que caracterizan a la contaminación atmosférica, se trata de un problema que afecta a todo el planeta, que no se centraliza en un espacio determinado, sino que traspasa fronteras afectando a multitud de países. En la actualidad, el cambio climático se considera que es uno de los principales riesgos potenciales para la salud humana en la globalidad del planeta junto con la pobreza y el hambre[2].

Por ello, resulta necesario realizar investigaciones sobre la vigilancia y control de este tipo de enfermedades y tener en cuenta los distintos escenarios de cambio climático. Es preciso igualmente llevar a cabo estudios epidemiológicos para valorar el impacto del ozono y de otros contaminantes así como desarrollar modelos de predicción de los efectos que el cambio climático y los cambios en la calidad del aire pueden tener sobre la salud[3].

La salud infantil preocupa especialmente por ser un sector de la población más sensible, ya que los niños tienen una frecuencia respiratoria mayor, están expuestos más al aire libre que un adulto y fisiológicamente están menos capacitados para hacer frente a ataques externos como el caso de la contaminación. Como dato ejemplificativo, unos 5 millones de niños en el mundo mueren cada año de enfermedades relacionadas con la contaminación atmosférica[4].

Por ello, si la contaminación existente en las ciudades, por regla general, repercute negativamente a los niños, un exceso o aumento

---

2   Véase VVAA, «El Proyecto EMECAS: Protocolo Estudio multicéntrico en España de los efectos a corto plazo de la contaminación atmosférica sobre la salud», *Revista Española de Salud Pública*, vol. 79, núm. 2, 2005, pp. 229-242.

3   BALLESTER, F., «Contaminación atmosférica, cambio climático y salud», *Revista Española de Salud Pública*, 79, 2005, pp. 159-175.

4   DÍAZ JIMÉNEZ, J., LINARES GIL, C., LÓPEZ, S., GARCÍA HERRERA, R. y MONTERO RUBIO, J. C., «Efectos de la contaminación atmosférica sobre la salud infantil en Madrid», *Revista Interdisciplinar de Gestión Ambiental*, núm. 70, octubre 2004, pp. 30-41.

de la misma con la consecuencia de un cambio brusco en el clima es gravemente perjudicial, por lo que debería suponer un motivo más de alarma y preocupación que sirviera para imponer medidas más severas orientadas a la reducción de la contaminación atmosférica. Lo mismo ocurre con la población mayor de 65 años que también coincide que son el grupo de población que padecen enfermedades de tipo respiratorio o cardiovascular y que en consecuencia, son más vulnerables a un aumento considerable de las temperaturas y a un mayor nivel de contaminación atmosférica[5]. La Sociedad Española de Neumología y Cirugía Torácica advirtió que como consecuencia de la contaminación atmosférica fallecen personas tres veces más que por accidentes de tráfico y casi diez veces más que por accidentes laborales. Estas afecciones tan graves repercuten también negativamente en las personas con discapacidad, como personas especialmente vulnerables.

Como antes he mencionado, las repercusiones del cambio climático son muy variadas siendo muchos los ámbitos los que son afectados como, por ejemplo, las alteraciones en los sistemas ecológicos, con incidencia en los vectores y parásitos, cambios en la ecología microbiológica del agua y alimentos, cambios en la productividad de las cosechas, aumento del nivel del mar y alteraciones de la calidad del aire. Todas estas alteraciones son riesgos para la salud y la calidad de la vida humana[6].

De lo expuesto se deduce, la repercusión tan alta que el cambio climático ocasiona en los distintos sectores y en concreto en la salud

[5] NIETO SAINZ, J., «Cambio climático y Protocolo de Kioto: efectos sobre el empleo, la salud y el medio ambiente», *Información Comercial Española (ICE)*, 822, 2005, p. 29. De la misma manera, se puede advertir como el ozono es un gas altamente corrosivo que puede dañar a los pulmones y a los ojos principalmente (BENISTON, M., «El cambio climático y sus consecuencias potenciales sobre la salud humana», *Ars Medica. Revista de Humanidades*, 4, 2005, pp. 238-251. También se refiere a las enfermedades relacionadas con el cambio climático INIESTA ARANDIA, N., RÍOS BLANCO, J. J., FERNÁNDEZ CAPITÁN, M. C. y BARBADO HERNÁNDEZ, F. J., «Cambio climático: ¿Nuevas enfermedades para un nuevo clima?», *Revista Clínica Española*, 209 (5), 2009, pp. 234-240).
[6] GRIMALT, J. O., «Impacto del cambio climático en la salud humana», *Cambio climático y sus consecuencias*, ed. Presidencia Generalitat Valenciana, Valencia, 2007, pp. 73-84 y TIRADO BLÁZQUEZ, Mª C., «Cambio climático y salud. Informe SESPAS 2010», *Gaceta Sanitaria*, 24 (suplemento 1), 2010, pp. 78-84.

humana. Todos estos aspectos son motivos y fundamentos más que suficientes que reclaman una pronta y eficaz solución. Por ello, el ordenamiento jurídico interviene para controlar y reducir esas cuotas de contaminación tan altas y así disminuir las consecuencias tan graves del cambio climático y mejorar de esa manera la salud humana.

2. LA RELACIÓN ENTRE MEDIO AMBIENTE Y SALUD: LA OPORTUNA INCLUSIÓN DEL CAMBIO CLIMÁTICO EN EL DERECHO SANITARIO

La protección del medio ambiente en el artículo 45 de la Constitución se fundamenta en la salvaguarda y conservación de los diferentes elementos naturales que configuran el ecosistema pensando tanto en las generaciones presentes como en las futuras. De esta concepción se alude de forma implícita a la salud humana al referirse este precepto a la calidad de la vida. En el artículo 43 se consagra el derecho a la salud y el deber por parte de los poderes públicos de velar por la salud pública mediante los servicios y prestaciones que sean necesarios. Pero en este precepto tampoco se alude expresamente al medio ambiente por lo que nuevamente se constata una falta de conexión entre los dos ámbitos[7].

En cuanto a la normativa sanitaria, destaca, en primer lugar, la Ley 14/1986, de 25 de abril, general de Sanidad, la cual en su artículo 18.6, establece como uno de los objetivos de la Administración sanitaria «la promoción y la mejora de los sistemas de saneamiento, abastecimiento de aguas, eliminación y tratamiento de residuos líquidos y sólidos; la promoción y mejora de los sistemas de saneamiento y control del aire, con especial atención a la contaminación atmosféri-

---

[7] Véase por orden alfabético a BELTRÁN AGUIRRE, J. L., «La incidencia de la actividad administrativa sanitaria en los derechos y libertades fundamentales de las personas», *Revista Vasca de Administración Pública*, 6, 1983, pp. 155-186 y «La universalización de la asistencia sanitaria operada por la Ley 33/2011, de 4 de octubre, de salud pública», *Revista Aranzadi Doctrinal*, 9, 2011, pp. 79-91; MUÑOZ MACHADO, S., *La sanidad pública en España (evolución histórica y situación actual)*, ed. Instituto de Estudios Administrativos, Madrid, 1975 y PEMÁN GAVÍN, J., *Derecho a la salud y Administración sanitaria*, ed. Publicaciones del Real Colegio de España, Bolonia, 1989.

ca; la vigilancia sanitaria y adecuación a la salud del medio ambiente en todos los ámbitos de la vida, incluyendo la vivienda». En esta Ley ya se hace referencia a la contaminación atmosférica como uno de los problemas que afectan a la calidad del aire y que, en consecuencia, también supone un riesgo para la salud por lo que es adecuado que esta Ley lo incluya en su ámbito de aplicación.

En segundo lugar, hay que mencionar la Ley 16/2003, de 28 de mayo, de cohesión y calidad del Sistema Nacional de Salud, que en su artículo 11.2 establece como una de las prestaciones de la Administración sanitaria, la información y vigilancia epidemiológica y también la promoción y protección de la sanidad ambiental. Con esta Ley se avanza un paso importante ya que se concretan las prestaciones que debe realizar la Administración sanitaria entre las que se encuentra el control de las enfermedades y epidemias en las que el cambio climático contribuye de forma notable y también se incluye como prestación la sanidad ambiental, concepto en el que existe una clara conexión entre la protección ambiental y la salud pública ya que se trata de controlar los efectos de los riesgos ambientales sobre la salud. Se trata de un nuevo ámbito de la sanidad pública que se encarga de estudiar los factores y condiciones del medio ambiente que favorecen la ausencia de enfermedad y el aumento de bienestar para el hombre[8].

Y, en tercer lugar, hay que hacer referencia a la Ley 33/2011, de 4 de octubre, general de la Salud pública, donde expresamente se hace mención directa del cambio climático como uno de los riesgos importantes para la salud humana. En la propia exposición de motivos, ya se alude a aspectos ambientales como la «calidad del aire que se respira» y «el entorno medioambiental de las personas». En su artículo 1 se menciona la necesidad de abordar el ámbito de la salud de forma transversal, lo cual supone incorporar la salud de las personas como objetivo a proteger en cada una de las políticas sectoriales y no sólo en la normativa sanitaria.

---

[8]   DE MONTALVO JÄÄSKELÄINEN, F., «Contaminación atmosférica y salud pública: una visión del cambio climático y sus repercusiones en la salud desde el derecho», *Revista cuatrimestral de las Facultades de Derecho y Ciencias Económicas y Empresariales*, 86, mayo-agosto 2012, p. 111.

Como ocurre con la Ley 16/2003 antes citada, en el artículo 30 se
vuelve a incluir el concepto de sanidad ambiental relacionando una
vez más el sector ambiental con la sanidad. En el artículo 31.2, es
donde de forma explícita la Ley se refiere al cambio climático como
uno de los problemas ambientales graves para la salud: «el Ministerio
de Sanidad, Política Social e Igualdad promoverá que los servicios de
ámbito estatal que ejerzan funciones en los ámbitos de identificación,
evaluación, gestión y comunicación de los riesgos ambientales para
la salud de la población, entre los que se incluirán, al menos, los riesgos relacionados con los productos químicos y la salud y cambio climático, puedan actuar como centro de referencia nacional en dichos
ámbitos».

Con este artículo se consigue la perfecta y necesaria integración
de la política ambiental con la protección de la salud pública, y especialmente en lo que aquí interesa, la implicación de la Administración
sanitaria en la protección de la salud prestando especial atención en
los problemas ocasionados por factores ambientales, destacando como uno de los más graves, el cambio climático. Es por ello, que el
Derecho sanitario también puede combatir la contaminación atmosférica causante del cambio climático y asimismo combatir enfermedades que suponen un gran coste para la Administración sanitaria[9].

3. LA APLICACIÓN DEL BINOMIO MITIGACIÓN-ADAPTACIÓN A LAS PERSONAS CON DISCAPACIDAD

En el ámbito del cambio climático, es obligado hacer referencia
tanto a las medidas de mitigación como a las medidas de adaptación.
La adaptación al cambio climático no es una opción singular frente a
la reducción de las causas que lo originan sino que es considerado como un complemento necesario a las políticas de mitigación[10]. Se trata
de un binomio en el que los dos elementos, adaptación y mitigación,

---

[9]   DE MONTALVO JÄÄSKELÄINEN, F., «Contaminación atmosférica y salud
       pública: una visión del cambio climático y sus repercusiones en la salud desde el
       derecho», *Icade: Revista de la Facultad de Derecho*, 86, 2012, p. 120.
[10]   SUMI, A, FUKUSHI, K. and HIRAMATSU, A. (eds.), *Adaptation and Mitigation
       Strategies for Climate Change*, 2010.

están íntimamente relacionados de tal manera que constituyen los pilares esenciales de la lucha global contra el cambio climático.

La política de mitigación está más dirigida a limitar la acumulación de gases de efecto invernadero en la atmósfera, mediante la reducción de dichos gases o mejorando los sumideros. Sin embargo, con la política de adaptación se quiere conseguir minimizar los riesgos, la vulnerabilidad e impactos derivados del cambio climático y al mismo tiempo rentabilizando las nuevas condiciones que ha creado. Asimismo, las acciones de mitigación requieren una respuesta conjunta y coordinada a nivel global, sin embargo, las de adaptación deben adoptarse a nivel nacional o incluso local, ya que los impactos del cambio climático son específicos de cada espacio físico y las medidas, en consecuencia, también deben ser de tal índole[11].

Es necesario pensar y reflexionar sobre las medidas de adaptación y mitigación que disminuyan esos efectos negativos y encontrar el modo de aclimatarse a los cambios y posibles desastres ocurridos por el calentamiento global. La adaptación al cambio climático es fundamental y consiste, por ejemplo, en mejorar las infraestructuras existentes para reforzar sus medios de resistencia a los posibles cambios que se puedan producir, invertir las tendencias que ocasionan un aumento de la vulnerabilidad, protegiendo especialmente las zonas más proclives a las inundaciones y zonas costeras y mejorar la concienciación de la sociedad y su preparación para anticipar y prever futuros comportamientos y reacciones ante ciertas situaciones. Hay que considerar que los efectos del cambio climático son específicos e interdependientes, porque se interrelacionan entre sí y dependen unos de los otros. Es decir, los efectos ecológicos influyen o afectan a los económicos y éstos a su vez en los sociales, con lo cual las medidas de adaptación deben considerar esa interdependencia para que el resultado sea el adecuado.

En conclusión, parece lógico que se intente conseguir el resultado de mitigación del cambio climático con elementos que tenemos a nuestra disposición, como es el caso de las energías renovables y

---

[11]   KANE, S. and SHOGREN J. F., «Linking Adaptation and Mitigation in Climate Change Policy», in KANE, S. M. and YOHE G. W. (eds.), *Societal adaptation to climate variability and change*, 2000, pp. 75-102.

360 Miren Sarasíbar Iriarte

los recursos naturales. Y desde luego, con más razón en los países subdesarrollados, donde no se pueden plantear esa clase de medidas que implican un grado de desarrollo mayor. Para ello, es fundamental, además de una lógica protección y conservación de nuestros bosques, una conservación de las reservas de carbono existentes y utilización de productos biológicos producidos mediante la utilización de técnicas sostenibles, como el uso de la madera en lugar de productos de la construcción con fuerte intensidad energética o el uso de la biomasa en sustitución de los combustibles fósiles.

En lo que respecta a la aplicación de estas medidas a las personas con algún tipo de discapacidad, hay que resaltar que ambas son muy importantes. Las medidas de mitigación son de gran trascendencia para cualquier persona ya que se trata de buscar la manera de aminorar los gases de efecto invernadero, que son los causantes del cambio climático. Y en lo referente a las medidas de adaptación, cabe destacar que son de especial relevancia para los discapacitados porque se trata de buscar las maneras para que, ante esa realidad, tengan medios e instrumentos para aclimatarse a esa nueva realidad.

4. LA ESPECIAL PROTECCIÓN DE LAS PERSONAS CON DISCAPACIDAD

4.1. *La Convención sobre los Derechos de las personas con discapacidad*

La norma cabecera de las personas con discapacidad se encuentra en la Convención de 2008. La finalidad principal de esta norma es la de promover, proteger y asegurar el goce pleno y en condiciones de igualdad de todos los derechos humanos y libertades fundamentales por todas las personas con discapacidad, y promover el respeto de su dignidad inherente. Las personas con discapacidad incluyen a aquellas que tengan deficiencias físicas, mentales, intelectuales o sensoriales a largo plazo que, al interactuar con diversas barreras, puedan impedir su participación plena y efectiva en la sociedad, en igualdad de condiciones con las demás.

Es en el artículo 3 donde se regulan los principios que son, el respeto de la dignidad inherente, la autonomía individual, incluida la libertad de tomar las propias decisiones, y la independencia de las personas; La no discriminación; La participación e inclusión plenas y efectivas en la sociedad; El respeto por la diferencia y la aceptación de las personas con discapacidad como parte de la diversidad y la condición humanas; La igualdad de oportunidades; La accesibilidad; La igualdad entre el hombre y la mujer y el respeto a la evolución de las facultades de los niños y las niñas con discapacidad y de su derecho a preservar su identidad.

A algunos de estos principios me referiré en el apartado siguiente, pero quiero ya destacar que tomando ya como referencia el contenido de esta Convención, es evidente que las personas con discapacidad deben ser integradas en la sociedad, haciéndoles partícipes y adaptando las medidas que se vayan implementando a sus necesidades y características distintas a las de las personas sin discapacidad. De lo contrario, se estaría llevando a cabo políticas claramente discriminatorias, no inclusivas y nada accesibles.

La integración de la realidad de la discapacidad debe darse en todas y cada una de las políticas sectoriales y desde luego, en lo que respecta al cambio climático, es más que evidente, puesto que la afección de sus consecuencias perjudiciales y las medidas de adaptación a la nueva realidad creada tras el cambio climático, son totalmente distintas a las sufridas por las personas sin discapacidad, tal como se verá a continuación.

4.2. *La Ley General española de Derechos de las personas con discapacidad y de su inclusión social*

Como establece su exposición de motivos, las personas con discapacidad conforman un grupo vulnerable y numeroso al que el modo en que se estructura y funciona la sociedad ha mantenido habitualmente en conocidas condiciones de exclusión. Este hecho ha comportado la restricción de sus derechos básicos y libertades condicionando u obstaculizando su desarrollo personal, así como el disfrute de los recursos y servicios disponibles para toda la población y la posibilidad de contribuir con sus capacidades al progreso de la sociedad.

Y es en su artículo 1, donde establece que la Ley pretende garantizar el derecho a la igualdad de oportunidades y de trato, así como el ejercicio real y efectivo de derechos por parte de las personas con discapacidad en igualdad de condiciones respecto del resto de ciudadanos y ciudadanas, a través de la promoción de la autonomía personal, de la accesibilidad universal, del acceso al empleo, de la inclusión en la comunidad y la vida independiente y de la erradicación de toda forma de discriminación, conforme a los artículos 9.2, 10, 14 y 49 de la Constitución Española y a la Convención Internacional sobre los Derechos de las Personas con Discapacidad y los tratados y acuerdos internacionales ratificados por España.

En lo que respecta al principio de igualdad, la Ley establece en su artículo 7 que, para hacer efectivo este derecho a la igualdad, las administraciones públicas promoverán las medidas necesarias para que el ejercicio en igualdad de condiciones de los derechos de las personas con discapacidad sea real y efectivo en todos los ámbitos de la vida. Las administraciones públicas protegerán de forma especialmente intensa los derechos de las personas con discapacidad en materia de igualdad entre mujeres y hombres, salud, empleo, protección social, educación, tutela judicial efectiva, movilidad, comunicación, información y acceso a la cultura, al deporte, al ocio, así como de participación en los asuntos públicos, en los términos previstos en este Título y demás normativa que sea de aplicación.

Asimismo, las administraciones públicas protegerán de manera singularmente intensa a aquellas personas o grupo de personas especialmente vulnerables a la discriminación múltiple como las niñas, niños y mujeres con discapacidad, mayores con discapacidad, mujeres con discapacidad víctimas de violencia de género, personas con pluridiscapacidad u otras personas con discapacidad integrantes de minorías.

Por lo tanto, de esto se deduce que, en cada política sectorial, el legislador debe integrar a las personas con discapacidad en su articulado para que en ese ámbito reciban la protección que merecen ya que, de lo contrario, será discriminatorio. Y por supuesto, la normativa sobre cambio climático también debe ser cumplidora en este sentido, aspecto que se analizará en el apartado 5.3.

5. LA ESPECIAL VULNERABILIDAD DE LAS PERSONAS CON DISCAPACIDAD ANTE EL CAMBIO CLIMÁTICO

5.1. Estado real de la cuestión

Las personas discapacitadas tienen un riesgo mayor de sufrir las consecuencias perjudiciales del cambio climático por su especial vulnerabilidad, por lo que hay una clara desproporción que les perjudica claramente. Y desde luego, el cambio climático puede acentuar las desigualdades en materia de salud y gestión sanitaria ya que supone un menor acceso a sistemas sanitarios y puede agravar problemas de salud pública, como la malnutrición o problemas respiratorios, entre otros.

Como es sabido, el cambio climático origina la existencia de fenómenos meteorológicos extremos, como terremotos, huracanes y, evidentemente, esas situaciones alteran la disponibilidad de los servicios de salud y el acceso a ellos. Me refiero a la existencia, por ejemplo, de las barreras arquitectónicas en desalojos y derrumbes o al impedimento a refugios debido a sus discapacidades físicas o psíquicas[12]. En este sentido, cabe destacar que las Informaciones facilitadas en situación de alerta no son accesibles para las personas con discapacidad, de lo que se concluye, como he dicho anteriormente, la clara desproporción no sólo de las repercusiones sino también de las medidas que se establecen en esas situaciones provocadas por el cambio climático[13].

Es el caso de la ayuda técnica bien sea en cuanto a la movilidad, al entendimiento, a la capacidad de oír o de ver, que debido a la urgencia e improvisación de los fenómenos se daña o pierde. De esto se deduce, que es necesario establecer instrucciones de emergencia adaptadas y accesibles a las personas con discapacidad, como la previsión de que haya también asistentes personales de apoyo, animales de compañía y equipos médicos que ayuden a esas personas[14].

---

[12]   CBM, «Saving lives and leaving no one behind. The Gaibandha model for disability-inclusive disaster risk reduction» (2018).

[13]   *Guidelines: Inclusion of Persons with Disabilities in Humanitarian Action*, Comité Permanente entre Organismos, 2019.

[14]   Comisión Económica y Social para Asia y el Pacífico, *Building Disability-inclusive Societies in Asia and the Pacific: Assessing Progress of the Incheon Strategy*, 2018.

5.2. Propuestas de inclusión de las personas con discapacidad

Como una primera propuesta destinada a las personas discapacitadas es que sean partícipes en los procesos de elaboración de la normativa sobre cambio climático, ya que, de esa manera, se pueden establecer medidas de reducción de riesgos y también medidas de adaptación al fenómeno del cambio climático desde un conocimiento en primera persona de las especiales afecciones a ese colectivo vulnerable de personas. Se puede citar al respecto la Convención de los Derechos de las Personas con Discapacidad (2006), donde se proclama el derecho a disfrutar de todos los derechos humanos y libertades fundamentales en igualdad de condiciones que el resto de personas[15].

De esa manera, también se establece en el artículo 3 la obligación que tienen los Estados miembros de colaborar activamente en procesos de decisión de aspectos que afecten a su vida, como el cambio climático. Y, por otro lado, en el artículo 11, la obligación de protegerles en situaciones de riesgo.

Asimismo, considero que es una medida muy adecuada la creación de un grupo específico de personas con discapacidad en las negociaciones existentes sobre el clima consiguiendo de esa manera una mejor representación de todos los colectivos, incluidas las personas discapacitadas. En esta misma línea, el Derecho Internacional de Derechos Humanos considera muy relevante empoderar a las personas con discapacidad en procesos de participación plena y efectiva de la acción climática. En definitiva, se trata de llevar a cabo una perspectiva inclusiva, integradora, transversal, donde las personas con discapacidad tengan un protagonismo destacado y no sólo sean destinatarios pasivos, en el mejor de los casos, de las medidas previstas por el legislador.

Es la clásica aplicación del principio de integración. Al igual que es importante su aplicación en el ámbito del cambio climático ya que se trata de incorporar el problema del cambio climático en cada uno de los sectores existentes porque, desde un punto de vista ambiental, es la única forma de tratar adecuadamente el problema y de buscar soluciones eficaces. Encuadrando el problema en cada ámbito concre-

---

[15]   TORRES LÓPEZ, M. A., *La discapacidad en el Derecho Administrativo*, ed. Civitas, Madrid, 2012.

to, se pueden buscar medidas más apropiadas teniendo en cuenta las circunstancias y condicionantes peculiares de cada sector particular con la finalidad última de conseguir un desarrollo sostenible. La experiencia en más de una ocasión ha demostrado cómo una medida en particular no tiene el mismo grado de aceptación ni surte los mismos efectos que se preveían en cada uno de los sectores en que se aplica[16].

Es importante y quizás de esa manera el problema del cambio climático se tendría más en consideración, si se incluyese más a menudo en las estrategias de desarrollo de los diferentes países, como el caso de los documentos estratégicos de reducción de pobreza y los informes estratégicos nacionales. El caso es que el tema del cambio climático no puede considerarse una cuestión al margen y desvinculada de cualquier otra materia, ya que es un problema que repercute en muchos sectores y lo lógico es incluirlo dentro de los objetivos a conseguir en cada una de las iniciativas.

Este mismo principio también se puede aplicar en lo relativo a las personas discapacitadas ya que en todas y cada una de las políticas sectoriales tiene que haber una referencia a mismas, de la clase que sea su discapacidad, porque evidentemente, sus especiales características supone que las medidas que se plantean en cada uno de los ámbitos debe estar adaptada a sus necesidades. Y en lo que aquí respecta, destaco la importancia que tiene la integración expresa de medidas concretas para las personas discapacitadas en la normativa sobre cambio climático, ya que, de lo contrario, existe una clara desproporción situándose las personas con discapacidad en una posición de clara desventaja. En concreto, se deberían aplicar los principios de la Declaración de Discapacidad en todas las políticas sectoriales que les afecten y ésta es la única manera de que estén protegidos. Lógicamente, una mayor concienciación y sensibilización de la sociedad hacia las personas con discapacidad ayuda a una mayor protección de las mismas.

---

[16]   FERRER LLORET, J. y SANZ CABALLERO, S. (Coord.), *Protección de personas y grupos vulnerables: especial referencia al Derecho Internacional y Europeo*, ed. Tirant lo Blanch, 2008 y MARTÍNEZ-PUJALTE, A. L. (Dir.), *Nuevos horizontes en el Derecho de la Discapacidad: hacia un Derecho inclusivo*, ed. Aranzadi Thomson Reuters, Cizur Menor, 2018.

Por ello, debería instaurarse la consideración de colectivo vulnerable a las personas con discapacidad debido a la afección severa de los efectos del cambio climático y, de esa forma, se consigue respetar los principios de igualdad y no discriminación.

Como es sabido, en el ámbito del cambio climático, hay que contemplar tanto las medidas de mitigación destinadas a la disminución de emisiones de gases de efecto invernadero como las medidas de adaptación, las cuales van encaminadas a buscar los medios para una adecuación a los efectos causados por el cambio climático. Por ejemplo, me refiero a que el transporte colectivo sea accesible para las personas con discapacidad. En lo que se refiere a las medidas de adaptación, es muy relevante la adecuación de espacios y, por ello, es esencial que exista una cooperación internacional para movilizar recursos para apoyar enfoque inclusivo de la discapacidad ante el cambio climático.

Uno de los principios a destacar en el ámbito del cambio climático es el principio de responsabilidades comunes pero diferenciadas, es decir, que cada Estado responda en función de su aportación al cambio climático, guardando equilibrio y proporción de acuerdo a las circunstancias de cada país y de las consecuencias, considerando también a los derechos de discapacitados.

Es evidente que el cambio climático nos afecta a todos y también hay que decir que todos somos a su vez responsables del mismo. Esta afirmación debe ser matizada porque hay que tener muy presente el principio citado, el cual pretende establecer diferencias en cuanto a los compromisos y obligaciones exigibles a cada uno de los países afectados e implicados en el cambio climático. De lo contrario, se cometerían injusticias con aquellos países que contaminan menos y que, en consecuencia, contribuyen en menor medida a la existencia de un cambio climático.

En concreto, este principio de fundamenta en la protección y salvaguarda de los países subdesarrollados, ya que emiten menor cantidad de emisiones por lo que contribuyen en menor medida a la existencia de un cambio climático y, asimismo, disponen de menos recursos para poder hacer frente a este fenómeno y a sus consecuencias adversas. Lo lógico es que cada país responda de acuerdo al grado de contaminación que ha aportado según sus características y necesidades y teniendo en cuenta los compromisos que ha adquirido.

Por ello, todos tienen un deber de no propiciar que el cambio climático se acreciente y un deber también de buscar medidas para mitigarlo. Sin embargo, hay que precisar que existe una diferencia de grado importante porque la cantidad de emisiones de los países desarrollados es muy superior a la de los países en desarrollo y, por ello, se establece que los países desarrollados deben tomar la iniciativa para combatir el cambio climático y sus efectos adversos e incluso, enumera de forma diferenciada las obligaciones distinguiendo claramente los países desarrollados de los subdesarrollados. En esta valoración, también tiene que tenerse en consideración lógicamente a las personas discapacitadas.

5.3. Proyecto de Ley de Cambio Climático en España: una oportunidad perdida para las personas con discapacidad

En la actualidad, tenemos en nuestro país el Proyecto de Ley de Cambio Climático y Transición Energética. Cabe decir que se trata de una norma muy esperada con disposiciones importantes aplicables en muchos ámbitos con implicaciones en el cambio climático pero que, sin embargo, resulta muy pobre en lo que respecta a las personas con discapacidad.

La norma cabecera sobre el cambio climático, que es el Protocolo de Kyoto, tampoco se refiere en ningún momento a las personas con discapacidad, ni siquiera a las personas vulnerables a los efectos del cambio climático. En el Acuerdo de París se reconoce que el cambio climático es un problema de toda la humanidad y que, al adoptar medidas para hacerle frente, las Partes deberían respetar, promover y tener en cuenta sus respectivas obligaciones relativas a los derechos humanos, el derecho a la salud, los derechos de los pueblos indígenas, las comunidades locales, los migrantes, los niños, las personas con discapacidad y las personas en situaciones vulnerables y el derecho al desarrollo, así como la igualdad de género, el empoderamiento de la mujer y la equidad intergeneracional. En concreto, en el artículo 7, al referirse a las medidas de adaptación, se establece que cada Estado tendrá en cuenta la evaluación de los efectos del cambio climático y de la vulnerabilidad a este, con miras a formular sus medidas prioritarias determinadas a nivel nacional, teniendo en cuenta a las personas, los lugares y los ecosistemas vulnerables. La referencia es sutil, aunque por lo menos ha suplido la carencia del Protocolo de Kyoto al respecto.

Constatada esa laguna, debería haberse planteado el contenido del Proyecto de Ley de cambio climático en España en armonía con las disposiciones del Convenio de Derechos de personas con discapacidad[17].

La única referencia, aunque no expresa, que se hace en el Proyecto de Ley es en el artículo 2, donde se alude a la protección de colectivos vulnerables, con especial consideración a la infancia. En esa referencia de colectivo vulnerable, se puede deducir que se incluye a las personas con discapacidad, pero hubiera sido recomendable una referencia concreta y expresa, tal como se ha hecho con la infancia. La discapacidad es una realidad en nuestro país, se estima que hay 1000 millones en todo el mundo[18], y llama mucho la atención que, en un ámbito como el del cambio climático, que conlleva unas repercusiones muy perjudiciales en muchos sentidos y donde es más que evidente que ante un fenómeno meteorológico extremo van a tener muchas más dificultades que una persona sin discapacidad, no haya hecho alusión a la especial consideración que deben tener las personas discapacitadas por ser claramente un colectivo vulnerable. El Proyecto de Ley no lleva a cabo una visión inclusiva, dejando de lado claramente a la discapacidad, siendo esto una carencia muy importante.

El Proyecto de Ley alude a los incentivos de inversión y a la generación de empleo en el ámbito del cambio climático y de las energías renovables. En este sentido, cabe destacar que deberá tenerse en cuenta en este punto a las personas con discapacidad y que se promueva la incorporación de los discapacitados. Nuevamente, considero que debería haber habido una referencia y no una presunción ya que puede ocurrir que no se les tenga en consideración.

---

[17] GONZÁLEZ MORÁN, L., «Discapacidad y Derecho: la integración del discapacitado por el Derecho», en el vol. col. MARTÍNEZ MARTÍNEZ, J. L. y PÉREZ MARÍN, J., *Sociedad y deficiencia mental*, ed. Universidad Pontificia de Comillas, 2002, pp. 97-130.

[18] *Informe Mundial sobre la Discapacidad*, Organización Mundial de la Salud (OMS) y Banco Mundial, 2011, p. 34.

Del mismo modo, lo que procede es que los discapacitados conozcan los riesgos e implicaciones vinculados al cambio climático y que puedan beneficiarse también de las oportunidades derivadas de la transición hacia una sociedad descarbonizada.

En lo relativo a la fiscalidad justa, hay que destacar que los incentivos para energías renovables, eficiencia energética y salubridad en los hogares, también debe entenderse aplicable a las personas con discapacidad, pero nuevamente, queda de manifiesto que se omite en el Proyecto de Ley esa perspectiva integradora de dicho colectivo.

En conclusión, se ha perdido la oportunidad en este Proyecto de Ley de regular el cambio climático y las energías renovables de un modo integrador e inclusivo, incorporando medidas adaptadas a las personas con discapacidad, especialmente en un ámbito en el que la realidad evidencia que las consecuencias perjudiciales del calentamiento en esas personas son más severas y, en consecuencia, las medidas de mitigación y adaptación deben ir en consonancia. Y esto no se ha producido con el Proyecto de Ley.

En cuanto al borrador del Plan de Adaptación de Cambio Climático en España, cabe destacar al igual que ocurre con el Proyecto de Ley, que no se otorga un lugar destacado a las personas con discapacidad, ya que se menciona que el enfoque basado en derechos humanos se integrará en todas las medidas de adaptación, promoviendo el fortalecimiento de la capacidad de adaptación de todas las personas, especialmente aquellas más vulnerables.

Por otro lado, se establece que es necesario identificar los grupos vulnerables y su localización y desarrollar respuestas adaptativas socialmente justas. Estas diferencias de carácter social deben ser identificadas en los estudios de vulnerabilidad y consideradas en la definición de medidas de adaptación.

Nuevamente, se tiene que presuponer que, dentro del colectivo de las personas más vulnerables, se encuentran las personas con discapacidad. Pero considero que no tiene que haber una presunción ni ser algo implícito, sino que tiene que existir una mención expresa a ellos en las medidas de adaptación, ya que requieren un tratamiento diferenciado y especializado, tal como se ha citado anteriormente.

6. CONCLUSIÓN

De todo lo expuesto se deduce que el cambio climático es el problema ambiental más severo en la actualidad, fundamentalmente por sus efectos devastadores conocidos por todos. Cualquier efecto meteorológico extremo causa unos efectos muy perjudiciales en muchos sentidos y obviamente, si hablamos de personas con discapacidad, especialmente vulnerables, esos efectos se elevan a la enésima potencia.

La única manera de proteger a las personas con discapacidad es integrando su realidad, como sujetos de derechos, en cada una de las políticas sectoriales y, en consecuencia, en la normativa que los regula. De esa manera, se establecerán medidas adaptadas y apropiadas a esas personas.

La normativa sobre el cambio climático no es ejemplo de integración en lo que respecta a la discapacidad, tal como se ha comentado. Y en lo que respecta al Proyecto de Ley español se ha perdido una oportunidad de llevar a cabo una inclusión de la discapacidad tanto en las medidas de mitigación como en las medidas de adaptación. Si no se realiza, resulta discriminatorio y atenta al principio de igualdad, más en un ámbito donde la realidad demuestra que ante, por ejemplo, una inundación provocada por el cambio climático, una persona con una discapacidad física o intelectual va a tener muchas más dificultades en salir de su casa o en buscar un refugio que una persona sin ella. O lo que es más grave, puede que esas dificultades pongan en peligro hasta su vida. La perspectiva inclusiva e integradora en la legislación es la solución.

Capítulo 15
VULNERABILIDAD Y ACCESO A LA JUSTICIA AMBIENTAL[1]

EDUARDO SALAZAR ORTUÑO
Profesor Asociado de Derecho Administrativo
Universidad de Murcia

1. INTRODUCCIÓN

En otras ocasiones he tenido oportunidad de tratar el acceso a la justicia ambiental en un sentido más amplio si bien en esta ocasión el enfoque, siendo el de la vulnerabilidad, obliga a mi juicio a detenerse en aquellos actores sociales más cercanos al daño ambiental, los que más posibilidades tienen de ser afectados en un conflicto ambiental.

Esta perspectiva requiere de un ejercicio de aproximación a los más débiles que la doctrina jurídica puede que no esté habituada a realizar pero que cuenta con encomiables ejemplos, como el movimiento del Acceso a la Justicia liderado por Cappeletti[2] en el seno del cual se detuvo a comprobar si los esquemas procesales vigentes estaban permitiendo a los más desfavorecidos plantear en condiciones de igualdad sus pretensiones procesales frente a otros actores más poderosos como podrían ser las corporaciones mercantiles o la propia Administración.

---

[1] Este trabajo se ha realizado en el marco del Proyecto de investigación «Bioderecho ambiental y protección de la vulnerabilidad: hacia un nuevo marco jurídico» —BIO-vul— (DER 2017-85981-C2-1-R) del Ministerio de Ciencia, Innovación y Universidades (Convocatoria 2017 de Proyectos de I+D+i correspondientes al Programa estatal de Investigación, Desarrollo e Innovación orientada a los Retos de la Sociedad, en el marco del Plan Estatal de Investigación Científica y Técnica y de Innovación 2013-2016).
[2] CAPPELETTI, M. y GARTH, B. «El Acceso a la justicia. La tendencia en el movimiento mundial para hacer efectivos los derechos», Fondo de Cultura Económica, México, 1996.

372   Eduardo Salazar Ortuño

Es este aspecto del acceso a la justicia el que siempre me ha llamado la atención, el de comprobar si todos los ciudadanos tienen el mismo acceso, esto es, si las puertas de la revisión administrativa o judicial estaban abiertas de igual modo para todos los ciudadanos o si se creaban situaciones de desventaja, ocasionadas tal vez por las barreras sociales, económicas o de fondo, por las cuales un determinado colectivo renunciaba a ejercer acciones judiciales desmotivado por tales barreras.

En este capítulo pretendo desvelar algunas cuestiones recientes con respecto al tema de la vulnerabilidad y el acceso a la justicia ambiental se han producido tanto en nuestro continente europeo como en Latinoamérica, analizando situaciones y regulaciones que de forma novedosa ponen sobre la mesa la importante tarea de acerca la justicia ambiental a la ciudadanía para el funcionamiento de la democracia ambiental, la aplicación de las normas jurídicas que preservan el medio ambiente y la evitación y reparación del daño ambiental.

2. LA VULNERABILIDAD Y EL ACCESO A LA JUSTICIA AMBIENTAL EN EL ACUERDO DE ESCAZÚ

Al tratarse de un desarrollo del Principio Décimo de la Declaración de Río de Janeiro de 1992, si bien impulsado por y para los Estados de América Latina y el Caribe, resulta difícil resistirse al ejercicio de comparación y contraste entre el finalmente conocido como «Acuerdo de Escazú» de 2018 y el comúnmente conocido como «Convenio de Aarhus» suscrito en 1998 en el seno de la Unión Económica para Europa de las Naciones Unidas. No son sólo veinte años los que los separan en el tiempo sino también realidades sociales distintas y coordenadas político-económicas diferentes[3].

A pesar de la distancia sociopolítica, el trasfondo jurídico de los dos Tratados es el mismo: la promoción de la democracia ambiental a través de derechos instrumentales al derecho fundamental a vivir en

---

[3]   JENDROSKA, J. «El Acuerdo de Escazú a la luz de la experiencia del Convenio de Aarhus», en PRIEUR, M., NAPOLI, A. y SOZZO, G. (ed.), *El Acuerdo de Escazú. Hacia la democracia ambiental en América Latina y el Caribe*. Ediciones Universidad Nacional del Litoral, 2020, p. 71.

un medio ambiente sano, dispuestos en torno a tres pilares como son el acceso a la información ambiental, la participación en la toma de decisiones y el acceso a la justicia ambientales[4]. Y aunque se trate de miradas regionales diferentes y los principios inspiradores de Escazú son fruto de un mayor desarrollo del Derecho Ambiental por el paso del tiempo y la audacia de los regímenes jurídicos latinoamericanos, a mi juicio no cabe duda que analizar el Convenio de Escazú sirve para entender el contexto vigente del Convenio de Aarhus y viceversa. Y ambas operaciones pueden ayudarnos a comprender la situación actual del acceso a la justicia ambiental.

Entre las muchas diferencias entre ambos Tratados destaca, a los efectos de este artículo, la especial consideración a las personas y poblaciones en situación de vulnerabilidad que tiene el Acuerdo de Escazú. Ya en el Prefacio se indica que sus principales beneficiarios son la población de la región latinoamericana, «en particular los grupos y comunidades más vulnerables» y que «en el Acuerdo se plasma el compromiso de incluir a aquellos que tradicionalmente han sido excluidos o marginados o han estado insuficientemente representados y de dar voz a quienes no la tienen, sin dejar a nadie atrás». El Convenio de Aarhus, cuyo ámbito de aplicación se extiende sobre la Unión Europea, el Norte de América y Rusia —que no lo han suscrito—, y los Estados resultantes de la desintegración de la Unión Soviética buscaba una mejora de las condiciones democráticas, pero no se fijaba el reto de llegar a las poblaciones vulnerables o por lo menos no distinguía a éstas de entre el público en general.

La finalidad de este reconocimiento a los colectivos vulnerables, en línea con los postulados recientes de Naciones Unidas es la de «no dejar a nadie atrás», propósito fijado en la Agenda 2030 y que supone, reconociendo que la dignidad de la persona humana es fundamental y deseando cumplir los Objetivos y las metas para todas las naciones y los pueblos y para todos los sectores de la sociedad, un esfuerzo por llegar antes a los más rezagados[5]. Lo anterior sobre la

---

[4]   SALAZAR ORTUÑO, E., «Coordenadas y desarrollos internacionales del acceso a la justicia en asuntos ambientales», *Revista Aranzadi de Derecho Ambiental*, núm. 42, 2019, pp. 143-194.

[5]   Naciones Unidas, A/RES/70/1. Transformar nuestro mundo: la Agenda 2030 para el Desarrollo Sostenible. Resolución aprobada por la Asamblea General el 25 de septiembre de 2015. Epígrafe 4.

base de un nuevo enfoque: el desarrollo sostenible parte de la base de que la erradicación de la pobreza en todas sus formas y dimensiones, la lucha contra la desigualdad dentro de los países y entre ellos, la preservación del planeta, la creación de un crecimiento económico sostenido, inclusivo y sostenible, y el fomento de la inclusión social están vinculados entre sí y son interdependientes[6].

El reto de llegar a la población más vulnerable exige un gran esfuerzo de promoción, difusión, fomento y puesta en práctica por los Estados parte del Acuerdo de Escazú entre aquellos sectores de la población que por cuestiones sociales, económicas o étnicas con frecuencia están más lejos de acceder a este tipo de informaciones —derechos de acceso a la información ambiental, decisiones administrativas sobre proyectos, procesos de adopción de legislación y acceso a la justicia ambiental— y que suelen ser los sectores más afectados en los conflictos ambientales (pensemos por ejemplo en la industria extractiva o en procesos de contaminación en áreas donde la pobreza es mayor).

La forma que tiene el Acuerdo de Escazú de reconocer a los colectivos vulnerables, de acuerdo con los principios de igualdad y no discriminación arbitraria[7], es incluir una definición en su artículo segundo que indica que «por personas o grupos en situación de vulnerabilidad se entiende aquellas personas o grupos que encuentran especiales dificultades para ejercer con plenitud los derechos de acceso reconocidos en el presente Acuerdo, por las circunstancias o condiciones que se entiendan en el contexto nacional de cada Parte y de conformidad con sus obligaciones internacionales»[8]. Si bien la definición deja claro que se trata de personas o colectivos que van a enfrentarse a barreras de acceso, deja a las Partes que definan las condiciones de tales colecti-

---

[6]   Naciones Unidas, A/RES/70/1. Transformar nuestro mundo: la Agenda 2030 para el Desarrollo Sostenible. Resolución aprobada por la Asamblea General el 25 de septiembre de 2015. Epígrafe 13.

[7]   NALEGACH ROMERO, C., «Visión de Latinoamérica y el Caribe sobre democracia ambiental», en PRIEUR, M., NAPOLI, A. y SOZZO, G. (ed.), *El Acuerdo de Escazú. Hacia la democracia ambiental en América Latina y el Caribe*. Ediciones Universidad Nacional del Litoral, 2020, p. 184.

[8]   Artículo 2 letra e) del Acuerdo de Escazú.

vos de acuerdo con las obligaciones internacionales y no entra a una definición más cerrada.

Posteriormente, en las disposiciones generales, y de forma similar a lo que establece el Convenio de Aarhus, el Acuerdo de Escazú exige a las Partes que aseguren la asistencia y orientación al público de sus derechos de acceso. Esta obligación parece ir más allá que las labores de difusión y fomento del Acuerdo en cuanto a que se deberá asistir al público en el ejercicio de sus derechos. Pero más aún, exige que esta asistencia se preste especialmente «a las personas o grupos en situación de vulnerabilidad[9]».

En materia de acceso a la información ambiental también se hace énfasis en la facilitación de dicho acceso a las personas o grupos en situación de vulnerabilidad, «estableciendo procedimientos de atención desde la formulación de solicitudes hasta la entrega de la información, considerando sus condiciones y especificidades, con la finalidad de fomentar el acceso y la participación en igualdad de condiciones»[10]. Además, en las disposiciones sobre acceso a la información se incluye en tales grupos en situación de vulnerabilidad a los pueblos indígenas y grupos étnicos y se reitera la necesidad de asistencia[11], la de divulgación de la información ambiental que les afecte en formato e idioma comprensibles[12], así como la posibilidad de eximirles a tales grupos vulnerables al costo del acceso a la información ambiental[13].

En sede del segundo pilar, la participación en la toma de decisiones, el Acuerdo de Escazú establece que «las autoridades públicas realizarán esfuerzos para identificar y apoyar a personas o grupos en situación de vulnerabilidad para involucrarlos de manera activa, oportuna y efectiva en los mecanismos de participación. Para estos efectos, se considerarán los medios y formatos adecuados, a fin de eliminar las barreras a la participación»[14]. Debe ponderarse la ambición de tales disposiciones puesto que suponen involucrar de forma activa, oportuna y efectiva a colectivos que pueden ser reacios a formar parte de

---

[9]   Artículo 4.5 del Acuerdo de Escazú.
[10]   Artículo 5.3 del Acuerdo de Escazú.
[11]   Artículo 5.4 del Acuerdo de Escazú.
[12]   Artículo 6.6 del Acuerdo de Escazú.
[13]   Artículo 5.17 del Acuerdo de Escazú.
[14]   Artículo 7.14 del Acuerdo de Escazú.

una decisión y de un sistema democrático percibido como externo y que puede afectar negativamente a su comunidad. Prácticamente si se trata de convencerles que les conviene participar y fomentar de que dicha participación sea activa, es un reto considerable, máxime cuando no se identifican cuáles pueden ser las barreras a la participación.

Y ya en materia de acceso a la justicia ambiental, entre los dictados de un artículo octavo que se basa en el debido proceso[15] y que supera en ambición procesal al Convenio de Aarhus, encontramos la obligación de que «cada Parte atenderá las necesidades de las personas o grupos en situación de vulnerabilidad mediante el establecimiento de mecanismos de apoyo, incluida la asistencia técnica y jurídica gratuita, según corresponda»[16].

Además de aplaudir la sensibilidad del texto legislativo para con los más desfavorecidos, que puede extenderse a los defensores del medio ambiente que disponen de un reconocimiento en el artículo noveno, la discusión que puede plantearse es si el tratamiento de la vulnerabilidad contenido en el Acuerdo de Escazú es suficiente para que las personas y grupos más desfavorecidos puedan ejercer con éxito sus derechos de acceso. Si bien en todos los casos hay una mención a los colectivos vulnerables, e incluso hay una definición inicial, analizando las medidas concretas que se establecen y desde la experiencia en la aplicación del Convenio de Aarhus, puede afirmarse que en el Acuerdo latinoamericano se reconoce la vulnerabilidad pero no se ofrecen herramientas concretas que generen una esperanza de que las comunidades desfavorecidas van a poder enfrentarse en pie de igualdad con otros intereses en juego. Va a depender del desarrollo que las Partes realicen del Acuerdo de Escazú para encontrar propuestas o soluciones concretas para erradicar el desigual punto de partida de los colectivos vulnerables, puesto que, como en el Convenio de Aarhus, se deja a la voluntad de las partes el establecimiento de mecanismos que eliminen o disminuyan las barreras en al acceso, en este caso, a la justicia ambiental. Soluciones tales como el establecimiento de un mecanismo de asistencia jurídica gratuita o un turno de oficio ambiental

---

[15]   Para un esmerado análisis de artículo octavo del Acuerdo de Escazú, ver CAFFE-
        RATTA, N. A., «Acceso a la justicia ambiental». *LA LEY*, n° 210, 9 de noviem-
        bre de 2020. Buenos Aires.
[16]   Artículo 8.5 del Acuerdo de Escazú.

quedan en el aire y el establecimiento de éstos dependerá del grado de implicación de cada Estado con sus obligaciones.

3. NUEVOS RETOS DEL ACCESO A LA JUSTICIA AMBIENTAL EN ESPAÑA Y EN LA UNIÓN EUROPEA

El Convenio de Aarhus tiene una vocación de cumplimiento que le ha permitido desde su entrada en vigor en 2001 un desarrollo paulatino basado en una estructura organizativa basada en la Secretaría del Tratado con sede en Ginebra —sede a su vez de la Comisión Económica para Europa de las Naciones Unidas— y un órgano de control de cumplimiento que ha venido funcionando con éxito desde su constitución en 2002 y que ha ido formando una jurisprudencia a través de sus conclusiones y recomendaciones[17].

Fruto del acceso de diferentes actores, normalmente asociaciones ciudadanas de defensa del medio ambiente, a dicho Comité de Cumplimiento del Convenio de Aarhus, se han generado decisiones de dicho órgano que han sido elevadas posteriormente a la Conferencia de las Partes, supremo órgano del Tratado, y que han supuesto o bien condenas por incumplimiento de Estados concretos (como veremos en relación a España) o bien llamadas de atención a la propia Unión Europea, por descuidar sus obligaciones en relación con el Convenio de Aarhus. Tales condenas han supuesto una evidencia de la vulnerabilidad en el acceso a la justicia de los ciudadanos españoles y europeos.

En relación a comunicaciones presentadas en 2008 y 2009 por asociaciones de vecinos de Murcia y Almendralejo, el Comité de Cumplimiento, con la ayuda del Punto Focal del Ministerio con competencias en medio ambiente, facilitó la adopción de medidas para dar cumplimiento a la mayoría de Recomendaciones conjuntas del Comité ante los dos casos señalados, si bien quedó pendiente la reforma legal de la asistencia jurídica gratuita cuya inclusión en la Ley 27/2006, de 18 de julio, que pretendió la incorporación de las obli-

---

[17] Para un mejor conocimiento del Comité de Cumplimiento del Convenio de Aarhus y su funcionamiento, ver SALAZAR ORTUÑO, E., *El acceso a la justicia a partir del Convenio de Aarhus*, Thomson Reuters Aranzadi, Cizur Menor, 2019, p. 40.

gaciones del Convenio de Aarhus, aún generaba (y genera) dudas de aplicación. A pesar de algunos pronunciamientos de los tribunales españoles (en especial, el Auto del Tribunal Supremo de 13 de marzo de 2019), en estos momentos el Comité de Cumplimiento aún continúa exigiendo a España la reforma de la Ley de Asistencia Jurídica Gratuita, para incluir a las organizaciones de defensa ambiental. Pese a la insistencia del Comité, el Gobierno de España, recientemente, a través de su representación en el proceso de seguimiento o *follow up*, sigue utilizando excusas para retrasar la adopción de medidas legislativas que suponen mantener a nuestro Estado en una situación de incumplimiento. A día de hoy, algunas Comisiones de Justicia Gratuita aún siguen denegando el derecho de justicia gratuita a organizaciones de defensa de la naturaleza.

El mecanismo de asistencia jurídica gratuita, que permite reducir notablemente las barreras económicas del litigio ambiental, especialmente a organizaciones de defensa ambiental que no siempre cuentan con recursos suficientes para emprender acciones judiciales, sigue pues siendo objeto de discusión en el seno del Comité de Cumplimiento del Convenio de Aarhus y genera aún cierta zozobra entre aquellos que pretenden la aplicación del Derecho ambiental en los tribunales españoles. Se constituye así en un reto que debe avanzar hacia la seguridad jurídica en su exigencia ante las Comisiones de Asistencia Jurídica Gratuita.

En relación a otras barreras para el acceso a la justicia ambiental existentes en relación con la vulnerabilidad muchas de ellas se basan en la relación *David-Goliat* que se reproduce en el conflicto ambiental y judicial. Tiene que ver con la complejidad de las causas ambientales que se traduce en la dificultad probatoria, la desigualdad procesal frente a grandes corporaciones mercantiles o la Administración, la falta de profesionales especializados, la ausencia de instancias administrativas o judiciales específicas medioambientales con mayor sensibilidad ante los asuntos y mayor capacidad y dinamismo para su resolución. A fin de cuentas, obstáculos que en situaciones normales ya suponen un reto para muchos litigantes y que en situaciones de vulnerabilidad acentúan el peligro para no lograr el acceso a la justicia ambiental.

Mayor interés por su ámbito europeo supuso la denuncia ante el Comité de Cumplimiento del Convenio de Aarhus presentada por la asociación ambientalista *ClientEarth* contra la Unión Europea en 2008. El caso al que nos referimos ha supuesto toda una crítica al doble discurso de la Unión Europea, que exige por un lado a los Estados miembros que adopten medidas para que el acceso a la justicia en asuntos ambientales sea amplio y, por otro lado, mantiene cerradas las puertas de la legitimación en el Tribunal de Justicia de la Unión Europea a ciudadanos y a sus organizaciones. El Comité de Cumplimiento dictó sus recomendaciones en 2017 que excepcionalmente no fueron adoptadas por la Conferencia de las Partes en Budva (Montenegro) generando una situación duramente criticada por la doctrina, algunos Estados y las organizaciones sociales. Fruto de la comunicación interpuesta y de las citadas Recomendaciones del Comité de Cumplimiento se realizó consulta a la ciudadanía europea por parte de la Comisión Europea del 20 de diciembre de 2018 al 14 de marzo de 2019 y se encargó un Informe a una consultora.

La Comisión, conforme se comprometió en marco del Pacto Verde Europeo[18], ha propuesto el pasado 14 de octubre una revisión del Reglamento (CE) 1367/2006, relativo a la aplicación, a las instituciones y a los organismos comunitarios, de las disposiciones del Convenio de Aarhus sobre el acceso a la información, la participación del público y el acceso a la justicia en materia de medio ambiente, especialmente referidas a este último aspecto y como consecuencia de la llamada de atención del Comité de Cumplimiento del Convenio de Aarhus[19]. Esta propuesta de revisión del Reglamento ha supuesto una ampliación de los supuestos en que las asociaciones de defensa medioambiental pueden iniciar una revisión interna frente a actos de los órganos de la Unión Europea.

Al mismo tiempo, la Comisión ha emitido una Comunicación[20] que pretende la mejora del acceso a la justicia en materia de medio ambiente en la Unión Europea y sus Estados miembros, fijando la atención en estos últimos a los que dirige recomendaciones que ahondan en recordar la importancia de los tribunales nacionales para asegurar el cumplimiento del derecho europeo y la integración de

---

[18]   COM (2019) 640.
[19]   Exposición de Motivos de la Propuesta, (2020) 642 final.
[20]   (2020) 643 final.

la jurisprudencia europea sobre acceso a la justicia ambiental en la práctica judicial nacional. Esta Comunicación, que complementa a la emitida en 2017[21], sigue haciendo mención a las limitaciones en la capacidad de los ciudadanos y las asociaciones de defensa medioambiental para dirigirse a los tribunales —legitimación procesal— y en el excesivo coste del acceso a la justicia en algunos Estados miembros, remitiendo a un documento de revisión de la aplicación de la normativa ambiental europea[22].

La Unión Europea debe seguir analizando el cumplimiento de las obligaciones asumidas en el Convenio de Aarhus, tanto para sí misma como en relación a los Estados miembros, en una suerte de control amplio de todos los tribunales, tanto los nacionales como los europeos. El proceso de seguimiento de la adopción de medidas tras las recomendaciones del Comité de Cumplimiento del Convenio de Aarhus aún no ha terminado y es posible que surjan nuevos retos para la mejora del acceso a la justicia a nivel europeo derivados de la denuncia presentada por *ClientEarth*.

El panorama del acceso a la justicia ambiental tanto a nivel europeo como español dista aún mucho de ser satisfactorio y de permitir que la sociedad civil desempeñe de una forma ágil y eficaz su papel de vigilante en el ámbito democrático —en expresión utilizada por la Comisión Europea—, y más aún de que los colectivos más desfavorecidos accedan a sus derechos en una revisión administrativa o judicial ante conflictos que medioambientalmente les afecten. Sería necesaria un mayor esfuerzo de las autoridades nacionales y europeas por llegar a dichos colectivos y asistirles en el ejercicio de sus derechos, bien a través de los propios funcionarios públicos o bien a través de un sistema de turno de oficio medioambiental, que ya ha sido propuesto al Consejo General de la Abogacía Española por diversos colectivos jurídicos.

---

21   Comunicación de la Comisión relativa al acceso a la justicia en asuntos ambientales. (2017/C 275/01)
22   Revisión de la aplicación de la normativa medioambiental 2019: Una Europa que protege a sus ciudadanos y mejore su calidad de vida, COM(2019) 149.

Capítulo 16

EL IMPACTO DE LAS REGLAS DE ACCESO Y EXPLOTACIÓN DE LAS AGUAS MARINAS EN LA SOSTENIBILIDAD DE LOS ACUÍFEROS COSTEROS: UN ANÁLISIS BASADO EN EL ORDENAMIENTO JURÍDICO CHILENO

TATIANA CELUME BYRNE[1] y MÓNICA MUSALEM JARA[2]

1. INTRODUCCIÓN

Chile se extiende por la costa occidental del Cono Sur y alcanza una longitud de 4.270 km, abarcando una costa de 6.435 km. El país cuenta con 93 cuencas hidrográficas cuyas aguas superficiales y subterráneas descargan al Océano Pacífico (DGA, 2016). En el norte del país prevalecen condiciones de escasez, donde la escorrentía promedio per cápita es inferior a 500 m3 / persona / año, mientras que en el sur supera los 7.000 m3 / persona / año. Aproximadamente el 50% del área acuífera de las zonas norte y central de Chile presentan problemas de sobreexplotación[3]. En términos de calidad del agua, los valores de salinidad del agua aumentan en el norte, mientras que en el sur esos niveles son consistentemente más bajos. Esta heterogénea distribución del agua condiciona el desarrollo social, ambiental y económico del país.

[1]   Doctora en Derecho por la Universidad de Salamanca, España. Docente Investigadora de la Universidad San Sebastián, Sede Bellavista, Santiago de Chile. Este artículo se inserta dentro del marco del Proyecto Fondecyt de Iniciación N°11180644, del cual la autora es investigadora principal.
[2]   Ingeniera Civil de la Universidad de Chile y Jefa del Departamento de Conservación y Protección de Recursos Hídricos de la Dirección General de Aguas del Ministerio de Obras Públicas del Gobierno de Chile.
[3]   Observatorio Georeferenciado de Aguas, disponible en www.dga.mop.gob.cl.

Analizaremos cómo las vías restringidas de acceso al mar terminan por redundar en una explotación más intensa de los acuíferos costeros, salinizándolos, e intensificando aún más el fenómeno de la sequía.

2. FORMAS DE ACCESO AL APROVECHAMIENTO DE LAS AGUAS TERRESTRES Y MARINAS: DESEQUILIBRIO EN LOS INCENTIVOS

En la doctrina y en la jurisprudencia chilena, la forma de acceso a las aguas, territoriales y marítimas, es motivo de debate. Si bien en lo concerniente al acceso para el aprovechamiento de las aguas terrestres no hay discrepancias en cuanto a que su régimen jurídico es el de un bien nacional de uso público[4], la falta de sintonía persiste en la califi-

---

[4] Entre otros, CELUME (2013); ATRIA Y SALGADO (2016), y VERGARA (2017). Desde el punto de vista de la jurisprudencia, el Tribunal Constitucional ha seguido igual caracterización al establecer las reglas o requisitos para que opere la libertad de adquisición de los bienes. En este sentido, vid. considerandos 5° al 7° de la STC 260-97: «5° Que las aguas, de acuerdo a lo dispuesto en el artículo 5° del Código del ramo, son bienes nacionales de uso público y se otorga a los particulares el derecho de aprovechamiento de ellas, en conformidad a las disposiciones del presente Código». Por su parte, el artículo 589 del Código Civil prescribe: «Se llaman bienes nacionales aquellos cuyo dominio pertenece a la nación toda. // "Si además su uso pertenece a todos los habitantes de la nación toda, como el de calles, plazas, puentes y caminos, el mar adyacente y sus playas, se llaman bienes nacionales de uso público o bienes públicos. Los bienes nacionales cuyo uso no pertenece generalmente a los habitantes, se llaman bienes del Estado o fiscales."; // 6° Que el derecho de aprovechamiento sobre las aguas, lo define el artículo 6° del Código de Aguas como "un derecho real que recae sobre las aguas y consiste en el uso y goce de ellas, con los requisitos y en conformidad a las reglas que prescribe este Código". En su inciso segundo se agrega: "El derecho de aprovechamiento sobre las aguas es de dominio de su titular, quien podrá usar, gozar y disponer de él en conformidad a la ley". El artículo 20 del mismo texto de leyes establece que "El derecho de aprovechamiento se constituye originariamente por acto de autoridad. La posesión de los derechos así constituidos se adquiere por la competente inscripción." A su turno, el artículo 23 del mismo Código preceptúa: "La constitución del derecho de aprovechamiento se sujetará al procedimiento estatuido en el párrafo 2° del Título I, del Libro II de este Código". Por último, cabe tener presente que en el Párrafo 2° antes aludido, denominado, "De la constitución del derecho de aprovechamiento", se contienen un conjunto de preceptos relativos a dicha materia y entre los cuales se encuentran, precisamente, aquellos que, a juicio de los requirentes, constituirían limitaciones

cación jurídica del recurso «aguas marinas» y en las vías para acceder a su aprovechamiento.

Para acceder a las aguas terrestres, el Código de Aguas establece un procedimiento reglado (artículos 140 y siguientes) por medio del cual el peticionario de un derecho de aprovechamiento podrá acceder a la facultad de usar y gozar de las aguas contenidas en fuentes naturales de abastecimiento (ríos, lagos y acuíferos) o en obras estatales de desarrollo del recurso[5]. Ello, en la medida que la solicitud haya sido legalmente presentada, exista disponibilidad del recurso y no se afecten los derechos de terceros (los que tienen derecho a oponerse a las solicitudes pendientes dentro de los plazos contemplados en la ley), teniendo en consideración la interacción entre las aguas superficiales y subterráneas[6]. De esta forma, la autoridad administrativa en materia de aguas (la Dirección General de Aguas), se encuentra compelida a otorgar el derecho de aprovechamiento, por medio de resolución, cada vez que se cumplan los requisitos mencionados[7].

A la fórmula general y reglada para acceder a las aguas terrestres, cabe señalar que las disposiciones transitorias 1°, 2° y 5° del Código de Aguas contemplan procedimientos especiales de regularización para aquellas situaciones que previo a su dictación y de entrada en vigor,

---

a la adquisición del derecho de aprovechamiento; // 7° Que de las disposiciones legales recordados en los considerandos presentes, fluyen con nitidez las siguientes consecuencias atinentes el caso sub-lite: 1) las aguas, salvo las excepciones específicas contempladas en la ley, son bienes nacionales de uso público y, por ende, encuentran fuera del comercio humano, no siendo susceptibles de apropiación privada; 2) el derecho de aprovechamiento sobre las aguas es un derecho real que se constituye originariamente por un acto de autoridad, conforma al procedimiento establecido en el Código de Aguas que culmina con la resolución constitutiva del derecho, inscrito en el Registro de Aguas, del Conservador de Bienes Raíces respectivo; 3) Antes de dictarse el acto constitutivo del derecho de aguas, de reducirse este a escritura pública en inscribirse en el competente registro, el derecho de aprovechamiento no ha nacido al mundo jurídico, pues precisamente emerge, originariamente, en virtud de la mencionada resolución y su competente inscripción».

[5]   Artículo 6, inciso primero, del Código de Aguas.
[6]   Artículos 20, 22 y 141, incisos segundo y tercero, del Código de Aguas.
[7]   Vergara (2015), pp. 79-82.

quedaron en una situación irregular[8]. Como señala Rivera (2013, p. 205), lo anterior «es necesario para "ajustar" o adaptar los derechos preexistentes a las nuevas exigencias». Estas normas, que se aprobaron como transitorias en el año 1981, aún se encuentran vigentes, lo que ha permitido extender y ampliar la vía para la creación —o reconocimiento— de titularidades privativas a ejercerse sobre las aguas[9]. De esta forma, el acceso para el aprovechamiento de las aguas terrestres es laxo, simple y muy poco exigente. El solicitante, casi no encuentra trabas o dificultades para poder acceder al recurso.

Sin embargo, y en relación con la naturaleza jurídica del agua marina y su vía de aprovechamiento, el marco jurídico regulatorio constitucional y legal ha dado el paso para permitir que la doctrina y la jurisprudencia hayan adoptado dos posiciones predominantes e incompatibles entre sí.

En el marco constitucional, la regla general la encontramos en la libre apropiabilidad de todos los bienes[10]. Las excepciones a esta ga-

---

[8] En este sentido, el artículo 1° transitorio permite regularizar ante el Conservador de Bienes Raíces respectivo la cadena traslaticia de los derechos de aprovechamiento que se halle interrumpida en sus posteriores transferencias o transmisiones; el artículo 2° transitorio, permite regularizar judicialmente todos aquellos usos consuetudinarios e inmemoriales no inscritos, para inscribirlos en el Registro de Propiedad de Aguas; y el artículo 5° transitorio, faculta a la autoridad agraria (Servicio Agrícola y Ganadero) para determinar todos aquellos derechos provenientes de predios expropiados por la ex Corporación de Reforma Agraria. Además de estas tres normas, la Ley 20.017/2005, que modificó al Código de Aguas, contempla un artículo 4° transitorio por medio del cual los usuarios de aguas subterráneas, con ciertos límites de plazo y caudal, permite regularizar las extracciones que efectúan en sus pozos.

[9] En lo relativo al régimen general concesional de las aguas terrestres, el Tribunal Constitucional ha adoptado una visión restrictiva respecto del haz de facultades que otorga la figura de su concesión, excluyendo de ellas la disposición. Así lo clarifica en la sentencia de la causa Rol N°1.281-08, que fijó doctrina relativa a las características de los derechos que emanan de la concesión de aguas establecida en el Código de Aguas de 1981.

[10] El artículo 19, número 23 de la Constitución Política de la República de 1981, dispone que: La Constitución asegura a todas las personas: La libertad para adquirir el dominio de toda clase de bienes, excepto aquellos que la naturaleza ha hecho comunes a todos los hombres o que deban pertenecer a la Nación toda y la ley lo declare así. Lo anterior es sin perjuicio de lo prescrito en otros preceptos de esta Constitución.

rantía la constituyen tres categorías excepcionales: (i) aquellos bienes que la naturaleza ha hecho comunes a todos los hombres (donde sostenemos que se encuentra el recurso de las aguas marinas); (ii) aquellos bienes que, por reserva legal, deban pertenecer a la nación toda (o bienes nacionales de uso público, donde expresamente la ley ha regulado a las aguas terrestres); y (iii) los demás que la Constitución señala.

En cuanto a la extensión doctrinaria que se le ha dado los bienes nacionales de uso público, conviene señalar que dicha reserva legal, ha estado predeterminada en el artículo 589 del Código Civil, que dispone que «Se llaman bienes nacionales aquellos cuyo dominio pertenece a la nación toda. Si además su uso pertenece a todos los habitantes de la nación, como el de calles, plazas, puentes y caminos, el mar adyacente y sus playas, se llaman bienes nacionales de uso público o bienes públicos». Esta norma, en correspondencia con el artículo 595 del Código Civil, que afirma que «Todas las aguas son bienes nacionales de uso público», ha llevado a parte de la doctrina a suponer que dentro de la frase «todas las aguas» están alojadas tanto las aguas terrestres como las marinas, como pasamos a exponer.

Creemos que, a diferencia de las aguas terrestres, las aguas del mar están contenidas en la categoría de las *res omnium communis*, en sintonía con el mandato constitucional en cuanto este recurso sería inapropiable puesto que la naturaleza lo ha hecho común a todos los hombres. Sin embargo, la doctrina, se ha inclinado más bien por afirmar el carácter de bien nacional de uso público. A este respecto, Plaza (2017, p. 68), ha señalado que «el Derecho no ignora esa unidad de carácter cuando clasifica las aguas sólo conforme a su ubicación (terrestres o marítimas) y a su apariencia (a la vista u ocultas), simplemente estos criterios no afectan su naturaleza: todas son aguas y por ello comparten también una misma naturaleza jurídica: bienes cuyo uso se reconoce a cada quien y que por expresa disposición del legislador pertenecen a la nación toda». Como puede apreciarse, el autor ha hecho una categorización de las aguas siguiendo una doctrina civilista, estimando que, al disponer el Código Civil que «todas las aguas son bienes nacionales de uso público», ello naturalmente implicaría someter al mismo tratamiento jurídico a ambas clases de recurso[11]. No coincidimos con este autor, puesto que, como veremos, las aguas del mar no son bienes nacionales de uso público, puesto que desde ya su ubicación está fuera de las aguas terrestres lo que las hace huir del espacio regulatorio establecido para las aguas en la legislación especializada. Sobre las aguas marítimas o no terrestres, no se ha dispuesto ninguna reserva legal que las declare bien nacional de uso público[12].

Más allá de la categorización expresada por Plaza, ahora desde una perspectiva administrativa y procedimental, Vergara (2013, p. 629), señala que: «En consecuencia, la naturaleza de bien público o nacional de uso público de dichas aguas [las marinas] si bien no aparece declarado expresamente, sí se evidencia o se infiere a partir de la necesidad de constituir títulos administrativos para justificar su uso, siendo verdaderos derechos reales administrativos adquiridos de manera originaria través de procedimientos de la especie». En consecuencia, el autor asimila el carácter de bien nacional de uso público de ambas clases de agua por el hecho de encontrarse sometidas para su extracción a una lógica concesional. Como veremos, las concesiones marítimas no fueron creadas con el objetivo de extraer las aguas aún, cuando en la práctica, se insista en utilizar esta figura para acceder a su aprovechamiento[13].

---

[11]   En este mismo sentido, al pronunciarse sobre una consulta acerca del dominio y naturaleza jurídica del agua de mar utilizada en diversos procesos industriales, la Contraloría General de la República señaló que: «Pues bien, en ese contexto normativo [art. 19 n 23 CPR, art. 589 y 593 CC] es dable concluir que el mar territorial es un bien nacional de uso público y que no es susceptible de apropiación privada, ya que constituye una de las excepciones a la referida garantía constitucional de la libertad de adquisición del dominio de toda clase de bienes» (Dictamen N°35.441 de 2015).

[12]   El Artículo 1° del Código de Aguas dispone que: «Las aguas se dividen en marítimas y terrestres. Las disposiciones de este Código sólo se aplican a las aguas terrestres. // Son aguas pluviales las que proceden inmediatamente de las lluvias, las cuales serán marítimas o terrestres según donde se precipiten». A partir del vocablo «donde» esta norma legal deja claramente atribuido el espacio geográfico o físico en el cual se aplicarán las normas referentes a la calidad de bien nacional de uso público de las cuales.

[13]   Desde la arena política, encontramos iniciativas parlamentarias que van en el sentido de declarar expresamente por ley a las aguas de mar como un bien nacional de uso público. En este sentido, el proyecto de ley contenido en el Boletín 11.608-09, de 2018, «sobre el uso de agua de mar para desalinización», propone

De manera contraria a la postura anterior, creemos que la eventual «publificación» de las aguas marítimas debe cumplir ciertos objetivos, entre los cuales podría encontrarse la supervigilancia y control para el acceso extractivo de los recursos naturales que componen su ecosistema. Con todo, tratándose del agua de mar, la utilidad de dicha declaración es inexistente, al contrario de lo que ocurre con las aguas terrestres, en que dicho régimen público es ampliamente justificable. La situación de escasez hídrica que enfrenta el país se cohonesta con la falta de agua dulce, cuyas fuentes constituyen un bien nacional de uso público, en los términos contenidos en el Código de Aguas. Tratándose del agua de mar, la regulación del Código Civil establece que son bienes nacionales de uso público el mar adyacente y sus playas, es decir, el continente o espacio en que se éstas se ubican, pero dicha normativa no resulta aplicable a las aguas marinas.

Esta idea también ha sido desarrollada por la doctrina española. En este sentido, al realizar un análisis histórico del mar como *res communis omnium* en el derecho romano, Periñán (2018, p. 702), explica la inseparabilidad del mar como elemento clave a la hora de otorgarle dicho carácter jurídico al mar. En este sentido, señala que «Para comprender por qué se define globalmente al mar como *res communis omnium* debemos tener presente un rasgo propio del medio marino: su inseparabilidad en partes estables. [...] Todo el mar —sea cual sea su extensión y aunque ésta no se conozca— es tenido por tanto como una sola cosa, un elemento material determinado a pesar de su indefinición geográfica». Creemos que este es el sentido que debe dársele a la inapropiabilidad e incomerciabilidad del mar: su condición de recurso indivisible. Sin embargo, el carácter del mar como recurso es opuesto al de las aguas marinas en cuanto a unidades extraíbles y separables, por los hechos, del recurso mar. No cabe duda de que, al igual que el recurso «aire», es posible extraer volúmenes de oxígeno, respirarlo y almacenarlo. Algo idéntico ocurre con las aguas marinas: podemos acceder a ellas y aprovecharlas de manera directa, sin me-

---

que: «En conformidad a lo dispuesto en el Código Civil, todas las aguas son bienes nacionales de uso público y pertenecen a la nación toda, incluyendo aquellas que se encuentran en el mar adyacente al territorio nacional». Indicación contenida en el Boletín 11.608-09 se encuentra en primer trámite constitucional ante la Comisión de Recursos Hídricos, Desertificación y Sequía del Senado.

diar un título, por cuanto estarán disponibles en la naturaleza. En el mismo sentido, Jiménez (2008, p. 87) enfatiza que «[el agua marina] encaja en la figura del uso común, que es libre, pues no supone merma apreciable de la inmensa masa de agua de los océanos, y se hace sin impedir su utilización por otras personas».

La lógica de someter a las aguas marinas a la condición de bienes nacionales de uso público sólo se traducirá en el establecimiento de estándares más elevados para su acceso incidiendo, negativamente, en la protección de las aguas terrestres (dulces) de los acuíferos costeros, al fomentar el fenómeno negativo de la intrusión salina, como se analizará más adelante.

3. DE LA CONCESIÓN MARÍTIMA COMO CONDICIÓN DE ACCESO AL APROVECHAMIENTO DE LAS AGUAS MARINAS

El régimen de acceso al aprovechamiento de las aguas del mar tiene como requisito la obtención de una concesión marítima, las cuales otorgan derechos de uso y goce sobre bienes nacionales de uso público que estén bajo la supervigilancia de la Subsecretaría para las Fuerzas Armadas, cualquiera sea el fin de la actividad que se pretenda por el titular[14].

---

[14]   Este título se encuentra regulado por el numeral 12 del artículo 1 del Reglamento 9/2018 sobre Concesiones Marítimas (en adelante, el «Reglamento»), que define la concesión marítima como un «acto administrativo mediante el cual el Ministerio de Defensa Nacional o el Director, según corresponda, otorga a una persona derechos de uso y goce, sobre bienes nacionales de uso público o bienes fiscales cuyo control, fiscalización y supervigilancia corresponde al Ministerio, para el desarrollo de un determinado proyecto o actividad». Complementando la definición anterior, el Decreto con Fuerza de Ley 340 de 1960 sobre Concesiones Marítimas, (en adelante, «DFL 340»). En su artículo 2 establece que «Es facultad privativa del Ministerio de Defensa Nacional, Subsecretaría de Marina [actualmente, Subsecretaría para las Fuerzas Armadas], conceder el uso particular en cualquier forma, de las playas y terrenos de playas fiscales dentro de una faja de 80 metros de ancho medidos desde la línea de más alta marea de la costa del litoral; como asimismo la concesión de rocas, fondos de mar, porciones de agua dentro y fuera de las bahías [...]». A su vez, el artículo 3 del DFL 340, indica que las concesiones marítimas se otorgan «cualquiera que sea el uso a que se destine

La jurisprudencia administrativa ha considerado que el citado marco normativo es el que corresponde aplicar a las actividades de su uso y goce[15]. Cabe destacar que la concesión marítima se extiende, en los hechos, para solicitar la extracción de agua de mar para aprovecharla[16]. Pareciera entonces que, aunque en la práctica se considere a la concesión marítima como título para la extracción de agua de mar, no es concordante con lo que al menos su definición autoriza. Sin embargo, la doctrina y la jurisprudencia constitucional no son coincidentes en el contenido de la extensión de la concesión marítima. En doctrina, se ha estimado que su finalidad extractiva es debatible: «la amplitud finalista de la Ley de Concesiones, aplicada a las concesiones de porciones de mar, implica la legalidad del uso consuntivo de las aguas marítimas» (Plaza, 2017, p. 70).

---

la concesión y el lugar en que se encuentren ubicados los bienes.» Respecto de la duración, pueden ser otorgadas de 1 a 10 años (concesión marítima menor), o de 10 a 30 años (concesión marítima mayor).

[15]   En efecto, así se desprende del Dictamen N°35.441 de 2015 de la Contraloría General de la República, al pronunciarse acerca de una consulta acerca del dominio y naturaleza jurídica del agua de mar utilizada en diversos procesos industriales: «En un segundo orden de ideas, corresponde referirse a la posibilidad de usar las aguas marítimas en procesos industriales.[...] Consecuente con lo expuesto [artículos 1, 2 y 3 del DFL 340], es dable concluir que es el propio ordenamiento jurídico el que ha conferido a esa Secretaría de Estado [el Ministerio de Defensa Nacional] la atribución privativa de conceder el uso de las aguas marítimas, la cual ejerce a través un procedimiento reglado, con requisitos y exigencias que deben cumplir los interesados en obtener dicho beneficio».

[16]   Al respecto, consta del informe de la Biblioteca del Congreso Nacional (BCN, 2009) que se consideró que la situación se salvaría bajo la vigencia del Reglamento sobre Concesiones Marítimas del 2005. En efecto, su artículo 4 requeriría de una autorización administrativa especial en caso de buscar la extracción de materiales: «corresponderá especialmente a la Dirección el autorizar la extracción de materiales varios que se encuentren en las áreas sujetas a su fiscalización y control [...]». No obstante, dicho artículo estaba inserto dentro de un contexto que no parece ser el de autorizar la extracción de agua para una actividad industrial, pues continúa: «como asimismo, autorizar en esos lugares la instalación temporal de carpas u otras construcciones desarmables, de avisos de propaganda, de boyas y atracaderos para embarcaciones menores, de colectores de semillas, de balsas para bañistas y boyarines destinados a delimitar áreas de recreación». A mayor abundamiento, el actual reglamento, dictado en 2018, regula la extracción de materiales, pero en su párrafo 3, referido a los permisos y autorizaciones, mas no respecto de las concesiones marítimas.

Es preciso señalar que, de conformidad al citado artículo 2 del DFL 340, la concesión marítima se otorga respecto de «porciones de agua». Dicho concepto está definido en el artículo 1 del Reglamento como un «espacio de mar, río o lago, destinado a mantener cualquier elemento flotante comprendido desde la línea de más baja marea, aguas adentro, en el mar, y desde la línea de aguas mínimas en sus bajas normales, aguas adentro, en río o lagos». De dicha definición se desprende que el objeto de una concesión marítima sobre una porción de agua es más bien la mantención de un elemento flotable, lejos de abarcar la extracción de agua, y que *porción de agua* se entiende como un espacio físico más que como una cantidad de agua. Así también lo consideran Rojas y Delpiano (2016, p. 120) al sostener que, «Las aguas marítimas [...], solo se han regulado como un todo indivisible, concesionadas por el Ministerio de Defensa Nacional como porciones de aguas en la medida que permiten el emplazamiento de elementos flotantes, o lugar de depósito para aprovecharla por ejemplo en la acuicultura, careciendo de una regulación que vele por la extracción de caudales [...]».

Sin embargo, actualmente este es el marco jurídico bajo el cual se puede extraer el agua de mar con fines productivos, tales como la desalación. El procedimiento para solicitar y obtener una concesión marítima da cuenta de la solicitud de un «área» o «sector» costero[17]. Sin embargo, la modificación del Reglamento en 2018 supuso integrar un nuevo requisito al establecer en su artículo 49, letra a), v) que, «Si el objeto de la concesión contempla una cañería aductora de agua, se deberá indicar el volumen total anual que se desea extraer, expresado en metros cúbicos (m3)», autorizando indirectamente la extracción de agua de mar[18]. No cabe duda de que, esta incorporación, llena el vacío existente sobre la falta de regulación específica para la extracción de agua marina[19].

---

[17]   El procedimiento administrativo de solicitud y otorgamiento se regula en el Título V del Reglamento.

[18]   Modificado por el Decreto Supremo N° 9/2018, del Ministerio de Defensa Nacional, Subsecretaría para las Fuerzas Armadas.

[19]   Además, existen otros permisos y autorizaciones sectoriales que también son requeridos, por ejemplo, en el caso de las desaladoras. Así, en cuanto a la construcción de la planta, se debe tener en consideración que si bien el mar territorial, la playa y el terreno de playa hasta 80 metros son bienes nacionales de uso público

Como puede apreciarse, el acceso a las aguas marinas para su aprovechamiento es más complejo que el acceso, con los mismos fines, a las aguas territoriales. Además de ello, estas concesiones tienen un plazo duración y están sujetas a causales de caducidad[20]. Sin perjuicio de esta consideración, podemos señalar que el legislador pretende rigidizar aún más el acceso al aprovechamiento de las aguas marinas. En este sentido, Rojas y Delpiano (2016, pp. 120 y 123), justificando la intensificación del régimen de acceso y de aprovechamiento de las aguas marinas, sostienen que, «En efecto, a pesar que las aguas terrestres y marítimas en su fuente de extracción tienen la misma naturaleza jurídica —bien nacional de uso público—, no son tratadas de igual forma por la normativa que regula el régimen legal [...]»[21].

---

sujetos al control, fiscalización y supervigilancia del Ministerio de Defensa y la Subsecretaría para las Fuerzas Armadas, los bienes nacionales de uso público ubicados más allá de tales 80 metros, son de competencia del Ministerio de Bienes Nacionales, por lo que se deberá requerir otra concesión, tramitada en este último Ministerio, en caso de pretender construir la planta más allá de esa distancia. Además, se deberán constituir las correspondientes servidumbres para el paso de las tuberías y obtener permisos como el de edificación. Por otro lado, en cuanto a la regulación medioambiental, el titular deberá presentar una Declaración de Impacto Ambiental o bien, un Estudio de Impacto Ambiental ante el Servicio de Evaluación de Impacto Ambiental, en caso de cumplir el proyecto con alguna de las causales del artículo 10 de la Ley N° 19.300 sobre Bases Generales del Medioambiente, o del artículo 10 y del 11 a la vez, respectivamente. Dicha presentación deberá culminar con una Resolución de Calificación Ambiental de aprobación del proyecto por parte de la institución.

[20]   De conformidad a los artículos 105 a 115 del Decreto Supremo N°9/2018, del Ministerio de Defensa Nacional que sustituye el Reglamento de Concesiones Marítimas, son causales de caducidad de las concesiones, las siguientes: a) El atraso en el pago de la renta y/o tarifa correspondiente a un período anual o a dos períodos semestrales. b) La infracción grave de cualquier disposición de la Ley sobre Concesiones Marítimas o del presente reglamento.

[21]   En el proyecto denominado «Sobre el uso de agua de mar para desalinización» (Boletín 11.608-09), que se encuentra en primer trámite constitucional en la Comisión de Recursos Hídricos, Desertificación y Sequía, del Senado, se propone, entre otros, el siguiente texto: «Artículo 1°.- En conformidad a lo dispuesto en el Código Civil, todas las aguas son bienes nacionales de uso público y pertenecen a la nación toda, incluyendo aquellas que se encuentran en el mar adyacente al territorio nacional. Cualquier persona podrá solicitar una concesión marítima, en conformidad a la ley de concesión respectiva, con el propósito de extraer agua de mar, para desalinizarla e impulsarla hacia centros de distribución o consumo. La concesión que se autorice para instalar una planta desalinizadora, incluye la

No coincidimos con esta interpretación, puesto que a nuestro juicio las aguas marinas no son bienes nacionales de uso público y que es estatus diferenciado en cuanto a su régimen de acceso y de aprovechamiento, justamente, debe residir en la distinta naturaleza jurídica que existe entre las aguas terrestres y las marítimas: estas últimas están disponibles en cantidades prácticamente ilimitadas, mientras que, las primeras, constituyen hoy un recurso sobreexplotado y agotado en gran parte del territorio nacional. En este sentido, Navarro (2013, p. 109) respecto al acceso de las aguas marinas señala que «no parece necesario someterlo a título habilitante por el carácter no finito del recurso ya que su uso se hace en términos globales despreciables. A diferencia de lo que sucede con las aguas continentales en las que su escasez y carestía ha obligado a imponer un régimen jurídico habilitante más riguroso y controlado.» Claramente, el foco debiera estar puesto en la regulación más restrictiva e inhibitoria de los aprovechamientos de aguas terrestres. Sin embargo, al parecer, los intentos de regular se inclinan a hacer más dificultosos y gravosos los accesos al agua de mar. Lo anterior, sumado a los efectos del cambio climático que se ha traducido, entre otros, en el aumento del nivel del mar (IPCC, 2019).

Se ha sostenido que, establecer como régimen una concesión marítima restrictiva produciría desincentivos en una actividad que por el contrario debería incentivarse[22]. En efecto, así lo expone Embid

---

autorización para extraer agua de mar, desalinizarla, distribuirla y aprovecharla por el plazo y las cantidades que para este efecto se determine. La pérdida de salinidad producida por el ingenio humano, no provoca la desnaturalización del agua de mar y su carácter de bien nacional de uso público, pero los titulares de la concesión marítima podrán aprovechar las aguas resultantes en la cantidad y con la finalidad que fueron autorizadas, sin requerir de otra concesión. Podrán también aprovechar las aguas de descarte, en la medida que su aprovechamiento no implique intrusión salina en acuíferos o corrientes de agua natural.» Esta connotación es claramente más restrictiva que aquella determinada para el acceso a las aguas terrestres, por cuanto en estas últimas no es necesario justificar su finalidad, incluso, no es necesario —en muchos casos— siquiera indicarla. De aprobarse una norma con estas características, se crearía un incentivo para seguir aprovechando éstas últimas en lugar de las marinas. Es decir, no sólo se genera un desequilibrio entre el régimen de acceso a las aguas terrestres frente a las marinas, sino que se gravaría este último con un tributo que lo hará menos susceptible de ser solicitado y, por ende, utilizado.

[22]   España ha regulado expresamente le desalación desde su incorporación a la legislación en —el Real Decreto 1327, de 1995, sobre las instalaciones de desala-

(2005, pp. 5 y 6): «Esta regulación [la Ley 46/1999] representó un giro "liberalizador" en relación al anterior régimen jurídico representado por el Real Decreto 1327/1995 [...] y que suponía la necesaria existencia de una concesión para poder dedicarse a la actividad de desalación, [...]». En efecto, esta debiera ser la orientación que adopte la política pública chilena, evitar trabar la actividad y generar un incentivo al aprovechamiento de las aguas terrestres. Lo anterior, ya que dichas aguas no cuentan con los obstáculos administrativos que el aprovechamiento del agua marina estaría adoptando[23].

Al contrario de lo que sostiene parte de la doctrina[24], creemos que el acceso a las aguas del mar para su aprovechamiento no debiera estar reglado por medio de una concesión marítima restrictiva, por cuanto ello incentiva la solicitud de derechos de aprovechamiento de

---

ción de agua marina o salobre— incorporando a la Ley de Aguas modificaciones relativas a la actividad de la desalación tanto en 1999 como en 2005. Como señala Jiménez (2008, p. 88): «hasta la fecha, en que no está regulada la concesión o autorización alguna específicamente para la toma de agua, las concesiones demaniales se refieren únicamente a la ocupación del demanio, y no a la extracción del agua de mar, que no se limita.».

23 A modo de ejemplo, la actividad minera del cobre en el norte de Chile, que es una de las zonas más secas del mundo, está demandando extracciones de agua fresca —de origen superficial y subterráneo— de hasta 12,4 m3/segundo. A nivel nacional, las aguas oceánicas constituyen el 8% del total que utiliza la industria minera (COCHILCO, en Cuevas *et al*, 2014, p. 42). Según Cochilco 2019, durante 2018, el consumo de agua en la minería del cobre fue el siguiente: 6% agua de mar; 22% agua continental; 72% agua recirculada. En términos de evolución del consumo, la minería del cobre ha incrementado el uso de agua de mar pasando de 0.98 m3/seg en el año 2012, a 3.99 m3/seg en el año 2018. Estas cifras reflejan la necesidad regular la actividad de la desalación de manera estratégica, sin limitaciones innecesarias, como la de establecer una tarifa, o bien la obligatoriedad del ingreso de todo proyecto, sin ningún tipo de filtro, al Sistema de Evaluación de Impacto Ambiental. Lo anterior, teniendo por finalidad la de no sobrecargar la demanda de agua en los acuíferos terrestres.

24 «Así, el desalador debe realizar la actividad sin regulación específica que permita extraer del mar caudales determinados y con características predeterminadas, produciéndose así un desbalance —por densidad de la regulación—, entre los usuarios de aguas terrestres y marítimas, vulnerándose la igualdad ante la ley garantizado en el artículo 19 de la CPR, pues quien pretenda extraer agua del mar solo debe solicitar una concesión marítima ante el Ministerio de Defensa Nacional de acuerdo al artículo 2 del DFL 340 sobre Concesiones Marítimas [...]». Rojas y Delpiano (2016, p. 120).

aguas terrestres cada vez más escasas, y, en particular, sobre acuíferos costeros que actualmente se encuentran sobreexplotados. En este sentido, «Los riesgos que afectan a estas masas de agua son numerosos. La sobreexplotación de los acuíferos costeros genera fenómenos de intrusión de aguas de mar en el continente, con la correspondiente salinización de las capas freáticas» (Molina, 2016, p. 204).

4. EXISTENCIA DEL FENÓMENO DE INTRUSIÓN SALINA EN CHILE

Según Molina (2005), el equilibrio entre el agua dulce y agua salada en los acuíferos costeros es función del caudal de agua dulce vertido al mar. En un acuífero costero sin explotación, el agua dulce se vierte al mar, ya sea a través de descargas superficiales o subterráneas manteniendo estable la posición la interfaz agua dulce —agua salada y el equilibrio en el balance de sales del acuífero. Para García— Huidobro (2007), la intrusión salina puede ser definida como «el aumento de la salinidad en las aguas subterráneas que se encuentran en las zonas costeras, a consecuencia de la explotación humana.». La demanda de agua hace que el volumen de aguas subterráneas extraído en zonas costeras modifique la relación entre agua dulce y agua salada. Si se cambia el potencial de agua dulce, debe cambiar el del agua salada para que se restablezca una nueva situación de equilibrio. Si las extracciones superan a la recarga, no es posible establecer un nuevo equilibrio, y el agua de mar entra lenta, pero progresivamente hasta alcanzar las captaciones.

Actualmente, países de todo el mundo presentan problemas de salinización de sus acuíferos costeros. Según Godoy (2019), la problemática se encuentra relacionada con el incremento sostenido de la demanda de agua para consumo y uso industrial en las regiones costeras. El Atlas de Calidad de Aguas (DGA, 2020) revela la falta de información de calidad de aguas en los acuíferos costeros del país. Sin embargo, si bien no es concluyente en esta materia, es evidente el aumento en la salinidad del agua que han sufrido las cuencas del norte y centro del país.

El cambio climático puede agravar aún más el problema de la intrusión salina a través del aumento del nivel del mar y la prolongación de temporadas de sequía. El manejo efectivo de las aguas subterráneas como recurso en zonas costeras es, en consecuencia, crítico para el desarrollo sustentable.

En Chile, el marco legal vigente no contempla explícitamente una solución al problema de intrusión salina. Si bien la obligación de crear una comunidad de aguas subterráneas es uno de los resultados de la declaración por parte de la Autoridad de una Área de Restricción o una Zona de Prohibición, de conformidad a lo que disponen los artículos 63 y 65 del Código de Aguas, los territorios carecen de un plan hidrológico que evite o revierta la problemática[25].

La legislación vigente fomenta la propietarización del derecho de aprovechamiento, atendiendo a que la Constitución ampara «el derecho de los particulares sobre las aguas, reconocidos o constituidos en conformidad a la ley,» garantizandoles la propiedad sobre dicho título[26]. La ley, por su parte, constituye un ordenamiento que sólo propende a la intervención administrativa en caso de que el afectado

---

[25]   El Artículo 38° DS MOP N° 203 de 2013 especifica los deberes y atribuciones de una comunidad de aguas subterráneas. Entre otras, a) Distribuir las aguas del Sector Hidrogeológico de Aprovechamiento Común entre los comuneros a prorrata de sus derechos de aprovechamiento. b) Promover una gestión integrada y sustentable del Sector Hidrogeológico de Aprovechamiento Común. c) Instalar y operar un sistema de control de extracciones, medición de niveles, cantidad y calidad de aguas subterráneas. d) Mantener un registro de producción de cada captación ... g) Realizar estudios e implementar técnicas que permitan la recarga de la fuente subterránea. h) Regular la explotación del Sector Hidrogeológico de Aprovechamiento Común, haciendo evaluaciones en forma permanente y oportuna para prevenir efectos asociados a la sobreexplotación de sus aguas. i) Realizar estudios que justifiquen la aplicación de las medidas para reducir la explotación cuando sea necesario. En España, en cambio, el Estudio García, A. (2003) informa que, la normativa hídrica para la protección de los acuíferos costeros con problemas de intrusión salina considera la dependencia que se produce entre la sobreexplotación y la salinización de las aguas. Las medidas de control cuando se identifica la sobreexplotación o riesgo de intrusión salina en una zona determinada, conlleva a: la creación forzosa de la comunidad de usuarios y la revisión del plan hidrológico en el acuífero afectado, la limitación en los Planes Hidrológicos de las explotaciones de los acuíferos y la redistribución espacial de las captaciones; el establecimiento de reservas de agua; la revisión de las concesiones para adaptarse a los Planes Hidrológicos; entre otras.

[26]   El Artículo 19, número 24, inciso final de la Constitución Política, dispone que: La Constitución asegura a todas las personas: «El derecho de los particulares

(sea por la naturaleza, sea por terceros) se vea sometido a una situación en la que su disponibilidad se vea mermada. Excepcionalmente, y fruto de la introducción de la ley 21.064/2018, se autoriza a la administración para intervenir incluso de oficio, en el caso que, se vea afectada la sustentabilidad acuífera[27]. El resto de la normativa legal se encarga de evitar interferencias entre usuarios o entre usuarios y terceros, velando por la factibilidad del ejercicio absoluto, exclusivo y perpetuo del titular del derecho de aprovechamiento. De este modo, la ley no contempla la posibilidad de adaptar la explotación de aguas subterráneas, a través de la revisión de las concesiones, la limitación de las explotaciones o la redistribución espacial de las captaciones de agua. Sobre la posibilidad que tiene la administración para intervenir en caso de riesgos derivados de la sustentabilidad acuífera, se ha comprendido que esta se produce sólo en caso de que se compruebe su contaminación o una alteración significativa de la calidad de sus aguas[28].

---

sobre las aguas, reconocidos o constituidos en conformidad a la ley, otorgarán a sus titulares la propiedad sobre ellos».

[27] De esta forma, el artículo 62 del Código de Aguas, señala que: «Si la explotación de aguas subterráneas por algunos usuarios afectare la sustentabilidad del acuífero u ocasionare perjuicios a los otros titulares de derechos, la Dirección General de Aguas, de oficio o a petición de uno o más afectados, podrá establecer la reducción temporal del ejercicio de los derechos de aprovechamiento, a prorrata de ellos, mediante resolución fundada».

[28] El Decreto Supremo N°203, de 2013, del Ministerio de Obras Públicas, que Aprueba Reglamento Sobre Normas de Exploración y Explotación de Aguas Subterráneas (publicado en Diario Oficial 07/03/14), (en adelante, el «Reglamento»), en su literal c) del artículo 29° indica que «Para efectos de establecer la reducción temporal del ejercicio de los derechos de aprovechamiento, conforme lo dispuesto en el artículo 62 del Código de Aguas, la Dirección General de Aguas considerará que la explotación de aguas subterráneas por algunos usuarios ocasiona perjuicio a otros titulares de derechos, en los siguientes casos: c) Cuando se compruebe que la explotación está produciendo contaminación o una alteración significativa de la calidad de las aguas de un Sector Hidrogeológico de Aprovechamiento Común o de una parte de éste». En complemento, el literal f) del artículo 30° del mismo Reglamento, establece 6 causales para declarar un sector hidrogeológico de aprovechamiento común como área de restricción. A saber, «La Dirección General de Aguas deberá, mediante resolución fundada, declarar un determinado Sector Hidrogeológico de Aprovechamiento Común como área de restricción para nuevas explotaciones de aguas subterráneas, de oficio o a petición de cualquier usuario del respectivo sector, cuando ocurra al

Se concluye que, si bien el legislador considera el problema de intrusión salina como causal para decretar área de restricción o zona de prohibición de un acuífero, no contempla mecanismos reales para revertirla. Cuando una zona se declara «Sector Hidrogeológico de Aprovechamiento Común», la gestión de ella queda entregada a los mismos usuarios de la cuenca. Dichos usuarios, podrán ejercer las medidas que estimen oportunas a su situación, para efectos de atenuar los impactos de la salinidad en sus aprovechamientos privativos, pero no tienen la carga de recuperar los acuíferos en términos de calidad ni de adoptar las medidas necesarias para evitar o mitigar los efectos de la intrusión salina a nivel de cuenca. En esta misma línea, cuando se trata de limitar prudencialmente los derechos de aprovechamiento de aguas constituidos provisionalmente, el artículo 34° del Reglamento no establece causales vinculadas a la calidad de las aguas[29]. Se observa nuevamente, que la legislación chilena, basada en la propietarización del derecho de aprovechamiento de aguas, no permite una solución real al problema de la sobreexplotación ni al de la intrusión salina.

Como ejemplo de intrusión salina en Chile, conviene señalar el caso del Acuífero Los Choros, estudiado por Molina, M (2005). Este acuífero se ubica dentro de la cuenca de Quebrada Los Choros, Comuna de La Higuera, en el límite entre las regiones de Atacama y Coquimbo. La principal actividad económica de la cuenca corres-

---

menos una de las siguientes situaciones: f) Cuando antecedentes técnicos demuestren que existe riesgo de contaminación por desplazamiento de aguas contaminadas o de la interface agua dulce-salada».

[29] El Artículo 34° del Reglamento, dispone que: «La Dirección General de Aguas limitará, prudencialmente los derechos de aprovechamiento constituidos provisionalmente, en caso de constatar alguna de las siguientes causales: a) Descenso sostenido de los niveles del Sector Hidrogeológico de Aprovechamiento Común o parte de él. b) Que la explotación del derecho de aprovechamiento constituido como provisional, haya afectado la conservación y protección de otros componentes de los sistemas hidrológicos que dependen de las aguas del Sector Hidrogeológico de Aprovechamiento Común tales como vegas, bofedales, salares, sitios Ramsar, etcétera. // Por otra parte, dejará sin efecto los derechos de aprovechamiento constituidos provisionalmente, en caso de constatar la afectación a derechos de aprovechamiento definitivos ya constituidos en el Sector Hidrogeológico de Aprovechamiento Común».

ponde a la pequeña minería[30] y al riego. Las extracciones del recurso hídrico en la cuenca de la Quebrada Los Choros ocurren únicamente como explotación de aguas subterráneas mediante pozos o norias. El agua se distribuye en riego (62%), agua potable (27%), minería (11%) e industria[31]. La sobreexplotación de la zona ha dado como resultado la existencia de una creciente salinización en el sector occidental del Llano Los Choros, haciéndolas cada vez aptas en términos de su calidad.

En esta misma cuenca hidrográfica al norte de las instalaciones de la histórica Mina El Tofo, se evaluó ambientalmente un proyecto minero-portuario denominado «Dominga» (concentrado de hierro de alta ley y, como subproducto, concentrado de cobre)[32]. Dada la escasez hídrica del territorio y la confirmación de intrusión salina, el proyecto propuso utilizar agua de mar desalinizada para su operación minera y se comprometió a duplicar la disponibilidad de agua para consumo humano de la comuna de La Higuera. Además, consideró en su diseño la devolución al acuífero del agua interceptada por el rajo abierto, a través de pozos profundos de reinyección que se construirán en la zona de recarga de la quebrada de Los Choros. Atendida la falta de intervención administrativa en esta cuenca, no existe una gestión común u organizada en su explotación[33]. El abandono de la administración en esta zona ha llevado a que el fenómeno de la intrusión salina siga aumentando se extienda hacia el interior del valle.

---

30   Si bien los grandes yacimientos que alguna vez dieron alta rentabilidad económica al sector de Quebrada Choros ya no existen, aún permanecen, pero en menor escala, siendo el más importante de éstos el mineral El Tofo.

31   Informe Técnico S.I.T. N° 106. DEP-DGA (2005) Modelación Hidrogeológica en Quebrada Los Choros, Comuna La Higuera, IV Región.

32   El proyecto no recibió calificación ambiental favorable, por razones vinculadas con el puerto propuesto.

33   Actualmente, el acuífero de los Choros, según información publicada a la fecha en la página web institucional de la Dirección General de Aguas (Observatorio Georeferenciado) no ha sido declarada como área de restricción o zona de prohibición, no existe una comunidad de aguas organizada, no cuenta con un plan hidrológico, ni se ha adoptado medida alguna para revertir su situación de intrusión salina ni de escasez. Información disponible en: http://snia.dga.cl/observatorio/

5. CONCLUSIONES

Existen reglas de acceso distintas para el aprovechamiento consuntivo de las aguas terrestres y las aguas del mar. Las primeras, admiten un régimen menos obstaculizado por la administración y un sistema de acceso paralelo por medio de normas transitorias que han facilitado aún más el acceso y el aprovechamiento de las aguas terrestres. Para acceder al aprovechamiento consuntivo de las aguas de mar o marinas se debe solicitar una concesión marítima, la cual crea una titularidad limitada en el tiempo y sujeta a caducidades. El derecho de aprovechamiento que se constituye sobre las aguas terrestres es indefinido en el tiempo y no está sometido a caducidades.

A pesar de la diferencia de regímenes (estricto para acceder y aprovechar las aguas marinas y laxo para obtener un derecho de aprovechamiento sobre aguas terrestres), la doctrina ha tendido a acompañar la intención política de los parlamentarios en lo referente a «equilibrar» los regímenes de acceso a todas las aguas. De este modo, se busca declarar bien nacional de uso público a las aguas marinas y someterlas a una concesión especial para su aprovechamiento.

Este nuevo equilibrio en las normas que pretende rigidizar aún más el acceso a las aguas marinas, contribuirá a agudizar la sobreexplotación de los acuíferos terrestres costeros, por cuanto el incentivo puesto a los usuarios será el de evitar acceder al aprovechamiento de las aguas marinas, por su alto costo.

La zona centro norte del país presenta graves limitaciones de acceso al agua, tanto en cantidad como en calidad. Una restricción legislativa adicional al acceso al agua de mar se constituye como un incentivo perverso a la sustentabilidad de las cuencas y acuíferos del país. Reservar la explotación de los acuíferos costeros a las actividades que necesitan realizarse cerca del mar como la exportación marítima, la pesca, la agricultura y el turismo es imprescindible, especialmente en el norte del país. Así, la limitación de acceso al agua de mar, es contraria a la sostenibilidad del agua terrestre.

El problema de la intrusión salina puede abordarse desde varias perspectivas, especialmente, por medio de una gestión común e integrada del recurso hídrico en aquellas zonas donde la sobreexplotación del recurso tiene lugar. Sin embargo, la legislación chilena es bastante rígida y la intervención de la Administración es bastante limitada.

La redistribución del recurso hídrico sólo tiene lugar en caso de que exista un decreto de escasez y los usuarios de la cuenca no hayan alcanzado un acuerdo en la redistribución voluntaria de los usos. Por otro lado, si bien la creación de comunidades de aguas subterráneas forzosas puede dar lugar a una redistribución equitativa y sostenible de la cuenca, en la práctica el mayor desbalance lo encontramos con la configuración del derecho de aprovechamiento de aguas —derecho privativo al acceso y al aprovechamiento—, sobre el cual está asentada la propiedad privada, de manera absoluta, exclusiva y perpetua. El ordenamiento jurídico chileno no cuenta con las herramientas necesarias para otorgar a la Administración la posibilidad de restringir el ejercicio de los derechos de aprovechamiento en una cuenca que se encuentre afectada por la intrusión salina. La Administración tiene más herramientas para dar protección a la titularidad privada de dichos derechos y procurar el abastecimiento individual del derecho de manera certera y provechosa. En suma, no existen mecanismos en el ordenamiento jurídico chileno para propender a un uso colectivo y sustentable del recurso en caso de intrusión salina.

BIBLIOGRAFÍA

ATRIA, Fernando y Salgado, CONSTANZA, *La propiedad, el dominio público y el régimen del aprovechamiento de las aguas en Chile*, Thomson Reuters, Santiago, 2016.

CELUME, Tatiana, *Régimen Público de las Aguas*, Thomson Reuters, Santiago, 2013.

CUEVAS, Jacqueline y HARAL, Hal, «El agua de mar sin procesar como agua de proceso», en *El agua de mar en la minería. Fundamentos y aplicaciones*, Ril Editores, Santiago, 2014.

DGA, Atlas de Calidad de Aguas, Chile (Dirección General de Aguas)

EMBID IRUJO, Antonio, «Los Nuevos recursos de agua (reutilización y desalación de aguas) y su marco jurídico», en *Jornadas Técnicas: La integración del agua regenerada en la gestión de los recursos*, disponible en: http://ccbgi.org/jornades2005/ponencies/14_embid.pdf, 2005.

GARCÍA-HUIDOBRO, Felipe, «Modelación Numérica Preliminar del Acuífero Costero de la Quebrada Los Choros (IV Región)», Tesis para optar al Grado de Magíster en Ciencias de la Ingeniería, Mención Recursos Hídricos y Medio Ambiente. Memoria para Optar al Título de Geólogo. Disponible en: http://repositorio.uchile.cl/bitstream/handle/2250/102898/cf-garcia-huidobro_f.pdf?sequence=3&isAllowed=y, 2007.

GODOY, Joaquín, «Modelamiento y Caracterización de la Intrusión Salina en un Acuíferos Costero, Chile», Tesis para optar a título de geólogo, Universidad de Concepción, Facultad de Ciencias Químicas, 2009.

JIMÉNEZ SHAW, Concepción, «Régimen jurídico de la desalación en España. Los problemas ambientales», en *Desalación de agua con energías renovables*, Instituto Investigaciones Jurídicas, Instituto de Ingeniería, Universidad Nacional Autónoma de México, México, 2008.

MARTÍNEZ, Carlos, «Delimitación de Perímetros de Protección de Captaciones de Agua Subterránea para Abastecimiento de Poblaciones en los Acuíferos Costeros. Aspectos Legales y Metodológicos» Disponible en: Area V-13, 2003.

MOLINA JIMÉNEZ, Andrés, «La protección jurídica del estado químico de las masas de agua subterránea. Pesticidas y nitratos» en Teresa Navarro Caballero (directora), *Desafíos del Derecho de Aguas Variables jurídicas, económicas, ambientales y de Derecho comparado*, Thomson Reuters-Aranzadi, Pamplona, 550 pp, 2016.

MOLINA, María Eugenia, «Estudio de Intrusión Salina en Acuíferos Costeros: Sector Costa Quebrada Los Choros, IV Región», S.I.T. N° 109 DGA, 2005.

NAVARRO CABALLERO, María Teresa, «La utilización de los recursos hídricos no convencionales. Carencias y disonancias de un régimen jurídico inconcluso», en *Usos del Agua (Concesiones, Autorizaciones y Mercados del Agua)*, Thomson Reuters, Pamplona, 506 pp, 2013.

PLAZA REVECO, Rafael, «¿Es necesario legislar sobre el uso del agua de mar y su desalinización? El marco jurídico actual de las aguas desaladas y el análisis de los proyectos de ley en curso», *Revista de Derecho Ambiental*, Año V, N° 7, pp., disponible en: https://revistaderechoambiental.uchile.cl/index.php/RDA/article/view/46449, 2017.

PERIÑÁN, Bernardo, «El mar, ¿Res communis omnium? Dogma y realidad desde la óptica jurisprudencial», *Revista Internacional de derecho romano*. Disponible en: http://www.ridrom.uclm.es/documentos21/perinan21_pub.pdf, 2018.

RIVERA, Daniela, *Usos y derechos consuetudinarios de aguas. Su reconocimiento, subsistencia y ajustes,* Thomson Reuters, Santiago, 2013.

ROJAS CALDERÓN, Christan y DELPIANO LIRA, Cristián, «Algunas consideraciones jurídicas sobre la desalación de agua marina. Caracterizaciones y problemas iniciales», *Revista de Derecho Administrativo Económico*, N° 23, disponible en: http://redae.uc.cl/index.php/REDAE/article/view/3558, 2016.

VERGARA BLANCO, Alejandro, *Derecho de Aguas: Identidad y Transformaciones*, Ediciones Universidad Católica, Santiago, 2017.

VERGARA BLANCO, Alejandro, «Entre lo público y lo privado, ¿quién es el dueño de las aguas», en *Derecho de Aguas*, Tomo II, Editorial Jurídica de Chile, Santiago, 1998.

VERGARA BLANCO, Alejandro, «La teoría de los derechos reales administrativos en la obra de Hauriou, su lento reconocimiento y actual consagración como genus y nomen iuris», en Matilla Correa, A. / Santofimio Gamboa, J. / Santaella Quintero, H. (Coords.), *Ensayos de Derecho Público. En memoria de Maurice Hauriou*, Editorial Universidad Externado de Colombia, Bogotá, pp. 599-633, 2013.

VERGARA BLANCO, Alejandro, *Crisis institucional del agua. Descripción del modelo jurídico, crítica a la burocracia y necesidad de tribunales especiales*, Ediciones Universidad Católica, Santiago, 2015.

Otras Fuentes

BCN, *Legislación aplicable a las plantas desalinizadoras de agua*, Informe Biblioteca del Congreso Nacional, 2009.

Cámara de Diputados, Oficio de ley a Cámara Revisora. Proyecto de ley contenido en el Boletín 8.467-12, denominado «Administración del borde costero y concesiones marítimas.» Disponible en: www.senado.cl/appsenado/templates/tramitacion/index.php?boletin_ini=8467-12, 2012.

Cámara de Diputados, Discurso de la Directora General de Obras Públicas, Sra. Mariana Concha, en la discusión general del segundo trámite constitucional del proyecto de ley contenido en el Boletín N° 9862-33, que «Faculta al Estado para crear plantas desaladoras». Disponible en: www.senado.cl/appsenado/templates/tramitacion/index.php?boletin_ini=9862-33, 2015.

Dirección General de Aguas, Atlas del Agua, Chile, disponible en: http://biblioteca.digital.gob.cl/handle/123456789/1382, 2016.

Dirección General de Aguas, *Atlas de Calidad de Aguas, Chile*, 2020.

IPCC, Informe Especial sobre el Océano y la Criosfera en un Clima en Cambio, Panel Intergubernamental del Cambio Climático de la Organización de las Naciones Unidas. Disponible en: https://www.ipcc.ch/srocc/, 2019

MOP (s.f.): *Estatuto jurídico aplicable a proyectos de plantas desalinizadoras*, Ministerio de Obras Públicas. Disponible en: http://www.concesiones.cl/publicacionesyestudios/seminariosytalleres/Documents/Seminario%20Desalinizacion%20jose%20antonio%20ramirez.pdf.

Senado, Moción proyecto de ley contenido en el Boletín 10319-12, que «Modifica el decreto con fuerza de ley N° 340, sobre Concesiones Marítimas, para regular la extracción de agua de mar». Disponible en:

www.senado.cl/appsenado/templates/tramitacion/index.php?boletin_
ini=10319-12, 2015.

Senado, Segundo Informe Comisión Especial de Recurso Hídricos, Desertificación y Sequía, Proyecto de ley contenido en el Boletín 11.608-09, «Sobre el uso de agua de mar para desalinización». Disponible en: www.senado.cl/appsenado/templates/tramitacion/index.php?boletin_
ini=11608-09, 2018.

Senado, Moción proyecto de ley Boletín 13.686-08, que «Modifica la ley N° 19.300, para incluir las desaladoras en la tipología de actividades sometidas al sistema de evaluación de impacto ambiental y norma sus requisitos». Disponible en: www.senado.cl/appsenado/templates/tramitacion/index.php?boletin_ini=13686-08, 2020.

Tribunal Constitucional, *Recopilación de Jurisprudencia del Tribunal Constitucional 1981-2015 Cuadernos del Tribunal Constitucional*, N° 59, 2015.

Capítulo 17
APORTACIONES DEL DERECHO DE LA COMPETENCIA A LA LUCHA CONTRA LA VULNERABILIDAD AMBIENTAL: LAS AYUDAS ESTATALES Y BREVÍSIMA MENCIÓN DEL RESTO DE INSTRUMENTOS

DARÍO CANTERLA MUÑOZ
Letrado de la Junta de Andalucía

1. INTRODUCCIÓN. ACTUALIDAD Y RELEVANCIA DEL TEMA

Sin duda está el lector pensando que esta es la típica contribución exótica que se produce en todo Congreso que se precie, algo traído por los pelos, que nada tiene que ver con el tema. Pues se equivoca. La preocupación por el medio ambiente en general, por el desarrollo sostenible, en particular, como medio de lucha contra la vulnerabilidad, ha sido una cuestión muy estudiada en el Derecho de la Competencia[1]. Y no sólo ha sido una cuestión estudiada sino que

---

[1] A título de ejemplo hacemos referencia a los siguientes trabajos: AN-DRIYCHUK, O. (2019), The Normative Foundations of European Competition Law: Assessing the Goals of Antitrust through the Lens of Legal Philosophy, Edward Elgar. M. W. GEHRING, Competition for Sustainability: Sustainable Development Concerns in National and EC Competition Law, (2006), Review of European Community & International Environmental Law 172; CARRIER, M. (2011), «An Antitrust Framework for Climate Change», Northwestern Journal of Technology and Intellectual Property, Vol. 9/8, pp. 513-532, https://papers.ssrn.com/sol3/papers.cfm?abstract_id=1925020. S. KINGSTON, Greening EU Competition Law and Policy (Cambridge University Press, 2011); J. NOWAG, Environmental Integration in Competition and Free-Movement Laws (OUP, 2016); A. GERBRANDY, Solving a Sustainability-Deficit in EU Competition Law, (2017), World Competition 539;

G. MONTI & J. MULDER, Escaping the Clutches of EU Competition Law
Pathways to Assess Private Sustainability Initiatives, (2017) European Law
Review 635; M. P. SCHINKEL and Y. SPIEGEL, «Can collusion promote
sustainable consumption and production?» (2017) International Journal of
Industrial Organization 371; GERBRANDY, A. (2020), «The Difficulty of
Conversations About Sustainability and European Competition Law», CPI
Antitrust Chronicle, Vol. 1/2, p. 65, https://www.competitionpolicyinternatio-
nal.com/the-difficulty-of-conversations-about-sustainability-and-european-
competition-law/. E. LOOZEN, Strict competition enforcement and welfare:
A constitutional perspective based on Article 101 TFEU and sustainability,
(2019), Common Market Law Review 1265; K. COATES & D. MIDDELS-
HULTE, Getting Consumer Welfare Right: the competition law implications
of market-driven sustainability initiatives, (2019), European Competition
Journal 318; COATES, K. and D. MIDDELSCHULTE (2019), «Getting Consumer Welfare Right: the competition law implications of market-driven
sustainability initiatives», European Competition Journal, Vol. 15/2-3, pp.
318-326, http://dx.doi.org/10.1080/17441056.2019.1665940. J. NOWAG,
Competition Law's Sustainability Gap? Tools for an Examination and a Brief
Overview (November 1, 2019). Lund University Legal Research Paper Series, October 2019, available at SSRN: https://ssrn.com/abstract=3484964 or
http://dx.doi.org/10.2139/ssrn.3484964. T. FERRANDO & C. LOMBARDI,
EU Competition Law and Sustainability in Food Systems - Addressing the
Broken Links (FairTrade, 2019); S. HOLMES, Climate change, sustainability,
and competition law, (2020), Journal of Antitrust Enforcement 354; E. ZEE,
Quantifying Benefits of Sustainability Agreements under Article 101 TFEU in
terms of Human Well-Being, ILE Working Paper Series, No. 31, 2020, University of Hamburg, Institute of Law and Economics (ILE), Hamburg; M.C.
IACOVIDES & C. VRETTOS, Falling through the cracks no more? Environmental degradation and social injustice as abuses of dominance under Article
102 TFEU, available at https://law.haifa.ac.il/images/ASCOLA/Iacovides_
Vrettos.pdf. Simon Holmes. 13 April 2020. Journal of Antitrust Enforcement
https://academic.oup.com/antitrust/article/8/2/354/5819564. Sustainability
and competition law On-Topic l Concurrences N° 4-2020 l pp. 26-65 comprende cinco trabajos: GUY CANIVET, Avant-propos: Concurrence et développement durable - Un modèle en construction. EKATERINA ROUSSEVA,
Foreword. JULIAN NOWAG y ALEXANDRA TEORELL Beyond Balancing:
Sustainability and Competition Law. LUC PEEPERKORN Competition and
sustainability: What can competition policy do? MICHAEL RISTANIEMI
y MARIA WASASTJERNA Sustainability and competition: Unlocking the
potential. C. A. VOLPIN, Sustainability as a Quality Dimension of Competition: Protecting our Future (Selves) (July 2020) CPI Antitrust Chronicle,
accesible https://www.dechert.com/knowledge/publication/2020/7/antitrust-
chronicle—sustainability.html. M. DOLMANS, Sustainable Competition Policy, Competition Law & Policy Debate, Vol. 5, Issue 4 and Vol. 6, Issue 1,
March 2020.

está en línea con una preocupación nuclear de la autoridades de competencia[2] a nivel mundial, y es la de la preocupación por como se integra el «interés general» en las políticas de competencia. En efecto, la desconfianza hacia el Derecho de la competencia procede no sólo del medio ambiente[3], sino que, en general, distintas representaciones de lo que es el interés general[4] miran con desconfianza a esta rama del Derecho que consideran como un obstáculo para la realización de sus objetivos sectoriales. Es quizá esta desconfianza lo que está, en parte, en la base de un cierto olvido de esta disciplina por la doctrina más dedicada al medioambiente. Otra parte importante sin duda se encuentra en el hecho de que en esta materia existe un cierto consen-

---

[2]   Hasta tal punto que un buen sector habla de un cambio de paradigma en su aplicación. Ejemplo de esto es lo señalado por la Autoridad Catalana de la Competencia, que a nivel autonómico es una de las más activas y prolíficas, en el documento: Feedback for the public consultation on a new competition tool. Suggestion for a paradigma change. June 2020. Catalan Competition Authority. Que puede ser consultado a través de internet en la dirección http://acco. gencat.cat/web/.content/80_acco/documents/arxius/actuacions/20200707_FEE-DBACK-ONNEW-COMPETITION-TOOL-CONSULTATION-DEF.pdf.

[3]   En este sentido se pude citar el OECD (2020), Sustainability and Competition, OECD Competition Committee Discussion Paper, http://www.oecd.org/daf/competition/sustainability-and-competition-2020.pdf, p. 9: «*Occasionally, the debate is unhelpfully reduced to the question of competition vs sustainability as public policy. Such a simplified view of the debate obscures the matter leading to competition law and competition authorities being seen as obstructive and out of touch with realities. To further a constructive debate, this paper maps out the issue and identifies more and less controversial issues in the concrete application of competition law in a sustainability context*».

[4]   Mención especial merece sin duda alguna la polémica sobre la posibilidad de articular alguna política industrial por las fuertes restricciones que en este sentido se encuentran en las normas reguladoras de la competencia y sobre todo por la apertura del mercado europeo a otros mercados, cuyos gobiernos no se ven restringidos por normas tan exigentes y que les permiten adoptar medidas aquí impensables lo que obliga a reflexionar sobre las armas con la que competimos en el mercado global. En este sentido Philip LOWE. «Competition and industrial policy in Europe: how can they work together?» Oxera, October 2019 señala: «*…Globalisation and a renewed focus on industrial policy have generated calls for more flexible competition policy… There are strong arguments in favour of an active industrial policy at European and national level. Both state aid control and competition policy need to take account of the international dimension of markets, and a dynamic assessment of competitive pressures in markets is essential*».

so de que los mejores resultados se obtienen a través del mecanismo de la regulación[5]. Es por lo dicho que las aportaciones de la doctrina administrativista a la lucha contra la vulnerabilidad[6] caminan esen-

---

[5] En el texto de la convocatoria de la Comisión Europea para realizar contribuciones en relación a como el Derecho de la Competencia puede colaborar en la aplicación del «Green Deal», se señala: «La política de competencia no ocupa el primer puesto en la lucha contra el cambio climático y la protección del medio ambiente. Hay otras formas mejores y mucho más efectivas de hacerlo, como la regulación y la tributación. No obstante, la política de competencia puede complementar la regulación y la cuestión radica en cómo podría hacerlo de la manera más eficaz», accesible en https://ec.europa.eu/competition/information/green_deal/call_for_contributions_en.pdf. En este sentido señala EKATERINA ROUSSEVA (2020:31): «This is important because, in principle, a well-defined regulatory framework incentivises companies to take the necessary steps to achieve sustainability targets and can operate as a coordination tool, obviating to a great extent the need for companies to coordinate their actions themselves. This may explain why Executive Vice-President Vestager recalled that competition policy cannot replace the essential role of regulation and that it cannot be in the lead in fighting the climate change».

[6] En este sentido tenemos una gran cantidad de obras en las que este aspecto es postpuesto en el estudio ante la indudable mayor relevancia de las cuestiones regulatorias o de responsabilidad. Así ALENZA GARCÍA, J. F. El Derecho ambiental como vacuna y como vitamina: (crónica iusambientalista de la pandemia), Revista Aranzadi de derecho ambiental, N°. 46, 2020, págs. 11-19. GARCÍA LUPIOLA, A., El derecho ambiental europeo: evolución y desarrollo de los fundamentos de la legislación sobre medio ambiente, CEFLegal. Revista práctica de derecho. Comentarios y casos prácticos, N°. 146, 2013, págs. 131-172. SORO MATEO, B. Consideraciones críticas sobre el ámbito de aplicación de la Ley de responsabilidad ambiental, Revista Aragonesa de Administración Pública, N° 35, 2009, págs. 185-224. GARCÍA URETA,(coord.), Estudios de derecho ambiental europeo, LETE, 2005. GARCÍA BURGUÉS, J. Derecho europeo medioambiental: la protección del medio ambiente en la Unión Europea, Estudios de derecho judicial, N°. 134, 2007 (Ejemplar dedicado a: Derecho europeo medioambiental: La protección del medio ambiente en la Unión Europea. Aspectos críticos), pp. 9-44. CARVALHO LEAL, El Medio Ambiente como objeto de protección jurídica en el ámbito comunitario: hacia un sistema de Responsabilidad Ambiental Nuevo Derecho, Vol. 4, N° 4, pp. 11 a 27. Enero-junio de 2009. JORDANO FRAGA, J. La aplicación del Derecho ambiental de la Unión Europea en España: Perspectivas de evolución y desafíos del ius commune ambiental europeo (1), Medio Ambiente & Derecho: Revista electrónica de derecho ambiental, N°. 6, 2001. ESTEBAN BOLEA, Implicaciones económicas de la protección ambiental de la CEE: Repercusiones en España, Instituto de Estudios de Prospectiva, Madrid 1993, pp. 11-174; KISS & SHELTON, Manual of European Environmental Law, Grotius Publications Limited Cambridge, 1993; VV.AA, Protecting

cialmente por el camino de la mejora regulatoria y del mejor acceso de las pretensiones ambientales a la jurisdicción, tanto en lo que se refiere a la cesación de conductas, a la reacción contra la inactividad o la reparación del daño.

Sin embargo, dejando al margen los factores sobre los que el ser humano no tiene control, o al menos no tiene todo el control, es la actividad económica la causa principal de la vulnerabilidad, no sólo en el sentido ambiental, sino social, de la misma manera que es la principal causa de la mejora del bienestar. No podemos por tanto desconocer los mecanismos que nos ofrece esta disciplina para mejorar la lucha contra la vulnerabilidad. Aunque la Constitución y el TFUE, como veremos obligan a integrar las finalidades esenciales en todos los sectores de intervención, no podemos convertir a las Autoridades de Competencia en reguladores indirectos; carecen de legitimación, de competencia y de medios y formación para hacerlo[7]. A pesar de ello,

---

the European Environment. Enforcing EC environmental Law, (SOMSEN H., Editor), London 1996; LÓPEZ RAMÓN, Caracteres del Derecho comunitario ambiental, «R.A.P.», núm. 142, enero-abril 1997, pp. 53-74; KRÄMER, Derecho ambiental y Tratado de la Comunidad Europea, (traducción por Luciano Parejo Alfonso y Ángel Manuel Moreno Molina), Marcial Pons, Madrid 1999; JUSTE RUIZ, Derecho internacional del medio ambiente, McGraw-Hill, Madrid 1999, Capítulo IX, «La política de medio ambiente de la Comunidad Europea», pp. 427-479; LOZANO CUTANDA, Derecho ambiental administrativo, Dykinson, Madrid 2000, Capítulo III, «El Derecho ambiental de la Unión Europea», pp. 127-196.

[7]   En este sentido, la contribución de la CNMC al proceso iniciado por la Comisión europea, parece, en términos generales, ir por el buen camino cuando señala: «**La CNMC ya ha incorporado los ODS como uno de los ejes prioritarios de actuación** y pretende incorporarlos al próximo Plan Estratégico para que vertebren todas sus actuaciones, estableciendo indicadores para ello.

La política de competencia tiene su mayor valor añadido en su carácter objetivo y especializado en la eficiencia económica y el beneficio de los consumidores. No pondera intereses de diferentes grupos sociales, sino beneficios y perjuicios objetivos y, preferiblemente, medibles. Los criterios de análisis sustantivo de las decisiones de las Autoridades de competencia están sujetos a lo que marcan las leyes y a revisión por los tribunales.

La contribución de la política de competencia a los objetivos de sostenibilidad debe ser responsable y partir de sus límites y posibilidades, y no crear expectativas infundadas. Por ejemplo, es más abordable reorientar las prioridades de trabajo de las Autoridades hacia proyectos favorecedores de los ODS que modificar los criterios de análisis sustantivo de sus decisiones de competencia.

la creciente importancia de los objetivos medioambientales ha hecho que se busque, dentro de la ortodoxia, una vuelta de tuerca en las aportaciones que se pueden hacer desde esta doctrina. Aunque también hay posiciones más *hipster*[8], por utilizar una expresión muy gráfica, que desde mi punto de vista no aporta más que confusión entre las tareas de los distintos estamentos gubernamentales, debilitamiento de la preservación de la competencia y de los objetivos propios de las normas ambientales, debilitamiento de las garantías para los ciudadanos, y grave lesión al principio democrático. Este trabajo pretende, con la modestia que corresponde a una comunicación, exponer lo mucho que ha hecho en la lucha contra la vulnerabilidad el Derecho de la competencia, y el enorme salto adelante que esta materia está

La integración de los objetivos de sostenibilidad en el análisis sustantivo de las decisiones de competencia plantea cuestiones complejas de resolver, como la medición de las eficiencias o la ponderación de costes y beneficios. Existe un riesgo de que aparezcan interpretaciones divergentes entre los diferentes agentes encargados de aplicar la política de competencia. Es fundamental un papel activo de la CE mediante la elaboración de directrices (y Reglamentos de exención, en su caso), para incrementar la coherencia de la política de competencia, dar mayor certidumbre a los operadores económicos y evitar una fragmentación del mercado interior consecuencia de actuaciones divergentes de los Estados miembros.
Los objetivos de sostenibilidad no deben socavar la competencia efectiva en la UE. Debe existir un control riguroso de las ayudas estatales para evitar que las diferentes capacidades de los Estados miembros para instrumentar ayudas públicas fragmenten el mercado interior. Los objetivos de sostenibilidad no deben servir, en ningún caso, para blanquear cárteles o autorizar concentraciones exclusivamente sobre la base de eficiencias medioambientales.
Existen mecanismos para modular excepcionalmente la aplicación sustantiva de la política de competencia en ciertos ámbitos y sectores... Accesible en https://www.cnmc.es/sites/default/files/editor_contenidos/Notas%20de%20prensa/2020/Consulta%20CE%20pol%C3%ADtica%20de%20competencia%20y%20Green%20Deal.pdf.

[8]   Se trata de una expresión utilizada en relación a la decisión de autoridades de competencia sobre abusos de posición basándose exclusivamente en la infracción de normas de protección de datos al margen de la influencia que eso tuviera en el mercado, algo parecido a lo que sería pretender que sean las autoridades de competencia las que ejerzan las funciones que corresponden a las autoridades medioambientales. FERNÁNDEZ BUSTILLO, C., en «La aplicación de las normas de Competencia a los datos. Regulación "ex ante" o regulación "ex post"» en RECUERDA GIRELA, M. A. Anuario de Derecho de la Competencia 2019, Thomson Reuters, página 134: «¿Acaso nos estamos convirtiendo en unos hípster en Europa?».

dando en estos mismos días con iniciativas en varias autoridades europeas[9], en la Comisión Europea[10] con el patrocinio y aliento de la OCDE[11] que quizá suponga dar aún más instrumentos para profundizar en este camino, que creo puede ofrecer mucho rédito, siempre que seamos capaces de mantener la ortodoxia de la disciplina, sin que ello suponga marginar las preocupaciones medioambientales sino encauzarlas en las estructuras de la competencia, lo que no quepa habrá de conseguirse por otros medios.

Aquí nos ocuparemos, con telegráfica brevedad, del origen legal de la obligación de integrar la lucha contra la vulnerabilidad en las políticas de competencia, de los límites a esta integración y de los

---

[9]   Así, por ejemplo, la Autorité de la Concurrence en Francia ha señalado entre sus prioridades: «la prise en compte des exigences du développement durable et notamment de l'environnement. L'Autorité participera notamment à la réflexion commune engagée par le groupe des autorités de régulation sur la prise en compte de l'impératif écologique dans l'action des autorités de régulation. Elle s'attachera en outre à développer sa réflexion sur les liens entre droit de la concurrence et environnement, par exemple en ciblant les infractions au droit de la concurrence qui mettent par ailleurs en cause la protection de l'environnement. Accesible en https://www.autoritedelaconcurrence.fr/fr/communiques-de-presse/lautorite-de-la-concurrence-annonce-ses-priorites-pour-lannee-2020». La autoridad holandesa directamente ha sacado una guía de directrices a la que luego nos referiremos: ACM (2020), Draft guidelines «Sustainability Agreements», accesible en https://www.acm.nl/sites/default/files/documents/2020-07/sustainability-agreements%5B1%5D.pdf.

[10]   En este sentido ya nos hemos referido en notas anteriores a que se ha abierto un plazo por Comisión Europea para realizar contribuciones en relación a como el Derecho de la Competencia puede colaborar en la aplicación del «Green Deal». Además se puede señalar que con el Pacto Verde, la Comisión Europea ha establecido una estrategia para alcanzar el objetivo de la neutralización climática en 2050. El presidente Von der Leyen declaró que esta es una misión ambiciosa, que involucra mucho más que reducir las emisiones, de hecho, requiere la modernización sistémica de la economía, la sociedad y la industria. La Vicepresidente ejecutivo Vestager declaró que «all of Europe's policies —including competition policy— will have their role to play in helping to get us there». State of the Union Address by President von der Leyen at the European Parliament Plenary, 16 September 2020, State of the Union Address by President von der Leyen at the European Parliament Plenary, accesible https://ec.europa.eu/commission/presscorner/detail/en/SPEECH_20_1655.

[11]   En este sentido, a OCDE ha publicado el OECD (2020), Sustainability and Competition, OECD Competition Committee Discussion Paper, http://www.oecd.org/daf/competition/sustainability-and-competition-2020.pdf.

problemas que se derivan de superar esos límites. Examinaremos en cada uno de los campos de actuación del Derecho de la competencia como ha contribuido la disciplina al logro de esta finalidad, cuales son las nuevas orientaciones que, a nivel mundial, europeo y nacional se están adoptando en estos mismos días en los que escribo estas líneas. Terminaremos haciendo mención de un camino olvidado y formulando unas modestas conclusiones.

2. FUENTES DE LA OBLIGACIÓN DE INTEGRAR LOS OBJETIVOS MEDIOAMBIENTALES EN LA POLÍTICA DE COMPETENCIA

La preocupación por la integración de los fines medioambientales en la política de competencia dejó de ser una preocupación *hipster*, para convertirse en una preocupación puramente legal, cuando accedió a las leyes. El Derecho puede ser tan *hipster* como la sociedad que legitima las normas lo decida, y a partir de ahí procurar su aplicación estricta no puede considerarse una actuación puramente cultural, sino por el contrario una obligación legal, y la actitud que carecería de amparo normativo y que pondría en duda la legitimidad de las normas es la que pretende obviar esta incorporación, que no sabemos en que movimiento cultural encuadrar. A este respecto, es obligado hacer referencia al artículo 11 del TFUE, cuya claridad reclama una reproducción literal que acabe de raíz con la polémica: «*Las exigencias de la protección del medio ambiente deberán integrarse en la definición y en la realización de las políticas y acciones de la Unión, en particular con objeto de fomentar un desarrollo sostenible*». Si esto se conecta con el hecho de que una de las políticas de la Unión, esencial si me permite junto al logro de la libre circulación, es la política de la competencia, podríamos finalizar aquí aludiendo al clásico *in claris non fit interpretatio*. No obstante, se debe hacer referencia además al artículo 7 del mismo TFUE, que exige coherencia en las distintas políticas, también el artículo 37 de la Carta de Derechos Fundamentales de la Unión que recoge el Derecho al medio ambiente o al artículo 3 del TFUE que hace referencia en relación a los objetivos de la Unión a la mejora de la calidad del medio ambiente. A mayor abundamiento tendrán que tener en cuenta los Estados los Tratados internacionales[12], y sus propias Constituciones. En nuestro caso el reconocimiento del Derecho al Medio Ambiente se encuentra en el artículo 45 y si bien es obvio que no puede servir de base, por sí sólo, por su posición constitucional[13], para su invocación ante los Tribunales, es también evidente que su reconocimiento, el respeto y protección informa la legislación positiva, la práctica judicial y la actuación de los poderes públicos, y por tanto la actuación de las autoridades de la competencia.

Expuesta la obligación legal de introducir los aspectos medioambientales, y por tanto la lucha contra la vulnerabilidad, en la política de competencia hay que entrar en cuales son los límites que hay que tener en cuenta en esa introducción, y son, obviamente, una vez más, limites legales. El límite esencial, para la más novísima cuestión que se plantea, es curiosamente el límite que abrió el camino al control del la administración a través del recurso por «excès de pouvoir». En efecto la preservación de la competencia de cada órgano es el elemento fundamental, al que hace referencia a nivel europeo el artículo 7 TFUE, y que es base de la actuación de cualquier órgano en nuestro Derecho tal y como recoge el artículo 8 y siguientes de la Ley 40/2015. Esto es especialmente relevante en el caso del Derecho de la Competencia debido a los problemas de legitimidad democrática que tienen las au-

---

[12]   Cierto que durante mucho tiempo los de esta materia habían sido tratados como extravagancias ornamentales de burócratas pijos que salían de viaje los fines de semana con sus compañeros de otros países, y en definitiva como un feo delantal que nos traía nuestro hijo como recuerdo de su último escarceo por Europa, el cual, tras probarnos brevemente, escondíamos al fondo de algún cajón. Sin embargo los Tribunales están empezando a aplicarlos. Un ejemplo reciente es el Tribunal Supremo de los Países Bajos, que utilizó la Convención de las Naciones Unidas sobre el clima y los deberes legales del Estado holandés para proteger la vida y el bienestar en virtud de la Convención Europea para la Protección de los Derechos Humanos y las Libertades Fundamentales para determinar que los Países Bajos estaban obligados a reducir sus emisiones de gases de efecto invernadero en un 25% para finales de 2020. Sentencia de 20 de diciembre de 2019 en el caso De Staat Der Nederlanden c. Stichting Urgenda. NL: HR: 2019: 2006 (en inglés: ECLI: NL: HR: 2019: 2007)

[13]   PORRAS NADALES, A. J., Los principios rectores de la política social y económica, Manual de derecho constitucional, 2020, ISBN 978-84-309-7982-0, págs. 628-652.

toridades independientes y su complejo encaje constitucional[14], que hacen aún más relevante que se mantengan en el campo acotado y al cual se le puede encontrar ese difícil acomodo, pero fuera del cual toda actuación realizada sin competencia, no atenta sólo a la organización administrativa, sino a la propia legitimidad democrática de su actuación. En todo caso esta limitación no impide, ni mucho menos, la integración de la lucha contra la vulnerabilidad en la actuación de las Autoridades de Competencia. Lo único que se deriva de la misma es que las autoridades pueden hacer aquello a lo que se dedican, es decir, controlar las ayudas de estado, autorizar concentraciones económicas, sancionar el abuso de posición de dominio o las practicas anticoncurrenciales y promover la competencia[15]. Muy diferente de lo anterior, y de resultado lamentable tanto para los fines medioambientales como para la preservación de la competencia, es pretender que esta es un interés menor que debe sucumbir ante el primero. Esto sí que es *hipster*, si se me permite, y es una dicotomía falsa. La preservación de la concurrencia forma parte también del interés general[16].

---

[14] RUIZ PALAZUELOS, N. Regulación Económica y Estado de Derecho, Tirant lo Blanch, Valencia, 2018, pp. 173 a 236. BILBAO UBILLOS, J. M., «Las Agencias independientes: un análisis desde la perspectiva jurídico constitucional», en Anuario de la Facultad de Derecho Autónoma de Madrid, nº 3, 1999, p. 174. RALLO LOMBARTE, A. «Poderes neutrales exentos de control gubernamental: reflexiones constitucionales», en Revista de las Cortes Generales, nº 36, 1995, pp. 135-136. MAGIDE HERRERO, M., «Límites constitucionales de las Administraciones Independientes», INAP, Madrid, 2000.

[15] En relación con los principios de la competencia EKATERINA ROUSSEVA (2020:30) pone de manifiesto que no es necesario cambiar el enfoque al señalar: «*They have continuously contributed to a broad spectrum of the Union's objectives by complementing other policies and instruments. They have been doing this by fulfilling their task of ensuring open and competitive markets to the benefit of consumers. There are no obvious reasons why the pursuit of sustainability objectives might require a change in the approach. Where markets are open and competitive, prices are cost-reflective and goods allocated efficiently. Similarly, competitive markets stimulate efficient cost production and innovation. Firms have incentives to innovate to limit their costs and find efficient green solutions. Moreover, consumers' awareness that individuals can also contribute to the saving of the planet will increase and so will consumers' willingness to pay for green solutions*».

[16] En este sentido NOWAG pone de relieve como esta es la cuestión sustancial a la que nos enfrentamos: «*It is in this second form of integration, balancing, where the majority of debate takes place. The debate in this context mainly concerns*

En presencia de dos manifestaciones del interés general es necesario armonizar ambas conforme a los criterios que dan las mismas normas de competencia para ello. En definitiva la aplicación de la normas de competencia asegura por sí misma en gran parte el logro de los objetivos medioambientales. Y como los ejemplos tangibles son la mejor demostración pasemos a analizar, en lo diferentes campos de actuación del Derecho de la Competencia, cual ha sido su contribución, cuales son los nuevos desafíos y los caminos que se emprenden.

3. LAS AYUDAS PÚBLICAS

Se trata de una de los instrumentos esenciales de la política europea[17]. El control de las ayudas de Estado tiene su base en los artículos 107 y 108 del TFUE. Las ayudas suponen una gran distorsión a la competencia en el mercado en la medida en que insufla medios adicionales públicos a uno de los concurrentes que ve incrementado así su activo. La ayuda en definitiva permite que competidores menos eficaces compitan con otros más eficaces. La restricción de las ayudas y, por tanto, evitar la proliferación artificial de operadores menos eficientes

---

the questions of where such balancing should take place—in Article 101(1) or 101(3) TFEU?—and how it should be carried out—is the sustainability benefit alone sufficient, or does it need to be "translated" into economic terminology (e.g., a quality improvement)? It is, however, important to keep in mind that balancing is only needed when a conflict between sustainability and the protection of competition cannot be avoided». Y pone de manifiesto como la mejor solución y posible en muchos casos es la compatibilización entre las exigencias medioambientales y la promoción de la concurrencia al señalar: «While the debate about how to balance sustainability and competition is necessary and important, it risks narrowing the purview of the inquiry, not sufficiently exploring other available options. Options available for avoiding conflicts between sustainability and competition therefore deserve more attention, as these allow for the simultaneous achievement of sustainability and the protection of competition».

[17]   COM(2020) 253 final, de 17 de junio de 2020, LIBRO BLANCO sobre el establecimiento de condiciones equitativas en lo que respecta a las subvenciones extranjeras, p. 43, señala: «Los fondos EIE son la principal herramienta de inversión de la UE, con aproximadamente 350 000 millones EUR disponibles para el período 2014-2020 en el marco de la política de cohesión (del Fondo Europeo de Desarrollo Regional "FEDER", el Fondo de Cohesión y el Fondo Social Europeo) para apoyar la recuperación económica y la competitividad de una manera social, inclusiva y respetuosa con el medio ambiente».

redunda en beneficio del medioambiente. Ahora bien puede haber razones que pongan de manifiesto que esos competidores menos eficientes, lo son porque están utilizando, por ejemplo, determinadas tecnologías más caras y respetuosas con el medio ambiente. En ese caso se puede plantear que la consecución de la finalidad medioambiental justifica la ayuda. Es decir que el desvalor que supone la ineficiencia se justifica por la contribución a otro fin público, o más precisamente, que esa ineficiencia es sólo temporal, de modo que incluso es probable que la ayuda contribuya no sólo a proteger el medioambiente, sino en la medida en que permite producir sin agresión al mismo, produce de una manera más eficiente; lo que se puede apreciar en el mismo momento en que se da la ayuda, pues lo que está haciendo el productor que incorpora esas tecnologías es internalizar el coste real de su producto, con lo cual no está generando a la colectividad un daño que haya que reparar y que se puede también cuantificar; pero también se puede apreciar de manera prospectiva, así por ejemplo las renovables han requerido una ingente cantidad de iniciales inversiones cuya repercusión sobre el consumidor las hacían más caras. Sin embargo ya se esta revirtiendo la situación hasta el punto de que están camino de ser ya más baratas en términos puramente económicos[18], con lo que, si añadimos a ello lo que ahorran a la colectividad al evitar daños justifican, de sobrada manera, las ayudas recibidas. Por otro lado, también hay que tener en cuenta que estén diseñadas de tal modo que no sirvan de freno o desincentivación a la innovación y mejora técnica y a las ganancias de eficiencias. Es decir que no sean tan jugosas las ayudas a determinadas tecnologías como para desincentivar otras que puedan ser mejores. Pues bien lo cierto es que todas estas cuestiones han sido tenidas en cuenta[19] y aplicadas en la política europea de ayudas de Estado.

---

[18]   El Periódico de la energía titulaba hace unos días: El costo de las energías renovables será más barato que el carbón en China, Corea, Vietnam y Tailandia en 2021. Accesible en https://elperiodicodelaenergia.com/el-costo-de-las-energias-renovables-sera-mas-barato-que-el-carbon-en-china-corea-vietnam-y-tailandia-en-2021/.

[19]   La Comisión Europea en su call for contributión lo expone de la siguiente manera: • La medida de ayuda debe estar orientada a un objetivo bien definido de interés común. • La ayuda debe producir una mejora importante que el mercado no pueda conseguir por sí solo, por ejemplo, solucionar una deficiencia del mercado o dar respuesta a un problema de equidad o cohesión. • La ayuda debe

En la actualidad debemos estar a la Comunicación de la Comisión en relación a las Directrices sobre ayudas estatales en materia de protección del medio ambiente y energía 2014-2020[20], que han sido recientemente prorrogadas hasta 2021[21], a la vez que se está haciendo una revisión con el objeto de acomodarlas a las nuevas exigencias[22]. Las actuales directrices contemplan un amplío abanico de actuaciones medioambientales que pueden ser objeto de ayuda[23]. Al margen de

---

ser un instrumento político adecuado para dar respuesta al objetivo político correspondiente. • La ayuda debe tener un efecto incentivador, es decir, modificar el comportamiento de la empresa de manera que realice una actividad adicional que no llevaría a cabo sin la ayuda. • La medida de ayuda debe ser proporcionada, es decir, limitada al mínimo necesario para propiciar la inversión o actividad adicional. • Las distorsiones de la competencia y el efecto en el comercio entre los Estados miembros deben ser lo suficientemente limitados para que el balance general sea positivo. • Las decisiones e información pertinentes sobre las ayudas concedidas deben hacerse públicas (transparencia).

[20]   Comunicación de la Comisión. Directrices sobre ayudas estatales en materia de protección del medio ambiente y energía 2014-2020(2014/C200/01). Se puede acceder a elle en el siguiente enlace https://eur-lex.europa.eu/legal-content/ES/TXT/PDF/?uri=CELEX:52014XC0628(01)&from=ES.

[21]   Comunicación de la Comisión relativa a la prórroga y las modificaciones de las Directrices sobre las ayudas estatales de finalidad regional para 2014-2020, las Directrices sobre las ayudas estatales para promover las inversiones de financiación de riesgo, las Directrices sobre ayudas estatales para la protección del medio ambiente y energía 2014-2020, las Directrices sobre ayudas estatales de salvamento y de reestructuración de empresas no financieras en crisis, la Comunicación sobre los criterios para el análisis de la compatibilidad con el mercado interior de las ayudas estatales para promover la ejecución de proyectos importantes de interés común europeo, la Comunicación de la Comisión relativa al Marco sobre ayudas estatales de investigación y desarrollo e innovación y la Comunicación de la Comisión a los Estados miembros sobre la aplicación de los artículos 107 y 108 del Tratado de Funcionamiento de la Unión Europea al seguro de crédito a la exportación a corto plazo. https://eur-lex.europa.eu/legal-content/ES/TXT/PDF/?uri=CELEX:52020XC0708(01)&from=EN.

[22]   Los datos sobre esta iniciativa de la Comisión pueden consultarse en https://ec.europa.eu/info/law/better-regulation/have-your-say/initiatives/12616-Revision-of-the-Energy-and-Environmental-Aid-Guidelines-EEAG.

[23]   Conforme al artículo 1.2: «a) ayudas que vayan más allá de las normas de la Unión o que incrementen el nivel de protección medioambiental a falta de normas de la Unión (incluida la ayuda para la adquisición de nuevos vehículos de transporte); b) ayudas para la adaptación anticipada a futuras normas de la Unión; c) ayudas para estudios medioambientales; d) ayudas para el saneamiento de terrenos contaminados; e) ayudas para energía procedente de fuentes reno-

estas tenemos todas las que están vinculadas a la promoción de la inversión en investigación y desarrollo que de manera indirecta siempre inciden en producción más eficiente y limpia y, por tanto, favorece la lucha contra la vulnerabilidad. A la revisión general de estas ayudas se ha unido la información pública de la Comisión en relación a como la política de competencia puede ayudar al Green Deal, en línea con las preocupaciones mostradas por la OCDE. Pues bien desde este punto de vista se plantean algunas opciones que se acomodan en términos abstractos a los fundamentos esenciales de la política de ayudas de Estado que acabamos de exponer. Así por ejemplo se plantea la posibilidad de establecer lo que se denomina un bono verde que sería como un complemento o un plus que se podría dar en subvenciones que no están directamente relacionadas con el medio ambiente cuando el beneficiario asume determinadas obligaciones medioambientales o emplea procesos menos contaminantes. También es planteable que se limite el acceso a las ayudas a quienes utilizan procesos más contaminantes. Si que parece ofrecer más problema una propuesta como la que contiene la contribución de la Autoridad Catalana de la competencia a la llamada hecha por la Comisión[24] en el sentido de que se rebaje el nivel de control sobre la ayuda cuando esto tenga una finalidad medioambiental[25]. Esta posición no tiene amparo normativo y a nuestro modo de ver iría contra la propia finalidad medioambien-

---

vables; f) ayudas para medidas de eficiencia energética, incluida la cogeneración y las redes urbanas de calefacción y refrigeración; g) ayudas para el uso eficiente de los recursos y, en especial, para la gestión de residuos; h) ayudas para la captura, transporte y almacenamiento de CO2, incluidos elementos individuales de la cadena de captura y almacenamiento; i) ayudas en forma de reducción o exención de impuestos medioambientales; j) ayudas en forma de reducciones de la financiación para la electricidad procedente de fuentes de energía renovables; k) ayudas para infraestructuras energéticas; l) ayudas para medidas de adecuación de la producción; m) ayudas en forma de permisos negociables; n) ayudas para la relocalización de empresas».

[24] A la fecha de cierre del envío de esta comunicación y aún cuando ya está cerrado el plazo de aportaciones la Comisión no ha hecho públicas la aportaciones recibidas.

[25] En concreto en el documento ya citado anteriormente señala: «...*el hecho de que la referida ayuda se encuentre vinculada a una finalidad medioambiental, de manera tal que el control se convierta en tal caso de menor en intensidad. Consideramos que la inclusión expresa de este aspecto en la regulación sobre cómo se ejerce la política de control de ayudas de estado, podría contribuir a otorgar un*

tal, porque una rebaja del nivel de control y exigencia sólo redundaría en utilizar recursos públicos en proyectos menos eficientes, no sólo económicamente, sino medioambientalmente hablando y en definitiva constituiría un nicho de pillerías, en el mejor de los casos.

Otro potentísimo, y quizá todavía no suficientemente valorado elemento de las ayudas de estado, es la regulación de las ayudas en el extranjero. A estos efectos tenemos el Libro Blanco sobre el establecimiento de condiciones equitativas en lo que respecta a las subvenciones extranjeras. El problema[26] que se trata de abordar es el de la distorsión que para la competencia en el mercado europeo puede suponer que se hayan concedido ayudas estatales que en nuestro ámbito están prohibidas. Se trata de un campo por explorar pero ya se contempla el medio ambiente en cuanto que puede ser un motivo por el cual una ayuda extranjera no tenga porque ser objeto de medidas correctoras si con esa ayuda se contribuye a ese interés general[27]. Esto puede tener una relevancia transcendental pues por definición las ayudas públicas distorsionan la competencia, y esto puede generar en países terceros la necesidad de establecer una serie de compromisos ambientales para que sus ayudas puedan pasar este filtro o en general promover este tipo de ayudas en términos análogos a los que reco-

---

mayor grado de seguridad jurídica a las administraciones y a los propios operadores de mercado».

[26]   Señala a este respecto el Libro Blanco, en su página 6: «*Las normas de la UE sobre ayudas estatales contribuyen a preservar la igualdad de condiciones entre las empresas en el mercado interior con respecto a las subvenciones concedidas por los Estados miembros. No obstante, no existen tales normas para las subvenciones que las autoridades no pertenecientes a la UE conceden a empresas que operan en el mercado interior. Esta situación puede presentarse cuando las empresas beneficiarias son propiedad o están bajo el control de una empresa no perteneciente a la UE o un gobierno extranjero».*

[27]   El Libro Blanco en la página 20 señala: «*Una vez que se ha establecido que una subvención extranjera puede distorsionar el mercado interior y cuando haya pruebas de que la actividad económica o inversión respaldada podría tener un efecto positivo en la UE o en los intereses reconocidos por la UE en el ámbito de las políticas públicas, se debe sopesar la distorsión con respecto a ese efecto posiblemente positivo. En esta evaluación, se tendrían en cuenta los objetivos de política pública de la UE, como la creación de empleo, el logro de la neutralidad climática y la protección del medio ambiente, la transformación digital, la seguridad, el orden público, la seguridad pública y la resiliencia. Al sopesar estas consideraciones frente a la distorsión, el grado de distorsión desempeñaría un papel».*

noce la legislación comunitaria. En definitiva, creo que es patente la aportación de esta parte de la disciplina. Pasamos telegráficamente al resto de materias.

4. CONTRIBUCIONES DESDE EL CONTROL DE CONCENTRACIONES, REPRESIÓN DEL ABUSO DE POSICIÓN DE DOMINIO Y DE LA COLUSIÓN

4.1. *Control de concentraciones*

El control de la concentración a través de fusiones o adquisiciones es algo tan simple como evitar que la competencia desaparezca o se vea seriamente afectada por la desaparición de competidores y la acumulación de poder de mercado en algunos de ellos. En este sentido se plantea que se tenga en cuenta la repercusión sobre el medio ambiente bien para permitir concentraciones aún cuando tengan cierto efecto sobre la competencia, o bien que, por el contrario, se tenga en cuenta su efecto negativo para prohibirlas. Aunque hay diferencias en el régimen de control de concentraciones en los distintos países donde este control se da se puede decir que en todos ellos, entre los factores a tener en cuenta, se encuentra el bienestar del consumidor intermedio y final y el progreso técnico. La preservación del progreso técnico incluye la utilización de nuevas tecnologías más eficientes desde el punto de vista medioambiental, e incluso la preservación de la competencia como medio de lograr este progreso técnico. Razón por la cual estimo que el marco normativo es suficiente para la finalidad pretendida. Es más ya hay ejemplos de ellos. Así sucedió por ejemplo en el caso Panasonic/Sanyo[28] en que se pusieron condiciones a la fusión para que tras esta se mantuviera la competencia en relación a un tipo de baterías importantes en la transición energética y una transferencia de propiedad intelectual con respecto a las baterías de NiMH a Fujitsu.

---

[28] https://www.ftc.gov/news-events/press-releases/2009/11/ftc-order-sets-conditions-panasonics-acquisition-sanyo.

4.2. El abuso de posición dominante

Se trata, como su nombre indica, de aquellos casos en que la empresa tiene una posición en el mercado, que le permite alterar, en su beneficio, el funcionamiento del mismo. En efecto, en un mercado sano, en principio, hay distintos productores y consumidores en estrechas y complejas relaciones de modo que los consumidores pueden decidir entre una variedad de productos aquellos que satisfacen sus necesidades de la manera más eficaz. Esto hace que los productores que ofrecen productos que se adaptan más a estas necesidades, ya sea en precios, calidad, u otras variantes, puedan ganar cuota de mercado de modo que es una actuación que favorece a los consumidores la que le permite crecer. Sin embargo en determinadas ocasiones hay productores que pueden hacer crecer sus beneficios sin ofrecer mejoras en el mercado, así pueden subir precios o bajar la calidad incrementando sus ganancias. A esto se llama tener poder de mercado, aunque desde luego es algo más complejo, a nuestros efectos baste con esta aproximación. En este sentido la aportación del Derecho de la competencia ha sido la evitación de situaciones de abuso de empresas que se dedicaban a sectores relacionados con el medioambiente; las preocupaciones ambientales no pueden utilizarse como una excusa para prácticas contrarias a la ley de competencia. Así sucedió con el caso Tomra[29], o el asunto Grüne Punkt[30], el caso del Linóleo en Francia[31]. Y mucho más reciente y cercano es el caso del gas natural en España[32].

---

[29] Comisión Europea, decisión 29 de diciembre de 2006, Prokent-Tomra, STGUE 9 de septiembre. 2010, Tomra, T-155/06.
y en apelación, STJUE, 19 de abril de 2012, C-549/10. Se puede consultar en http://curia.europa.eu/juris/document/document.jsftext=&docid=121747&page Index=0&doclang=ES&mode=lst&dir=&occ=first&part=1&cid=15419518.

[30] STJUE, 16 de julio. 2009, Der Grüne Punkt, C-385/07.

[31] Autorite de la Concurrence (2017), Décision 17-D-20 que se puede consultar en la dirección: https://www.autoritedelaconcurrence.fr/fr/decision/relative-des-pratiques-mises-en-oeuvre-dans-le-secteur-des-revetements-de-sols-resilients.

[32] La nota de prensa de la CNMC al respecto señala: «*Madrid, 7 de octubre de 2020.- La CNMC está investigando una posible práctica anticompetitiva en el mercado del gas natural en España. Los días 30 de septiembre y 1 de octubre de 2020, la CNMC realizó una inspección en la sede de una empresa del sector ante la sospecha de la existencia de una presunta práctica anticompetitiva, prohibida por la Ley de Defensa de la Competencia, consistente en un abuso de la posición dominante mediante una estrategia de cierre del mercado a terceros competidores*».

Finalmente señalar que aunque cuando la Administración licita no se habla de posición de dominio, sí que se puede decir que se ha evitado a través del Derecho de la competencia que entidades públicas creasen barreras de acceso o expulsasen del mercado a empresas dedicadas al reciclaje mediante la imposición de condiciones anticompetitivas en los contratos que celebraran con ellas[33].

4.3. Prácticas colusorias

Colusión hace referencia a cualquier colaboración entre quienes deberían competir para fijar precios, controlar la producción u otras conductas que reducen la competencia o la incertidumbre de competencia. Este tipo de acuerdos se encuentran prohibidos, sin embargo, tanto la norma nacional como la europea permiten acuerdos entre competidores si se dan algunas circunstancias como que contribuyan a mejorar la producción o la distribución de los productos, o a fomentar el progreso técnico o económico, y reserven al mismo tiempo a los usuarios una participación equitativa en el beneficio resultante, y siempre que no impongan restricciones que no sean indispensables para alcanzar tales objetivos o puedan eliminar la competencia respecto de una parte sustancial de los productos de que se trate. Al evitar estos acuerdos se contribuye a la lucha contra la vulnerabilidad sin que haya contradicción entre uno y otro objetivo[34]. En base a esta normativa se han sancionado algunas conductas relacionadas con el medioambiente. Uno de los casos más conocido, y que más daño ha hecho a la credibilidad de estos acuerdos, es el del «lavado verde»: los cuatro principales grupos multinacionales en este sector de actividad, con la excusa de un programa medioambiental, ejecutaron un cartel que tenía como objetivo estabilizar las posiciones de las empresas y

---

[33]   Sentencia de 23 de mayo de 2000, Sydhavnens Sten & Grus (C-209/98, Rec. p. I-3743). Sentencia de 12 de diciembre de 2013 (Sala Quinta), asunto C-292/12, Ragn-Sells AS.

[34]   PEEPERKORN (2020:40): «In other words, by protecting competition, competition policy will indirectly support climate policy. While the contribution of competition policy may be limited, it is nonetheless important to recognise that, generally speaking, competition policy and climate policy are not in conflict».

coordinar los precios[35]. Finalmente un caso relevante a nivel mundial, por el que varias empresas automovilísticas están acusadas de ponerse de acuerdo para negar la tecnología menos contaminante a los consumidores. De momento lo que tenemos es el pliego de cargos[36]. Actualmente la discusión principal se centra en si es posible, con la normativa vigente, autorizar acuerdos colusorios entre productores cuando de ellos se deriven algunos efectos favorables para el medioambiente. Y para aclarar esta cuestión hay que referirse a los *«pollos del mañana»*.

5. BREVE E IMPRESCINDIBLE EXCURSUS SOBRE LOS *«POLLOS DEL MAÑANA»*

Aunque también se citan como antecedentes la Resolución de MasterCard[37], y la de CECED[38], la que más influencia ha tenido en esta cuestión es la de los pollos holandeses. La iniciativa *"Pollo para el mañana"* es un acuerdo de la industria del pollo holandesa para mejorar el nivel de vida del pollo de engorde comprado por los su-

---

[35]   Comisión Europea, 13 de diciembre de 2001, detergentes de consumo, caso No. 39.579. Accesible en https://eur-lex.europa.eu/legal-content/ES/TXT/PDF/?uri= CELEX:52011XC0702(01)&from=ES. Especialmente claros los parágrafos 5 y 6 de la decisión: *«La infracción se inscribe en el contexto de la aplicación de una iniciativa medioambiental como resultado de la cual se han reducido las dosis y el peso de los detergentes en polvo de gran potencia de baja espuma y de sus envases (iniciativa "AISE"). Si bien dicha iniciativa no contemplaba ni requería discusiones sobre los precios, los acuerdos sectoriales y los debates llevados a cabo con ocasión de esa iniciativa llevaron a Henkel, P&G y Unilever a adoptar prácticas anticompetitivas. (6) Las empresas Henkel, P&G y Unilever trataron de conseguir una estabilización del mercado asegurándose de que ninguna de ellas recurriese a la iniciativa medioambiental para extraer una ventaja competitiva respecto de las demás, y de que las posiciones en el mercado se mantuviesen en el nivel existente antes de la adopción de las medidas correspondientes a la citada iniciativa (en particular, la compactación de productos)».*

[36]   El pliego es accesible en https://ec.europa.eu/commission/presscorner/detail/en/ IP_19_2008. El caso se identifica como AT.40178 - Car Emissions.

[37]   Case C382/12 P, MasterCard, ECLI:EU:C:2014:2201.

[38]   Decisión de la Comisión de 24 de enero de 1999, Case IV.F.1/36.718, CECED, OJ L 187/47 de 26.7.2000.

permercados[39]. Un elemento esencial es que las industrias acordaron reemplazar completamente el pollo «normal» en los supermercados por el producto nuevo y más caro. Se trata de un acuerdo que obviamente cae bajo el campo de aplicación de la prohibición antes vista, y lo que hizo la autoridad holandesa, en la famosa decisión de 26 de enero de 2015, es plantearse si podía acogerse a las excepciones que vimos, igualmente, más arriba. En este caso se analizó el beneficio para el consumidor y en el estudio realizado se llegó a la conclusión de que este sólo estaba dispuesto a pagar una parte, aproximadamente la mitad de lo que suponía la subida. Por consiguiente, la ACM llegó a la conclusión de que los consumidores no obtendrían beneficios netos del acuerdo y que por el contrario estarían peor que antes. En consecuencia, el ACM consideró que no se cumplía el primer criterio del artículo 101, apartado 3. A pesar de ello, esto no puede entenderse en el sentido de que si ese estudio hubiera alcanzado un mayor nivel de satisfacción hubiera sido acogible la excepción, pues aún sería necesario que el daño fuera proporcional y que el acuerdo no cerrase la competencia. Al margen de la validez de una muestra tan pequeña, poco más de 1600 personas, cuestión que no procede analizar ahora, si el resultado hubiera sido que existe más gente dispuesta a pagar más por el pollo lo que ello revelaría es que no hace falta el acuerdo, que bastaría con ponerlo en el mercado, y por tanto no sería proporcional la medida. Finalmente no se olvide que el acuerdo afectaba a la totalidad de la industria incluidos los supermercados, por lo que, en mi opinión cerraba el mercado, y creaba barrera de entrada. A lo anterior añadiría yo que, sí tan imprescindible es elevar el nivel de vida del pollo, lo que procede es modificar la regulación, lo que por cierto deberá hacerse sobre la base es estudios sectoriales hechos por, o para, o con el control de la Administración, y no por las empresas que se benefician del acuerdo, o por la autoridad de competencia, que por ese camino se convertiría en cabecera de toda la Administración y arbitro en todas las materias. Parece una opción mucho más racional el regular y, a partir de ahí, a competir. Y si no es posible elevar el nivel de la regu-

---

[39]   Entre otras cosas, el nuevo estándar implicaba pollo de crecimiento más lento (con una vida útil de 45 en lugar de 40 días), menos pollos por metro cuadrado en graneros de pollo de pollo de engorde (19 en lugar de 21 pollos por metro cuadrado), horas más oscuras y diversas medidas ambientales.

lación, siempre es menos dañino para la competencia y la libertad de los consumidores dar ayudas públicas a las empresas que produzcan de una manera más ecológica, pero sin cerrar el mercado a las demás producciones legales. En ambos caso la competencia es del Gobierno no de las autoridades[40], y ya bastante discutida es su posición como para que se hagan adalides de cualquier ocurrencia organizada. En el seno de la Unión Europea al ser la autoridad de competencia la misma Comisión no se da el mismo problema de legitimidad, pero sí que persisten todos los demás. En este caso estoy seguro que hay lectores que, horrorizados, me leen mientras piensan en los pobres pollos, pero no se olviden que las empresas se aseguraban una subida del pollo que absorbía todos los gastos, y que en definitiva están encantadas de reducir el margen de incertidumbre y competencia y que son las que organizan esto con la consecuencia de cerrar el mercado a otras producciones de pollo. Yo sería partidario de que los pollos corrieran libres por las dehesas pero esa no es la cuestión. Admitir estas situaciones, poco más o menos supondría que la Autoridad de competencia tiene la capacidad de sobreponerse a cualquier regulación emanada de la Administración, o del Parlamento, y que el Derecho de la Competencia abarca la totalidad de la vida en cualquier campo porque al final todo pasa por el mercado, valiéndose para ello de una pequeña encuesta sobre la satisfacción de los consumidores, y olvidando los millones de votos que otorgan legitimidad a la norma que pretenden dejar sin aplicación. Es imprescindible que la Autoridad se mantenga en el rango que le corresponde, ellos no son un órgano representativo ni esa es la verdadera finalidad que los Tratados han

---

[40]   Sobre el particular el documento de la OCDE (2020:17) señala: «*On the one hand, there are concerns that relate to the democratic mandate of competition authorities and questions related to the administrability of competition rules and capacity of competition authorities to deal with matters that involve sustainability (Gerbrandy, 2020[19]). On the other hand, there are moral and - depending on the jurisdiction - legal requirements. These might require certain interpretations and the use of unfamiliar methodologies. Yet, these requirements would usually not go so far as to require a contra legem balancing between sustainability and competition. Instead, as the following discussion highlights, the competition laws provide sufficient space to use tools that competition authorities are familiar with. No, or only limited, methodological innovation and expansion may be needed, in particular as the concept of sustainable development implies a focus on productive and dynamic efficiency*».

dado a la política de competencia. Es tan imprescindible que tengan en cuenta los intereses medioambientales al ejercer sus funciones como que tengan presente el alcance de estas. Y desde luego no entra dentro de sus funciones el bendecir acuerdos «gremiales», cuando el «gremio» se pone por encima de la ley. En todo caso, sí habría una manera en que al menos estas decisiones podrían tener legitimidad democrática y es que la autoridad de competencia se limitase a señalar el daño para la competencia y remitiera la decisión sobre si debe quedar exento a la autoridad ordinaria, algo parecido a la tercera fase de las concentraciones. En todo caso esto alteraría profundamente la esencia del derecho de la competencia y socavaría el funcionamiento del mercado y por tanto todos los beneficios que para el medio ambiente trae el progreso técnico, y es que en el fondo de estas posiciones hay otras intenciones[41], que son las de acabar con el mercado.

Hasta ahí, todo normal, la autoridad resolvió como debía, en Derecho, pero la autoridad no debió quedar satisfecha, e hizo una serie de comentarios perfectamente prescindibles y que hacen que esta resolución sea enarbolada como símbolo de posiciones que, de momento, son, afortunadamente, extra y contra legem, y que como veremos desde mi punto de vista no tienen cabida ni siquiera en una eventual reforma. Parece que la autoridad se sentía molesta con la poca implicación de los consumidores, y que quiere que se le den instrumentos para que, al margen de las ramplonas preocupaciones de los consumidores, pueda adoptar la decisión que más convenga al medio ambiente, en general, al margen del consumidor[42], en su opinión, cla-

---

[41]   GUY CANIVET (2020:18): «*14. Il ne faut toutefois pas méconnaître que des courants de pensée et groupes écologistes et/ou sociaux de plus en plus actifs sont convaincus —et militent en ce sens— que les enjeux vitaux pour la planète, tels que le réchauffement climatique et l'aggravation explosive des inégalités sociales, condamnent les bases de l'économie de marché et même le dogme d'un développement économique infini. Ils y sont encouragés par la fondamentalisation des principes juridiques de protection des droits sociaux et environnementaux auxquels serait finalement subordonnée l'activité économique. Se dessine alors un tout autre monde!*»

[42]   LUC PIERPEERMAN, (2020:41) «*Others argue that competition law's current focus on the harm and benefits caused by an agreement or conduct in a particular market should be changed to a focus on the harm and benefits caused across markets and effectively for society at large. 4 In section V of the article, I explain that such a change in focus would effectively mean changing the goal of compe-*

ro está. En este sentido se señaló que si la cooperación entre empresas es la única manera en que se puede lograr una producción sostenible, pero esto no es suficientemente valorado por los consumidores, existe el riesgo de que las autoridades de competencia acaben obligando efectivamente a las empresas a competir a expensas del medio ambiente, el bienestar animal o los derechos humanos. Pues bien este razonamiento parte de una premisa que no puede darse, el acuerdo no es jamás la única manera, ni la más rápida, ni la más eficiente, para eso está la regulación, y desde luego es la menos democrática, salvo que se tenga una concepción orgánica de la democracia, y se piense que la voluntad del «gremio» puede sustituir a la voluntad popular, sobre la que por cierto hay un aire de superioridad impropio de una institución publica. La manera de acabar con eso es la regulación por las autoridades competentes. En todo caso la a ACM no le pareció suficiente y dio unas directrices que pasamos a estudiar.

6. EXPLORACIÓN DE LOS LÍMITES: DONDE TERMINA LA APLICACIÓN LEGAL Y EMPIEZA EL HIPTERISMO

Insatisfecha con su propia resolución la Autoridad Holandesa de Consumidores y Mercados elaboró un Proyecto de directrices con respecto a los denominados acuerdos de sostenibilidad celebrados entre competidores o empresas vinculadas verticalmente. La ACM es la primera autoridad de competencia en la UE que adopta una postura pública (formal) sobre este tema cuenta con el apoyo del gobierno holandés, lo que no le priva de sus problemas de legitimidad, porque una cosa es la voluntad de un gobierno concreto y otra la voluntad del legislador constitucional al señalar el papel de las instituciones, que no es algo que se comprometa por un apoyo de un gobierno a una iniciativa. La Comisión ha expresado su apoyo y la necesidad de estudiar el asunto. Las directrices holandesas parten de que sería oportuno que, entre estos factores a considerar para autorizar un acuerdo

---

tition policy from the protection of consumer welfare to the protection of total welfare, which would in practice require a balancing of different goals, in much the same way as if sustainability was made an explicit goal of (EU) competition policy».

colusorio, se incluyera también el factor medioambiental de manera tal que determinados acuerdos horizontales puedan no ser considerados prohibidos si implican un beneficio medioambiental significativo. Pues bien eso se puede hacer ya, si el beneficio llega al consumidor. Evidentemente ellos distinguen dos tipos de acuerdos que pasamos a mencionar, su adecuado estudio excedería los límites de este trabajo.

Por un lado estarían los acuerdos de sostenibilidad que no restringen la competencia y pueden caer fuera de la prohibición de acuerdos que restrinjan la competencia. Esto pretende referirse a acuerdos de sostenibilidad que solo impactan parámetros de competencia menos cruciales, que no afectan a precio o disponibilidad de los productos, y que directamente se excluyen de la prohibición. En abstracto, y sobre el fondo, esto puede no sonar mal del todo. Pero, centrándonos en nuestro país, esto no debe hacerlo la autoridad de competencia. En este sentido baste con observar lo que dice el artículo 1.5 de la Ley de Defensa de la Competencia, sobre la autorización de exención de determinadas categorías de acuerdos[43] que requiere acuerdo del Consejo de Ministros, este sí competente y autoridad legítima a estos efectos de regular, que es una competencia de la que la CNMC carece. Y por cierto que apunta ya en el sentido de cual debe ser la intervención de las autoridades de competencia en estos asuntos. En este artículo se habla de informar, y se podría decir que si la autoridad detecta una situación que le parece insatisfactoria siempre podrá comunicarlo a los competentes para que sean estos, que además gozan de la legitimidad, quienes adopten, o no, la decisión que corresponda. El otro artículo que parece cerrar en nuestro ordenamiento esta posibilidad de dar este tipo de directrices, que serían contralegem, es el 5 cuando se refiere a la posibilidad de exención de las conductas de menor importancia y que señala «*Reglamentariamente se determinarán los criterios para la delimitación de las conductas de menor importancia, atendiendo, entre otros, a la cuota de mercado*», con lo que, pareciendo una solu-

---

[43] En concreto señala: «*5. Asimismo, el Gobierno podrá declarar mediante Real Decreto la aplicación del apartado 3 del presente artículo a determinadas categorías de conductas, previo informe del Consejo de Defensa de la Competencia y de la Comisión Nacional de la Competencia*».

ción adecuada[44], una vez más se ratifica que la competencia para ello está en el Gobierno. A nivel europeo esta dicotomía no se da porque el Comisario de Competencia forma parte de la misma Comisión. En cuanto al fondo, las directrices Holandesas no plantean en abstracto mayor problema, pero no se queda en una definición abstracta sino que da ejemplos de acuerdos exentos como son: Códigos de conducta para un comportamiento de mercado consciente del medio ambiente o el clima; Acuerdos destinados a mejorar la calidad de los productos mediante los cuales ciertos los productos producidos u ofrecidos de manera sostenible ya no se venderán; Iniciativas que crean nuevos productos o mercados y que requieren una iniciativa conjunta para tener suficientes medios de producción, conocimientos técnicos o alcanzar una escala suficiente. Su estudio detallado no es posible pero en general distan mucho de ser acuerdos insignificantes, y como mínimo debería asegurarse su proporcionalidad. Por otro lado estarían los acuerdos de sostenibilidad que restringen la competencia pero generan eficiencias de sostenibilidad que superan la pérdida de competencia respecto de los cuales se exigiría (a) beneficios de sostenibilidad; (b) participación de los usuarios de los productos/servicios en una parte justa (c) la restricción de la competencia limitada a lo imprescindible; y (d) la competencia no se eliminará con respecto a una parte sustancial de los productos/servicios en cuestión. Dado que el beneficio de sostenibilidad pretende evaluarse sobre la generalidad de los afectados aún no siendo usuarios directos, y sobre los actuales y futuros la objeción vuelve a ser la misma. En realidad lo que se consigue con esto es que las empresas eludan la intervención de las legítimas autoridades medioambientales, pues lo que se evalúa no es una cuestión de mercado sino que sobrepasando la definición de este se extiende a la generalidad y no sólo a esta generación sino a las que vendrán. Pues claro que deben tenerse en cuenta estos efectos, tan claro como que eso es una cuestión medioambiental que tienen que

---

[44] NOWAG se expresa en este sentido poniendo de relieve los límites de esta solución: «The situation is similar but not identical in cases of de minimis. While changing the arrangement might not make it de minimis, it seems possible that actors could scale down the project to move the arrangement out of the scope of Article 101(1) TFEU. Yet, scaling down might not be easy and the limited availability of de minimis, in cases of "by object" restrictions further complicates the issue».

apreciar quienes tienen la capacidad científica, la competencia legal y la legitimidad democrática. De la misma manera que la competencia transversal sobre las bases de la economía no puede interpretarse en modo tal que se superponga a las competencias materiales específicas y sea el mecanismos de acabar con la distribución de competencias entre el Estado y las Autonomías, la competencia de las autoridades que se limitan al buen funcionamiento del mercado no pueden ser objeto de interpretación tan extensiva que desconozca las competencias del resto de la organización política del Estado a cuya cabeza se pondría por esta vía. Se ha dicho que esta iniciativa holandesa es progresista, por lo que se refiere a España, una iniciativa de este tipo no tiene nada de progreso, como no lo tenía que el prefecto del pueblo permitiese la ocupación del dominio público viario. Ya veremos por donde se desarrolla la iniciativa de la Comisión y como es recibida por los Tribunales. En todo caso antes de que me tachen a mí de antiprogresista les diré que en mi opinión todas las iniciativas que supongan un beneficio medioambiental deben ser respaldadas desde lo público, bien a través de una regulación más exigente, bien a través de ayudas públicas. Con ello se cubre gran parte de lo necesario, si la competencia entra en juego la cuestión debe ser analizada en términos de mercado, porque no se olvide que es la competencia en el mercado y las ayudas públicas las que traerán el hidrógeno verde y no lo habría hecho un pacto entre los competidores para señalarse el camino.

7. PROMOCIÓN DE LA COMPETENCIA Y COMPETENCIA DESLEAL

Finalmente me parece muy interesante la aportación que hace la ACCO, en el documento antes citado, en relación a la necesidad de poner en valor y objetivar las condiciones medioambientales de producción de los productos y servicios como un elemento de calidad que debe figurar en el etiquetado. Pero yo añadiría que esto no es sólo la base de que se pueda decidir por el consumidor de una manera más informada. En efecto el artículo 3 de la LDC, no es el preferido de las autoridades, pero da una importante arma que puede ser muy beneficiosa para las empresas que son medioambientalmente responsables y por tanto a la lucha contra la vulnerabilidad. Y es que si una empresa se vale de un determinado etiquetado, que no se corresponde a la realidad es posible que además de una infracción en relación al etiquetado, haya una situación de competencia desleal en los términos del artículo 15 de la Ley de competencia desleal. La gran ventaja en este caso es que si las autoridades no persiguen esta conducta las empresas pueden directamente acudir a la jurisdicción mercantil a reclamar los daños, al margen de las reclamaciones que puedan hacer los consumidores.

8. CONCLUSIONES

Es lógica y loable la preocupación de las autoridades, y encomiable el proceso de estudio que acaban de empezar, todas las preocupaciones sociales que conforman el interés público deben ser tenidas en cuenta por las autoridades públicas, pero en el margen de sus competencias. En el intento de abarcarlo todo, quedaría todo confundido. El texto actual ofrece muchas posibilidades para que las preocupaciones ambientales tengan su influencia en las decisiones de los órganos de competencia. Dicha influencia debe operar a través de la incardinación de las mejoras en el bienestar del consumidor real, no de uno potencial imaginario. Las preocupaciones por ese consumidor global, que en realidad es un ciudadano y por las generaciones futuras son apreciaciones que exceden la política de competencia y que deben ser abordadas desde la regulación para no perder todos esos beneficios que ya ha aportado el Derecho de la Competencia a esta lucha. Sin duda la competencia y las ayudas publicas están detrás de la revolución de las energías verdes, eso sí que tiene importancia. El pollo también es importante, pero si se puede solucionar con ayudas y promoción no parece que sea necesario alterar el sistema de competencia, y si no puede solucionarse así la solución estará en la regulación. Si el problema es que no se alcanza la mayoría para imponer la regulación el problema no se tiene con el Derecho de la competencia.

Capítulo 18
CORRIGIENDO LA VULNERABILIDAD AMBIENTAL EN LA CIUDAD

ANTONIO ALFONSO PÉREZ ANDRÉS
Profesor Titular de Derecho Administrativo
Universidad de Sevilla

1. INTRODUCCIÓN

Como es por todos perfectamente conocido la ciudad y en general los que denominamos usos urbanos representan una parte muy importante de la tarta de las emisiones de gases de efecto invernadero.

En efecto, los que denominamos usos residenciales y comerciales emiten entre el 12% y 13% de los gases de efecto invernadero. Además, la ciudad para su conformación o construcción determina otros muchos supuestos de generación de emisiones de este tipo de gases:

- Por ejemplo, el cambio de uso del suelo supone en sí mismo una importante causa de generación de gases de efecto invernadero (desforestaciones,etc...)
- Si además tenemos en cuenta que la concentración de actividad en las ciudades genera la mayoría de las necesidades de transporte del mundo, habría que sumar a los efectos que la ciudad genera en la tarta de emisiones de este tipo de gases al sector del transporte suponen entorno al 27% de la misma.

En base a todo lo que indirectamente o directamente supone la actividad dentro de la ciudad, la ONU estima que las ciudades consumen el 78% de la energía mundial y producen más del 60% de la emisión Gases de Efecto Invernadero. Es decir, menos del 2% de la superficie de la tierra produce más del 60% de tales emisiones. Se trata realmente de una extensión asumible para un cambio profundo y efectivo. No resulta inabarcable.

No existe justificación para que el 93% de los niños del mundo respiren a diario sólo aire contaminado, como ha declarado la Organización Mundial de la Salud, que llega a dar el dato de que en 2016 más de 600.000 niños murieron por afecciones respiratorias que tienen que ver directamente con la contaminación. Y esto empeorará en los próximos lustros dado que, si bien ahora la mitad de tales niños vive en ciudades, en 2050 este dato habrá subido al 65%, sobre todo a causa del rápido crecimiento de este porcentaje en África.

2. CORREGIR LA VULNERABILIDAD AMBIENTAL EN LA CIUDAD

Para comprender el nivel del problema al que nos estamos refiriendo, no puede ser que, a modo de ejemplo, la ciudad de Madrid sólo produjo el 31% de la energía que consumió en 2017. Y para ello podemos destacar algunas medidas que es necesario mejorar en la normativa urbanística/edificatoria, que se muestra todavía carente en gran medida de ellas.

2.1. Fomento del Transporte Descarbonizado

Este transporte descarbonizado tiene que ser necesariamente un objetivo que se recoja en todas las leyes autonómicas y estatales de Urbanismo. En la mayoría aún no aparece:

1) Exigencia legal del fomento del transporte público.
2) Establecer en el planeamiento medidas eficaces para atender especialmente el sistema del denominado transporte última milla.
3) Fomentar el transporte privado descarbonizado.

Ha de incluirse en el Planeamiento General con exigencia obligatoria para ciudades de más de 10.000 habitantes un Plan de Movilidad Urbana Sostenible. Asimismo, ha de fomentarse de manera mucho más importante y decidida la recarga eléctrica de vehículos en vía pública:

1) Con reserva obligatoria de plazas de parking.
2) En nuevas urbanizaciones y regeneraciones de la urbanización preexistente, exigir entre un 15% y 20% de plazas con recarga eléctrica y medidas de preferencia para los vehículos eléctricos.

Incluso, debería exigirse para la licencia de obra y apertura de empresas de más de 200 trabajadores y, en el caso de empresas públicas o Administraciones Públicas de más de 100 trabajadores, un Plan de transporte descarbonizado.

2.2. Fomento de la Eficiencia Energética en el planeamiento

Somos conscientes de que el procedimiento de elaboración de los planes generales se eterniza por querer hacer recaer sobre ellos todo tipo de trámites de informes y estudios sectoriales. No obstante, aún a riesgo de que se pueda criticar en ese sentido esta propuesta, consideramos que todo planeamiento general y de desarrollo debe contener un Estudio de Eficiencia Energética del instrumento de planificación. Es evitar mucho más que otros muchos que deberían relativizarse para muchos tipos de planes.

1) Para el Planeamiento General bastaría con realizar un simple Estudio de carácter estratégico.

2) Para el Planeamiento Desarrollo el estudio habría de tener un contenido muy preciso que exija análisis de:

a) Soleamiento.

b) Orientación de edificios y calles.

c) Demanda de movilidad que se va a generar (reducirla).

d) Alumbrado público eficiente.

Estas cuestiones está siendo exigidas en muchos casos por los servicios técnicos municipales en muchas grandes ciudades pero como parte de un control de la discrecionalidad del planificador en defensa del interés general. Sin embargo, debería estar expresamente previsto su contenido y alcance en las leyes urbanísticas, de tal manera que no hubiese un permanente cuestionamiento de la licitud de estas potestades públicas.

2.3. Edificación energética sostenible

Este es otro aspecto clave para introducir en las normas relativas a la edificación:

1) Ahondar en la calificación energética mínima exigible para nuevos edificios y la rehabilitación de los antiguos.

2) Exigencia de plazas de aparcamiento en los edificos con posibilidad de recarga de vehículos eléctricos. Debería exigirse la preinstalación para el 100% de las plazas.

3) Exigencia más severa que la actual sobre la climatización descarbonizada (Geotermia, etc.).

En general, se debería exigir la generación de la energía necesaria para el autoconsumo de cada edificio en un porcentaje alto que incluso pudiera irse incrementando cada década —a salvo de que exista una imposibilidad arquitectónica para ello—, fundamentalmente mediante energía renovable solar (cubiertas, fachadas, etc.).

2.4. *Actuaciones de Rehabilitación Urbana Integral*

Estas actuaciones deben estar potenciadas por los planes urbanísticos y por medidas públicas de fomento, dado que no consumen nuevo suelo. Para ello, hay que establecer medidas normativas, fundamentalmente en las ordenanzas edificatorias y de urbanización, a dos niveles:

1) Manzana o Edificio.

2) Barrio.

2.4.1. Edificios

En los edificios se ha de establecer el fomento público de la aprobación de proyectos de rehabilitación energética. El ahorro energético que se consigue generará también capacidad de financiar gran parte de tales proyectos.

2.4.2. Barrios

Se trata de potenciar un sistema eléctrico desde las normas legales y reglamentarias de aplicación que permita la denominada generación distribuida o in-situ, que se basa en el uso de energía renovable, sin necesidad de transportarla, generando además una mayor fiabilidad del suministro y una mayor calidad. Incluso, los costes de transporte y distribución bajan enormemente.

A nivel de barrio las ordenanzas deben establecer de forma obligatoria, siempre que sea posible:

a) La monitorización del consumo.

b) La restricción del vehículo privado contaminante.

c) La peatonalización.

d) Una iluminación pública eficiente.

e) Un programa de rehabilitación energética de los equipamientos públicos.

f) Fomento de zonas verdes generadoras de microclimas.

2.5. Simplificación de procedimientos para la instalación de plantas de producción de energía por fuentes renovables

Para que el acceso a las energías renovables sea generalizado, los procedimientos de instalación de plantas de producción de energía proveniente de este tipo de fuentes renovables han de optimizarse. Todavía queda mucho por avanzar en conseguir que se conjuguen los principios de seguridad jurídica y eficiencia administrativa. Parte de las claves pueden estar en dotar adecuadamente a los órganos administrativos autonómicos y municipales encargados de la tramitación de los procedimientos administrativos.

Es de destacar el Decreto Ley 15/2020 de 9 de junio de la Junta de Andalucía, que ha dado el paso definitivo para que en el suelo no urbanizable, incluso el protegido, las prohibiciones para que un uso no esté permitido tienen que estar expresamente previstas en el planeamiento general, no siendo legal que los planes sólo establezcan listas de usos permitidos. Siempre quedará luego el control ambiental del proyecto para ver si es posible instalarlo con respeto de los valores naturales protegidos. No tiene porqué generarse una inseguridad para la protección ambiental con este paso.

3. CONCLUSIÓN

La adopción de medidas legales para corregir la vulnerabilidad ambiental en la ciudad es un mundo jurídico aún por desarrollar, y que está íntimamente relacionado con la descarbonización de la ciudad y con el uso de energías limpias de forma obligada. Las leyes urbanísticas y las relativas a la actividad edificatoria son todavía poco exigentes, y hay que ir a un mayor fomento del desarrollo sostenible de la actividad constructiva y urbanística en la ciudad. No obstante, hay que ser conscientes de que ello implica una importante inversión, tanto pública como privada, y en ese sentido queremos terminar recordando el denominado **trilema energético,** que no podemos perder de vista, **ser capaces de conjugar:**

1) **Mínimo impacto ambiental.**

2) **Seguridad de suministro.**

3) **Equidad social.**

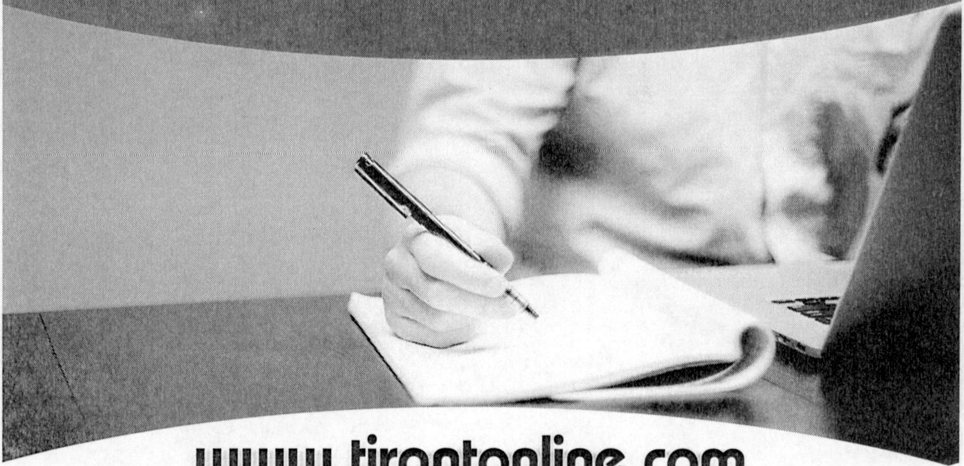